Camilla Läckberg

TYSKUNGEN

Månpocket

Denna Månpocket är utgiven enligt överenskommelse med
Bokförlaget Forum, Stockholm

Omslag av Johan Petterson
Omslagsfoto: Nina Ramsby / Folio

© Camilla Läckberg 2007
Svensk utgåva enligt avtal med Bengt Nordin Agency

Tryckt i Tyskland hos GGP Media GmbH 2008

ISBN 978-91-7001-605-9

Till
Wille och Meja

I stillheten i rummet hördes bara ljudet av flugorna. Surrandet som uppstod när deras vingar slog frenetiskt. Mannen i stolen rörde sig inte. Hade inte gjort det på ett bra tag. Han var för övrigt inte längre en man. Inte om man definierade en man som någon som levde, andades och kände. Nu var han reducerad till föda. Ett härbärge för insekter och larver.

Flugorna for i stora sjok runt den orörliga figuren. Landade ibland. Käkarna rörde sig. Sedan lyfte de igen. Surrade runt. Letade efter ett nytt ställe att slå sig ner. Prövade sig fram. Stötte mot varandra. Området runt såret i mannens huvud var av särskilt intresse. Den metalliska lukten av blod hade sedan länge försvunnit och ersatts av en annan, unknare, sötare doft.

Blodet hade stelnat. I början hade det runnit ner. Längs med bakhuvudet. Längs med stolsryggen. Ner mot golvet där det slutligen hade stillnat i en pöl. Först hade den varit röd, fylld med levande blodkroppar. Nu hade den skiftat färg till svart. Pölen kunde inte längre kännas igen som den trögflytande vätska som rinner genom en människas ådror. Nu var den bara en klibbig, svart massa.

Några av flugorna försökte ta sig ut. De var mätta. Nöjda. Äggen var lagda. Deras käkar hade arbetat hårt och fyllt deras inre, stillat hungern. Nu ville de ut. De slog med vingarna mot rutan. Försökte förgäves ta sig förbi den osynliga barriären. Det lät som ett lågt knäppande när de slog emot glaset. Förr eller senare gav de upp. Kände hungern igen. Sökte sig till det som en gång varit en man. Det som nu bara var kött.

Hela sommaren hade Erica tassat runt det som ständigt upptog hennes tankar. Vägt för och emot, varit på väg upp. Men sedan inte kommit längre än till trappan upp till vinden. Hon skulle kunna skylla på att det hade varit mycket de senaste månaderna. Efterdyningarna efter bröllopet, kaoset i hemmet under tiden då Anna och barnen fortfarande bodde hos dem. Men det var inte hela sanningen. Hon var helt enkelt rädd.

Rädd för vad hon skulle kunna möta. Rädd för att börja rota i något som skulle kunna dra upp saker till ytan som hon hellre hade levt i okunskap om.

Erica visste att Patrik hade varit nära att fråga henne flera gånger. Hon såg på honom att han undrade varför hon inte hade velat läsa böckerna som de fann på vinden. Men han hade inte frågat. Och hon hade inte haft några svar att ge. Det som skrämde henne mest var nog att hon kanske skulle behöva förändra sin bild av verkligheten. Bilden som hon hade av sin mor, av vem hon var och hur hon hade behandlat sina döttrar, var inte särskilt positiv. Men den var hennes. Den var välbekant. Det var en bild som hade stått sig genom åren, som en orubblig sanning att förhålla sig till. Kanske skulle den bekräftas. Kanske skulle den till och med förstärkas. Men tänk om den blev kullkastad? Om hon skulle bli tvungen att förhålla sig till en helt ny verklighet? Inte förrän nu hade hon haft modet att ta det steget.

Erica satte foten på första trappsteget. Nerifrån vardagsrummet hörde hon Majas glada skratt när Patrik busade med henne. Ljudet var betryggande och hon satte en fot till på trappan. Fem steg till så var hon uppe.

Dammet virvlade runt i luften när hon sköt upp luckan och klev ut på vindsgolvet. Hon och Patrik hade pratat om att inreda vinden någon gång i framtiden, kanske som ett krypin för Maja när hon blev äldre och ville ha avskildhet. Men än så länge var det bara en råvind, med breda träplankor till golv och sluttande tak där bjälkarna var synliga. Den var halvfylld med bråte. Julsaker, Majas urvuxna kläder, diverse lådor fyllda med saker som var för fula för att ställas ner, men för fina eller för omgärdade av minnen för att slängas.

Kistan stod längst bort vid ena kortänden. Den var av en gammal modell, i trä och plåt. Erica hade för sig att sådana kallades Amerikakoffertar. Hon gick fram till den och satte sig bredvid på golvet. Strök med handen över kistan. Efter att ha dragit ett djupt andetag tog hon tag i låset och lyfte locket. En unken doft slog emot henne och hon rynkade på näsan. Hon undrade vad det var som skapade den distinkta, mättade doften av gammalt. Troligtvis mögel, tänkte hon och kände genast hur det började klia i hårbotten.

Hon mindes fortfarande känslan då hon och Patrik hade hittat kistan och gått igenom innehållet. Sakta hade hon plockat fram sak efter sak. Teckningar som hon och Anna hade gjort. Små prylar som de hade tillverkat i slöjden. Sparade av deras mor Elsy, den mor som aldrig hade verkat intresserad när de som barn ivrigt kom och gav henne de saker som de hade skapat med sådan möda. Erica gjorde samma sak nu. Tog ut föremål efter föremål och placerade dem på golvet bredvid sig. Det hon egentligen ville åt låg längst ner i kistan. Varligt hanterade hon tygstycket som hon nu kunde känna med fingrarna. Den lilla barnskjortan hade varit vit en gång, men nu, när hon höll upp den i ljuset, såg hon att den var gul av ålder. Men det hon inte kunde ta ögonen ifrån var de bruna fläckarna. Först hade hon misstagit dem för rost, men sedan hade hon insett att det måste vara intorkat blod. Det var något hjärtskärande med kontrasten mellan den lilla skjortan och blodfläckarna som täckte den. Hur hade skjortan hamnat här? Vems var den? Och varför hade hennes mor sparat den?

Erica lade varligt ner skjortan bredvid sig. När hon och Patrik fann den hade ett föremål legat invirat i den, men det låg inte längre kvar i kistan. Det var det enda som hon hade avlägsnat därifrån. Det som hade legat i skydd av barnskjortans nersolkade tyg var en nazistmedalj. Känslorna som hade väckts inom henne när hon först såg den hade förvånat henne. Hjärtat hade börjat slå snabbare, hon hade blivit torr i munnen och bilder från alla journalfilmer och dokumentärfilmer hon sett från andra världskriget hade flimrat förbi på hennes näthinna. Vad gjorde en nazistmedalj här i Fjällbacka? I hennes hem? Bland hennes mors tillhörigheter? Det hela hade känts absurt. Hon hade velat lägga tillbaka medaljen i kistan och stänga locket. Men Patrik hade insisterat på att de skulle lämna in den till en expert, för att se om de kunde få veta mer om den. Motvilligt hade hon gått med på det. Det var som om hon hörde viskande röster inom sig, olycksbådande, varnande röster. Något sa henne att hon borde gömma undan medaljen och glömma den. Men nyfikenheten övervann rösterna. I början av juni hade hon lämnat in den till en expert på andra världskrigets historia, och med lite tur skulle de snart få reda på mer om dess ursprung.

Men det som hade intresserat Erica mest av det hon fann i kistan var det som de hade plockat upp från dess botten. Fyra blå anteckningsböcker. Hon kände igen sin mors handstil på utsidan. Den sirliga, högerdrivna handstilen, men i en yngre, rundare version. Nu tog Erica fram dem ur kistan, strök med pekfingret över omslaget på den som hamnade överst. "Dagbok" stod det skrivet på samtliga. Ordet väckte blandade känslor hos henne. Nyfikenhet, upphetsning, iver. Men också rädsla, tveksamhet och en stark känsla av att invadera någons privata sfär. Hade hon rätt att läsa böckerna? Hade hon rätt att ta del av sin mors innersta tankar och känslor? En dagbok är till sin natur inte avsedd för någon annans ögon. Hennes mor skrev dem inte för att någon annan skulle få ta del av deras innehåll. Kanske ville hon absolut inte att hennes dotter skulle läsa dem. Men Elsy var död, och Erica kunde inte fråga henne. Hon skulle bli tvungen att fatta ett beslut på egen hand och avgöra hur hon skulle förhålla sig till dem.

"Erica?" Patriks röst avbröt hennes tankar och hon ropade tillbaka: "Jaa?"

"Gästerna kommer nu!"

Erica tittade på klockan. Oj, hade den redan hunnit bli tre! Det var Majas ettårsdag i dag och de närmsta vännerna och familjen skulle komma över. Patrik måste ha trott att hon hade somnat här uppe.

"Jag kommer!" Hon borstade av sig dammet, tog efter en stunds tvekan med sig böckerna och barnskjortan och klättrade nerför den branta vindstrappan. Nerifrån hörde hon sorlet av röster.

"Välkomna!" Patrik klev åt sidan för att släppa in de första gästerna. Det var Johan och Elisabeth, ett par som de hade lärt känna via Maja, eftersom de hade en son i samma ålder. En son som älskade Maja med sällan skådad intensitet. Ibland kunde dock uppvaktningen bli lite för handgriplig. Nu rusade exempelvis William framåt som en bulldozer så fort han fick se Maja i hallen och tacklade henne med en skicklighet värdig en NHL-spelare. Konstigt nog uppskattade Maja inte riktigt denna manöver, och de fick därför snabbt springa fram och avlägsna en glädjestrålande William från hans position ovanpå en illtjutande Maja.

"Hörru gubben, så där gör man väl inte. Man ska vara försiktig med tjejer!" Johan tittade förmanande på sin son medan han med ren styrkekraft hindrade sin amorösa telning från att göra en ny framstöt.

"Jag tycker att han har ungefär samma raggningsteknik som du hade", skrattade Elisabeth och fick ett förnärmat ögonkast till svar från sin make.

"Seså, gumman, så farligt var det inte. Upp nu." Patrik lyfte upp sin gråtande dotter, kramade henne tills illtjuten övergick i lätt hulkande snyftningar och föste henne sedan med en mild puff i riktning mot William. "Titta vad William har med sig. Paket!"

Det magiska ordet fick avsedd effekt. Med stort allvar och högtidlighet sträckte William fram ett paket med fina snören till Maja. Ingen av dem behärskade ännu gåendets teknik till fullo, och svårigheten att hålla ordning på fötterna och samtidigt överräcka ett paket fick William att dratta på ändan. Men när han såg Majas ansikte lysa upp vid synen av paketet, verkade han glömma den egna smärtan. En väl vadderad blöjbak spelade också in förstås.

"Iiii", sa Maja upphetsat och började slita i snörena. Men efter ungefär två sekunder började ett frustrerat ansiktsuttryck infinna sig och Patrik skyndade fram för att erbjuda assistans. När de med gemensamma ansträngningar hade fått upp paketet kunde Maja dra fram en grå, gosig elefant och succén var omedelbar. Hon tryckte den mot bröstet, lindade armarna hårt runt den mjuka kroppen och stampade lätt på stället. Vilket resulterade i att hon landade på rumpan. Williams försök att få klappa gosedjuret möttes av en trumpen min och ett mycket tydligt kroppsspråk. Hennes lille beundrare tog uppenbarligen det som en uppmaning att öka sina ansträngningar, och båda föräldraparen anade en uppseglande konflikt.

"Det känns som om det är dags för lite fika", sa Patrik. Han lyfte upp Maja och gick ut i vardagsrummet. William med föräldrar hängde med, och när pojken placerades framför den stora lådan med leksaker var friden återställd. Åtminstone temporärt.

"Hej på er!" Erica kom nerför trappan och gick fram och kramade gästerna. William fick sig en klapp på huvudet.

"Vem vill ha kaffe?" Patriks röst ljöd från köket, och han fick tre "jag" till svar.

"Och hur känns livet som fru då?" Johan log och lade armen om Elisabeth i soffan.

"Jo tack, ungefär som vanligt. Förutom att Patrik envisas med att kalla mig för 'frugan' hela tiden. Några tips på hur jag kan få honom att sluta med det?" Erica vände sig mot Elisabeth och blinkade.

"Äh, det är bara att ge upp. Sedan kommer 'frugan' att bli 'regeringen'. Så klaga inte. Var är Anna, förresten?"

"Hon är hos Dan. De har redan flyttat ihop ..." Erica lyfte menande på ögonbrynen.

"Så pass ... det var snabbt marscherat." Elisabeths ögonbryn höjdes även de. Bra skvaller hade ofta den effekten.

En ringsignal avbröt dem och Erica hoppade upp. "Det är säkert de nu. Eller Kristina." Det sista namnet sas med isbitar klirrande mellan stavelserna. Ända sedan bröllopet hade relationen varit frostigare än vanligt

11

mellan Erica och svärmodern. Till största delen berodde det på Kristinas närmast maniska kampanj för att försöka övertala Patrik att det inte gick för sig att ta fyra månaders pappaledighet om man var en man i karriären. Men till svärmoderns förtret hade Patrik inte vikit en tum, tvärtom var det han som hade insisterat på att ha hand om Maja under hösten.

"Hallå… Finns det något födelsedagsbarn här?" Annas röst ljöd från tamburen. Erica kunde inte låta bli att rysa av välbehag varje gång hon hörde den glada tonen i lillasysterns röst. Under så många år hade den varit borta, men nu fanns den där. Anna lät stark och lycklig och förälskad.

I början hade Anna varit orolig för att Erica skulle ha något emot att hon hade ett förhållande med just Dan. Men Erica hade bara skrattat bort det. Det var en evighet, ett helt liv, sedan hon och Dan var ett par och även om hon hade tyckt att det kändes konstigt så skulle hon med lätthet ha bortsett från det, bara för lyckan att se Anna glad igen.

"Var är min favorittjej?" Dan, blond, stor och bullrig, tittade sig sökande runt efter Maja. De två hade ett särskilt kärleksförhållande, och hon kom ivrigt tultande och sträckte upp armarna när hon hörde honom. "Ket?" sa hon frågande, då hon nu hade börjat fatta konceptet med födelsedagar.

"Självklart har vi paket med oss till dig, gumman", sa Dan och nickade åt Anna, som sträckte fram ett stort rosa paket med silversnören. Maja sprattlade sig ur Dans famn och påbörjade återigen den frustrerande proceduren att försöka bryta sig in till innehållet. Denna gång assisterade Erica, och gemensamt fick de fram en stor blunddocka.

"Gocka", sa Maja lyckligt och slöt även denna present i en björnkram. Sedan satte hon av i riktning mot William för att visa upp sin senaste skatt och upprepade för säkerhets skull "gocka" när hon höll fram dyrgripen mot honom.

Det ringde på dörren igen, och sekunden efter klev Kristina in. Erica märkte hur hon själv genast började gnissla tänder. Hon avskydde verkligen svärmoderns ovana att ringa en högst symbolisk snabb signal på dörrklockan för att sedan stiga rakt in.

Paketproceduren upprepades ännu en gång, men denna gång uteblev succén. Maja höll fundersamt upp tröjorna som låg i paketet, kikade en gång till i pappret för att försäkra sig om att det verkligen inte låg någon leksak där, och tittade sedan storögt på sin farmor.

"Jag såg att hon hade en tröja sist som var så gott som urvuxen, så när

Lindex hade tre för priset av två, så köpte jag på mig lite till henne. Borde ju komma till nytta." Kristina log förnöjt och verkade helt oberörd av Majas besvikna ansikte.

Erica behärskade sin lust att tala om precis hur idiotiskt hon tyckte det var att bara köpa kläder till en ettåring. Och inte nog med att Maja blev besviken, Kristina hade dessutom lyckats fläta in en av sina vanliga pikar. Nu kunde de tydligen inte heller klä sin dotter ordentligt.

"Nu blir det tårta", hojtade Patrik, som med osviklig tajming verkade känna på sig att det var dags att avleda uppmärksamheten från det som just hade skett. Erica svalde förtreten och de gick allihop in i vardagsrummet för den stora ljusblåsningsceremonin. Maja uppbådade all sin koncentration för att försöka blåsa ut det enda ljuset, men lyckades bara spreja tårtan med saliv. Patrik hjälpte henne diskret att släcka lågan och högtidligt lät hon sig besjungas och hurras för. Över Majas blonda huvud mötte Erica Patriks blick. Hon fick en stor klump i halsen och såg att Patrik också blev berörd av ögonblicket. Ett år. Deras lilla bebis hade blivit ett år. En liten tjej som knatade runt för egen maskin, som klappade händerna när hon hörde signaturen till Bolibompa, som åt själv, delade ut norra Europas blötaste pussar och älskade hela världen. Erica log mot Patrik. Han log tillbaka. I just det ögonblicket var livet perfekt.

Mellberg suckade tungt. Han gjorde ofta det numera. Suckade. Vårens bakslag drog fortfarande ner hans humör. Men han var inte förvånad. Han hade tillåtit sig att släppa kontrollen, tillåtit sig att bara vara, bara känna. Det gjorde man inte ostraffat. Det borde han ha vetat. Egentligen skulle man kunna säga att han förtjänade det han fick. Man skulle till och med kunna kalla det en rejäl minnesbeta. Nåja, den läxan hade han lärt sig nu, och han var inte en man som gjorde om samma misstag två gånger, det var en sak som var säker.

"Bertil?" Annikas röst ljöd uppfordrande från receptionen. Bertil Mellberg lyfte med en van och snärtig gest upp håret som hade trillat ner från skulten och reste sig motvilligt. Det var inte många fruntimmer han tog order från, men Annika Jansson tillhörde denna exklusiva skara. Med åren hade han till och med fått en motvillig respekt för henne, och han kunde inte komma på ett enda kvinnfolk till som han kunde säga detsamma om. Fadäsen med fruntimret som kom och jobbade på stationen i våras bevisade det, om inte annat. Och nu skulle de få ett fruntimmer till. Han suckade igen. Att det skulle vara så svårt att få hit en karl i uniform. Istället envisades de med att skicka töser för att ersätta Ernst Lundgren. Ja, det var ett elände.

Ett hundskall från receptionen fick honom att rynka på ögonbrynen. Hade Annika tagit med en av sina jyckar hit? Hon visste ju vad han tyckte om byrackor. Han fick visst ta ett samtal med henne om det.

Men det var inte någon av Annikas labradorer som var på besök. Det var en skabbig jycke av obestämbar färg och ras som drog i ett koppel som hölls av en liten, mörkhårig kvinna.

"Hittade honom här utanför", sa hon på bred stockholmska.

"Jaha, och vad gör han här inne då?" sa Bertil vresigt och vände sig om för att gå in på sitt rum igen.

"Det här är Paula Morales", skyndade sig Annika att säga och Bertil vände sig om igen. Visst fan. Bruden som skulle komma hit hade ju något spanskklingande namn. Men fan vad liten hon var. Kort och späd. Men blicken hon spände i honom var allt annat än vek. Hon sträckte fram handen.

"Trevligt att träffas. Och hunden sprang runt själv här ute. Av skicket att döma hör han inte hemma hos någon. Inte hos någon som är kapabel att ta hand om honom i alla fall."

Tonen var uppfordrande och Bertil undrade vad hon ville komma fram till. Frågande sa han:

"Jaa, men lämna in honom någonstans då."

"Finns inget ställe för upphittade hundar här. Annika har redan upplyst mig om det."

"Finns det inte?" sa Mellberg.

Annika skakade på huvudet.

"Nå, men då ... Då får väl du ta hem honom då", sa han och försökte vifta bort jycken som nu tryckte sig mot hans byxben. Men hunden ignorerade honom och satte sig helt sonika ner på hans högerfot.

"Det går inte. Vi har en hund hemma. Hon gillar inte sällskap", svarade Paula lugnt, med samma genomträngande blick.

"Men du då, Annika, han kan väl ... umgås med dina jyckar?" sa Mellberg med alltmer uppgiven ton. Varför skulle han alltid behöva befatta sig med sådana här petitesser? Han var ju för guds skull chef på det här stället!

Men Annika skakade bestämt på huvudet. "De är bara vana vid varandra. Det skulle inte funka att ta hem honom."

"Du får ta honom", sa Paula och räckte över kopplet. I häpenheten över hennes fräckhet fann Mellberg sig själv ta emot kopplet och hunden svarade genom att trycka sig ännu hårdare mot hans ben, och dessutom gny.

"Du ser, han gillar ju dig."

"Men jag kan inte ... jag har inte ..." Mellberg stammade, för en gångs skull oförmögen att hitta en lämplig replik.

"Du har inga andra djur hemma och jag lovar att fråga runt för att se om någon saknar honom. Annars får vi försöka hitta någon som vill ta hand om honom. Vi kan inte släppa ut honom vind för våg igen, han kan bli överkörd."

Mot sin vilja kände Mellberg hur han berördes av Annikas vädjande. Han tittade ner på hunden. Den tittade upp på honom. Blicken var fuktig, bedjande.

"Ja, ja, vad fan, jag tar hundjäveln om det ska vara sådant liv om det. Men det blir bara för ett par dagar. Och du får tvätta honom åt mig innan jag tar hem honom." Han hötte med fingret åt Annika, som såg uppenbart lättad ut.

"Jag duschar honom här på stationen. Inga problem", sa hon ivrigt. Sedan lade hon till: "Jättetack, Bertil."

Mellberg grymtade. "Se bara till att nästa gång jag ser jycken så blänker han! Annars kommer han inte innanför dörren hemma!"

Han klev ilsket bort genom korridoren och smällde igen dörren bakom sig.

Annika och Paula log mot varandra. Jycken gnydde och slog glatt med svansen mot golvet.

"Då får ni ha det så bra i dag." Erica vinkade åt Maja, som ignorerade henne där hon satt på golvet framför tv:n och tittade på Teletubbies.

"Vi ska ha det så mysigt", sa Patrik och gav Erica en puss. "Gumman och jag kommer att klara oss utmärkt de närmsta månaderna."

"Du får det att låta som om jag ska ut på de sju haven", sa Erica och skrattade. "Jag kommer ju ner vid lunch till att börja med."

"Tror du att det kommer att funka det här att du sitter hemma och jobbar då?"

"Vi får prova i alla fall. Du får försöka låtsas som om jag inte är hemma."

"Inga problem. Du existerar inte för mig så fort du stänger dörren till arbetsrummet." Patrik blinkade.

"Hmm, vi får väl se", svarade Erica och gick uppför trappan. "Men det är värt ett försök i alla fall, så jag slipper skaffa ett kontor."

Hon gick in på arbetsrummet och stängde dörren med blandade känslor. Ett helt år hade hon varit hemma med Maja. En stor del av henne hade längtat till den här dagen. Att få lämna över stafettpinnen till Patrik. Att få ägna sig åt en vuxen sysselsättning igen. Hon var så in i döden trött på lekparker, sandlådor och barnprogram. Det var bara att konstatera, att göra den perfekta sandkakan räckte inte riktigt som intellektuell stimulans, och hur mycket hon än älskade sin dotter skulle hon snart börja slita sitt hår i förtvivlan om hon tvingades sjunga Imse vimse spindel en gång till. Nu var det dags för Patrik att ta den biten.

Erica slog sig vördnadsfullt ner framför datorn, tryckte på "on"-knappen och njöt av det välbekanta surret. Deadline för nya boken i hennes serie om verkliga mordfall var i februari, men lite research hade hon hunnit göra under sommaren, så hon kände sig redo att börja. Hon startade Word, öppnade dokumentet som hon döpt till "Elias" eftersom det var namnet på mördarens första offer och satte fingrarna i rätt ställning på tangentbordet. En försynt knackning på dörren avbröt henne.

"Jo du, ursäkta att jag stör." Patrik tittade under lugg på henne. "Men jag bara undrar var du har hängt Majas overall?"

"Den är i torkskåpet."

Patrik nickade och stängde dörren igen.

Återigen placerade hon fingrarna på tangentbordet och tog ett djupt andetag. En ny knackning.

"Ursäkta igen, du ska strax få vara ifred, men jag måste bara höra med dig – hur mycket kläder tror du Maja behöver ha i dag? Det är ganska kyligt, men samtidigt brukar hon ju bli rätt svettig och det är lättare att bli förkyld då …" Patrik log fåraktigt.

"Ta en tunn tröja och ett par tunna byxor under overallen bara. Och jag brukar ta den tunna bomullsmössan, hon blir så himla varm annars."

"Tack", sa Patrik och stängde dörren igen. Erica skulle precis börja skriva första raden när hon hörde illtjut från undervåningen. De stegrades till ett crescendo, och efter att ha lyssnat på dem i två minuter sköt hon med en suck ut stolen och gick nerför trappan.

"Jag hjälper till. Hon är hopplös att klä på nu."

"Jo tack, jag märker det", sa Patrik som hade fått svettdroppar i pannan av att iförd ytterkläder brottas med en ruggigt ilsken och därtill stark Maja.

Fem minuter senare var dottern visserligen rejält surmulen men ändå fullt påklädd, och Erica gav både henne och Patrik en puss på munnen innan hon föste ut dem genom dörren.

"Ta nu en lång promenad så att mamma får lite arbetsro", sa hon och Patrik såg besvärad ut.

"Ja, ursäkta att vi ... ja, det tar väl ett par dagar att få in rutinen, sedan kommer du att få all arbetsro du behöver, det lovar jag."

"Det är lugnt", sa Erica men stängde sedan dörren bestämt bakom dem. Efter att ha fyllt en stor mugg med kaffe, gick hon upp till arbetsrummet igen. Äntligen skulle hon kunna komma igång.

"Schhh ... Var inte så jävla högljudd."

"Äh, vad fan, morsan säger att de båda verkar vara bortresta. Ingen har plockat in posten på hela sommaren, men de verkar ha glömt att ta hand om den, så hon har rensat brevlådan sedan i juni. Så lugn, vi kan föra hur mycket väsen vi vill." Mattias skrattade, men Adam såg fortfarande skeptisk ut. Det var något läskigt med det gamla huset. Och det var något läskigt med gubbarna. Sedan fick Mattias säga vad han ville. Han tänkte då smyga med största möjliga försiktighet.

"Hur ska vi komma in då?" Han hatade att oron hördes som en gnällig ton i hans röst, men kunde inte hjälpa det. Ofta önskade han att han var mer som Mattias. Modig, orädd, ibland på gränsen till dumdristig. Men så var det ju han som fick alla tjejerna också.

"Det löser sig. Brukar alltid gå att komma in någonstans."

"Och det säger du utifrån din stora erfarenhet av inbrott, eller?" Adam skrattade, men var noga med att fortfarande hålla röstläget nere.

"Du, jag har gjort massor av grejer som du inte har en aning om", sa Mattias högdraget.

Jo, tjena ..., tänkte Adam men vågade inte säga emot honom. Ibland hade Mattias ett behov av att spela tuffare än han var, och då fick han väl göra det. Adam visste i alla fall bättre än att ge sig in i en diskussion med honom.

"Vad tror du han har där inne?" Mattias ögon lyste, medan de sakta kröp runt huset, hela tiden på jakt efter ett fönster, eller en lucka, någonting de kunde använda för att forcera husets ogenomtränglighet.

"Jag vet inte." Adam tittade sig ängsligt om hela tiden. Han gillade det här mindre och mindre för var sekund som gick.

"Kanske en massa coola nazigrejer. Tänk om han har uniformer och

17

sådant." Det gick inte att ta miste på upphetsningen i Mattias röst. Ända sedan de hade gjort det där skolarbetet om SS hade han varit som besatt. Han läste allt han kom över om andra världskriget och nazismen, och grannen en bit neråt vägen, som alla visste var något slags expert på Tyskland och nassarna, hade ända sedan dess utövat en oemotståndlig lockelse.

"Han kanske inte har något sådant där hemma", försökte Adam invända, men han visste på förhand att det var dömt att misslyckas. "Pappa sa att han var historielärare innan han pensionerades, och han har säkert bara en massa böcker och sådant. Behöver inte finnas några coola grejer alls."

"Det lär vi snart få se." Mattias ögon gnistrade när han i triumf pekade mot ett fönster på ena kortsidan. "Titta. Där är ett fönster som står lite på glänt."

Bedrövad konstaterade Adam att Mattias hade rätt. Han hade i stillhet hoppats på att huset skulle visa sig omöjligt att ta sig in i.

"Vi behöver något att peta upp fönstret med." Mattias tittade sig sökande runt. En fönsterhake som hade trillat av och nu låg på marken nedanför blev lösningen.

"Okej, nu ska vi se." Med kirurgisk precision lyckades Mattias sträcka upp fönsterhaken ovanför huvudet och peta in ena änden i ett av hörnen. Han bände. Inget rörde sig. Fönstret satt fast. "Fan också, det ska gå." Med tungan i ena mungipan försökte han igen. Att hålla pinnen ovanför huvudet och samtidigt försöka använda kraft var ansträngande och han andades stötvis. Till slut lyckades han få in pinnen ytterligare någon centimeter.

"De kommer ju att se att någon brutit sig in!" protesterade Adam med svag röst, men Mattias verkade inte höra honom.

"Nu jävlar ska fönsterjäveln upp!" Med svettdroppar i tinningarna tog han i en gång till och fönstret svängde upp.

"Yes!" Mattias knöt handen i en segergest och vände sig sedan upphetsad mot Adam.

"Hjälp mig upp nu."

"Men det kanske finns något att kliva på, eller en stege eller ..."

"Äh va fan, hiva upp mig bara, så drar jag upp dig sedan."

Lydigt ställde sig Adam intill väggen och flätade ihop händerna som ett trappsteg åt Mattias. Han grimaserade illa när Mattias sko skar in i hans handflata men stod emot smärtan och lyfte istället kamraten uppåt samtidigt som Mattias själv sköt ifrån.

Mattias fick tag i fönsterblecket och lyckades dra sig uppåt så att han fick upp först en fot och sedan den andra på fönsterkarmen. Han rynkade näsan. Fan, vad det luktade. Riktigt jävla illa. Han drog undan rullgardinen och försöka kisande se in i rummet. Det såg ut som om han hamnat i ett bibliotek, men alla rullgardinerna var nerdragna så rummet var höljt i dunkel.

"Du, det luktar skit här inne." Han vände sig halvt om mot Adam utanför medan han höll för näsan.

"Skit i det då", sa Adam nerifrån marken, med en hoppfull glimt i ögonen.

"Nä, för fan. Nu har vi tagit oss in. Det är nu det roliga börjar! Här, ta handen."

Han lossade greppet om näsan och höll sig i fönsterkarmen medan han sträckte ner sin högra hand till Adam.

"Orkar du då?"

"Klart som fan jag orkar. Kom nu då." Adam tog hans hand och Mattias drog för allt han var värd. För ett ögonblick såg det ut som ett omöjligt projekt, men sedan fick Adam tag i fönsterkarmen och Mattias hoppade ner på golvet för att ge utrymme åt honom. Det knastrade märkligt under fötterna när han hoppade ner. Han tittade på golvet. Något täckte det, men dunklet gjorde det omöjligt att urskilja vad det var. Säkert torra blomlöv.

"Vad i helvete", sa Adam när han också hade hoppat ner på golvet, men inte heller han lyckades identifiera vad det knastrande ljudet kom ifrån. "Shit, vad det luktar", sa han sedan och såg ut att kväljas av den unkna doften.

"Jag sa ju det", sa Mattias glatt. Hans näsa hade börjat vänja sig nu och lukten besvärade honom inte så mycket.

"Nu kollar vi vad gubben har för roliga grejer här. Dra upp rullgardinen."

"Men tänk om någon ser oss då?"

"Vem fan skulle se oss här? Dra upp rullgardinen för fan."

Adam gjorde som han sa. Rullgardinen åkte upp med ett svischande ljud och släppte in ett skarpt ljus i rummet.

"Schysst rum", sa Mattias och tittade sig beundrande runt. Hela rummet var täckt med bokhyllor från golv till tak. I ena hörnet stod två läderfåtöljer, grupperade runt ett litet bord. I bortre änden av rummet tronade ett enormt skrivbord, och en gammaldags kontorsstol med hög rygg hade snurrat ett halvt varv och stod vänd med ryggen mot dem. Adam tog ett steg framåt, men det knastrande ljudet fick honom att titta ner igen. Den här gången såg de båda vad det var de trampade på.

"Vad fan …" Golvet var täckt av flugor. Svarta, äckliga, döda flugor. Även på fönsterkarmen låg flugorna i drivor, och både Adam och Mattias torkade reflexmässigt av händerna mot byxbenen.

"Jävlar, vad äckligt." Mattias grimaserade.

"Var kommer alla flugor ifrån?" Adam tittade förundrat på golvet. Sedan gjorde hans CSI-indoktrinerade hjärna en obehaglig koppling. Döda flugor. Äcklig lukt. Han slog bort tanken, men blicken drogs sedan obönhörligt mot den bortvända skrivbordsstolen.

"Mattias?"

"Ja?" svarade han irriterat, medan han äcklat försökte hitta ett ställe att stå där han inte trampade i en driva med döda flugor.

Adam svarade inte utan gick dröjande fram till stolen. En del inom honom skrek åt honom att vända, ta sig ut samma väg han kom och springa tills han inte orkade längre. Men nyfikenheten var honom övermäktig och det var som om fötterna bar honom fram mot stolen av sig själva.

"Ja, vad är det?" upprepade Mattias men tystnade när han såg Adams spända, avvaktande steg.

Adam var fortfarande någon halvmeter från stolen när han sträckte fram handen. Han såg själv hur den darrade lätt. Sakta, sakta, millimeter för millimeter, förde han fram handen mot stolsryggen. Det enda ljud som hördes i rummet var knastret när han satte ner fötterna. Stolens läder kändes svalt mot hans fingertoppar. Han ökade trycket från fingrarna. Sköt stolsryggen åt vänster, så att stolen började snurra mot honom. Han tog ett kliv bakåt. Sakta snurrade stolen och visade gradvis mer av vad den innehöll. Bakom sig hörde Adam hur Mattias kräktes.

Ögonen som följde hans minsta rörelse var stora och fuktiga. Mellberg försökte ignorera honom, men med bristande framgång. Hunden satt som klistrad vid hans sida och blicken var dyrkande. Till slut veknade Mellberg. Han drog ut nedersta skrivbordslådan, plockade fram en kokosboll och slängde den på golvet framför jycken. Den var försvunnen två sekunder senare och för ett ögonblick tyckte Mellberg att det såg ut som om jycken log. Säkert ren inbillning. Han var åtminstone ren nu.

Annika hade gjort ett bra jobb när hon duschade och schamponerade honom. Ändå tyckte Bertil att det var lite osmakligt när han vaknade i morse och upptäckte att hunden under natten hade hoppat upp i sängen och lagt sig bredvid honom. Tvål tog väl inte död på loppor och sådant. Tänk om pälsen var full med små krälande odjur som nu inget hellre ville än att hoppa över till Mellbergs omfångsrika lekamen. Men en noggrann inspektion av pälsen hade inte avslöjat några livsformer, och Annika hade gett honom sitt hedersord på att hon inte hade upptäckt några loppor när hon tvättade honom. Men inte fan skulle hunden få sova i sängen igen för det. Någon måtta fick det vara.

"Så, vad ska vi kalla dig då?" sa Mellberg och kände sig med ens dum för att han satt och pratade med någon som gick på alla fyra. Men ett namn behövde ju jycken. Han funderade och tittade sig runt efter något som kunde ge honom ett uppslag. Men bara dumma hundnamn snurrade runt i huvudet: Fido, Ludde… Nej, det var inget vidare. Sedan skrockade han. Han hade precis fått en briljant idé. Han hade i ärlighetens namn saknat Lundgren, inte mycket, men en aning i alla fall, sedan han blev tvungen att ge honom sparken. Så varför inte kalla jycken för Ernst? Det låg en viss humor i det. Han skrockade igen.

"Ernst – vad säger du om det, gubben? Funkar bra, va?" Han drog ut lådan igen och plockade fram en kokosboll till. Klart Ernst skulle ha en kokosboll. Och det var ju inte hans problem om hunden blev fet. Om ett par dagar hade Annika säkert hittat något ställe att lämpa av honom på, och det spelade väl ingen roll om han fick i sig en kokosboll eller två innan dess.

En gäll telefonsignal fick både honom och Ernst att hoppa till.

"Bertil Mellberg." Först hörde han inte vad rösten i luren sa, det var bara ett gällt, hysteriskt tjattrande.

"Ursäkta, du får prata saktare. Vad är det du säger?" Han lyssnade koncentrerat och hissade upp ögonbrynen när han slutligen förstod.

"Ett lik sa du? Var då?" Han satte sig rakare upp i stolen. Jycken, som numera hette Ernst, satte sig rakt upp han med och spetsade öronen. Mellberg antecknade en adress på blocket framför sig, avslutade samtalet med ett "stanna där ni är" och kastade sig sedan upp ur stolen. Ernst följde honom hack i häl.

"Stanna här." Mellbergs röst innehöll en ovanlig auktoritet, och till sin stora förvåning såg han hur jycken stannade tvärt och inväntade vidare instruktioner. "Plats!" provade Mellberg, medan han pekade på korgen som Annika hade gjort i ordning åt hunden i ena hörnet av hans kontor. Ernst lydde motvilligt, lommade bort och lade sig, med huvudet vilande mot tassarna och en förnärmad blick riktad mot sin tillfälliga husse. Bertil Mellberg kände sig märkligt nöjd med att någon för en gångs skull lydde honom, och stärkt av denna auktoritetsutövning rusade han genom korridoren medan han ropade till ingen och alla på en gång: "Vi har fått in en anmälan om ett lik."

Tre huvuden stacks ut genom lika många dörröppningar, ett rött, Martin Molins, ett grått, Gösta Flygares, och ett korpsvart, Paula Morales.

"Ett lik?" sa Martin och klev ut i korridoren först av de tre. Även Annika närmade sig nu från receptionen.

"En kille i tonåren ringde precis och rapporterade det. De hade tydligen lattjat och tagit sig in i en villa mellan Fjällbacka och Hamburgsund. Och i huset hittade de ett lik."

"Husets ägare?" frågade Gösta.

Mellberg ryckte på axlarna. "Mer vet jag inte. Jag sa åt grabbarna att stanna där, vi åker dit med en gång. Martin, du och Paula tar ena bilen, jag och Gösta tar den andra."

"Bör vi inte ringa Patrik …", frågade Gösta försiktigt.

"Vem är Patrik?" frågade Paula och flyttade blicken mellan Gösta och Mellberg.

"Patrik Hedström", förtydligade Martin. "Han jobbar också här, men är pappaledig från och med i dag."

"Inte fan behöver vi ringa Hedström", sa Mellberg och fnös förnärmat. "Jag är ju här", tillade han pompöst och satte i sporrsträck av mot garaget.

"Yippie", mumlade Martin utom hörhåll för Mellberg, och Paula höjde frågande ett ögonbryn. "Äh, glöm det", sa Martin urskuldande, men kunde inte låta bli att tillägga: "Tids nog förstår du."

Paula såg fortfarande konfunderad ut, men lät det bero. Arbetsplatsdynamiken skulle hon nog få grepp om så småningom.

Erica suckade. Det var tyst i huset nu. För tyst. Öronen hade i ett år varit inställda på att lyssna efter minsta gny eller nästa skrik. Nu var det fullkomligt, ödsligt tyst. Markören på första raden i Worddokumentet blinkade. Inte ett enda litet ynka tecken hade det blivit på en halvtimme. Det var helt enkelt stiltje i hjärnan. Hon hade bläddrat i sina anteckningar och bland de artiklar som hon hade kopierat under sommaren. Efter flera försök via brev hade hon äntligen fått en tid med fallets huvudperson, mörderskan, inbokad, men inte förrän om tre veckor. Så tills vidare fick hon nöja sig med arkivmaterialet och utgå från det. Problemet var dock att inget kom ut. Orden ville inte trilla på rätt plats, och nu började tvivlet komma. Det där tvivlet som man ständigt fick dras med som författare. Fanns det inga ord kvar? Hade hon skrivit sin sista mening, fyllt sin kvot? Fanns det inga fler böcker i henne? Logiken sa henne att hon nästan alltid kände så här när hon skulle påbörja arbetet med en ny bok, men det hjälpte inte. Det var som en plåga, en process hon måste igenom varje gång. Ungefär som en förlossning. Men i dag gick det osedvanligt trögt. Frånvarande stoppade hon in en Dumlekola i munnen som tröst. Hon sneglade på de blå anteckningsböckerna som låg på skrivbordet bredvid datorn. Moderns flytande handstil pockade på hennes uppmärksamhet. Hon slets mellan rädslan för att komma nära det hennes mor skrev och nyfikenheten på vad hon skulle kunna finna. Dröjande sträckte hon ut handen och tog upp den första boken. Hon vägde den i handflatan. Den var tunn. Ungefär som de små anteckningsböcker man hade i grundskolan. Erica drog med fingrarna över utsidan. Namnet var skrivet med bläck, men åren hade gjort att det blåa i bläcket hade bleknat avsevärt. "Elsy Moström", det var hennes mors flicknamn. Falck hade hon fått när hon gifte sig med Ericas far. Sakta öppnade hon boken. Sidorna var linjerade, med tunna blå ränder. Överst stod ett datum, "3 september 1943". Hon läste första raden:

"Skall det här kriget aldrig ta slut?"

Fjällbacka 1943

"Skall det här kriget aldrig ta slut?"

Elsy bet på pennan och funderade på hur hon skulle fortsätta. Hur sammanfattade hon sina tankar om kriget som inte fanns hos dem, men ändå gjorde det? Det kändes ovant att skriva dagbok. Hon visste inte varifrån hon hade fått idén, men det var som om det fanns ett behov hos henne att formulera i ord alla de tankar som den vanliga men ändå märkliga tillvaron förde med sig. En del av henne mindes knappt tiden före kriget. Hon var tretton, snart fjorton nu, bara nio när det bröt ut. Men de första åren hade de inte märkt av det så mycket. Mest i vaksamheten som fanns hos de vuxna. Den iver med vilken de plötsligt började följa nyheterna, i tidningen och på radion. I deras hållning när de satt med öronen vända mot radioapparaten i vardagsrummet, spända, rädda, men samtidigt märkvärdigt upphetsade. Det som hände i världen var ju trots allt spännande – hotfullt, men spännande. Tillvaron var sig annars så lik. Båtarna gick ut och kom hem igen. Ibland var fångsten god. Ibland dålig. På land utförde kvinnorna sina sysslor, samma sysslor som deras mödrar hade utfört, och deras mödrars mödrar före dem. Det var barn som skulle födas, tvätt som skulle tvättas och hem som skulle hållas städade. Det var ett kretslopp som aldrig tog slut, men kriget hotade nu att rubba det liv och den verklighet de kände. Det var den spänningen hon hade känt av som barn. Och nu var kriget nästan här.

"Elsy?" Hennes mors röst från nedervåningen. Raskt stängde Elsy igen anteckningsboken och lade den i översta lådan i sitt lilla skrivbord framför fönstret. Hon hade suttit många timmar här och gjort sina läxor, men nu var skolåren över för henne och hon hade egentligen ingen nytta av skrivbordet längre. Hon reste sig, slätade till klänningen och gick ner till sin mor.

"Elsy, kan du hjälpa mig och hämta vatten?" Modern såg trött och grå ut. Hela sommaren hade de tillbringat i det lilla rummet i källaren, medan de hade hyrt ut det övriga huset till sommargästerna. I hyran ingick också att de skulle städa, laga mat och passa upp på hyresgästerna, och sommarens gäster hade varit krävande. En advokat från Göteborg med fru och tre vilda barn. Elsys mor Hilma hade fått springa från morgon till kväll, tvättat deras kläder, gjort matsäck till deras båtutflykter och plockat upp inomhus, samtidigt som hon hade haft det egna hushållet att sköta.

"Sitt en stund, mor", sa Elsy mjukt och lade tvekande en hand på sin mors skuldra. Hennes mor ryckte till av beröringen. Det var inte vanligt att de tog i varandra, men efter en sekunds tvekan lade hon handen ovanpå sin dotters och lät sig tacksamt fösas ner på en stol.

"Ja, det var då i sanning tid att de gav sig av. Maken till krävande folk. 'Kan Hilma vara så vänlig att… Skulle Hilma kunna tänka sig att… Säg, skulle Hilma kunna …'" Hilma härmade deras verserade röster men slog sedan förskräckt handen för munnen. Det var inte brukligt att vara så respektlös mot fint folk. Det var viktigt att veta sin plats.

"Jag förstår att mor är trött. De var inte lätta att tas med." Elsy hällde upp det sista av vattnet i en kastrull och satte den på plattan. När vattnet hade kokat upp rörde hon i kaffesurrogatet och satte en kopp framför Hilma och en kopp framför sig själv.

"Jag hämtar vattnet strax, mor, men först tar vi oss en tår."

"Du är en rar flicka, du." Hilma tog en klunk av den erbarmliga ersättningen. Vid festliga tillfällen drack hon kaffet på fat, med en sockerbit mellan tänderna. Men sockret fick man spara på nu, och det var inte riktigt samma sak med surrogatkaffe heller.

"Har far sagt när han kommer hem?" Elsy slog ner blicken. I dessa krigstider hade denna fråga en helt annan laddning än tidigare. Det var inte så länge sedan Öckerö hade torpederats och gått under med besättning och allt. Sedan dess hade en ödesmättad ton infunnit sig i varje avsked inför en ny avfärd. Men arbetet måste fortsätta. Ingen hade något val. Lasten måste levereras, och fisken måste dras upp. Så såg villkoren för tillvaron ut, vare sig det var krig eller ej. De fick vara tacksamma att skuttrafiken till och från Norge överhuvudtaget hade tillåtits fortsätta. Den ansågs också säkrare än lejdtrafiken som gick utanför avspärrningen. Nu kunde båtarna från Fjällbacka fortsätta med fiske, och även om fångsten blev mindre än förr fick man fylla ut med transporter till och från de norska hamnarna. Oftast hade Elsys far med sig is hem från Norge, om han hade tur fick han också med sig en frakt på vägen dit.

"Jag önskar bara …" Hilma tystnade, men fortsatte sedan. "Jag önskar bara att han var lite försiktigare …"

"Vem? Far?" sa Elsy, fast hon mycket väl visste vem hennes mor menade.

"Ja … " Hilma grinade illa när hon tog en klunk till av drycken. "Han har med sig doktorns pojke den här vändan, och … ja, det kan aldrig sluta väl, det är det enda jag säger."

"Axel är modig, han gör det han kan. Och far vill nog hjälpa till så gott han förmår."

"Men riskerna", Hilma skakade på huvudet, "riskerna han tar när den där pojken och hans vänner är med … ja, jag kan inte tycka annat än att han drar far och de andra i olycka."

"Vi måste göra det vi kan för att hjälpa norrmännen", sa Elsy stillsamt. "Tänk om det hade varit vi som drabbats, hade vi inte behövt hjälp från dem då? Axel och hans kamrater gör mycket gott. "

"Nej, nu talar vi inte mer om det. Ska du hämta det där vattnet någon gång?" Hilmas tonfall var vresigt när hon reste sig och gick bort till diskbänken för att torka ur koppen. Men Elsy tog inte illa vid sig. Hon visste att vresigheten bara bottnade i oro.

Efter en sista blick på sin mors i förtid krumma rygg, tog hon spannen och gick ut för att hämta vatten i brunnen.

Patrik njöt till sin förvåning av promenaden. Det hade väl blivit sisådär med träningen de senaste åren, men om han under pappaledigheten kunde ta en långpromenad om dagen, så skulle han kanske kunna jobba bort den där begynnande kulan. Att Erica höll igen på godsakerna där hemma smittade av sig på honom, så något kilo eller två hade han lyckats gå ner bara av den anledningen.

Han passerade OK/Q8-macken och fortsatte i rask takt längs vägen som ledde söderut. Han hade siktet inställt på att gå bort till kvarnen och sedan vända. Maja satt framåtvänd i vagnen och bubblade glatt på. Hon älskade att vara ute och promenera och hälsade alla de mötte med ett glatt "hej" och ett stort leende. Hon var verkligen en liten solstråle, fast ett rackarns humör hade hon visat sig ha när hon satte den sidan till. Måste komma från Ericas sida, tänkte Patrik.

Medan han fortsatte vägen fram kände han sig allt nöjdare med tillvaron. Vardagen rullade på oerhört bra numera. Äntligen skulle han och Erica få huset för sig själva. Inte för att han inte gillade Anna och ungarna, men lite påfrestande var det att bo så nära inpå varandra månad ut och månad in. Sedan var det i och för sig det där med hans mamma också. Det bekymrade honom, och det kändes alltid som om han hamnade i kläm mitt emellan Erica och modern. Visst kunde han förstå att Erica tyckte att det var jobbigt när hans mamma klev rakt in där hemma och kom med en massa synpunkter på hur de skötte hemmet och Maja. Men han önskade att hon kunde göra som han gjorde och helt enkelt slå dövörat till. Och lite förståelse fick man faktiskt ha, Kristina bodde ju ensam och hade inte så mycket annat än honom och hans familj att bry sig om. Hans syster Lotta bodde i Göteborg och även om det inte var världens ände, så var det mycket enklare för henne att komma över till dem. Och hon var till stor hjälp också, han och Erica hade kunnat gå ut och äta middag ett par gånger medan Kristina var barnvakt, och ja ... han önskade bara att Erica i lite högre grad kunde se fördelarna också.

"Titta, titta!" sa Maja upphetsat och pekade med sitt lilla finger när de passerade hagen där Rimfaxes hästar gick och betade. Patrik var inte särdeles förtjust i just denna djurart men fick erkänna att fjordhästar faktiskt var söta samtidigt som de såg relativt harmlösa ut. De stannade till en stund och tittade på hästarna, och Patrik gjorde en minnesanteckning om att ta med sig lite äpplen eller morötter nästa gång. Efter att Maja hade fått sitt lystmäte av djuren fortsatte han den sista biten bort mot kvarnen, och vände sedan för att gå tillbaka i riktning mot Fjällbacka.

Han fascinerades som vanligt av kyrktornet som reste sig alltmer effektfullt över backkrönet, när han fick se en välbekant bil. Inga blåljus eller sirener var på, så det verkade inte vara något akut, men han kände ändå hur pulsen ökade. När den första polisbilen hade kommit över krönet såg han att den andra låg tätt bakom, och han rynkade pannan. Båda bilarna. Det måste vara något av relativt stor betydelse. Han började vinka när den närmsta bilen var cirka hundra meter bort. Den saktade in och Patrik gick fram till Martin som satt vid ratten. Maja viftade exalterat med armarna. I hennes värld var det alltid kul när det hände något.

"Tjena, Hedström, ute och promenerar?" sa Martin och vinkade åt Maja.

"Jo, man måste ju hålla sig i form … Vad är ni ute på då?" Den andra polisbilen svängde in bakom, och Patrik vinkade åt Bertil och Gösta.

"Hej, Paula Morales." Först nu noterade Patrik att en okänd kvinna i polisuniform satt bredvid Martin och han tog hennes utsträckta hand och presenterade sig innan Martin hann svara på frågan.

"Jo, vi har fått in ett larm om ett lik. Alldeles här i närheten."

"Misstänker ni brott?" Patrik rynkade pannan.

Martin slog ut med händerna. "Vi vet inte mer än så. Två killar hittade liket och larmade oss." Polisbilen bakom tutade, vilket fick Maja att hoppa högt i vagnen.

"Du", sa Martin hastigt. "Kan du inte hoppa in och hänga med? Känns inte helt tryggt med … ja, du vet vem", sa Martin och nickade mot bilen bakom.

"Nja, hur skulle det gå till?" sa Patrik. "Jag har ju lilltjejen med mig … och formellt sett är jag ledig."

"Snälla", sa Martin och lade huvudet på sned. "Bara kom med och kika, jag skjutsar er hem sedan. Vagnen får plats i bakluckan."

"Men barnstol …"

"Ja, det har du i och för sig rätt i. Men promenera bort då. Det är precis här runt kröken. Första avtagsvägen till höger, andra huset på vänster hand. Ska stå Frankel på brevlådan."

Patrik tvekade, men en tutning till från den bakre polisbilen fick honom att bestämma sig.

"Okej, jag kommer och kikar bara. Men då får du ta Maja medan jag går in. Och inte ett ord till Erica, hon skulle bli vansinnig om hon fick reda på att jag tog med Maja när jag åkte på jobb."

"Promise", sa Martin och blinkade. Han vinkade åt Bertil och Gösta i bilen bakom och lade in ettan. "Ses där då."

"Okej", sa Patrik, med en stark känsla av att det här var något han skulle få ångra. Men nyfikenheten övervann självbevarelsedriften och han vände vagnen med Maja och började i rask takt gå i riktning mot Hamburgsund.

"Allt med furu måste bort!" Anna stod med händerna i sidorna och försökte se så skräckinjagande ut som hon bara kunde.

"Vad är det för fel på furu?" sa Dan och kliade sig i huvudet.

"Det är fult! Frågor på det?" sa Anna men kunde inte låta bli att skratta. "Se inte så förskräckt ut, älskling … Men jag måste faktiskt insistera, det finns inget fulare än furumöbler. Och sängen är nog fulast av allt. Dessutom vill jag inte längre sova i samma säng som du och Pernilla sov i. Jag kan leva med att bo i samma hus, men samma säng … nää …"

"Det är ett argument jag kan förstå. Men det kommer ju att bli dyrt att köpa en massa nya möbler …" Han såg bekymrad ut. Sedan han och Anna blev ett par hade han beslutat att behålla huset trots allt, men det var fortfarande lite svårt att få ekonomin att gå ihop.

"Jag har kvar det jag fick när Erica köpte ut mig från mammas och pappas hus. Lucas kunde aldrig komma åt de pengarna. Så vi tar en del av dem och åker och handlar lite nytt. Tillsammans om du vill, annars kan du ge mig fria tyglar om du vågar."

"Tro mig", sa Dan. "Jag slipper gärna fatta beslut om möbler. Så länge det inte är för galet, så får du köpa vad fasiken du vill. Nog pratat, kom hit och pussas istället." Han drog henne intill sig och kysste henne länge och grundligt. Som så ofta hettade det till och Dan hade precis börjat knäppa upp spännet till Annas bh i ryggen, när någon slet upp ytterdörren och klev in. Med full insyn i köket från hallen var det ingen tvekan om vad som var på gång.

"Men fy fan, vad äckligt, står ni och hånglar i köket!" Belinda stormade förbi dem och upp till sitt rum, högröd i ansiktet av ilska. Längst upp i trappan stannade hon och skrek ner:

"Jag åker tillbaka till mamma så fort jag kan, fattar ni det! Där slipper man i alla fall se er stå och stoppa tungorna i halsen på varandra hela tiden! Ni är pinsamma! Det är äckligt! Fattar ni det!"

Pang! Dörren till Belindas rum smällde igen, och de hörde hur låset vreds om. Sekunden efter drog musik igång på högsta volym, vilket fick tallrikarna på diskbänken att hoppa och skallra i takt.

"Oops", sa Dan och gjorde en grimas, medan han tittade upp mot ovanvåningen.

"Jo, oops är nog rätt ord", sa Anna och drog sig ur omfamningen. "Hon har det verkligen inte lätt med det här." Anna tog de klirrande tallrikarna och lade ner dem i diskhon istället.

"Nej, men vad fan, hon får väl acceptera att jag träffar någon ny", sa Dan irriterat.

"Men försök att sätta dig in i hennes situation. Först skiljer du och Pernilla er, sedan passerar det ett ...", hon vägde orden på guldvåg, "antal tjejer förbi lite hastigt och lustigt så där, och sedan kommer jag och flyttar in här med två småbarn. Belinda är faktiskt bara sjutton år, och bara det är nog besvärligt. Att sedan behöva förhålla sig till tre främlingar som flyttar in ..."

"Ja, jag vet att du har rätt ..." Dan suckade. "Men jag vet inte hur man hanterar en tonåring. Jag menar, ska jag låta henne vara ifred, eller känner hon sig försummad då? Eller ska jag insistera och riskera att hon tycker att jag tränger mig på? Var fan är manualen, liksom?"

Anna skrattade. "Jag tyckte att de glömde manualen redan på BB. Men jag tycker gott att du kan försöka prata med henne. Får du dörren i ansiktet, ja, då har du i alla fall försökt. Och sedan försöker du igen. Och igen. Hon är rädd att förlora dig. Hon är rädd att förlora rätten att vara liten. Hon är rädd att vi ska ta över allt nu när vi har flyttat in. Det är inte så konstigt."

"Och hur har jag förtjänat en så klok kvinna?" sa Dan och drog åter Anna intill sig.

"Jag vet inte", sa Anna och borrade leende in ansiktet mot hans bröst. "Men jag är nog inte så särskilt klok egentligen. Jag framstår bara som det i jämförelse med dina senaste erövringar ..."

"Hörru", skrattade Dan och klämde åt hårt med armarna om Anna. "Nu ska du inte vara så där. Då kanske furusängen får stå kvar ..."

"Vill du att jag ska stanna här eller inte?"

"Okej. Du vinner. Räkna den som slängd redan."

De skrattade. Och kysstes. Ovanför dem dunkade popmusiken på öronbedövande volym.

Martin såg pojkarna direkt när han svängde upp på gårdsplanen framför huset. De stod lite vid sidan av, båda med armarna lindade om sig, lätt huttrande. Båda hade samma bleka färg i ansiktet, och lättnaden när de såg polisbilarna komma var påtaglig.

"Martin Molin." Han sträckte fram handen mot killen som stod närmast och som mumlande presenterade sig som Adam Andersson. Den andre killen, som stod snett bakom, vinkade avvärjande med högerhanden och sa ursäktande och lätt skamset:

"Jag har kräkts och torkade mig med … Ja, jag ska nog inte ta i hand."

Martin nickade förstående. Han hade själv haft samma fysiska reaktion vid dödsfall och det var verkligen inget att skämmas för.

"Nå, vad var det som hände nu?" Han vände sig till Adam, som verkade mest samlad. Han var kortare än sin kompis, med ilskna utbrott av acne på kinderna och blont, lite längre hår.

"Jo, det är så att vi …" Adam tittade sökande på Mattias, som bara ryckte på axlarna, så han fortsatte: "Jo, vi tänkte att vi skulle ta oss in och titta lite i huset, eftersom det verkade som om båda gubbarna var bortresta."

"Gubbarna?" sa Martin. "Är de två som bor här?"

Mattias svarade: "Det är två bröder. Vet inte vad de heter i förnamn, men morsan vet säkert. Hon har tagit hand om deras post ända sedan början av juni. Den ena gubben brukar alltid åka bort över sommaren, men den andra gubben brukar inte göra det. Men den här gången var det ingen som plockade in posten från brevlådan, så vi tänkte att …" Han lät svaret dö ut och betraktade stint sina skor. En död fluga låg kvar på ovansidan av skon och med äcklad min sparkade han häftigt för att få bort den. "Är det han som är död där inne?" sa han och lyfte blicken.

"I det här läget vet ni mer än vi", sa Martin. "Men fortsätt, ni tänkte att ni skulle ta er in i huset, vad hände sedan?"

"Mattias hittade ett fönster som gick att få upp och klättrade in först", sa Adam. "Sedan drog han upp mig. När vi hoppade ner på golvet märkte vi att det var något som knastrade under skorna, men vi såg inte vad

31

det var för det var alldeles för mörkt."

"Mörkt?" avbröt Martin. "Varför var det mörkt?" I ögonvrån såg han att Gösta, Paula och Bertil stod avvaktande snett bakom honom och lyssnade på vad pojkarna sa.

"Alla rullgardinerna var nerdragna." Adam förklarade tålmodigt. "Men vi drog upp rullgardinen i fönstret som vi hade tagit oss in igenom. Och då såg vi att golvet var täckt med döda flugor. Och det luktade jävlig äckligt."

"Skitäckligt", ekade Mattias och såg ut som om han bekämpade kväljningar.

"Och sedan?" Martin manade på.

"Sedan gick vi längre in i rummet, och skrivbordsstolen stod med ryggen mot oss, så man inte såg vad som var i. Och jag fick bara en känsla av att … ja, alltså, man har ju sett CSI, så äcklig lukt och döda flugor och sådant … ja, man behöver ju inte vara Einstein för att dra slutsatsen att något hade dött där. Så jag gick fram till stolen och snurrade runt den … och då satt han där!"

Mattias såg uppenbarligen bilden framför sig igen för han vände sig om och kräktes i gräset bakom sig. Han torkade sig om munnen med handen och viskade: "Ursäkta."

"Det är okej", sa Martin. "Vi har allihop gjort det där någon gång vid åsynen av ett lik."

"Inte jag", sa Mellberg överlägset.

"Inte jag heller", sa Gösta lakoniskt.

"Nej, jag har heller aldrig gjort det", intygade Paula.

Martin vände sig om och gav dem ett skarpt ögonkast.

"Han såg skitäcklig ut", fyllde Adam hjälpsamt i. Trots chocken verkade han finna ett visst nöje i situationen. Bakom honom hulkade Mattias ännu en gång, halvt nerböjd mot marken, men nu verkade det bara finnas galla kvar.

"Kan någon ta hem killarna?" sa Martin och vände sig till alla och ingen i sällskapet bakom honom. Först tystnad, sedan sa Gösta:

"Jag tar dem. Kom med här, killar, så kör jag hem er."

"Vi bor bara ett par hundra meter härifrån", sa Mattias svagt.

"Då promenerar jag hem er då", sa Gösta och gestikulerade åt dem att komma med. De lommade efter honom på typiskt tonårsvis, Mattias med tacksam min, Adam synbart besviken över att gå miste om det fortsatta händelseförloppet.

Martin följde dem med blicken tills de försvann bortom kröken och sa sedan med allt annat än förväntansfull stämma: "Ja, ska vi se vad vi har här då."

Bertil Mellberg harklade sig. "Nja, jag har visserligen inte några problem med lik och sådant ... Absolut inte ... Har sett åtskilliga i mina dar. Men någon borde ju kolla ... omgivningarna också. Kanske lämpligast om jag som överordnad, och mest erfaren här, tar den uppgiften." Han harklade sig igen.

Martin och Paula utbytte en road blick, men Martin ordnade anletsdragen innan han svarade:

"Jo, du har nog en poäng, Bertil. Bäst att någon med din erfarenhet kollar av tomten noga. Så kan Paula och jag gå in och titta."

"Ja ... just det. Jo, jag tänkte nog att det var klokast." Mellberg vägde lite på hälarna, men lommade sedan iväg över gräsmattan.

"Ska vi gå in då?" sa Martin. Paula nickade bara.

"Försiktigt nu", sa Martin innan han öppnade dörren. "Vi får inte störa några spår om det skulle visa sig att det inte var en naturlig dödsorsak. Vi kollar bara runt lite, så får teknikerna komma hit."

"Jag har fem års erfarenhet från våldsroteln på Länskrim i Stockholm. Jag vet hur man uppför sig på en eventuell brottsplats", sa Paula, men utan illvilja.

"Ja, ursäkta, det visste jag ju egentligen", sa Martin skamset men fokuserade sedan på arbetsuppgiften som låg framför dem.

En kuslig tystnad rådde i huset när de klev in i hallen. Inte ett ljud förutom deras steg mot hallgolvet hördes. Martin undrade för sig själv om tystnaden hade känts lika kuslig om de inte hade vetat att det fanns ett lik i huset och kom fram till att den nog inte hade det.

"Där inne", viskade han, men kom sedan på att det ju inte fanns någon anledning att viska. Därför upprepade han med normal röst, som studsade mellan väggarna i stillheten: "Där inne."

Paula gick efter honom, precis bakom. Martin tog ett par steg närmare det rum som måste vara biblioteket och öppnade dörren dit in. Den konstiga lukt som de hade känt så fort de kom in i huset blev nu ännu starkare. Pojkarna hade haft rätt. Det låg massor av flugor på golvet. Det knastrade om fötterna när först han och sedan Paula klev in. Lukten var söt, mättad, men var nu bara en tusendel så besvärande som den måste ha varit från början.

"Ja, ingen tvekan om att någon har dött här för ett bra tag sedan", sa

Paula, samtidigt som både hennes och Martins ögon fastnade på det som fanns längst bort i rummet.

"Nej, ingen större tvekan", sa Martin med en otäck bismak i munnen. Han stålsatte sig och klev försiktigt tvärs över rummet, bort mot liket i stolen.

"Stanna där." Han satte upp en avvärjande hand mot Paula, som lydigt stannade kvar vid dörren. Hon tog inte illa upp. Ju färre polisfötter som trampade runt inne i rummet, desto bättre.

"Du, det ser inte ut att vara en naturlig död i alla fall", konstaterade Martin, medan gallan åkte upp och ner i halsen på honom. Han svalde och svalde för att bekämpa kräkimpulsen och försökte koncentrera sig på uppgiften. Trots den usla kondition som liket befann sig i så var det ingen större tvekan. Ett stort krossår på högra sidan av offrets huvud talade sitt tydliga språk. Personen i stolen hade bragts om livet med brutalt våld.

Försiktigt vände Martin och gick ut ur rummet. Paula följde efter. Efter ett par djupa andetag ute i friska luften började kräkreflexen avta. I samma stund såg han Patrik svänga runt hörnet och komma mot dem på grusgången.

"Det är mord", sa Martin så fort Patrik kom inom hörhåll. "Torbjörn och hans team får komma hit och göra sitt jobb. Vi kan inte göra mer just nu."

"Okej", sa Patrik med bister min. "Kan jag bara …" Han hejdade sig och tittade på Maja i vagnen.

"Gå in och titta du, jag kan passa Maja", sa Martin ivrigt och gick genast fram och lyfte upp Maja på armen. "Kom, gumman, vi går och kikar lite på blommorna här borta."

"Bomma", sa Maja ivrigt och pekade mot rabatten.

"Var du med inne?" frågade Patrik.

Paula nickade. "Ingen vacker syn. Verkar som om han har suttit här sedan före sommaren. Det är min bedömning i alla fall."

"Ja, du har väl sett en del under åren i Stockholm."

"Inte så många som legat så här länge. Men ett par har det ju blivit."

"Ja, jag går in och tar en snabb titt. Egentligen är jag ju pappaledig, men …"

Paula log. "Svårt att hålla sig borta. Jo, jag förstår det. Men Martin verkar ju hålla ställningarna bra …" Hon tittade med ett leende bortåt rabatten, där Martin satt på huk med Maja och beundrade de blommor som fortfarande stod i blom.

"Han är en klippa. På alla sätt", sa Patrik och började gå i riktning mot huset. Några minuter senare återvände han.

"Ja, jag håller med Martin. Inte mycket att tveka på här. Rejält kross-sår i huvudet."

"Inga spår av något suspekt." Mellberg flåsade där han kom runt hörnet. "Nå, hur såg det ut där inne? Har du varit och tittat, Hedström?" Han såg uppfordrande på Patrik som nickade.

"Ja, det är inget större tvivel om att det är mord. Ringer du in tekni-kerna?"

"Självklart", sa Mellberg pompöst. "Det är ju jag som är chef för det här dårhuset. Vad gör du här, förresten?" sa han. "Du har ju envisats med att du ska vara pappaledig, och nu när du fått igenom det dyker du upp här som gubben i lådan." Mellberg vände sig mot Paula och fortsatte. "Ja, jag förstår mig inte på de här moderniteterna, karlar som ska gå hemma och byta blöjor och fruntimmer som ska springa runt i uniform." Han vände bryskt ryggen åt dem och stolpade iväg mot bilen för att ringa in teknikerna.

"Välkommen till Tanumshede polisstation", sa Patrik torrt och fick ett roat leende till svar.

"Äh, jag tar inte illa upp. Sådana där finns det gott om. Hade jag brytt mig om dinosaurierna i uniform hade jag kastat in handduken för länge sedan."

"Bra att du ser det så", sa Patrik. "Och fördelen med Mellberg är att han åtminstone är konsekvent – han diskriminerar allt och alla."

"Ja, det är ju en tröst", skrattade Paula.

"Vad har ni så roligt åt?" frågade Martin som fortfarande bar Maja på armen.

"Mellberg", sa Patrik och Paula i mun på varandra.

"Vad har han sagt nu då?"

"Åh, bara det gamla vanliga", sa Patrik och sträckte sig efter Maja. "Men Paula verkar kunna ta det, så det ska nog bli bra. Nu ska gumman och jag gå hem. Vinka hej då nu."

Maja vinkade och flinade upp sig lite extra mot Martin som sken upp.

"Va, ska du ta med dig min tjej? Jag trodde vi hade något på gång, du och jag, bruden …" Han putade med underläppen och låtsades se ledsen ut.

"Maja ska aldrig ha någon kille förutom pappa, eller hur, gumman?" Patrik gosade in näsan i halsvecket på Maja som skrek av skratt. Sedan satte han henne i vagnen och vinkade åt dem som fick stå kvar. En del av honom var lättad över att kunna lämna dem och gå. En annan del ville inget hellre än stanna kvar.

Hon var förvirrad. Var det måndag? Eller hade det hunnit bli tisdag? Britta gick nervöst av och an i vardagsrummet. Det var så ... frustrerande. Det var som att ju hårdare hon försökte fånga något, desto fortare undslapp det henne. I de klarare stunderna sa en röst inom henne att hon borde klara av att kontrollera det här med viljekraft. Borde kunna tvinga hjärnan att lyda henne. Men samtidigt visste hon att hennes hjärna förändrades, bröts ner, tappade sin förmåga att minnas, att hålla tag i stunder, fakta, information, ansikten.

Måndag. Det var måndag. Just det. I går hade döttrarna med familjer varit här på söndagsmiddag. I går. Så i dag var det måndag. Definitivt. Britta stannade lättad mitt i steget. Det kändes som en liten seger. Hon visste vilken dag det var.

Tårarna trängde fram och hon satte sig ner i ena änden av soffan. Josef Franck-motivet var tryggt välbekant. Hon och Herman hade köpt tyget tillsammans. Vilket innebar att hon valde och att han hummade instämmande. Allt som gjorde henne lycklig. Han skulle glatt ha accepterat en orange soffa med gröna prickar om det var vad hon ville ha. Herman, ja ... Var var han? Hon började oroligt pilla på soffans blommönster. Hon visste ju var han var. Egentligen. Hon såg framför sig hur hans mun rörde sig när han tydligt sa vart han skulle gå. Hon mindes till och med att han hade upprepat det flera gånger. Men liksom veckodagen hade gjort nyss, gled informationsbiten undan, gäckade henne, hånade henne. Frustrerad greppade hon armstödet. Hon borde kunna komma på det. Bara hon koncentrerade sig. Nu kom en känsla av panik över henne. Var var Herman? Skulle han vara borta länge? Han hade väl inte rest bort? Lämnat henne här. Hade han kanske till och med lämnat henne? Var det det som hans mun hade sagt när den rörde sig i hennes minnesbild. Hon måste försäkra sig om att så inte var fallet. Hon måste titta, kontrollera att hans saker var kvar. Britta reste sig abrupt från soffan och sprang uppför trappan till övervåningen. Paniken bultade som en flodvåg i öronen. Vad var det Herman hade sagt? En titt i garderoben lugnade henne. Alla hans saker hängde kvar. Kavajer, tröjor, skjortor. Allt fanns där. Men hon visste fortfarande inte var han var.

Britta kastade sig på sängen, rullade ihop sig som ett litet barn och grät. Inuti hennes hjärna fortsatte saker att försvinna. Sekund för sekund. Minut för minut. Hennes livs hårddisk höll på att raderas. Och det fanns inget hon kunde göra åt det.

"Hej på er. Det måste ha varit en riktig långpromenad. Vad länge ni var borta!" Erica gick Patrik och Maja till mötes och fick en blöt puss av dottern.

" Ja ... Skulle inte du sitta och jobba?" Patrik undvek att titta Erica i ögonen.

"Jo ..." Erica suckade. "Men jag har svårt att komma igång. Sitter mest och stirrar på skärmen och käkar Dumle. Om det fortsätter så här kommer jag väga hundra kilo innan den här boken är klar." Hon hjälpte Patrik att ta av Maja ytterkläderna. "Jag kunde inte låta bli att läsa lite i mammas dagböcker."

"Något intressant?" sa Patrik, lättad över att han verkade slippa vidare frågor om varför promenaden blev så lång.

"Nja, mest vardagsanteckningar. Jag läste bara några sidor. Får ta det i omgångar, känner jag."

Erica gick in i köket och sa, mest för att byta samtalsämne: "Ska vi ta lite te?"

"Ja, gärna", sa Patrik och hängde upp sina och Majas kläder. Han följde efter Erica in i köket och betraktade henne medan hon stökade med vatten, tepåsar och koppar. De hörde hur Maja rev runt bland sina leksaker ute i vardagsrummet. Efter några minuter ställde Erica fram var sin rykande kopp te och de slog sig ner mittemot varandra vid köksbordet.

"Seså, kläm fram det nu", sa hon och betraktade Patrik. Hon kände honom så väl. Blicken under lugg, det nervösa trummandet med fingrarna. Det var något han inte ville eller vågade berätta för henne.

"Vadå?" sa han och försökte se så oskyldig ut som möjligt.

"Hörru du, det hjälper inte att spärra upp de blå. Vad är det du inte säger?" Hon tog en klunk av det heta teet och väntade road på att han skulle sluta vrida sig som en mask och komma till saken.

"Jo ..."

"Jo, vadå?" sa Erica hjälpsamt och kunde inte förneka att en liten sadistisk del av henne njöt av hans uppenbara plåga.

"Jo ... det hände en grej när jag och Maja var ute och gick."

"Jaså? Ja, både du och Maja har ju återvänt i helt och rent skick, så vad kan det ha varit?"

"Jo ...", Patrik tog en klunk av teet för att vinna lite tid medan han funderade på hur han bäst skulle presentera det skedda. "Jo, vi promenerade bort mot Lerstens kvarn, och då råkade mina kollegor vara ute på utryckning." Han tittade försiktigt upp på henne. Erica höjde ett ögonbryn och väntade på fortsättningen.

"De hade fått ett larm om ett lik i ett hus på väg mot Hamburgsund och var på väg dit."

"Jaha – men du är ju pappaledig, så det är väl inget som berör dig." Hon hejdade sig med koppen halvvägs mot munnen. "Du menar inte att du ..." Hon stirrade klentroget på honom.

"Jo", sa Patrik med lite gäll röst och blicken fäst vid bordsskivan.

"Tog du med Maja till ett ställe där man hittat ett lik!" Hon naglade fast honom med blicken.

"Ja, jo, fast Martin hade Maja medan jag var inne och kikade lite. De tittade på blommor." Han försökte sig på ett litet försonande leende men möttes bara av en iskall blick.

"Inne och kikade lite." Isbitarna klirrade skoningslöst. "Du är pappaledig. Med betoning på 'ledig'. Och med betoning på 'pappa' också för den delen! Hur svårt kan det vara att säga: 'Jag jobbar inte just nu'?"

"Jag bara kikade lite ...", sa Patrik lamt men visste att Erica hade rätt. Han var ju faktiskt ledig. Pappaledig. De andra på stationen kunde sköta ruljangsen. Och han borde inte ha tagit med Maja till en brottsplats.

I samma ögonblick han tänkte det sista insåg han att det var en detalj som Erica inte kände till. Det ryckte lite nervöst i ansiktet på honom när han svalde och tillade:

"Det var för övrigt ett mord."

"Mord!" Ericas röst gick upp i falsett. "Så inte nog med att du tog med Maja till fyndplatsen för ett lik – det var dessutom ett mördat lik." Hon skakade på huvudet och de ord som hon ville få ut verkade staplas på varandra och fastna.

"Men nu gör jag inget mer." Patrik slog ut med händerna. "De andra får klara ut det här. Jag ska vara ledig till januari, och det vet de. Jag ska ägna mig hundra procent åt Maja. Hedersord!"

"Bäst för dig det", morrade Erica dovt. Hon var så arg att hon ville luta sig över bordet och skaka honom. Sedan fick nyfikenheten henne att lugna sig en aning:

"Var var det någonstans? Vet ni vem det är som är mördad?"

"Jag har ingen aning. Det var ett stort vitt hus som låg hundra meter in till vänster på första avtagsvägen till höger efter kvarnen."

Erica tittade konstigt på honom. Sedan sa hon: "Stort vitt hus med grå knutar?"

Patrik tänkte efter och nickade sedan bekräftande. "Ja, det tror jag stämmer. Det stod Frankel på brevlådan."

"Jag vet vem, eller rättare sagt vilka, som bor där. Det är Axel och Erik Frankel. Du vet, Erik Frankel som jag lämnade nazistmedaljen till."

Patrik tittade stumt på henne. Hur hade han kunnat glömma bort det? Frankel var inte direkt världens vanligaste namn.

Ute i vardagsrummet hördes Majas glada ordlösa babblande.

Det hade hunnit bli sen eftermiddag då de äntligen kunde återvända till stationen. Chefen för tekniska roteln, Torbjörn Ruud, och hans team hade både kommit, gjort ett grundligt jobb och gått. Även liket var borta. På väg till rättsmedicinska, där det skulle gås igenom på alla tänkbara, och otänkbara, sätt.

"Ja, det var en jävla måndag", suckade Mellberg när Gösta körde in i stationens garage och parkerade.

"Jo du", sa Gösta, som sin vana trogen inte slösade ord i onödan.

När de kom in i polishuset hann Mellberg bara uppfatta att något närmade sig i hög hastighet innan han fick en lurvig figur över sig och kände en tunga som försökte komma åt att slicka honom i ansiktet.

"Hörru! Hörru! Lägg av med det där!" Mellberg viftade med avsmak bort hunden, som med nerfällda öron besviket lufsade iväg bortåt Annikas håll. Där visste han i alla fall att han var välkommen. Mellberg torkade bort hundsaliven med baksidan av handen och muttrade, medan Gösta kämpade för att hålla ansiktet allvarligt. Scenen blev inte mindre roande av det faktum att håret som Mellberg virat till ett bo längst upp på huvudet hade trillat ner. Mellberg rättade irriterat till frisyren och fortsatte muttra hela vägen bort till sitt rum.

Gösta klev småskrockande in i sitt eget rum, men ryckte till av förvåning när han fick höra ett välbekant vrål: "Ernst! Ernst! Kom hit!"

Gösta tittade sig förvånad omkring. Det var ett bra tag sedan hans kollega Ernst Lundgren hade fått sparken, och han hade inte hört något om att han skulle ha kommit tillbaka.

Men Mellberg ropade ännu en gång: "Ernst! Kom hit! Nu!"

Gösta tog ett kliv ut i korridoren för att försöka få klarhet i mysteriet, och såg hur Mellberg med högrött ansikte pekade mot något på golvet. En misstanke slog rot. Och som på beställning kom jycken lommande, med huvudet skamset hängande.

"Ernst – vad är det här?"

Jycken försökte så gott han kunde se ut som om han inte förstod vad Mellberg pratade om. Men bajskorven på golvet på Mellbergs rum talade sitt tydliga språk.

"Annika", brölade Mellberg och sekunden senare kom stationens sekreterare raskt emot dem.

"Hoppsan, det har visst hänt en liten olycka här." Hon skickade en beklagande blick mot hunden, som tacksamt närmade sig henne.

"En liten olycka! Ernst har bajsat på mitt golv."

Nu kunde inte Gösta hålla sig längre. Han började fnissa, och ansträngningen att försöka sluta gjorde bara att han fnissade ännu värre. Det smittade av sig på Annika, och det slutade med att de båda skrek av skratt med tårarna trillande nerför kinderna.

"Vad är det som händer?" sa Martin nyfiket, med Paula tätt bakom.

"Ernst …", Gösta fick knappt luft, "Ernst … har bajsat på golvet."

Martin såg först helt oförstående ut, men när han flyttade blicken mellan högen på Mellbergs golv och hunden som tryckte sig mot Annikas ben, gick det upp ett ljus för honom.

"Har du … har du döpt hunden till Ernst?" sa Martin och föll också han in i skrattet. Det var nu bara Mellberg och Paula som inte skrattade hysteriskt. Men medan Mellberg såg ut som om han skulle explodera av ilska, såg Paula mest oförstående ut.

"Jag förklarar sedan", sa Martin till henne och torkade sig i ögonvrån.

"Fan, det är ju humor, du är en riktigt rolig jävel, Bertil", sa Martin sedan.

"Ja, jo … man är kanske lite rolig", sa Bertil och drog motvilligt mungiporna uppåt en aning. "Seså, se nu till att städa bort det här, Annika, så kan vi återgå till arbetet sedan." Han grymtade och gick och satte sig bakom sitt skrivbord. Hunden tittade först lite tvekande mellan Annika och Bertil, men bestämde sig sedan för att det värsta utbrottet nog var över och följde med viftande svans efter sin nya husse.

Övriga på stationen tittade häpet på det udda paret och undrade vad hunden såg i Bertil Mellberg som de uppenbarligen hade missat.

Erica kunde inte släppa tanken på Erik Frankel på hela kvällen. Hon hade inte känt honom väl, men han och hans bror Axel var på något sätt en självklar del av Fjällbacka. "Doktorns söner" hade de alltid kallats i samhället, trots att det var femtio år sedan deras far var läkare i Fjällbacka och dessutom över fyrtio år sedan han hade gått bort.

Erica tänkte tillbaka på sitt besök i villan som bröderna delade. Sitt enda besök. De bodde tillsammans i föräldrahemmet, båda ungkarlar, båda med ett brinnande intresse för Tyskland och nazismen, fast var och en på sitt sätt. Erik hade varit historielärare på högstadiet, men på fritiden hade han samlat på föremål från nazisttiden, som han var specialintresserad av. Axel, den äldre brodern, hade någon koppling till Simon Wiesenthal-centret om hon kom ihåg rätt, och hon hade ett vagt minne av att han hade farit illa under kriget på något sätt.

Först hade hon ringt upp Erik. Berättat om vad hon hade hittat, beskrivit medaljen. Frågat om han kunde hjälpa henne att forska i föremålets ursprung, hur det kunde ha hamnat bland hennes mors tillhörigheter. Hans omedelbara reaktion hade varit tystnad. Flera gånger hade hon sagt "Hallå" i luren, för hon trodde att han hade råkat lägga på. Sedan hade han med ett märkligt tonfall bett henne ta med medaljen och komma över, så skulle han titta på den. Hon hade reagerat på det. Den långa tystnaden. Den märkliga tonen i hans röst. Hon hade inte nämnt det för Patrik då, intalat sig att hon hade inbillat sig. Och när hon åkte ut till brödernas villa hade hon inte märkt av något underligt i hans sätt att förhålla sig till medaljen. Hon hade blivit artigt bemött och fått visa fram medaljen efter att ha blivit invisad i biblioteket. Erik hade med avmätt intresse tagit emot den och studerat den noga. Sedan hade han frågat om han fick behålla den ett slag. Göra lite efterforskningar. Erica hade nickat. Tacksam att någon ville titta närmare på den.

Hon hade också fått en visning av samlingen. Med skräckblandad förtjusning hade hon betraktat alla de föremål som var så intimt förknippade med en svart, ond tid i historien. Hon hade inte kunnat låta bli att fråga hur det kom sig att någon som var emot allt vad nazismen stod för ville samla på och omge sig med föremål som påminde om just det. Erik hade dröjt med sitt svar. Han hade tankfullt plockat upp en mössa med

SS-emblem och fingrat på den medan han verkade överväga hur han skulle formulera sitt svar.

"Jag litar inte på människans förmåga att minnas", hade han slutligen sagt. "Utan saker som vi kan se eller ta på glömmer vi lätt det som vi inte vill komma ihåg. Jag samlar på sådant som kan påminna oss. Och en del av mig vill väl också hålla dessa föremål ifrån dem som ser på dem med andra ögon. Med beundrande ögon."

Erica hade nickat. Delvis förstått. Delvis inte. Sedan hade de tagit i hand, sagt adjö.

Och nu var han död. Mördad. Kanske inte så långt efter att hon hade varit där. Enligt vad Patrik motvilligt berättat, hade han suttit död i huset hela sommaren.

Återigen mindes hon det underliga tonfallet Erik hade haft när hon berättade om medaljen, och hon vände sig mot Patrik som satt bredvid henne i soffan och zappade mellan kanalerna.

"Vet du om medaljen fanns kvar?"

Patrik tittade på henne med undrande blick. "Det tänkte jag inte på. Ingen aning. Men det syntes inga spår av att det skulle ha varit ett rånmord, och vem skulle i så fall vara intresserad av en gammal nazistmedalj? Det är ju inte så att de är unika direkt. Fanns ju ett par stycken menar jag..."

"Nej ... jag vet ...", sa Erica dröjande. Hon kände sig fortfarande olustig. "Men kan du ringa kollegorna i morgon och be dem kolla efter medaljen?"

"Nja", sa Patrik. "Jag tror nog att de har annat för sig än att leta efter den. Vi får kolla med Eriks bror sedan. Be honom ta fram den åt oss. Den ligger säkert kvar hemma hos dem."

"Axel, ja. Var är han? Varför har han inte hittat sin bror på hela sommaren?"

Patrik ryckte på axlarna. "Jag är pappaledig om du minns. Du får väl ringa Mellberg och fråga."

"Ha ha, jättekul", sa Erica och log. Men oron ville inte släppa henne. "Men är det inte konstigt att Axel inte hittat honom?"

"Ja, men sa du inte att han var bortrest när du var hemma hos dem?"

"Joo. Erik sa att hans bror var utomlands. Men det var ju i juni."

"Men varför funderar du på det här?" Patrik flyttade blicken tillbaka till tv:n. "Äntligen hemma" skulle precis börja.

"Äh, jag vet inte ...", sa Erica och stirrade tomt på tv-skärmen. Hon kunde själv inte förklara varför en känsla av oro hade smugit sig över henne. Men hon hörde Eriks tystnad i telefonen. Hörde den lite skeva, skorrande tonen i rösten när han bad henne komma över med medaljen. Något hade han reagerat på. Något som rörde medaljen.

Hon försökte fokusera på Martin Timells snickerier istället. Det gick så där.

"Fy fan, farfar, du skulle ha sett i dag. Den där jävla blatten försökte tränga sig före i kön och bara 'pow' liksom. En spark så stöp han som en jävla fura. Sedan sparkade jag honom på pungen så han bara låg och kved i en kvart."

"Och vad uppnår du med det, Per? Förutom det faktum att du kan bli åtalad för misshandel och ivägskickad på ungdomsvård så får du alla sympatier emot dig, du får bara motkrafterna att gadda sig samman ännu mer. Och det slutar med att du istället för att ha hjälpt vår sak har bidragit till att mobilisera mer stöd för motståndarna." Frans tittade avmätt på sin sonson. Ibland visste han inte hur han skulle tygla alla tonårshormoner som svallade inom pojken. Och han visste så lite. Trots sitt tuffa yttre, med militärbyxor, grova kängor och rakat huvud, var han inget annat än ett lättskrämt barn på femton år. Han visste inget om saken. Han visste inte hur världen fungerade. Han visste inte hur de destruktiva impulserna skulle kanaliseras, så att de kunde användas som en spjutspets som kunde tränga rakt igenom samhällsstrukturen.

Pojken hängde skamset med huvudet där han satt bredvid honom på trappan. Frans visste att han hade stukat honom med sina hårda ord. Det var honom sonsonen ville imponera på. Men han gjorde sonsonen en otjänst om han inte visade honom hur världen fungerade. Världen var kall och hård och oförsonlig, och det var bara de starkaste som kunde gå segrande ur striden.

Samtidigt älskade han pojken. Ville skydda honom mot det onda. Frans lade armen om sonsonens axlar. Slogs av hur späda de fortfarande var. Per hade ärvt hans fysik. Lång och gänglig, med smala axlar. Inga gympass i världen kunde råda bot på deras konstitution.

"Du måste tänka dig för bara", sa Frans med ett mjukare tonfall. "Tänka innan du handlar. Använda orden istället för nävarna. Våld är inte det första verktyget. Det är det sista." Han tryckte till lite extra om pojkens axlar. För en sekund lutade sig Per mot honom, som han hade gjort när han var liten. Sedan mindes han att det var en man han ville bli. Att han inte längre var liten. Men att det viktigaste i världen, då liksom nu, var att göra farfar stolt. Per rätade på sig.

"Jag vet, farfar. Jag blev så jävla förbannad när han trängde sig bara. För det är ju så de är. De tränger sig fram överallt, tror att de äger världen, tror att de äger Sverige. Det gjorde mig så ... förbannad."

"Jag vet", sa Frans och tog bort armen som hade legat över sonsonens axlar och klappade honom istället på knät. "Men tänk dig för, är du snäll. Jag har ingen glädje av dig i fängelse."

Kristiansand 1943

Han hade kämpat mot sjösjukan hela vägen till Norge. Den verkade inte bekomma de andra. De var vana. Uppväxta på sjön. Hade sjöben, som hans far brukade säga. De parerade alla vågrörelser och gick stadigt på däck, verkade aldrig lida av illamåendet som spred sig från magen, upp i halsen. Axel stödde sig tungt mot relingen. Själv ville han bara luta sig ut över kanten och kräkas. Men han vägrade utsätta sig för den förnedringen. Han visste att gliringarna inte skulle vara illasinnade, men han var för stolt för att stå ut med fiskarnas retsamhet. Snart skulle de vara framme. Och så fort han kunde gå iland på fast mark skulle illamåendet försvinna som genom ett trollslag. Det visste han av erfarenhet. Han hade gjort den här resan många gånger nu.

"Land i sikte", ropade Elof, båtens skeppare. "Vi är framme om tio minuter." Elof kastade en lång blick mot Axel, som gick fram till honom där han stod vid rodret. Gubben var solbränd och väderbiten, med hud som skrynkligt läder efter att ha utsatts för väder och vind sedan barnsben.

"Har du ordning på ditt?" frågade han lågt och tittade sig runt. Inne i hamnen i Kristiansand såg de hur de tyska båtarna låg på rad, en tydlig påminnelse om hur verkligheten såg ut. Norge var invaderat av Tyskland. Sverige var ännu skonat, men ingen visste hur länge den lyckan skulle hålla i sig. Till dess höll man ett vaksamt öga på grannen i väster, och på tyskens framfart i övriga Europa också för den delen.

"Sköt ni ert, så sköter jag mitt", sa Axel. Det lät kärvare än han hade avsett, men han kände alltid ett styng av dåligt samvete för att han involverade båtens besättning i de risker han skulle ha föredragit att bära själv. Men han tvingade inte någon, fick han påminna sig själv. Elof hade omedelbart sagt ja, när han frågade om han fick följa med båten ibland, och ta ... varor med sig. Han hade aldrig behövt tala om vad det var han transporterade, och Elof och den övriga besättningen på Elfrida hade aldrig frågat.

De lade till i hamnen och tog fram de papper som skulle efterfrågas.

Tyskarna lämnade ingenting åt slumpen och det var alltid en rigorös pappersexercis innan de ens fick börja lossa lasten. Sedan formaliteterna var avklarade började de lasta av de maskindelar som var deras officiella last. Norrmännen tog emot varorna, medan tyskarna bistert betraktade hanteringen, med gevären redo om behov skulle uppstå. Axel bidade sin tid till kvällen. Det krävdes mörker för att hans last skulle kunna lossas. Oftast var det mat han hade med sig. Mat och information. Så också den här gången.

Efter att de hade ätit middag, under tryckt tystnad, slog sig Axel ner och väntade rastlöst på att klockslaget de hade kommit överens om skulle infalla. En försiktig knackning på rutan fick honom och de övriga att hoppa till. Axel lutade sig raskt fram, lyfte upp en del av golvet och började lassa upp trälårar. Tysta, varliga händer tog sedan emot lådorna som langades upp på kajen. Allt skedde till ljudet av tyskarnas högljudda samtal i baracken en bit bort. Vid den här tiden på kvällen hade de starkare dryckesvarorna plockats fram, vilket förenklade deras farliga uppgift. Fulla tyskar var betydligt enklare att dra vid näsan än nyktra tyskar.

Efter ett tyst "Tack" på norska, var lasten borta från båten och hade försvunnit in i mörkret. Än en gång hade överlämningen gått smidigt. Med en berusande känsla av lättnad gick Axel ner i skansen igen. Tre par ögon mötte hans, men ingen sa något. Elof bara nickade och vände sig sedan om och började stoppa sin pipa. Axel kände en tacksamhet mot dessa män som fullkomligt överväldigade honom. De trotsade såväl stormar som tyskar med samma lugna uppsyn. De hade för länge sedan accepterat att livets och ödets vändningar inte var något som gick att råda över. Man gjorde så gott man kunde, försökte leva så gott det gick. Resten var upp till Guds försyn.

Utmattad gick Axel och lade sig. Han somnade omgående, vaggad av båtens lätta rörelser och det kluckande ljudet mot skrovet. Uppe i baracken vid kajen steg och sjönk tyskarnas röster. Efter en stund började de sjunga. Men då sov Axel redan tungt.

"Nå, vad vet vi så här långt?" Mellberg tittade sig runt i fikarummet. Kaffet var kokat, bullarna uppdukade och alla var församlade.

Paula harklade sig: "Jag har varit i kontakt med brodern, Axel. Han arbetar tydligen i Paris och tillbringar alltid somrarna där. Men han är på väg hem. Lät förkrossad när jag berättade om dödsfallet."

"Vet vi när han reste ur landet?" Martin vände sig till Paula. Hon konsulterade ett block med anteckningar framför sig.

"Tredje juni, säger han. Jag kollar självklart de uppgifterna."

Martin nickade.

"Har vi fått någon preliminär rapport från Torbjörn och hans team?" Mellberg flyttade lite försiktigt på fötterna. Ernst låg med hela sin tyngd på dem, men trots att de var på väg att somna, kunde Mellberg av någon anledning inte förmå sig att putta undan honom.

"Inget än", sa Gösta och sträckte sig efter en bulle. "Men jag pratade med honom i morse och vi kanske kunde få något i morgon."

"Bra, häng på låset", sa Mellberg och försökte åter maka på fötterna lite. Men Ernst flyttade bara efter.

"Några misstänkta i det här läget? Kända fiender? Hot? Något?" Mellberg tittade uppfordrande på Martin, som skakade på huvudet.

"Vi har inga anmälningar liggande hos oss i alla fall. Men han hade ju ett kontroversiellt intresse. Nazismen väcker alltid heta känslor."

"Vi kan åka ut till huset och titta. Se om det finns några hotbrev eller liknande i lådorna."

Alla tittade förvånat på Gösta. Hans egna initiativ var som vulkanutbrott, sällsynta, men svåra att ignorera.

"Ta med dig Martin och åk ut efter mötet", sa Mellberg och log nöjt mot Gösta, som nickade och snabbt återfick sin vanliga letargiska uppsyn och kroppshållning. Gösta Flygare levde bara upp på golfbanan. Det var ett faktum som hans kollegor för länge sedan hade insett och accepterat.

"Paula, du bevakar när brodern – var det Axel han hette? – landar och ser till att vi får en pratstund med honom. Eftersom vi ännu inte vet när Erik dog, kan det vara han som slog sin bror i huvudet och sedan flydde landet. Så var på honom direkt när han stiger ner på svensk mark. När är det förresten?"

Paula konsulterade åter anteckningarna. "Han ankommer till Landvetter kvart över nio i morgon bitti."

"Bra, se då till att han kommer hit det första han gör." Nu var Mellberg tvungen att flytta på fötterna, det stack obehagligt i dem och de var på väg att domna bort. Ernst reste på sig, tittade förnärmat på honom och gick med svansen mellan benen ut ur rummet, i riktning mot sin korg inne på Mellbergs rum.

"Verkar vara sann kärlek", sa Annika och skrattade medan hon följde hunden med blicken.

"Jo…" Mellberg harklade sig. "Jag skulle just fråga – när blir hundkräket hämtat egentligen?" Han tittade ner i bordet och Annika satte upp sin mest oskyldiga min.

"Ja, det är ju inte helt lätt det här. Jag har ringt runt, men ingen verkar kunna ta in en hund av den här storleken, så om du skulle kunna ta hand om honom bara ett par dagar till …?" Annika tittade med stora, blå ögon på Mellberg.

Han grymtade. "Ja, jo, ett par dagar till ska jag väl kunna stå ut med byrackan. Men sedan får det vara bra, sedan åker han ut på gatan igen om du inte hittar något ställe."

"Tack, Bertil, vad snällt. Ja, jag ska sätta till alla klutar." Annika blinkade åt de övriga när Mellberg inte såg, och de kämpade för att inte börja skratta. De började ana planen nu. Annika var skicklig, inte tu tal om saken.

"Fint, fint", sa Mellberg och reste sig. "Då återgår vi till arbetet." Han lommade ut ur fikarummet.

"Ja, ni hörde vad chefen sa", sa Martin och reste sig. "Gösta, ska vi sticka?"

Gösta verkade redan ångra att han hade kommit med ett förslag som innebar merarbete för honom själv, men han nickade trött och följde efter Martin. Det var bara att härda ut. Till helgen skulle han i alla fall slå ut klockan sju på morgonen både lördag och söndag. Allt fram till dess var bara transportsträcka.

Tankarna på Erik Frankel och medaljen lämnade Erica ingen ro. Hon försökte tränga undan dem och lyckades ganska väl ett par timmar i stöten, då hon äntligen lyckades komma igång med manuset. Men så fort hon släppte koncentrationen fanns tankarna där. Det korta mötet med honom hade gett henne intrycket av en mild, belevad herre som levde upp när han fick tala om sitt stora intresse, nazismen.

Hon sparade det hon hade skrivit på manuset och öppnade efter en kort tvekan Internet Explorer. Efter att ha tagit fram Google, skrev hon in "Erik Frankel" i sökfältet och tryckte på Enter. En mängd träffar dök upp. Några var uppenbarligen helt fel och gav information om andra personer. Men de flesta rörde rätt Erik Frankel, och hon ägnade en dryg timme åt att klicka sig igenom en del av informationsflödet. Han var född 1930, i Fjällbacka. Han hade en fyra år äldre bror, Axel, men inga syskon i övrigt. Hans far hade varit läkare i Fjällbacka mellan 1935 och 1954, och huset han och brodern bodde i var deras föräldrahem. Hon letade vidare. Hans namn dök upp i många intresseforum om nazismen. Men hon fann inget som tydde på att han var intresserad i egenskap av sympatisör. Snarare tvärtom, även om hon i vissa inlägg kunde spåra ett slags motvillig beundran för vissa aspekter av nazismen. Eller åtminstone en stark fascination, vilket verkade vara det som drev honom.

Hon stängde ner Internetfönstret och knäppte händerna bakom huvudet. Hon hade inte tid att ägna sig åt detta. Men hennes nyfikenhet hade väckts.

Erica ryckte till vid ljudet av en försiktig knackning på dörren bakom henne.

"Ursäkta, stör jag?" Patrik stack in huvudet.

"Nej, det är ingen fara." Hon snurrade på kontorsstolen så att hon var vänd mot honom.

"Jo, jag skulle bara säga att Maja sover. Och jag skulle behöva sticka ut och uträtta lite ärenden. Kan du passa den här?" Han höll fram babymonitorn som de använde för att höra när Maja vaknade.

"Nja... Jag skulle behöva jobba." Erica suckade inombords. "Vad är det du ska göra?"

"Jag har fått en postavi på lite böcker som jag tänkte hämta, och så ska jag till apoteket och köpa Nezeril, och sedan tänkte jag lämna in en tipslapp också, medan jag ändå är iväg. Och handla lite mat också förresten."

Erica kände sig med ens oerhört trött. Hon tänkte på alla ärenden som hon hade uträttat under året som gått, ständigt med Maja i vagnen eller i famnen. Ofta hade hon varit genomsvettig när hon var klar. Inte hade hon haft någon som kunde passa Maja medan hon svischade iväg och fixade saker i lugn och ro. Men hon slog bort funderingarna, hon ville inte verka futtig och ogin.

"Självklart passar jag henne", sa hon med ett leende och försökte få det att nå ända upp till ögonen. "Hon sover ju ändå, så jag kan jobba samtidigt."

"Jättebussigt", sa Patrik och pussade henne på kinden innan han stängde dörren bakom sig.

"Visst, jättebussigt", sa Erica för sig själv och tog upp Worddokumentet med manuset igen. Tankarna på Erik Frankel försökte hon skjuta långt bort i bakhuvudet.

Hon hade precis satt fingrarna på tangentbordet när det knastrade till i babymonitorn. Erica stelnade till. Det var säkert inget. Troligtvis rörde sig Maja i sängen bara, monitorn var lite väl känslig ibland. Hon hörde ljudet av bilen som startade utanför, och sedan hur Patrik åkte iväg. Hon flyttade blicken till skärmen, försökte hitta nästa mening. Det knastrade till igen. Hon tittade på babymonitorn som om hon kunde besvärja den att hålla tyst, men belönades bara med ett ljudligt "Buäääääää". Följt av ett gällt "Mammaaaaa ... Pappaaa ..."

Med en känsla av uppgivenhet sköt hon tillbaka stolen och reste sig. Typiskt. Hon gick bort till Majas rum en bit bort i hallen och öppnade dörren. Dottern stod upp och gallskrek.

"Men Maja, gumman, du ska sova."

Maja ruskade på huvudet.

"Jo, du ska sova nu." Erica försökte låta så bestämd som hon bara kunde. Hon lade ner dottern i spjälsängen igen, men Maja studsade upp som om hon hade gummiband fästa vid lederna.

"Mammaaaaaa!" skrek dottern med en röst som kunde spräcka glas. Erica kände ilskan byggas upp i bröstet. Så många gånger hon hade gjort det här. Så många dagar av matning, läggning, bärande, lekande. Hon älskade sin dotter. Men hon var i desperat behov av att äntligen få lämna över ansvaret. Att få en stunds respit. Att få vara vuxen och göra vuxna saker – precis som Patrik hade kunnat göra under hela det år då hon hade varit hemma med Maja.

Hon lade ner Maja igen, vilket bara resulterade i att ettåringen jobbade sig upp till raseri.

"Nu ska du sova", sa Erica och backade ut ur rummet och stängde dörren. Med ilskan bubblande i bröstet tog hon telefonen och slog numret till Patriks mobil, med aningen för hårda tryckningar på tangenterna. Hon hörde första signalen gå fram och ryckte till när det började ringa gällt i undervåningen. Patriks telefon låg på köksbordet.

"Det var då själva fan!" Hon drämde den bärbara telefonen i bordet, men tvingade sig sedan att ta ett par djupa andetag. Ilskna tårar började tränga fram i ögonvrårna, men hon försökte logiskt resonera med sitt mer sansade jag. Det var väl inte hela världen om hon fick hoppa in en liten stund. Men samtidigt var det det. Det handlade om att hon inte kände att hon kunde släppa taget. Att hon inte kände att Patrik tog emot stafettpinnen.

Men det var som det var. Och det viktigaste var att hon inte lät det gå ut över Maja. Det var ju inte hennes fel. Erica tog ytterligare ett djupt andetag och gick in i dotterns rum igen. Maja vrålade så att hon var högröd i ansiktet. Och en omisskännlig doft hade nu börjat sprida sig i rummet. Mysteriet klarnade. Det var därför Maja inte hade kunnat somna. Med en viss känsla av ånger, och en stor känsla av otillräcklighet, lyfte Erica ömt upp dottern och tröstade henne med det lilla fjuniga huvudet mot sitt bröst. "Så, så, gumman, mamma ska ta bort den där äckliga bajsblöjan, så, så." Maja tryckte sig med små snyftningar mot henne. Nere i köket ringde Patriks telefon gällt.

"Känns lite kusligt..." Martin stod kvar en stund i hallen och lyssnade till de karakteristiska ljud som finns i alla gamla hus. Små knäppanden, små gnisslanden, små protesterande ljud när vinden tar tag i det.

Gösta nickade. Det var verkligen något kusligt över stämningen i huset, men han insåg att det nog berodde mer på vetskapen om vad som hade funnits där än själva huset i sig.

"Det var klartecken från Torbjörn att gå in, sa du?" Martin vände sig till Gösta.

"Ja, de har gjort de undersökningar de behöver." Gösta nickade med huvudet in mot biblioteket, där spåren av fingeravtryckspulvret var tydliga. Svarta, suddiga fläckar, som störde bilden av det annars så vackra rummet.

"Då så." Martin torkade av skorna på dörrmattan och började gå mot biblioteket. "Ska vi börja här då?"

"Känns väl lämpligt", sa Gösta med en suck och följde motvilligt efter.

"Jag tar skrivbordet, så kan väl du gå igenom pärmarna."

"Visst." Gösta suckade ännu en gång, men Martin hörde det inte ens. Gösta suckade alltid när han stod inför en konkret arbetsuppgift.

Martin närmade sig försiktigt det stora skrivbordet. Det var en enorm möbel i mörkt trä och i snirkligt utförande. Martin tyckte att det såg ut att passa bättre på något engelskt herresäte än i det här stora, luftiga rummet. Ovansidan av skrivbordet var prydligt, med bara en penna och en ask med gem placerade i perfekt symmetri. Lite blod hade stänkt på ett fullkladdat block och Martin lutade sig fram för att se vad som hade klottrats där om och om igen. "Ignoto militi", stod det. Det sa honom ingenting. Varligt började han dra ut låda efter låda i skrivbordet och gick metodiskt igenom innehållet. Inget väckte hans intresse. Det enda han kunde konstatera var att Erik och hans bror verkade dela på arbetsplatsen, och de verkade också dela en förkärlek för ordning och reda.

"Är inte det här lite åt det sjukliga hållet?" Gösta höll upp en pärm mot Martin och visade honom innehållet. Alla papper var prydligt insatta, med ett arkivblad längst fram där Erik eller Axel noggrant hade skrivit vad varje flik innehöll.

"Ja, det ser inte ut så där bland mina papper, kan jag säga." Martin skrattade.

"Ja, jag har då alltid tyckt att det är något fel på folk som håller sådan här ordning. Har säkert att göra med bristande potträning eller något sådant…"

"Jo, det är ju en teori." Martin log. Gösta kunde vara riktigt rolig ibland. Fast oftast utan att avse det.

"Hittar du något då? Här var det i alla fall inget intressant." Martin stängde den sista lådan han hade gått igenom.

"Nja, inte än. Mest räkningar, avtal och sådant. Vet du, de har sparat alla sina elräkningar sedan urminnes tider tillbaka. I datumordning." Gösta skakade på huvudet. "Ta en pärm, du med." Han drog fram en stor, tjock pärm med svart rygg ur bokhyllan bakom skrivbordet och räckte den till kollegan.

Martin tog den och gick bort till en av fåtöljerna där han slog sig ner för att läsa. Gösta hade rätt. Allt var i perfekt ordning. Han gick igenom varje flik, studerade varje papper, men började misströsta. Tills han kom till bokstaven "S" i registret. En snabb titt gav vid handen att "S" stod för Sveriges vänner. Nyfiket började han bläddra bland de insatta papperen. Varje papper hade en tryckt logotyp längst uppe i högra hörnet, en krona, mot bakgrund av en vajande svensk fana. Alla breven var också från samma avsändare, Frans Ringholm.

"Hör här", Martin läste högt för Gösta ur ett av de översta breven, som enligt datumet var ett av de färskaste:

"Trots vår gemensamma historia kan jag inte så mycket längre ignorera det faktum att du aktivt motverkar Sveriges vänners syften och mål, och detta kommer ofrånkomligen att leda till konsekvenser. Jag har gjort mitt bästa för att för gammal vänskaps skull skydda dig, men det finns starka krafter inom organisationen som inte ser på detta med blida ögon, och det kommer att komma en tid då jag inte längre kan erbjuda dig skydd mot dessa krafter." Martin höjde ett ögonbryn. "Och det fortsätter i ungefär samma stil." Han bläddrade snabbt igenom de övriga breven och räknade till totalt fem.

"Det verkar som om Erik Frankel genom sin verksamhet hade trampat en nynazistisk verksamhet på tårna, men att han paradoxalt nog hade en beskyddare inom samma organisation."

"En beskyddare som kanske till slut misslyckades."

"Ja, det ligger ju nära till hands. Vi får gå igenom resten av dokumenten och se om vi kan hitta något mer. Men det är väl ingen större tvekan om att vi bör ta oss ett snack med Frans Ringholm."

"Ringholm..." Gösta stirrade fundersamt rakt ut i luften. "Jag känner igen det namnet." Han grimaserade illa i ett försök att tvinga hjärnan att få fram svaret, men misslyckades. Han såg fortsatt fundersam ut medan de under tystnad gick igenom resten av pärmarna.

Efter en dryg timme slog Martin ihop den sista och konstaterade: "Nej, jag hittade i alla fall inget mer av intresse. Du?"

Gösta skakade på huvudet. "Nej, och inga fler referenser till det här med Sveriges vänner."

De lämnade biblioteket och letade igenom resten av huset. Överallt fanns tydliga spår av intresset för Tyskland och andra världskriget, men inget som väckte polismännens intresse. Huset i sig var vackert men något ålderdomligt inrett, och det hade börjat se slitet ut på sina ställen. Svartvita porträtt av brödernas föräldrar och andra släktingar var uppsatta på väggarna eller stod uppställda i gammaldags ramar på byråer och sidobord. Deras närvaro var tydlig. Det verkade heller inte som om bröderna hade ändrat särskilt mycket på husets utseende sedan de levde, därav den ålderdomliga känslan. Ett tunt lager av damm var det enda som störde prydligheten.

"Jag undrar om de brukar städa själva, eller om de har någon som

53

kommer hit?" sa Martin fundersamt och drog med fingret över byrån i ett av de tre sovrummen på övervåningen.

"Jag har svårt att se framför mig att två gubbar i sjuttiofemårsåldern går här och städar själva", sa Gösta och öppnade garderobsdörren närmast dörren. "Vad tror du? Eriks eller Axels rum?" Han betraktade raden av bruna kavajer och vita skjortor som hängde i garderoben.

"Eriks", sa Martin. Han hade tagit upp en bok som låg på nattduksbordet och pekade på första sidan där ett namn stod skrivet med blyerts. "Erik Frankel." Boken var en biografi över Albert Speer. "Hitlers arkitekt", läste Martin högt från baksidan innan han lade tillbaka boken på dess plats.

"Han satt tjugo år i Spandaufängelset efter kriget", mumlade Gösta och Martin tittade förvånad på honom.

"Hur vet du det?"

"Jag tycker också att andra världskriget är intressant. Har läst en del genom åren. Och tittat på faktaprogram på Discovery och så där."

"Jaha", sa Martin, fortfarande med förvånad min. Det var första gången under de år som de hade jobbat ihop som han ens hört talas om att Gösta hade något annat intresse än golf.

De fortsatte att titta igenom huset i ytterligare en timme, men inget nytt framkom. Martin kände sig ändå nöjd när han rattade bilen tillbaka till stationen. Namnet Frans Ringholm gav dem något att gå på.

Det var lugnt på Konsum. Patrik tog god tid på sig att strosa mellan hyllorna. Det var befriande att komma ut ur huset ett slag. Befriande att få en stund för sig själv. Det var bara tredje dagen av pappaledigheten, och en del av honom älskade möjligheten att få vara hemma med Maja. Men en annan del av honom hade svårt att vänja sig vid att gå hemma. Inte för att han inte hade fullt upp hela dagen, han hade raskt märkt att det verkligen inte saknades sysselsättning när man skulle ta hand om en ettåring. Men problemet var att det inte var särskilt ... stimulerande, tänkte han skuldmedvetet. Och det var otroligt hur bunden man var, han kunde ju inte ens gå på toaletten ifred, då Maja nu hade tagit för vana att stå utanför och skrika "pappa, pappa, pappa, pappa" och banka med sina små knytnävar tills han gav efter och öppnade dörren. Sedan stod hon nyfiket och iakttog honom medan han gjorde det som under hela hans tidigare liv hade klarats av i betydligt privatare sammanhang.

Han kände sig en aning skuldmedveten för att han hade bett Erica att rycka in medan han åkte iväg. Men Maja sov ju, så hon kunde faktiskt jobba ändå. Fast han kanske skulle slå en signal hem och kolla för säkerhets skull. Han stack handen i fickan för att ta fram mobilen, men insåg i samma sekund att den måste ligga kvar på köksbordet. Fan också! Ja, ja, det var säkert ingen fara. Han gick fram till barnmatshyllan och började botanisera bland smakerna. "Gräddstuvad kalops", "Fisk i dillsås", nja ... "Spaghetti med köttfärssås" lät mycket godare. Det fick bli fem burkar av det. Eller kanske borde han egentligen börja koka hemmagjord barnmat till Maja. Ja, det var en bra idé, tänkte han och satte tillbaka tre av burkarna. Han kunde göra storkok, och Maja kunde sitta bredvid, och ...

"Låt mig gissa ... Du gör rookiemisstaget att fundera på att koka eget."

Rösten var märkligt välbekant men ändå malplacerad på något sätt. Patrik vände sig om.

"Karin? Hej! Vad gör du här?" Patrik hade inte väntat sig att få se sin exfru på Konsum i Fjällbacka. Sist de sågs var när hon flyttade ut ur deras gemensamma radhus i Tanumshede för att bli sambo med mannen som han hade kommit på henne med i sovrummet. En bild flimrade förbi på näthinnan men försvann lika snabbt igen. Det var så länge sedan nu. Överspelat.

"Jag och Leif har köpt ett hus i Fjällbacka. I Sumpan."

"Jaha", sa Patrik och kämpade för att få bort det överraskade ansiktsuttrycket.

"Ja, vi ville flytta närmare Leifs föräldrar nu när vi har fått Ludde." Hon pekade mot kundvagnen, och först nu noterade Patrik att det satt en liten parvel i vagnen och log från öra till öra.

"Ser man på", sa Patrik. "Vi verkar ha tajmat det här perfekt. Jag har en liten tjej hemma i samma ålder, Maja."

"Ja, jag har faktiskt hört det ryktesvägen", skrattade Karin. "Du är väl gift med Erica Falck? Hälsa henne att jag gillar böckerna!"

"Det ska jag göra", sa Patrik och vinkade lite mot Ludde, som verkade helt inställd på att koppla på maximal charm.

"Men vad gör du nu?" frågade han Karin nyfiket. "Sist jag hörde jobbade du på någon revisionsbyrå."

"Jo, det var ett tag sedan. Jag slutade där för tre år sedan. Just nu är jag mammaledig från en konsultbyrå som lejer ut ekonomitjänster."

"Jaha, ja, jag är själv inne på min tredje dag som pappaledig", sa Patrik, inte utan viss stolthet.

"Vad roligt! Men var är …?" Karin tittade sökande runt honom, och Patrik log lite fåraktigt.

"Erica har henne ett slag, jag var tvungen att uträtta ett par ärenden."

"Jo, jo, det där känner jag igen." Karin blinkade. "Karlars bristande simultankapacitet verkar vara något universellt."

"Jo, det är väl det", sa Patrik, aningen generad.

"Men du! Kan vi inte träffas med barnen någon dag! Det är ju inte helt lätt att sysselsätta dem, och då får du och jag en chans att prata med en annan vuxen också. Gissa om det är hårdvaluta!" Hon rullade med ögonen, och tittade sedan frågande på Patrik.

"Jo men visst, när och var ska vi ses då?"

"Jag brukar ta en långpromenad med Ludde varje dag vid tiosnåret. Ni får gärna hänga med om ni vill. Vi kan väl sammanstråla utanför Apoteket, vid kvart över tio?"

"Det låter jättebra. Du, vad är klockan förresten? Jag glömde mobilen hemma och jag brukar använda den som klocka."

Karin tittade på sitt armbandsur. "Kvart över två."

"Shit! Då har jag varit borta i två timmar!" Han sköt kundvagnen framför sig och småsprang mot kassan. "Men vi ses i morgon!"

"Kvart över tio. Utanför Apoteket. Och kom inte en kvart för sent som vanligt!" ropade Karin efter honom.

"Nej då", ropade Patrik tillbaka och började kasta upp varorna på bandet. Han hoppades innerligt att Maja fortfarande sov.

Morgondiset låg tungt utanför fönstret, när de påbörjade inflygningen mot Göteborg. Det surrade när landningshjulen fälldes ut. Axel lutade huvudet mot stolsryggen och blundade. Det var ett misstag. Bilderna dök upp på näthinnan, som de hade gjort så många gånger under alla år som gått. Han öppnade trött ögonen igen. Det hade inte varit så mycket bevänt med sömnen i natt. Han hade mest legat i sin säng i lägenheten i Paris och vridit och vänt på sig.

Kvinnans röst hade varit sval på telefon när hon ringde. Hon hade gett honom beskedet om Erik, med ett tonfall som var deltagande men ändå avståndstagande. Det var inte första gången hon lämnade ett dödsbud, så mycket hade han förstått av det sätt som hon gjorde det på.

Tanken svindlade när han försökte föreställa sig alla dödsbud som måste ha levererats genom historien. Samtal från polisen, en präst utanför dörren, ett kuvert med militärens sigill. Alla dessa miljoner och åter miljoner människor som hade dött. Någon måste ha lämnat beskedet. Alltid någon som måste lämna beskedet.

Axel tog sig för sitt ena öra, med åren hade det blivit en omedveten reflex. Han hade inte längre någon hörsel på sitt vänstra öra, och på något sätt lugnades det stilla suset av beröringen.

Han flyttade blicken för att titta ut genom fönstret, men fick istället se sin egen spegelbild. En grå, fårad man i åttioårsåldern. Sorgsna, djupt liggande ögon. Han rörde vid sitt ansikte. För ett ögonblick fick han för sig att det var Erik han såg.

Med en duns slog landningshjulen i marken. Han var framme.

Vis av den lilla olyckan på kontoret tog Mellberg ner kopplet som han hade hängt på en spik på väggen och fäste det vid Ernsts halsband.

"Kom nu, så får vi det här överstökat." Han grymtade, men Ernst började lyckligt skutta mot ytterdörren med en hastighet som gjorde att Bertil fick småspringa efter.

"Det är du som ska leda hunden, inte tvärtom", kommenterade Annika roat när de sprang förbi.

"Du får gärna ta ut honom istället för mig om du vill", morrade Mellberg men fortsatte sedan ut genom ytterdörren.

Rackarns byracka. Det värkte i armarna av ansträngningen att hålla emot. Men efter att Ernst hade tvärstannat, lyft ena benet mot en buske och lättat på trycket, lugnade han ner sig och de kunde fortsätta promenaden i lugnare takt. Mellberg kom på sig själv med att småvissla lite. Var faktiskt inte så dumt det här. Lite frisk luft, lite konditionsträning, det skulle kanske göra honom gott. Och Ernst var ju riktigt foglig nu. Gick och nosade på skogsstigen som de hade hittat fram till. Hur lugn som helst. Ja, precis som människor kände han av när det var någon med fast hand som bestämde. Det var väl inga problem att få pli på den här jycken.

Just då stannade Ernst till. Öronen ställde sig rakt upp och varenda muskel i hans seniga kropp såg ut att spännas. Sedan exploderade han i rörelse.

"Ernst? Vad fan!" Mellberg drogs med så hastigt att han höll på att trilla omkull. Men han lyckades återfå balansen i sista sekund och försökte hänga med när hunden satte av i sporrsträck.

"Ernst! Ernst! Nu slutar du! Plats! Hit!" Han flåsade av den ovana fysiska ansträngningen, vilket gjorde det svårt att skrika, och hunden ignorerade hans kommando. När de mer eller mindre flygande kom runt en krök fick Mellberg klarhet i vad det var som hade orsakat den hastiga utbrytningen. Ernst kastade sig över en stor, ljus hund som såg ut att vara av liknande art, och de tumlade ystert runt med varandra, medan hundens matte slet i ena kopplet och Bertil i det andra.

"Señorita! Plats! Fy på dig! Sitt!" En liten mörk kvinna kommenderade med barsk röst sin hund och till skillnad från Ernst lydde hennes hund order och backade undan från sin nyfunna kompis. Skamset satte hon sig på baken och tittade under lugg på sin matte.

"Fyyy, Señorita. Inte göra så där." Kvinnan tvingade strängt hunden till ögonkontakt medan hon förmanade henne, och Mellberg fick motverka en impuls att ställa sig i givakt han med.

"Jag … jag … ber om ursäkt", stammade han och slet i kopplet för att försöka hindra Ernst från att åter kasta sig över hunden som av namnet att döma var en flicka.

"Du har ingen vidare pli på din hund." Rösten var skarp och de mörka ögonen blixtrade när Señoritas matte spände blicken i honom. Hon talade med lätt brytning som väl stämde in med hennes sydländska utseende.

"Nja, det är inte min hund … Jag bara passar honom tills vi …" Mellberg hörde sig själv stamma som en tonåring. Han harklade sig och försökte på nytt med lite myndigare stämma: "Jag är inte så van vid hundar. Och han är inte min."

"Han verkar vara av en annan åsikt." Hon pekade på Ernst som nu hade backat och satt tätt tryckt mot Mellbergs ben och betraktade honom dyrkande.

"Ja, jo …", harklade sig Mellberg, aningen generad.

"Men vi kan väl ta sällskap då. Rita heter jag." Hon sträckte fram handen och han fattade den efter en sekunds tvekan.

"Jag har haft hundar hela mitt liv. Jag kan säkert ge dig lite tips. Och så är det ju trevligare att promenera när man har sällskap." Hon inväntade inte hans svar, utan började gå längs stigen. Utan att riktigt fatta hur det gick till, fann sig Mellberg följa efter. Det var som om hans fötter hade fått en egen vilja. Och Ernst protesterade inte. Han föll in i Señoritas takt och gick lyckligt bredvid henne med svansen ihärdigt viftande.

Fjällbacka 1943

"Erik? Frans?" Britta och Elsy klev försiktigt över tröskeln. De hade knackat, men ingen hade svarat. De tittade sig oroligt runt. Doktorn och doktorinnan skulle säkert inte uppskatta att två flickor kom och besökte deras son när de inte var hemma. Annars brukade de alltid träffas nere i Fjällbacka, men i ett anfall av djärvhet hade Erik föreslagit att de skulle komma hem till honom, eftersom föräldrarna skulle vara bortresta över dagen.

"Erik?" Elsy ropade lite högre och hoppade högt när hon fick höra ett "Schhh" från rummet rakt fram från hallen sett. Erik stack ut huvudet genom dörröppningen och viftade in dem.

"Axel ligger uppe och sover. Han kom tillbaka i morse."

"Åh, han är så modig..." Britta suckade, men lyste sedan upp när hon fick se Frans.

"Hej!"

"Hej", sa Frans men tittade förbi henne, mot Elsy. "Hej Elsy."

"Hej Frans", svarade Elsy men gick sedan rakt mot bokhyllorna.

"Oj, vad mycket böcker ni har hemma!" Hon strök med fingrarna över bokryggarna.

"Du får gärna låna någon om du vill", sa Erik generöst, men lade sedan till: "Fast bara om du är rädd om den. Pappa är väldigt noggrann med böckerna."

"Ja då", svarade Elsy lyckligt och slukade bokraderna med ögonen. Hon älskade att läsa. Frans följde henne med blicken.

"Själv tycker jag att böcker är slöseri med tid", sa Britta. "Det är mycket bättre att uppleva saker själv än att läsa om andras upplevelser. Håller du inte med, Frans?" Britta slog sig ner i fåtöljen bredvid honom och lade huvudet på sned.

"Det ena utesluter väl inte det andra", sa han strävt, men utan att titta på henne. Han hade fortfarande blicken fäst på Elsy. En rynka formades mellan Brittas ögonbryn. Hon studsade upp ur stolen igen.

"Ska ni på dansen på lördag?" Hon tog några danssteg över golvet.

"Jag får nog inte för mamma och pappa", svarade Elsy lågt, utan att vända sig bort från böckerna.

"Nej, men vem tror du får?" svarade Britta och tog några danssteg till. Hon drog upp Frans, som stretade emot och lyckades hålla sig kvar i fåtöljen.

"Sluta fåna dig." Tonfallet var kort, men han kunde sedan inte låta bli att skratta. "Britta, du är tokig, vet du det ..."

"Gillar du inte tokiga flickor? I så fall kan jag vara allvarlig." Hon gjorde en bister min. "Eller glad ..." Hon skrattade högt så att skrattet studsade mellan väggarna.

"Schhh", sa Erik och tittade upp mot taket.

"Eller så kan jag vara väldigt tyst ...", viskade Britta teatraliskt, och Frans skrattade igen och drog ner henne i knät.

"Tokig duger fint."

En röst från dörren avbröt dem.

"Vilket oväsen ni för." Axel stod lojt lutad mot dörrposten, med ett trött leende.

"Förlåt, det var inte meningen att väcka dig." Eriks röst var till brädden fylld av den dyrkan han kände för sin bror, men ackompanjerades nu av ett bekymrat ansiktsuttryck.

"Äh, det gör inget, Erik. Jag kan gå och lägga mig en sväng till sedan." Han korsade armarna över bröstet. "Sååå, du passar på att ta hit dambesök när mor och far är hos Axelssons."

"Nja, dambesök vet jag inte", mumlade Erik brytt.

Frans skrattade, fortfarande med Britta i knät. "Var ser du damer någonstans? Här finns det inte en dam så långt ögat når. Två osnutna jäntungar bara."

"Äh, tyst på dig!" Britta slog till Frans i bröstet. Hon såg inte road ut.

"Och Elsy är så upptagen av böckerna att hon inte ens hälsar."

Elsy vände sig generad om. "Förlåt, jag ... God dag, Axel."

"Äh, jag skojar bara med dig, förstår du väl. Ägna dig du åt böckerna. Erik har väl sagt åt dig att du får låna med dig någon om du vill."

"Jo, det har han." Hon rodnade fortfarande och skyndade sig att vända uppmärksamheten mot bokhyllan igen.

"Hur gick det i går?" Eriks blick var fäst vid brodern som om han hungrade efter alla ord han hade.

Axels glada, öppna ansikte slöt sig genast. "Bra", sa han kort. "Det gick bra." Sedan vände han sig tvärt om. "Jag går och lägger mig en stund till. Försök hålla nere ljudnivån är ni snälla."

Erik följde sin bror med blicken. Förutom dyrkan och stolthet rymde den också ett visst mått av avundsjuka.

Frans blick var bara fylld av beundran. "Vad modig din bror är ... Jag skulle också vilja hjälpa till. Hade jag bara varit några år äldre ..."

"Så skulle du vadå?" sa Britta, fortfarande sur över att han hade gjort henne till åtlöje inför Axel. "Du skulle aldrig våga. Och vad skulle din far säga? Efter vad jag har hört så är det snarare tyskarna han skulle vilja ge en hjälpande hand."

"Äh, lägg av." Frans puttade vresigt Britta ur sitt knä. "Folk pratar så mycket. Jag trodde inte att du lyssnade på skitsnack."

Erik, som alltid fick agera fredsmäklare i gruppen, reste sig abrupt upp och sa: "Vi kan lyssna på fars grammofon en stund om ni vill. Han har Count Basie."

Skyndsamt gick han fram till grammofonen för att sätta på musiken. Han tyckte inte om när folk blev osams. Han tyckte verkligen inte om det.

Hon hade alltid älskat flygplatser. Det var en speciell känsla att stå där, mitt bland alla plan som landade och flög iväg. Människor med resväskor och blickar fyllda av förhoppningar, på väg mot semestrar och affärsresor. Och alla möten. Alla människor som återförenades, eller tog avsked. Hon mindes en flygplats för länge, länge sedan. Vimlet av människor, lukterna, färgerna, sorlet. Och spänningen som hon snarare kände än såg hos sin mor. Det sätt hon höll hennes hand i ett krampaktigt grepp. Väskan som hade packats och packats om och packats igen. Inget fick bli fel. För det var en resa utan återvändo. Hon mindes också värmen, och kylan som de kom till. Aldrig hade hon trott att man kunde frysa så. Och flygplatsen som de anlänt till hade varit så annorlunda. Tystare, med kalla, grå färger. Och ingen talade högt, ingen gestikulerade. Alla verkade innestängda i sin egen lilla bubbla. Ingen hade tittat dem i ögonen. Bara stämplat deras papper, och med konstig röst på konstigt språk visat dem vidare. Och mor hade hållit henne krampaktigt i handen.

"Kan det vara han?" Martin pekade på en man i åttioårsåldern som klev genom passkontrollen. Han var lång, med grått hår och beige trenchcoat. Stilig, var Paulas spontana intryck.

"Vi får höra efter." Hon tog täten. "Axel Frankel?"

Han nickade. "Jag trodde att jag skulle komma in till stationen?" Han såg trött ut.

"Vi tänkte att vi lika gärna kunde komma och hämta dig, istället för att sitta och vänta." Martin nickade vänligt mot honom.

"Jaha, ja då så, då får jag tacka för skjutsen. Brukar få hanka mig fram med allmänna transporter annars, så det blir ju förnämligt."

"Har du någon väska som du behöver hämta?" Paula tittade sökande mot bagagebandet.

"Nej, nej, jag har bara den här." Han pekade mot kabinväskan som han drog efter sig. "Jag reser lätt."

"En konst jag aldrig har lyckats med", skrattade Paula. Tröttheten i mannens ansikte försvann för ett ögonblick, och han log tillbaka.

De pratade om väder och vind tills de hade installerat sig i bilen och Martin börjat köra i riktning mot Fjällbacka.

"Har ni ... har ni fått reda på något ytterligare?" Axels röst darrade till och han tystnade ett ögonblick som för att samla sig.

Paula, som satt sig bredvid honom i baksätet, skakade på huvudet. "Nej, tyvärr. Vi hoppades att du skulle kunna hjälpa oss vidare. Vi skulle till exempel behöva få veta om din bror hade några kända fiender. Någon som skulle kunna tänkas vilja skada honom?"

Axel skakade sakta på huvudet. "Nej, nej, verkligen inte. Min bror var en högst fredlig och fridsam man och ... nej, det är absurt att tänka sig att någon skulle vilja skada Erik."

"Vad känner du till om hans kommunikation med en grupp som heter Sveriges vänner?" Martin flikade in frågan från förarplatsen och mötte Axels blick i backspegeln.

"Ni har gått igenom Eriks korrespondens. Med Frans Ringholm." Axel gnuggade sig över näsroten och dröjde med svaret. Paula och Martin väntade tålmodigt in honom.

"Det där är en komplicerad historia som går långt tillbaka i tiden."

"Vi har gott om tid", sa Paula och lät förstå att hon väntade på fortsättningen.

"Frans är en barndomsvän till mig och Erik. Vi har känt varandra hela livet. Men ... hur ska jag säga ... vi valde en väg och Frans en annan."

"Frans är högerextremist?" Martin mötte åter Axels blick i spegeln.

Axel nickade. "Ja, jag har inte så bra koll på hur och när och i vilken omfattning, men han har under hela sitt vuxna liv rört sig i de kretsarna, och varit med och startat det här ... Sveriges vänner. Ja, han hade ju en del att brås på hemifrån, men så länge jag kände honom visade han inga sådana sympatier. Men människor förändras." Axel skakade på huvudet.

"Och varför skulle den organisationen känna sig hotad av Eriks verksamhet? Vad jag förstår var han inte politiskt engagerad, utan var historiker, med andra världskriget som specialitet."

Axel suckade. "Det där är inte en så lätt uppdelning att göra ... Man kan inte forska i nazismen och samtidigt hålla sig, eller anses vara, opolitisk. Många nynazistiska organisationer anser till exempel att koncentrationslägren aldrig har funnits, och alla försök att skriva om dem, och kartlägga vad som hände, anses som ett hot och ett angrepp mot dem. Ja, det är som sagt komplicerat."

"Och ditt eget engagemang i frågan? Har du också mottagit hot?" Paula studerade honom intensivt.

"Självklart har jag det. I betydligt högre utsträckning än Erik. Min livsuppgift har varit att arbeta med Simon Wiesenthal-centret."

"Vilket är?" frågade Martin.

"Ni spårar upp nazister som flydde och gick under jorden, och ser till att de ställs inför rätta", fyllde Paula i.

Axel nickade. "Ja, bland annat. Så jo, jag har fått min beskärda del."

"Inget som finns sparat?" Martins röst från framsätet.

"Centret har allt. Vi som jobbar där vidarebefordrar de brev vi får dit, så arkiveras de där. Ni kan prata med dem, så får ni tillgång till allt." Han räckte ett visitkort till Paula som lade ner det i sin jackficka.

"Och Sveriges vänner? Har du fått något från dem?"

"Nej … jag vet inte riktigt … Nej, inte vad jag kan minnas. Men kolla som sagt med centret. De har allt."

"Frans Ringholm. Hur kommer han in i bilden? Du sa att han var barndomsvän till er?" sa Martin.

"Om man ska vara noggrann så var han Eriks barndomsvän. Jag var ett par år äldre, så vi hade inte riktigt samma kamrater."

"Men Erik kände Frans väl?" Paulas bruna ögon betraktade honom lika intensivt som förut.

"Ja, fast det är oerhört många år sedan de hade något att göra med varandra."

Axel verkade inte vara riktigt bekväm med samtalsämnet. Han skruvade på sig.

"Vi pratar om något som ligger sextio år tillbaka i tiden. Även utan demens, så börjar håGkomsten bli lite luddig." Han log svagt och knackade sig i huvudet med pekfingret.

"Inte så länge sedan av breven att döma. Frans har åtminstone kontaktat din bror upprepade gånger per brev."

"Ja, jag vet inte." Axel drog handen genom håret i en frustrerad gest. "Jag levde mitt liv och min bror levde sitt. Vi hade inte alltid koll på vad den andre gjorde. Och det är bara tre år sedan vi båda bosatte oss permanent, eller ja, delvis permanent för min del, i Fjällbacka. Erik hade ju en lägenhet i Göteborg under alla de år när han arbetade där, och jag har mer eller mindre rest världen runt. Men vi har alltid haft huset här som bas, och skulle någon fråga mig var jag bor, så svarar jag Fjällbacka. Men på somrarna flyr jag alltid till lägenheten i Paris. Jag står inte ut med allt liv och all kommers som kommer med turismen. Annars så lever vi nog ett rätt stilla och isolerat liv, min bror och jag. Det är bara städerskan som besöker oss. Vi föredrar...föredrog det så..." Axels röst stockade sig.

Paula sökte Martins blick och han skakade lätt på huvudet innan han vände blicken mot motorvägen igen. Ingen av dem kom på något mer att fråga. Resten av resan till Fjällbacka ägnade de åt lätt ansträngt småprat. Axel såg ut som om han skulle rasa ihop när som helst, och hela hans uppenbarelse andades lättnad när de slutligen svängde upp framför huset.

"Har du inga problem...med att bo här nu?" kunde inte Paula låta bli att fråga.

Axel blev stående tyst en stund, med blicken riktad mot det stora vita huset och med kabinväskan i handen. Till slut sa han:

"Nej. Det är mitt och Eriks hem. Vi hör hemma här. Båda två." Han log ett sorgset leende och tog i hand innan han gick mot ytterdörren. Paula betraktade hans ryggtavla. Den andades ensamhet.

"Så, fick du dina fiskar varma när du kom hem i går?" Karin skrattade medan hon sköt vagnen med Ludde framför sig. Hon höll en rask promenadtakt, och Patrik kände hur han började flåsa när han försökte hänga med.

"Jo, det skulle man nog kunna säga." Han grinade illa vid tanken på mottagandet han hade fått när han kom hem i går. Erica hade inte varit på sitt soligaste humör. Och till viss del förstod han henne, det var ju meningen att han skulle ha ansvar för Maja på dagarna nu, så att Erica fick jobba. Samtidigt kunde han inte låta bli att tycka att hon överreagerade en aning. Det var ju ingen nöjestripp han gett sig iväg på i går, han uträttade faktiskt ärenden för det gemensamma hushållet. Och hur skulle han kunna veta att Maja just i går inte skulle somna som vanligt? Nej, lite orättvist hade det känts att han hamnade ute i kylan för resten av dagen. Men fördelen med Erica var att hon aldrig var långsint, så i morse hade han fått en puss som vanligt och gårdagen verkade vara glömd. Fast han hade inte vågat berätta att han skulle få promenadsällskap i dag. Visst skulle han berätta det, men han sköt lite på det. Även om Erica inte var särskilt svartsjuk så var kanske en promenad med hans exfru ett ämne som inte borde tas upp när han redan låg på minus. Som om Karin kunde läsa hans tankar sa hon:

"Är det okej för Erica att vi ses? Det är ju många år sedan vi skilde oss, men en del är … lite mer känsliga …"

"Jo för fan", sa Patrik, ovillig att erkänna sin feghet. "Det är lugnt. Erica har inga problem med det."

"Vad bra. Jag menar, det är ju trevligt att få lite sällskap, men inte till priset av att det ställer till problem för er där hemma."

"Leif då?" sa Patrik, ivrig att byta samtalsämne. Han lutade sig fram över vagnen och rättade till Majas mössa som hade åkt på sniskan. Hon tog ingen notis om honom, utan var fullt upptagen med att kommunicera med Ludde i vagnen bredvid.

"Leif…" Karin fnös. "Man skulle kunna säga att det är ett under att Ludde ens känner igen Leif. Han är jämt ute på vägarna och spelar."

Patrik nickade deltagande. Karins nye man var sångare i dansbandet "Leffes" och han kunde lätt föreställa sig att det frestade på att vara dansbandsänka.

"Inga allvarliga problem mellan er, hoppas jag?"

"Nej, vi träffas för sällan för att det ska kunna uppstå några problem", skrattade Karin, men skrattet lät bittert och ihåligt. Patrik kände på sig att det inte var hela sanningen och visste inte riktigt vad han skulle säga. Det kändes lite märkligt att diskutera samlevnadsproblem med sin exfru. Tack och lov räddade mobiltelefonens signal honom.

"Patrik Hedström."

"Hej, det är Pedersen. Jag ringer med obduktionsresultaten för Erik Frankel. Ni har som vanligt fått en rapport faxad, men jag tänkte att du säkert vill höra de stora dragen per telefon."

"Jo, det är klart…" Patrik drog på det efter en blick mot Karin, som hade slagit av på takten för att vänta in honom. "Men det är så att jag är pappaledig för tillfället…"

"Så pass! Jag får gratulera! Ja, det är en härlig period du har framför dig. Jag var hemma ett halvår med båda mina barn och det är nog mitt livs bästa månader."

Patrik kände hur han tappade hakan. Det hade han inte trott om den högeffektiva, avmätta och något kyliga rättsläkaren på rättsmedicin. Han såg med ens en bild framför sig av Pedersen, iförd läkarmundering, sittande i en sandlåda där han långsamt och noggrant och med stor precision gjorde perfekta sandkakor. Han skrattade till innan han kunde hejda sig och fick ett barskt "Vad är det som är så roligt?" till svar.

"Inget", sa Patrik och signalerade till Karin, som såg undrande ut, att han skulle förklara sedan.

"Men du", fortsatte han, nu med allvar i rösten, "kan du inte dra det i korthet för mig? Jag var med på mordplatsen i förrgår, och jag försöker ändå hålla mig à jour."

"Jo visst", sa Pedersen, fortfarande något avmätt. "Det är egentligen ganska enkelt. Erik Frankel har fått ett tungt föremål i huvudet. Troligtvis av sten, eftersom det finns små fragment av sten i såret, vilket indikerar att stenen ifråga måste vara rätt porös. Han dog ögonblickligen sedan slaget träffat honom över högra tinningen och utlöst en massiv blödning i hjärnan."

"Har du någon uppfattning om från vilket håll slaget kom? Bakifrån? Framifrån?"

"Min bedömning är att förövaren stod framför honom. Och med all sannolikhet är förövaren högerhänt, det är naturligare för en högerhänt individ att slå från höger. För en vänsterhänt skulle det kännas ytterst avigt."

"Och föremålet? Vad kan det röra sig om?" Patrik hörde ivern i sin egen röst. Det här var något som kändes välbekant och naturligt för honom att syssla med.

"Det är ert jobb att fastställa. Tungt föremål av sten. Skallen verkar dock inte ha träffats av någon vass kant, utan såret har mer karaktär av ett krossår."

"Okej, då har vi lite att gå på."

"Vi?" sa Pedersen, inte utan en sarkastisk ton i rösten. "Du var ju pappaledig, sa du?"

"Ja, jo", sa Patrik och tystnade en sekund innan han tog nya tag och fortsatte. "Ja, du ringer väl stationen och ger dem de här uppgifterna."

"Under omständigheterna får jag ju göra det", sa Pedersen roat. "Ska jag ta tjuren vid hornen och ringa Mellberg, eller har du något annat förslag?"

"Martin", sa Patrik instinktivt och Pedersen skrockade.

"Jag hade redan räknat ut det på egen hand. Men tack för tipset. Och du – ska du inte fråga om när han dog?"

"Jo, just det, när dog han?" Patriks röst blev ivrig igen. Han fick en ny blick från Karin.

"Omöjligt att säga exakt. Han har suttit alldeles för länge i en varm miljö. Men min ungefärliga uppskattning är mellan två och tre månader. Så då hamnar vi någonstans i juni."

"Du kan inte säga mer exakt än så?" Patrik visste svaret på frågan redan innan han ställde den.

"Vi är inga trollkarlar på det här stället. Vi har ingen magisk kristallkula. Juni. Det är det bästa svar du kan få i dagsläget. Det baserar jag dels på arten av flugor, dels på hur många generationer av flugor och larver som förekommit. Med hänsyn till detta och stadiet av förruttnelse har jag kommit fram till att han antagligen dog i juni. Det blir ert jobb att komma närmare det exakta dödsdatumet. Eller rättare sagt – det blir dina kollegors jobb." Pedersen skrattade.

Patrik kunde inte påminna sig att han någonsin hade hört honom skratta tidigare. Och nu flera gånger under ett telefonsamtal. På hans bekostnad. Fast det var kanske det som krävdes för att locka ett skratt ur Pedersen. Patrik sa de sedvanliga avskedsfraserna och lade på.

"Jobb?" frågade Karin nyfiket.

"Ja, det gäller en utredning vi håller på med just nu."

"Gubben som hittades död i måndags?"

"Skvallermaskinen är effektiv som vanligt, märker jag", sa Patrik. Karin hade ökat farten igen, och han fick småspringa för att komma ikapp henne.

En röd bil passerade dem. När den hade åkt runt hundra meter saktade den in, och det såg ut som om föraren kollade i backspegeln. Sedan backade bilen hastigt, och Patrik svor tyst för sig själv. Nu först såg han att det var hans mamma Kristinas bil.

"Nej, men hej, är ni ute och går tillsammans?" Kristina hade vevat ner sidorutan och tittade häpet på Patrik och Karin.

"Hej, Kristina! Vad roligt att se dig!" Karin lutade sig in mot den öppna rutan. "Jo, jag har flyttat till Fjällbacka och sprang på Patrik och vi konstaterade att vi båda är lediga och i behov av sällskap. Jag har fått en liten Ludvig." Karin pekade mot vagnen och Kristina lutade sig framåt och utstötte de lämpliga kuttrande ljuden vid åsynen av ettåringen.

"Men vad trevligt då", sa Kristina med ett tonfall som fick det att knyta sig i magen på Patrik. En tanke slog honom som fick knuten att växa ännu mer. Utan att vilja veta svaret frågade han: "Och vart är du på väg?"

"Hem till er, tänkte jag. Det var ju så länge sedan jag tittade in. Jag har lite hembakt med mig också." Hon pekade glatt på en påse med bullar och sockerkaka som låg bredvid henne på sätet.

"Erica jobbar …", försökte Patrik lamt, men visste att det var lönlöst.

Kristina lade i ettan. "Så bra, då blir hon säkert glad för en liten fika-
paus. Och ni är väl snart hemma också?" Hon vinkade åt Maja som glatt
vinkade tillbaka.

"Ja, jo, visst", sa Patrik och försökte febrilt komma på ett bra sätt att
säga åt sin mor att inte nämna något om promenadsällskapet. Men hjär-
nan kändes helt tom och han höjde resignerat handen till en vinkning.
Med en klump i magen såg han hur hans mor med en rivstart gav sig iväg
mot Sälvik. Han skulle få ett och annat att förklara.

Arbetet med boken hade gått bra. Fyra sidor hade hon skrivit på för-
middagen och hon sträckte förnöjt på sig i kontorsstolen. Gårdagens ils-
ka hade hunnit lägga sig och hon tyckte så här i efterhand att hon hade
överreagerat. Hon fick kompensera Patrik i kväll. Laga något extra gott
till middag. Inför bröllopet hade de hållit igen och båda blivit av med ett
par kilon, men nu hade de trillat in i den vanliga vardagen igen. Och
man måste ju få unna sig något gott ibland. Fläskfilé med gorgonzolasås
kanske. Det gillade Patrik.

Erica släppte tanken på kvällens middag och sträckte sig efter mo-
derns dagböcker. Egentligen borde hon sätta sig och sträckläsa dem, men
hon kunde inte riktigt förmå sig. Så det blev små portioner. Små gluttar
in i moderns värld. Hon lade upp benen på skrivbordet och började det
mödosamma arbetet med att försöka tyda den gammeldags snirkliga
handstilen. Hittills hade hon mest fått läsa om vardagsbestyren i hem-
met, vilka sysslor hon hjälpte till med, lite funderingar om framtiden,
oron för Ericas morfar som var ute på havet vardag som helgdag. Tan-
karna om livet var framställda med en tonårings naivitet och oskuld, och
Erica hade svårt att få ihop den flickaktiga rösten som kom fram genom
texten med sin mors hårda stämma, som aldrig utdelade några ömma ord
eller kärleksbetygelser till henne och Anna. Bara sträng uppfostran och
avståndstagande.

När hon hade kommit en bit ner på andra sidan, satte sig Erica plöts-
ligt rakt upp. Ett bekant namn hade dykt upp. Eller närmare bestämt två.
Elsy skrev att hon hade varit hemma hos Erik och Axel när deras för-
äldrar var borta. Mest var texten en lyrisk skildring av deras fars uppen-
barligen enormt imponerande bokhylla, men Erica såg bara de två nam-
nen. Erik och Axel. Det måste vara Erik och Axel Frankel. Hon läste
ivrigt allt som var skrivet om besöket och förstod av tonfallet att döma
att de ofta umgicks. Elsy och Erik, och två andra ungdomar vid namn

Britta och Frans. Erica sökte i minnet. Nej, hon hade aldrig hört sin mor tala om någon av dessa. Det var hon helt säker på. Och Axel framställdes i Elsys dagbok som en närmast mytisk hjältefigur. Elsy beskrev honom som "oändligt modig, och nästan lika stilig som Errol Flynn". Hade hennes mor varit förälskad i Axel Frankel? Nej, hon fick inte den känslan av beskrivningen, mer att hon känt djup beundran för honom.

Erica lade ifrån sig dagboken i knät och grubblade. Varför hade inte Erik Frankel nämnt något om att han kände hennes mor i ungdomen? Hon hade ju berättat var hon fann medaljen, och vems den hade varit. Ändå hade han inte sagt något. Åter mindes Erica den märkliga tystnaden. Hon hade haft rätt. Det var något han hade undanhållit henne.

En gäll ringsignal nerifrån avbröt hennes tankar. Hon svängde ner benen från skrivbordet och sköt med en suck undan kontorsstolen. Vem var det som kom nu då? Ett "hallå" i hallen svarade omedelbart på den frågan, och Erica suckade igen, nu med stort eftertryck. Kristina. Svärmor. Hon tog ett djupt andetag, öppnade dörren och gick mot trappan. "Hallå?" hördes igen, nu aningen mer insisterande och Erica kände hur hon bet ihop käkarna hårt i irritation.

"Hallå", sa hon så glatt hon kunde, men kände själv hur påklistrat det lät. Tack och lov var inte Kristina särskilt känslig för nyanser.

"Hallå! Här kommer jag!" tillkännagav svärmodern glatt och hängde av sig jackan. "Jag har med mig lite fikabröd. Hembakt. Tänkte att det skulle uppskattas, sådant hinner ju inte ni karriärflickor med nu för tiden."

Nu hörde mer än kände Erica hur tänderna gnisslade mot varandra. Kristina hade en otrolig talang för att komma med dold kritik. Erica undrade ofta om talangen var medfödd, eller om den hade övats upp genom mångårig träning. Troligtvis en kombination, brukade hon komma fram till.

"Jo tack, det blir gott", sa hon förbindligt och gick ut till köket där Kristina redan stod och gjorde kaffe som om det var hon som bodde där och inte Erica.

"Sitt du, så ordnar jag", sa hon. "Jag hittar så bra här så."

"Jo, du gör ju det", sa Erica och hoppades att Kristina inte skulle uppfatta sarkasmen.

"Patrik och Maja är ute och promenerar. De är nog inte hemma än på ett tag", sa hon och hoppades att det skulle få svärmodern att göra besöket kort.

"Nej då", sa Kristina och försökte samtidigt räkna skoporna med kaffe hon hällde upp. "Två, tre, fyra..." Hon lade tillbaka skopan i burken och vände uppmärksamheten mot Erica.

"Nej, de är nog strax här. Jag körde om dem på vägen hit. Väldigt trevligt att Karin har flyttat hit, och att Patrik kan få lite sällskap på dagarna. Det är ju så tråkigt att vara ute och promenera själv, särskilt om man som Patrik är van att jobba och göra nytta. De såg ut att trivas ihop."

Erica stirrade på Kristina medan hon försökte bearbeta informationen som bevisligen gick in genom öronen men inte riktigt ville fastna. Karin? Sällskap? Vilken Karin?

I samma ögonblick som Patrik klev in genom dörren föll polletten ner hos Erica. Jaså, den Karin...

Patrik log fåraktigt och sa efter en stunds tryckt tystnad:

"Nu ska det bli gott med kaffe."

De hade samlats för en genomgång i köket. Det började närma sig lunch, och Mellbergs mage kurrade ljudligt.

"Jaha, vad har vi så här långt då?" Han sträckte sig efter en av bullarna som Annika hade lagt fram på ett fat. Det fick bli en liten förrätt till lunchen. "Paula och Martin? Ni pratade med offrets bror i morse. Kom det fram något intressant?" Han tuggade på bullen medan han pratade och det flög ut smulor över bordet.

"Ja, vi hämtade honom på Landvetter i morse", sa Paula. "Men det verkar inte som om han vet så mycket. Vi frågade honom om breven vi hittade från Sveriges vänner, men det enda han kunde förtydliga kring det var att den där Frans Ringholm tydligen var en barndomsvän till Erik. Men Axel kände inte till något om några specifika hot från organisationen, även om han påpekade att det inte var något ovanligt med tanke på vad han och Erik sysslade med."

"Hade Axel någon gång fått några hot?" frågade Mellberg och sprayade bordet med mer smulor.

"Tydligen en hel del." Martin tog vid. "Men de arkiveras hos organisationen som han arbetar för."

"Så han vet inte om han också fått brev från Sveriges vänner?"

Paula skakade på huvudet. "Nej, han verkar inte alls vara insatt i den biten. Och jag förstår honom. Måste komma in mycket skit och varför ska han befatta sig med det?"

"Hur var ert intryck av honom? Jag har hört att han var något av en

71

hjälte i sin ungdom." Annika tittade nyfiket på Martin och Paula.

"En mycket stilig, distingerad äldre herre", sa Paula. "Men så klart oerhört dämpad på grund av omständigheterna. Jag upplevde honom som väldigt påverkad av sin brors död, jag vet inte om du är av samma uppfattning?" Hon vände sig mot Martin som nickade.

"Jo, jag fick samma intryck."

"Jag utgår från att ni förhör Axel Frankel ytterligare", sa Mellberg och tittade sedan på Martin. "Vad jag förstår har du varit i kontakt med Pedersen?" Han harklade sig. "Lite märkligt att han inte ville tala med mig."

Martin hostade till. "Jag tror att du var ute och gick med hunden då. Det var säkert hans första prioritet att rapportera till dig."

"Hm, ja, det har du kanske rätt i. Nåja, fortsätt, vad sa han?"

Martin drog en sammanfattning av vad Pedersen hade berättat om offrets skador och kunde sedan inte låta bli att skratta när han sa: "Pedersen hade visst ringt Patrik först, och han lät tydligen inte helt tillfreds med sin hemmatillvaro. Han fick en fullständig rapport av Pedersen och med tanke på att det inte var några problem att locka med honom till mordplatsen, så har vi väl snart både honom och Maja här."

Annika skrattade. "Ja, jag pratade med honom i går, och han sa lite diplomatiskt att det nog tar en stund att ställa om sig."

"Tro det", fnös Mellberg. "Idiotiskt påfund det där. Vuxna karln som ska hålla på och byta blöjor och koka barnmat. Nej, det är i alla fall ett område där det var bättre förr. Vår generation karlar slapp sådant där trams och kunde istället göra sådant vi var bättre ämnade för, så fick fruntimren sköta ungarna."

"Jag hade gärna bytt blöjor", sa Gösta stillsamt och tittade ner i bordet. Patrik och Annika såg förvånat på honom, men mindes sedan det som de hade fått veta ganska nyligen. Att Gösta och hans numera avlidna hustru hade fått en son, som dog direkt efter födseln. Och att det sedan inte hade blivit några fler barn. De satt tysta och undvek förläget att titta på Gösta. Sedan sa Annika:

"Ja, jag tror att det är nyttigt, jag. Att ni karlar får se hur mycket jobb det är. Jag har ju inte några egna", nu var det Annikas tur att se sorgsen ut, "men alla mina väninnor har barn, och det är inte direkt så att de har legat och käkat praliner hela dagarna när de har varit hemma med barn. Så det blir nog bra för Patrik det här."

"Ja, mig kommer du aldrig övertyga om det där", sa Mellberg. Sedan rynkade han otåligt pannan och tittade på pappren som låg framför honom på bordet. Han skakade av en hel hög med bullsmulor och läste några rader innantill innan han tog till orda.

"Ja, här är ju rapporten från Torbjörn och grabbarna ..."

"Och tjejerna", tillade Annika. Mellberg suckade högt och demonstrativt.

"Och tjejerna ... Det var satan vad ni var på den feministiska krigsstigen i dag! Ska vi bedriva polisutredning här, eller ska vi sjunga Kumbayah och diskutera Gudrun Schyman?" Han skakade på huvudet och plockade upp tråden igen.

"Som sagt, jag har rapporten från Torbjörn och hans *tekniker* här. Och den kan väl sammanfattas med orden 'inga överraskningar'. Det finns en del av både skoavtryck och fingeravtryck, och vi bör självklart gå igenom samtliga. Gösta, du ser till att vi får de där grabbarnas avtryck för uteslutning, och även broderns är väl lämpligt. I övrigt ...", han läste innantill igen och hummade, "jo, det tycks fastställt att han har fått ett kraftigt slag mot huvudet av ett tungt föremål."

"Inte flera slag alltså, utan bara ett", sa Paula.

"Hm, jo just det. Ett slag att döma av blodspåren på väggarna. Jag diskuterade rapporten med Torbjörn per telefon och frågade om just det, och det kan man tydligen se genom att analysera hur bloddropparna har stänkt. Ja, det där är ju deras sak att kunna, men slutsatsen är tydligen klar i alla fall – ett kraftigt slag mot huvudet."

"Ja, det rimmar väl med obduktionsresultatet", sa Martin nickande. "Och föremålet? Pedersen trodde ju att det var ett tungt stenföremål."

"Just det!" sa Mellberg triumferande och satte ner fingret någonstans mitt i dokumentet. "Under skrivbordet låg det en tung stenbyst. Det fanns blod, hår och hjärnsubstans på den, och jag är övertygad om att stenresterna Pedersen fann i såret kommer att överensstämma väl med stenen som bysten är gjord av."

"Så vi har alltså mordvapnet. Nåja, det är ju alltid något", sa Gösta dystert och tog en klunk av kaffet som nu hunnit kallna.

Mellberg tittade på sina underlydande runt bordet. "Nå, några förslag om hur vi går vidare?" Han fick det att låta som om han själv redan hade en lång lista på lämpliga utredningsåtgärder klar. Vilket inte var fallet.

"Vi bör väl prata med Frans Ringholm. Ta reda på mer om de här hoten."

"Och prata med folk som bor i området, se om någon har sett något underligt kring tiden för mordet", fortsatte Paula.

Annika tittade upp från sitt block. "Någon borde också intervjua städerskan som bröderna hade. Se när hon sist var där, om hon träffade Erik då, och varför hon inte hade varit där och städat under hela sommaren."

"Bra." Mellberg nickade. "Nå, vad sitter ni här och slöar för? Ut och jobba!" Han spände blicken i de församlade poliserna och fortsatte att göra så ända tills de hade troppat ut ur rummet. Sedan sträckte han sig efter en bulle till. Delegering. Det var vad ett gott ledarskap handlade om.

De var rörande överens om att det var totalt bortkastad tid att gå på lektionerna. Därför gjorde de endast sporadiska inhopp när andan föll på. Vilket inte var så ofta. I dag hade de samlats runt tio. Det fanns inte så mycket att göra i Tanumshede. De satt mest och snackade. Rökte cigg.

"Hörde du om den där jävla gubben i Fjällbacka." Nicke tog ett djupt bloss och skrattade. "Det var säkert din farfar och hans polare som slog ihjäl honom."

Vanessa fnissade.

"Äh", sa Per surt men ändå inte utan stolthet. "Farfar hade inget med det där att göra. Det fattar ni väl att de inte kan riskera att åka dit bara för att slå ihjäl en gammal gubbe. Sveriges vänner har säkert bättre, större mål än så i sikte."

"Har du snackat med gubben än? Om att vi ska få komma på ett möte?" Nicke hade slutat skratta och hade nu ett ivrigt uttryck i ansiktet.

"Inte än ...", sa Per motvilligt. Han hade en speciell status i gruppen eftersom han var barnbarn till Frans Ringholm, och i ett svagt ögonblick hade han lovat de övriga att försöka få med dem på ett av mötena som hölls i lokalen i Uddevalla. Men det hade liksom inte riktigt blivit rätt tillfälle någon gång. Och han visste vad farfar skulle säga. Att de var för unga. Att de behövde ett par år till för att "utvecklas till sin fulla potential". Han förstod inte vad det var som skulle behöva utvecklas. De förstod saken lika väl som de som var äldre och redan hade blivit accepterade. Det var ju så enkelt. Vad var det som kunde missförstås?

Och det var det han tyckte om. Att det var enkelt. Svart och vitt. Inga gråzoner. Per förstod inte hur folk orkade komplicera saker så, hålla på och se saker från än den ena sidan, än den andra. När det hela var så ytterst, ytterst enkelt. Det var vi och de. Det var allt det handlade om.

74

Vi och de. Och om de bara hade hållit sig på sin kant, och gjort sin grej, så hade det inte varit något problem. Men de envisades med att tränga sig in på deras territorium. Envisades med att ständigt överskrida de gränser som borde vara så uppenbara för alla. Man såg ju för fan till och med skillnad. Vit eller gul. Vit eller brun. Vit eller den där äckliga blåsvarta färgen som de från Afrikas allra mörkaste urskogar hade. Så jävla enkelt. Fast det var klart. Nu för tiden var det inte så lätt att se skillnad längre. Allt var förstört, uppblandat, hopgeggat i en enda sörja. Han tittade på kompisarna som lojt hängde på bänken bredvid honom. Visste han egentligen hur deras blodslinje såg ut? Vem visste vad någon av hororna i deras släkt hade haft för sig. Det kanske rann orent blod genom kroppen på dem också. Per rös.

Nicke tittade frågande på honom. "Och vad fan är det med dig då? Det ser ut som om du har svalt något konstigt?"

Per fnös. "Nej då, det är inget." Men tanken och äcklet vägrade släppa honom. Han fimpade cigaretten.

"Kom, vi drar upp till fiket. Man blir ju deprimerad av att sitta här." Han nickade med huvudet mot skolbyggnaden och satte av i rask takt utan att vänta och se om de andra hängde på. Det visste han ju att de gjorde.

För ett ögonblick tänkte han på den mördade mannen. Sedan ryckte han på axlarna. Han var inte viktig.

Fjällbacka 1943

Besticken klirrade mot porslinet när de åt. De försökte alla tre att inte snegla mot stolen som stod tom vid matsalsbordet. Ingen av dem lyckades särskilt väl.

"Att han måste ge sig iväg igen så snart." Gertrud sträckte med frågande min fram skålen med potatisar till Erik, och han lade upp ännu en potatis på sin redan välfyllda tallrik. Det var enklast så. Annars skulle mor bara truga och truga tills han i slutändan fick ta mer i alla fall. Men när han såg sin till brädden fyllda tallrik undrade han i sitt stilla sinne hur i all sin dar han skulle få i sig allt. Mat intresserade honom inte. Han åt bara därför att han var tvungen. Och för att mor sa att hon skämdes över att han var så mager. Folk skulle inte tro att de gav honom mat, sa hon.

Axel däremot. Han åt allt med frisk aptit. Erik sneglade på den tomma stolen medan han motvilligt förde gaffeln till läpparna. Maten växte i munnen på honom. Såsen förvandlade potatisen till en blöt sörja, och han började mekaniskt föra käkarna upp och ner, för att kunna få tuggan ur munnen så snart som möjligt.

"Han måste få göra sitt." Hugo Frankel tittade strängt på sin hustru. Men också hans blick sökte sig till Axels stol mittemot Eriks.

"Ja, jag tyckte bara att han kunde få ett par dagars vila i lugn och ro här hemma."

"Han bestämmer själv. Det är ingen som styr och råder över vad Axel gör annat än Axel själv." Hugos röst svällde av stolthet, och Erik kände det där sticket i bröstet. Det där som kom ibland, när mor och far talade om Axel. Ibland kunde Erik nästan känna det som om han var osynlig. Som om han bara var en skugga i familjen, en skugga till den resliga, ljusa Axel, som alltid blev medelpunkten, även om han inte själv ansträngde sig för att vara det. Han stoppade motvilligt in en tugga till i munnen. Om bara middagen vore över, så att han kunde smita in på sitt rum och läsa. Helst läste han historieböcker. Det var något med alla fakta, med namn och årtal och orter, som han älskade. Det var inte föränderligt, det var något han kunde ta till sig, räkna med.

Axel hade aldrig varit mycket för att läsa. Ändå hade han på något märkligt sätt klarat sig igenom skolan med högsta betyg. Erik hade också bra betyg. Men han fick slita för dem. Och ingen klappade honom på axeln eller strålade av stolthet när de skröt om honom för vänner och bekanta. Ingen skröt om Erik.

Ändå kunde inte heller han förmå sig till att tycka illa om sin bror. Ibland önskade han att han kunde det. Önskade att han kunde hata honom, avsky honom, skylla det där sticket i bröstet på honom. Men sanningen var att han älskade Axel. Mer än någon annan. Axel var den starkaste, den modigaste och den som var värd att skryta om. Inte han. Det var fakta. Som i historieböckerna. Lika mycket fakta som att slaget vid Hastings stod 1066. Han kunde inte diskutera det, resonera om det eller förändra det. Så var det bara.

Erik tittade ner på tallriken. Till hans förvåning var den tom.

"Far, får jag gå från bordet?" Hans tonfall var hoppfullt.

"Har du ätit upp redan? Ja, ser man på ... Ja, gå du. Mor och jag sitter nog en stund till."

När Erik gick uppför trappan till sitt rum hörde han sina föräldrars röster nerifrån matsalen.

"Axel tar väl inte för stora risker, jag ..."

"Gertrud, du måste sluta pjäska med honom. Han är nitton år, och handlarn sa faktiskt i dag att maken till pojke har han aldrig ... Vi ska vara glada att vi fått en så ..."

Rösterna försvann när han stängde dörren bakom sig. Han slängde sig på sängen och plockade upp den översta av böckerna, den som handlade om Alexander den store. Han hade också varit modig. Precis som Axel.

"Jag menar bara att du kanske kunde ha nämnt det. Jag stod ju som ett fån när Kristina sa att du och Karin var ute och promenerade."

"Ja, jo … jag vet." Patrik hängde med huvudet. Den timme som Kristina hade stannat och fikat hos dem hade varit fylld med undertoner och blickar, och hon hann inte mer än stänga ytterdörren bakom sig innan Erica hade exploderat.

"Alltså, det är inte det att du är ute och promenerar med din exfru som är problemet. Jag är inte svartsjuk av mig och det vet du. Men varför berättade du det inte för mig? Det är det jag undrar …"

"Jo, jag förstår det …" Patrik undvek Ericas blick.

"Jag förstår det! Är det allt du kan säga? Ingen förklaring? Jag menar, jag trodde att vi kunde säga allt till varandra!" Erica kände att hon började närma sig gränsen för vad som kunde kallas en rejäl överreaktion. Men de senaste dagarnas frustration hade nu hittat en ventil att pysa ut igenom, och hon kunde inte hejda sig.

"Och jag trodde att uppdelningen oss emellan var klar! Du skulle vara pappaledig nu och jag skulle jobba. Ändå blir jag störd hela tiden, du springer på mitt arbetsrum som om det hade en svängdörr och i går hade du mage att dra och vara borta i två timmar och låta mig ta hand om Maja. Hur tror du att jag har löst det under det år jag har varit hemma? Tror du att jag har haft någon jävla piga här hemma som har kunnat rycka in så fort jag har behövt sticka iväg på ett ärende, eller som kunnat tala om för mig var Majas vantar ligger, va?" Erica hörde sin egen gälla röst och undrade om det verkligen var hon som lät så här. Hon tystnade tvärt och sa med lägre tonfall:

"Förlåt, jag menade inte att … Du, jag tror att jag går ut och går lite. Jag måste komma ur huset en stund."

"Gör det", sa Patrik och såg ut som en sköldpadda som försiktigt sticker ut huvudet ur skalet för att kolla om kusten är klar. "Och förlåt att jag inte sa något …" Han tittade bedjande på henne.

"Äh, gör inte om det bara …", sa Erica och log svagt. Vit flagg hade hissats. Hon ångrade att hon hade farit ut så mot honom, men de fick prata mer sedan. Just nu behövde hon få lite luft, mer än något annat.

Hon gick i rask takt genom samhället. Fjällbacka såg så märkligt ödsligt ut när turisterna hade lämnat det, efter de hektiska sommarmånaderna. Det var som ett vardagsrum på morgonen efter en riktig röjarskiva. Glas med slattar i, en hoptrasslad serpentin i ett hörn, en partyhatt på sniskan på en slocknad gäst i soffan. Fast egentligen föredrog Erica den här perioden. Sommaren var så intensiv, så påträngande. Nu låg ett lugn över Ingrid Bergmans torg. Maria och Mats hade öppet i Centrumkiosken ytterligare några få dagar, sedan stängde de igen och gav sig av till sin verksamhet uppe i Sälen, som de gjorde varje år. Och det var också detta hon tyckte så mycket om med Fjällbacka. Förutsägbarheten i dess föränderlighet. Varje år samma sak, samma cykler. Same procedure as last year.

Erica hejade på dem hon mötte när hon gick förbi Ingrid Bergmans torg och uppför Galärbacken. Hon kände, eller kände till, de flesta. Men hon skyndade på stegen så fort någon verkade vilja stanna till och småprata. Hon hade ingen lust med det i dag. När hon med raska steg gick förbi OK/Q8-macken och fortsatte fram på Dinglevägen, visste hon med ens vart hon var på väg. Hennes undermedvetna hade nog bestämt sig för promenadens slutmål redan när hon gick från Sälvik, men det var först nu hon insåg det själv.

"Tre fall av misshandel, två bankrån plus lite annat smått och gott. Men ingen dom för hets mot folkgrupp", sa Paula och stängde dörren på polisbilens passagerarsida. "Jag hittade en del på en kille som heter Per Ringholm också, smågrejer än så länge."

"Det är hans sonson", sa Martin och låste polisbilen. De hade kört till Grebbestad, där Frans Ringholm bodde i en lägenhet bredvid Gästis.

"Ha ha, här har man svingat sina lurviga en och annan kväll", sa Martin och nickade med huvudet mot ingången till Gästis.

"Jo, jag kan tänka mig det. Men det är slut på de dagarna nu, eller?"

"Det skulle man lugnt kunna säga. Har inte sett insidan av en danslokal på över ett år." Han såg inte särskilt olycklig ut för det. Sanningen att säga var han så fruktansvärt förälskad i sin Pia att han helst inte skulle vilja gå utanför dörren till deras gemensamma lägenhet om han inte var absolut nödd och tvungen. Men han hade behövt kyssa ett antal grodor, eller snarare paddor, för att hitta sin prinsessa.

"Själv då?" Martin tittade nyfiket på Paula.

"Själv då vadå?" Hon låtsades inte förstå frågan. Och sedan var de framme vid Frans dörr. Martin knackade bestämt på och belönades med ljudet av fötter som förflyttade sig inne i lägenheten.

"Ja?" En man med kortklippt, nästan stubbat, silvergrått hår öppnade dörren. Han hade jeans och en rutig skjorta, av den typ som Jan Guillou bar med oförtröttlig envishet och totalt ointresse för modets växlingar.

"Frans Ringholm?" Martin betraktade honom nyfiket. Han var välkänd i trakten och inte bara lokalt, hade Martin kunnat konstatera efter en sökning på Internet hemifrån. Tydligen var han en av grundarna av en av Sveriges snabbast växande främlingsfientliga organisationer, och enligt snacket i olika forum på nätet så hade de börjat bli en maktfaktor att räkna med.

"Det är jag. Vad jag kan hjälpa …", han svepte med blicken över Martin och Paula, "herrskapet med."

"Vi har lite frågor. Kan vi komma in?"

Frans steg åt sidan utan någon annan kommentar än ett lätt höjt ögonbryn. Martin såg sig förvånat omkring. Han visste inte riktigt vad han hade förväntat sig, men något skitigare, stökigare, mer ovårdat. Istället var lägenheten så prydlig och välorganiserad att den fick hans egen att framstå som en knarkarkvart.

"Sätt er." Frans pekade med handen mot en soffgrupp i vardagsrummet som låg snett fram till höger från hallen sett. "Jag har precis satt på nytt kaffe. Mjölk? Socker?" Rösten var lugn och belevad och Martin och Paula tittade med samma snopna ansiktsuttryck på varandra.

"Ingetdera tack", svarade Martin.

"Bara mjölk, inget socker", sa Paula och gick före Martin in i vardagsrummet. De slog sig ner bredvid varandra i den vita soffan och tittade sig runt. Rummet var ljust och luftigt och hade stora fönster som vette ut mot vattnet. Det gav inte ett pedantiskt intryck, utan var snarare åt det hemtrevliga men välstädade hållet.

"Här kommer lite kaffe." Frans kom in i vardagsrummet med en tungt lastad bricka. Han ställde ner tre koppar med hett rykande kaffe på vardagsrumsbordet och bredvid dem ett stort fat med kakor.

"Varsågoda att ta för er." Han svepte med handen över bordet och tog själv en av kopparna innan han lutade sig tillbaka i en stor fåtölj. "Så, vad kan jag stå till tjänst med?"

Paula tog en klunk av kaffet. Sedan tog hon till orda:

"Du har säkert hört att en man hittades död strax utanför Fjällbacka."

"Erik ja", sa Frans och nickade sorgset innan han också tog en klunk av kaffet. "Ja, jag blev riktigt ledsen när jag fick höra det. Och förfärligt för Axel. Det här måste vara ett svårt slag för honom."

"Ja, jo, det…" Martin harklade sig. Han kände sig överrumplad av mannens vänlighet, och av det faktum att han var raka motsatsen till det han hade väntat sig. Men han samlade sig och sa: "Anledningen till att vi vill tala med dig är att vi fann några brev från dig hemma hos Erik Frankel."

"Jaså, han sparade breven", skrockade Frans och sträckte sig efter en kaka. "Ja, Erik gillade att samla på saker. Ni ungdomar tycker säkert att det är högst dammigt att skicka brev. Men vi gamla uvar har svårt att släppa gamla vanor." Han blinkade vänligt åt Paula. Hon var nära att le tillbaka, när hon påminde sig om att mannen framför henne hade ägnat ett helt liv åt att motarbeta och försvåra för sådana som hon. Leendet försvann.

"I breven talas det om hot…" Hon höll ansiktet stramt.

"Nja… Jag skulle väl inte kalla det hot." Frans betraktade henne lugnt och lutade sig tillbaka i fåtöljen. Han lade upp det ena benet ovanpå det andra innan han fortsatte. "Jag tyckte bara att jag borde tala om för Erik att det fanns vissa… krafter inom organisationen som inte alltid agerade, hur ska jag säga… förståndigt."

"Och du fann det motiverat att upplysa Erik om det för att…?"

"Erik och jag var vänner redan när vi gick i kortbyxor. Ja, jag ska villigt erkänna att vi gled ifrån varandra, och någon regelrätt vänskap har det inte varit tal om på många år. Vi… valde ju lite olika vägar i livet." Frans log. "Men jag önskade inte Erik något illa, och ja, när jag fick chansen att varna honom så tog jag den. En del har svårt att förstå att man inte bör ta till nävarna i tid och otid."

"Du har själv inte varit främmande för att… ta till nävarna", sa Martin. "Tre domar för misshandel, några för bankrån och du satt inte direkt av dina straff som någon Dalai lama efter vad jag har förstått."

Frans verkade inte låta sig rubbas av Martins kommentar utan log bara. Inte helt olikt Dalai lama för övrigt. "Var sak har sin tid. Fängelset har sina egna regler, där finns det ibland bara ett språk som förstås. Och klokhet kommer med ålder har jag hört, och jag har lärt mig läxan längs vägen."

"Har din sonson lärt sig läxan än?" Martin sträckte sig efter en kaka medan han ställde frågan. Blixtsnabbt sköt Frans hand ut och slöt Martins handled i ett järngrepp. Med blicken låst i polismannens väste han: "Min sonson har inget med det här att göra. Begrips."

Martin vek inte med blicken på en lång stund, men slet sig sedan loss och masserade handleden. "Gör aldrig om det där", sa han lågt.

Frans skrattade och lutade sig tillbaka igen. Han var åter sitt vänliga, farbroderliga jag. Men för några ögonblick hade fasaden rämnat. Bakom lugnet dolde sig raseri. Frågan var om Erik hade utsatts för det.

Ernst drog ivrigt i kopplet och Mellberg kämpade för att hålla tillbaka honom. Han spanade runt omkring sig medan han försökte dra benen efter sig. Ernst förstod inte varför husse plötsligt envisades med att gå med myrsteg och försökte flämtande streta emot kopplet som höll fast honom för att få gubben att öka takten.

Mellberg hade nästan hunnit igenom hela rundan innan han fick lön för mödan. Han hade precis tänkt ge upp, när han hörde ljudet av steg bakom sig. Ernst började hoppa i yster glädje över att en kompis närmade sig.

"Så ni är ute och promenerar också." Ritas röst lät lika glad som han mindes den, och Mellberg kände hur mungiporna drogs uppåt i ett leende.

"Jo, vi är det. Ute och promenerar alltså." Mellberg fick lust att sparka sig själv. Vad var det för idiotiskt svar. Han som alltid brukade vara så vältalig med damerna … Och nu stod han här och lät som en idiot. Han förmanade sig själv att skärpa sig och försökte låta mer myndig när han sa: "Det är ju viktigt att de får motion har jag förstått. Så jag och Ernst försöker ta en timmes promenad, minst, varje dag."

"Åjo, det är nog inte bara hundar som mår bra av motion. Du och jag behöver också en del av den varan." Rita fnissade och klappade sig själv på sin runda mage. Mellberg fann det högst befriande. Äntligen ett fruntimmer som hade förstått att lite kött på benen inte alltid var någon nackdel.

"Jo, visst är det så", sa han och klappade sig på sin egen omfångsrika mage. "Man får akta sig så att man inte blir av med pondusen bara."

"Nej, gubevars." Rita skrattade. Det lite ålderdomliga uttrycket lät förtjusande i kombination med hennes brytning. "Därför brukar jag alltid se till att fylla på depåerna igen." Hon stannade utanför ett hyreshus, och Señorita började streta mot en av ingångarna. "Jag kanske kan få bjuda på lite kaffe. Och kaffebröd."

Med en kraftansträngning hindrade Mellberg sig från att ta ett krum-
språng av glädje och försökte se ut som om han funderade på det. Sedan
nickade han avmätt. "Jo, tack, det kanske inte skulle vara så dumt. Jag
kan ju inte vara borta så länge från arbetet, men ..."

"Då så." Hon slog in portkoden och gick före in. Ernst verkade inte ha
samma självbehärskning som sin husse, utan skuttade ystert av ren och
skär lycka över att få följa med Señorita in i hennes boning.

Den första tanke som kom till Mellberg när han klev in i Ritas lägen-
het var "hemtrevligt". Lägenheten var inte så där minimalistiskt kal som
svenskarna hade en sådan förkärlek för, utan den fullkomligt sprakade av
färg och värme. Han kopplade loss Ernst som rusade in efter Señorita
och nådigt verkade få tillåtelse att gå loss på hennes leksaker. Mellberg
hängde av sig jackan, ställde skorna prydligt i skostället och följde Ritas
röst in till köket.

"De verkar trivas ihop."

"Vilka?" sa Mellberg dumt, eftersom hans hjärna var fullt upptagen
med att ta in åsynen av Ritas underbart frodiga bak som var vänd emot
honom där hon stod vid diskbänken och måttade upp kaffe i kaffebryg-
garen.

"Señorita och Ernst förstås." Hon vände sig om och skrattade.

Mellberg skrattade förläget, "Ja, jo, det förstås. Jo, de verkar gilla var-
andra." Ett ögonkast ut mot vardagsrummet bekräftade det i något hög-
re grad än vad han skulle ha önskat. Ernst höll just på att nosa Señorita
under svansen.

"Gillar du bullar?" frågade Rita.

"Sover Dolly Parton på rygg?" frågade Mellberg retoriskt, men ångrade
sig genast. Rita vände sig med ett undrande uttryck mot honom.

"Det vet jag inte? Det kanske hon gör? Jo, med de brösten måste hon
kanske det ..."

Mellberg skrattade generat. "Det är ett uttryck bara. Vad jag menade
är, ja, jag älskar bullar."

Förvånad såg han sedan hur hon dukade fram tre koppar och tre fat på
köksbordet. Mysteriet fick omgående sin lösning när Rita ropade ut mot
ett rum som låg i anslutning till köket: "Johanna, det är fika!"

"Kommer!" hördes det från rummet och sekunden efteråt kom en oer-
hört söt blond kvinna med en enorm mage in genom dörren.

"Det här är min svärdotter Johanna", sa Rita och pekade på den i
högsta grad gravida kvinnan. "Och det här är Bertil. Han är husse till

83

Ernst. Jag hittade honom i skogen", sa hon och fnissade. Mellberg sträckte fram handen för att presentera sig och höll sekunden senare på att falla ner på knä av smärta. Han hade aldrig känt maken till handgrepp, och då hade han ändå skakat hand med en hel del riktigt grova typer genom åren.

"Hårda nypor", pep han och lyckades med en suck av lättnad äntligen få loss handen.

Johanna betraktade honom roat och slog sig sedan med möda ner vid köksbordet. Efter att ha försökt hitta en position som möjliggjorde att hon kunde nå både koppen och tallriken med bullen, högg hon in med frisk aptit.

"När är det dags?" frågade Mellberg artigt.

"Om tre veckor", svarade hon kort och tycktes fullt koncentrerad på att få i sig varje smula av bullen. Sedan hon sträckte sig efter en till.

"Äter för två ser jag", sa Mellberg och skrattade, men ett surt ögonkast från Johanna fick honom att tystna igen. Inte särskilt lättflörtad böna, det där.

"Det är mitt första barnbarn", sa Rita stolt och klappade Johannas mage ömt. Johannas ansikte ljusnade när hon såg på sin svärmor, och hon lade sin hand ovanpå hennes på magen.

"Har du några barnbarn?" frågade Rita nyfiket sedan hon hade hällt upp kaffet och slagit sig ner hos Bertil och Johanna vid bordet igen.

"Nej, inte än", svarade han och skakade på huvudet. "Men jag har en son. Han heter Simon och är sjutton år." Mellberg sträckte stolt på sig. Sonen hade kommit in sent i hans liv, och nyheten om hans existens var inget som han hade mottagit med någon större förtjusning. Men de hade gradvis vant sig vid varandra, och nu upphörde han aldrig att förvånas över den känsla han fick i bröstet så fort han tänkte på Simon. Det var en bra pojke.

"Sjutton år, ja, då brådskar det ju inte. Men jag säger då det. Barnbarn, det är livets efterrätt." Hon kunde inte hejda sig från att klappa Johannas mage igen.

De fikade under trevligt småprat medan hundarna stökade runt i lägenheten. Mellberg fascinerades över vilken ren och oförfalskad glädje han kände över att sitta här i Ritas kök. Efter blåsningarna som han gått på de senaste åren hade han aldrig velat se ett fruntimmer igen. Men här satt han. Och mös.

"Nå, vad säger du?" Rita tittade uppfordrande på honom och han insåg att han hade missat själva frågan men nu förväntades svara.

"Förlåt?"

"Jo, jag sa: Du kommer väl till min salsakurs i kväll? Det är en nybörjarkurs. Inget svårt alls. Klockan åtta."

Mellberg tittade vantroget på henne. Salsakurs? Han? Tanken var fullkomligt löjeväckande. Men så råkade han titta lite för djupt in i Ritas mörka ögon och hörde till sin fasa sin egen röst säga:

"Salsakurs? Klockan åtta. Javisst."

Erica hade redan börjat ångra sig när hon gick uppför grusgången till Eriks och Axels hus. Idén kändes inte längre lika bra som den hade gjort när tanken först kom, och det var med stor tveksamhet som hon lyfte sin knutna hand och bankade på dörren. Först hördes inget och hon tänkte lättad att det nog inte var någon hemma. Sedan hörde hon steg innanför och hjärtat sjönk i bröstet när dörren öppnades.

"Ja?" Axel Frankel såg trött och sliten ut. Han tittade frågande på henne.

"Hej, jag heter Erica Falck, jag …" Hon tvekade, visste inte hur hon skulle fortsätta.

"Elsys dotter." Axel höjde huvudet och betraktade henne med ett märkligt uttryck i ögonen. Tröttheten var borta ur blicken, och han studerade henne intensivt. "Ja, nu ser jag det. Ni är mycket lika, du och din mor."

"Är vi?" sa Erica förvånat. Ingen hade någonsin sagt det förut.

"Ja, det är något runt ögonen. Och munnen." Han lade huvudet på sned och verkade ta in varje detalj i hennes utseende. Sedan klev han plötsligt åt sidan. "Kom in."

Erica klev in i hallen och blev stående där.

"Kom. Vi sätter oss på verandan." Han gick bortåt genom hallen och verkade förvänta sig att Erica skulle komma efter. Raskt hängde hon av sig och följde honom. Han pekade med handen mot en soffa i en underbar glasveranda, inte olik den som fanns i hennes och Patriks hus.

"Slå dig ner." Han tycktes inte ha för avsikt att fråga om hon ville ha kaffe, och när de hade suttit tysta en stund harklade sig Erica.

"Jo, anledningen till att jag …" Hon tog ny sats. "Anledningen till att jag tittade förbi är att jag lämnade en medalj till Erik." Hon hörde hur bryskt det lät och inflikade: "Ja, jag vill naturligtvis beklaga sorgen. Jag …" Erica tyckte att hela situationen kändes obekväm och skruvade på sig när hon letade efter ett sätt att fortsätta.

Axel viftade bort hennes uppenbara bryddhet och sa vänligt: "Du sa något om en medalj."

"Ja", sa Erica, tacksam över att han tog kommandot. "I våras fann jag en medalj bland min mors tillhörigheter. En nazistmedalj. Jag visste inte varför hon hade den och blev nyfiken. Och eftersom jag kände till att din bror…" Hon ryckte på axlarna.

"Kunde min bror hjälpa dig?"

"Jag vet inte. Vi talades vid per telefon före sommaren, men sedan fick vi fullt upp och ja… jag hade tänkt ta kontakt med honom igen, men…" Orden dog ut.

"Och nu undrar du om den finns kvar här?"

Erica nickade. "Ja, förlåt mig, det låter ju hemskt att jag oroar mig för den, när… Men min mor hade inte så mycket sparat och…" Hon skruvade på sig igen. Hon borde verkligen ha ringt istället. Det här kändes förfärligt kallsinnigt.

"Jag förstår. Jag förstår precis. Tro mig, jag om någon vet hur viktig förankringen bakåt är. Även om det är döda ting som utgör den länken. Och Erik hade definitivt förstått. Alla de saker han samlade på. Alla fakta. För honom var de inte döda. De levde, berättade en historia, lärde oss någonting." Han stirrade ut genom de spröjsade glasrutorna och verkade för ett ögonblick vara någonstans långt borta. Sedan vände han blicken mot Erica igen.

"Jag ska självklart leta efter den. Men berätta först lite mer om din mor. Hur var hon? Hur levde hon?"

Erica fann frågorna underliga. Men hans ögon hade ett nästan bedjande uttryck och hon ville försöka besvara dem.

"Ja… hur min mor var. Ska jag vara ärlig så vet jag inte. Mamma var ju lite äldre när hon fick mig och min syster, och… jag vet inte… vi lyckades aldrig få speciellt bra kontakt. Och hur hon levde?" Erica försökte förvirrad tänka efter. Dels förstod hon inte riktigt frågan. Dels visste hon inte riktigt hur hon skulle besvara den. Hon tog sats och försökte:

"Hon hade nog lite svårt för just den biten. Att leva. Jag upplevde alltid mamma som väldigt behärskad, inte så… glad." Erica kämpade förtvivlat för att beskriva det bättre. Men det var så nära sanningen hon kunde komma. Hon kunde faktiskt inte minnas att hon någonsin hade sett sin mamma glad.

"Det smärtar mig att höra." Axel tittade åter ut genom fönstret, som om han inte förmådde se på Erica. Hon undrade förbryllad var dessa frågor kom ifrån.

"Hur var min mamma när du kände henne då?" Erica kunde inte hejda ivern i sin röst.

Axel vände blicken mot henne och ansiktet mjuknade. "Egentligen var det min bror som umgicks med Elsy, hon var ju jämnårig med honom. Men de var jämt med varandra, Erik, Elsy, Frans och Britta. En riktig fyrklöver." Han skrattade, ett märkligt, glädjelöst skratt.

"Ja, hon skriver om dem i de dagböcker som jag har hittat. Din bror känner jag ju till, men vilka är Frans och Britta?"

"Dagböcker?" Axel ryckte till, men rörelsen var så kort och försvann så fort att Erica sekunden efter trodde att hon hade inbillat sig. "Frans Ringholm och Britta ...", Axel knäppte med fingrarna, "vad var det Britta hette i efternamn?" Han letade en stund till i minnets mörka skrymslen, men misslyckades med att lokalisera informationen. "Jag tror i alla fall att hon bor kvar här i Fjällbacka. Har några döttrar, två eller tre, men de är en hel del äldre än du, tror jag. Äsch, jag har det på tungan, men ... Och förresten bytte hon säkert efternamn när hon gifte sig. Nej, nu kommer jag ihåg. Hon hette Johansson, och sedan gifte hon sig med en Johansson, så det blev aldrig någon ändring på den punkten."

"Då ska jag säkert kunna hitta henne. Men du svarade aldrig på frågan. Hur var min mor? Då?"

Axel satt tyst en lång stund, sedan sa han: "Hon var stillsam, fundersam. Men inte dyster. Inte som du beskriver henne. Hon hade en sorts stilla glädje omkring sig. Som fanns inuti. Inte som Britta." Han fnös.

"Hur var Britta då?"

"Jag gillade henne aldrig. Förstod överhuvudtaget inte varför min bror umgicks med ett sådant ... våp." Axel skakade på huvudet. "Nej, din mor, hon var av ett helt annat virke. Britta däremot var ytlig, flamsig, och så sprang hon efter Frans på ett sätt som ... flickor helt enkelt inte gjorde på den tiden. Det var andra dagar då, förstår du." Han gav henne ett snett leende och blinkade.

"Och den här Frans?" Med halvöppen mun stirrade Erica på Axel, beredd att suga i sig all information som han kunde lämna om hennes mor. Hon visste ju så lite. Och ju mer hon fick veta, desto mer insåg hon hur lite hon kände sin mor.

"Frans Ringholm var heller inte någon som jag uppskattade att min bror umgicks med. Häftigt temperament, ett elakt drag och … nej, han är ingen man vill ha någon anknytning till. Varken nu eller då."

"Vad gör han nu då?"

"Han bor i Grebbestad. Och man skulle väl kunna säga att han och jag har gått åt två helt olika håll här i livet." Tonfallet var torrt och föraktfullt.

"På vilket sätt menar du?"

"Jag menar att jag har ägnat mitt liv åt att bekämpa nazismen, medan Frans skulle vilja se att historien upprepade sig, och gärna här på svensk mark."

"Men hur kommer nazistmedaljen som jag hittade in i det här?" Erica lutade sig fram mot Axel, men det var som om en lucka plötsligt föll ner framför hans ansikte. Han reste sig abrupt.

"Just det, medaljen. Bäst vi går och tittar efter den." Han gick före Erica ut ur rummet, och hon följde snopet efter. Hon undrade vad det var hon hade sagt som fått honom att sluta sig, men bestämde sig för att det inte var läge att fråga. Ute i hallen såg hon att Axel hade stannat framför en dörr som hon inte hade noterat tidigare. Dörren var stängd, och han tvekade, med handen på dörrhandtaget.

"Det är nog bäst att jag går in själv", sa han, med ett lätt darr på rösten. Erica insåg vilket rum det måste vara där innanför. Biblioteket, där Erik hade dött.

"Vi kan ta det en annan gång annars", sa hon och fick åter dåligt samvete för att hon störde Axel i hans sorg.

"Nej, vi tar det nu", sa Axel bryskt, men genom att upprepa samma sak igen, denna gång med ett mildare tonfall, visade han att han inte hade avsett att låta så hård.

"Jag är strax tillbaka." Han öppnade dörren, klev in och stängde sedan dörren bakom sig. Erica stod kvar i hallen, medan hon hörde hur Axel rumsterade runt där inne. Det lät som om lådor drogs ut, och han måste snabbt ha funnit det han sökte, för det tog inte mer än någon minut eller två innan han kom ut igen.

"Här är den." Han räckte över medaljen med en outgrundlig min, och Erica tog emot den i sin utsträckta hand.

"Tack, jag …" Hon tappade orden och slöt bara handen om medaljen. "Tack", upprepade hon och nöjde sig med det.

När hon gick på grusgången bort från huset, med medaljen i fickan, kände hon Axels blick i ryggen. Hon övervägde för ett ögonblick att vända, gå tillbaka igen och be om ursäkt för att hon hade stört honom med sina trivialiteter. Sedan hördes ljudet av ytterdörren som stängdes.

Fjällbacka 1943

"Jag fattar inte hur Per Albin Hansson kan vara så feg!" Vilgot Ringholm slog näven i bordet så att konjakskupan hoppade. Han hade sagt till Bodil att hon skulle börja plocka fram nattamaten och undrade varför det dröjde så. Typiskt fruntimmer att dra benen efter sig. Inget blev ordentligt gjort om man inte gjorde det själv.

"Bodil!" ropade han inåt köksregionerna men fick till sin förtret ingen reaktion. Han fimpade askan på cigarren och röt ännu en gång, nu med sina lungors fulla kraft.

"Bodiilll!"

"Har frugan sjappat köksvägen?" skrockade Egon Rudgren, och Hjalmar Bengtsson föll in i skrattet han med. Det gjorde Vilgot ännu ilsknare. Nu gjorde käringen honom till åtlöje inför hans presumtiva affärspartner. Nej, någon måtta fick det vara. Men precis när han gjorde en åtbörd för att resa sig upp och ta tag i saken, kom hans hustru ut genom köksdörren, med en fullastad bricka i händerna.

"Förlåt att det dröjde", sa hon med nedslagen blick och ställde ner brickan på bordet framför dem. "Frans, skulle du kunna …?" Hon nickade bedjande med huvudet mot köket, men Vilgot avbröt innan hon hann fullfölja sin fråga.

"Frans ska inte stå i köket och hålla på med fruntimmersgöra. Han är stora karln nu och kan gott sitta med oss och lära sig ett och annat." Han blinkade åt sonen, som sträckte på sig i fåtöljen mittemot honom. Det var första gången som han hade fått sitta med så länge under en av faderns affärsmiddagar, annars brukade han få ursäkta sig strax efter efterrätten och dra sig undan till sitt rum. Men i dag hade hans far insisterat på att han skulle sitta kvar. Stoltheten svällde i bröstet så att det kändes som om skjortknapparna snart skulle flyga all världens väg. Och en bra kväll skulle precis bli ännu bättre.

"Seså, ska du inte ta och smaka några droppar konjak? Eller vad säger ni? Tretton år fyllda härom veckan, nog är det dags att pojken får smaka på sin första konjak?"

"Dags?" skrattade Hjalmar. "Jag skulle vilja säga att det var dags för länge sedan. Mina pojkar fick smaka hemma från det att de var elva, och det har de bara mått bra av, ska jag säga."

"Vilgot, tycker du verkligen ..." Bodil tittade med förtvivlade ögon på när hennes man demonstrativt hällde upp en stor konjak och räckte till Frans, som började hosta häftigt efter första klunken.

"Seså, ta det lugnt, pojk, det ska smuttas, inte hävas."

"Vilgot ...", sa Bodil igen, men nu blev hennes makes ögon svarta.

"Vad står du fortfarande här för? Du har väl att röja upp i köket?"

För ett ögonblick såg det ut som om Bodil tänkte säga något. Hon vände sig mot Frans, men han höjde bara glaset triumfatoriskt och sa med ett leende: "Skål på dig, kära mor."

Med skrattsalvorna i ryggen gick hon ut i köket och stängde efter sig.

"Var var jag nu?" sa Vilgot och visade med handen att de skulle ta för sig av sillsmörgåsarna på silverbrickan. "Jo, vad tänker den där Per Albin på? Det är ju självklart att vi borde gå in och stötta Tyskland!"

Egon och Hjalmar nickade. Jo, de kunde inte annat än instämma.

"Det är sorgligt", sa Hjalmar. "Att Sverige i dessa svåra tider inte kan stå rakryggat och upprätthålla det svenska idealet. Det är nästan så att man skäms för att vara svensk."

Alla herrarna skakade samfällt på huvudet och tog sedan en klunk av konjaken.

"Men vad tänker jag på? Vi kan väl inte sitta här och dricka konjak till sillen. Frans, springer du ner och hämtar några kalla pilsner?"

Fem minuter senare var ordningen återställd och sillsmörgåsarna kunde sköljas ner med stora klunkar källarkyld Tuborg. Frans hade åter slagit sig ner i fåtöljen mittemot sin far, och han log från öra till öra när Vilgot utan vidare kommentarer öppnade en av flaskorna och räckte över den till honom.

"Ja, jag har ju själv lagt en och annan krona för att stödja den goda saken. Och jag skulle rekommendera herrarna att göra detsamma. Hitler kan behöva alla goda män som han kan få på sin sida nu."

"Ja, affärerna går ju fint", sa Hjalmar och höjde sin flaska. "Vi har knappt kapacitet att exportera all malm som efterfrågas. Säga vad man vill om kriget, men som affärsidé så är det inte dumt."

"Nej, och om vi kan bli av med judeeländet samtidigt som vi tjänar pengar, så kan knappast situationen bli bättre." Egon sträckte sig efter en sillsmörgås till. Det började bli glest på fatet nu. Han tog en tugga och vände sig sedan mot Frans, som lyssnade intensivt till allt som sas. "Du måste vara bra stolt över far din, pojk. Det finns inte många som han kvar i Sverige."

"Jo", mumlade Frans, plötsligt generad över att uppmärksamheten hade vänts mot honom.

"Du lyssnar väl på vad din far säger, och inte på vad de mer oinsatta påstår. Du vet väl att de flesta av dem som fördömer tyskarna och kriget inte har rent blod i ådrorna. Mycket tattare och valloner och sådant här i trakten, vet du, och det är ju inte konstigt om de försöker förvrida fakta. Men far din, han vet hur världen ser ut. Både han och vi har sett hur judarna och utlänningarna har försökt ta över, försökt förstöra det svenska, det rena. Nej, Hitler är inne på helt rätt spår, sanna mina ord." Egon hade nu eldat upp sig så att brödsmulor flög ur munnen på honom. Frans lyssnade fascinerad.

"Nu tycker jag att vi pratar affärer istället, mina herrar." Vilgot ställde ner sin pilsnerflaska med en smäll på bordet och fick genast samtligas uppmärksamhet.

Frans satt med och lyssnade i ytterligare tjugo minuter. Sedan gick han på ostadiga ben till sin säng. Det kändes som om hela rummet snurrade när han fullt påklädd lade sig ovanpå täcket. Ute i salongen hördes herrarnas samtal som ett lågt surrande. När Frans somnade var han ännu lyckligt ovetande om hur han skulle må när han vaknade.

Gösta suckade djupt. Sommaren var på väg att bytas ut mot höst, och för honom innebar det i praktiken att hans golfrundor hastigt skulle skäras ner till ett minimum. Visserligen var det fortfarande rätt varmt i luften, och i teorin skulle han ha gott och väl en månads spelande kvar. Men han visste av dyrköpt erfarenhet hur det brukade bli. Ett par rundor skulle regna bort. Ett par rundor skulle åska bort. Och sedan skulle temperaturen från en dag till en annan plötsligt falla från behaglig till outhärdlig. Det var nackdelen med att leva i Sverige. Och inte såg han några fördelar som vägde upp heller. Skulle vara surströmmingen då. Men flyttade man utomlands kunde man faktiskt ta med sig ett par burkar i bagaget. Då skulle han ha det bästa av två världar.

Men det var åtminstone lugnt på stationen. Mellberg var ute och rastade Ernst, och Martin och Paula hade åkt till Grebbestad för att prata med Frans Ringholm. Gösta funderade än en gång på var han hade hört namnet förut, och till hans stora lättnad klickade det till i hjärnan. Ringholm. Det hette ju den där journalisten på Bohusläningen. Han sträckte sig efter tidningen som låg på skrivbordet och letade tills han i triumf kunde sätta pekfingret på rätt namn: "Kjell Ringholm". Argsint jävel som älskade att sätta åt de lokala politikerna och makthavarna. Kunde ju vara en slump, men efternamnet var ovanligt. Kunde det vara Frans son? Gösta arkiverade informationen i hjärnan, ifall den skulle komma till nytta senare.

Men för tillfället hade han mer trängande saker att åtgärda. Han suckade igen. Med åren hade han utvecklat suckandet till en konstart. Kanske skulle han vänta tills Martin kom tillbaka. I så fall skulle han inte bara få delad arbetsbörda utan också en tidsfrist på minst en timme, kanske två, ifall Martin och Paula bestämde sig för att stanna för lunch innan de kom in igen.

Men vad sjutton, tänkte han. Det kunde vara skönt att få det gjort också, istället för att ha det hängande över sig. Gösta reste sig och tog på sig jackan. Han meddelade Annika vart han skulle och tog en av bilarna i garaget och styrde mot Fjällbacka.

Först när han ringde på dörren insåg han hur dum han var. Klockan var strax efter tolv. Självklart var pojkarna i skolan. Han skulle precis vända när dörren öppnades och en snörvlande Adam uppenbarade sig. Han var röd om näsan och hade den där glansen i ögonen som signalerade feber.

"Är du sjuk?" sa Gösta. Pojken nickade och som ett bekräftande utropstecken levererade han en rungande nysning och snöt sig i näsduken han hade i handen.

"Jag är förkyld", sa Adam med en röst som med all önskvärd tydlighet demonstrerade att båda näsgångarna var fullständigt igenkorkade.

"Får jag komma in?"

Adam klev åt sidan. "Det är på egen risk", sa han och nös igen.

Gösta kände att hans hand fick en lätt dusch av virusbärande saliv, men torkade lugnt bort det med tröjärmen. Ett par dagars sjukskrivning behövde inte vara så dumt. Han tog gärna snorandet om han fick ligga nerbäddad i soffan hemma och titta på inspelningen av senaste Mastersturneringen. Då fick han en chans att studera Tigers sving i slow motion i lugn och ro.

"Babba är inte hebba", sa Adam.

Gösta rynkade pannan medan han följde pojken in i köket. Sedan ljusnade det. "Mamma är inte hemma" var troligtvis det Adam försökte förmedla. Några tankar om olämpligheten i att förhöra en minderårig utan målsmans närvaro for genom Göstas hjärna, men försvann lika fort som de kom. Regler var mest besvärliga och försvårade arbetet, ansåg han. Om Ernst hade varit med skulle han ha gett honom sitt fulla stöd. Polisen Ernst alltså, inte hunden, tänkte Gösta och fnissade. Adam tittade underligt på honom.

De satte sig vid köksbordet som fortfarande visade spår av morgonens frukost. Brödsmulor, smörklickar, lite utspilld O'boy, allt fanns kvar.

"Så." Gösta trummade med fingrarna mot köksbordet men ångrade sig genast då de blev fulla med kladdiga smulor. Han torkade av dem mot byxbenet och tog ny sats.

"Så. Hur ... har du hanterat det här då?" Frågan lät konstig även i hans egna öron. Han var inte särskilt bra på att prata med vare sig ungdomar eller så kallade traumatiserade människor. Inte för att han trodde så mycket på det där tramset. Herregud, gubben var ju död när de hittade honom, och det kunde väl inte vara så farligt. Han hade minsann sett ett par döingar under sina år som polis, och inte hade han blivit traumatiserad av det.

Adam snöt sig och ryckte sedan på axlarna. "Äh, vadå? Bra, tror jag. De i plugget tycker att det är coolt."

"Hur kom det sig att ni gick dit från första början?"

"Det var Mattias idé." Adam uttalade namnet som "Battias", men nu var Göstas hjärna inställd på det och direktöversatte allt pojken sa.

"Alla här i området vet ju att gubbarna är kufar, och att de håller på med andra världskriget och sådant, och en kille från skolan sa att de hade en massa coola grejer hemma, och Mattias tyckte att vi skulle gå in och kolla och ..." Svadan avbröts plötsligt av en så rejäl nysning att Gösta hoppade till i stolen.

"Det var alltså Mattias idé att ni skulle bryta er in i huset", sa Gösta och tittade strängt på Adam.

"Bryta in och bryta in ..." Adam skruvade på sig. "Alltså, vi skulle inte stjäla något eller så, vi skulle bara kolla lite på grejerna. Och vi trodde ju att båda gubbarna var bortresta, så vi tänkte att de behövde inte ens märka att vi hade varit där ..."

"Ja, jag får väl ta dig på orden där", sa Gösta. "Och ni hade inte varit inne i huset tidigare?"

"Nej, heders", sa Adam och tittade bedjande på polismannen. "Det var första gången vi var där."

"Jag skulle behöva ta dina fingeravtryck. För att bevisa det du säger. Och för att kunna utesluta dig. Det är väl inga problem?"

"Nädå", sa Adam med lysande ögon. "Jag kollar alltid på CSI. Jag vet hur viktigt det där är. Att utesluta någon. Och så kör ni alla fingeravtrycken i datorn och så får ni upp vilka de andra är som varit där inne."

"Jo exakt. Precis så jobbar vi", sa Gösta med gravallvarlig min, men inombords skrattade han gott. Köra alla fingeravtrycken i datorn. Jo, tjena.

Han plockade fram utrustningen som han behövde för att ta Adams fingeravtryck: en färgdyna och ett kort med tio fält där han försiktigt placerade pojkens fingrar ett efter ett.

"Så där ja", sa han belåtet när han var färdig.

"Scannar ni in dem, eller hur gör ni sedan?" sa Adam nyfiket.

"Visst, vi scannar in dem", sa Gösta, "och sedan kör vi dem mot den där databasen du pratade om. Vi har alla svenska medborgare över arton inlagda i den. Och en del utlänningar också. Du vet, via Interpol och så.

Vi är ju uppkopplade mot dem, Interpol alltså. Via direktlänk. Och mot FBI och CIA."

"Coolt!" sa Adam och tittade med beundran på Gösta.

Gösta skrattade hela vägen tillbaka till Tanumshede.

Han dukade med omsorg. Den gula duken som han visste att Britta tyckte så mycket om. Den vita servisen med motiv i relief. Ljusstakarna som de fick i bröllopsgåva. Och lite blommor i en vas. Hon hade alltid varit noga med det, Britta. Oavsett årstid hade hon alltid blommor. I blomsteraffären var hon stamkund, eller hade i alla fall varit. Nu för tiden var det Herman som tog sig en tur dit allt som oftast. Han ville ju att allt skulle vara som vanligt. Om allt omkring henne var oförändrat, kunde kanske den nedåtgående spiralen om inte hejdas så åtminstone fördröjas.

Det hade varit jobbigast i början. Innan de hade fått diagnosen. Det hade alltid varit sådan ordning på Britta. Ingen av dem förstod varför hon plötsligt inte kunde hitta bilnycklarna, hur hon kunde kalla barnbarnen vid fel namn, varför telefonnummer till väninnor som hon känt större delen av sitt liv plötsligt inte fanns där längre. De hade skyllt på trötthet och på stress. Hon hade börjat ta sådana där multivitaminer och druckit blutsaft, eftersom de hade tänkt att hon kanske hade någon sorts näringsbrist. Men till slut hade de inte kunnat blunda för faktum längre, något var allvarligt fel.

Diagnosen hade fått dem båda att sitta tysta en lång stund. Sedan hade Britta undsluppit sig en snyftning. Bara det. En snyftning. Hon hade kramat Hermans hand hårt, och han hade kramat tillbaka. De förstod båda vad det innebar. Det liv som de hade levt tillsammans i femtiofem år skulle förändras drastiskt. Långsamt skulle sjukdomen bryta ner hennes hjärna, få henne att tappa mer och mer av det som var hon: hennes minnen, hennes personlighet. Avgrunden gapade vid och djup framför dem.

Det hade gått ett år sedan dess. De goda stunderna blev färre och färre. Hermans händer darrade när han försökte vika servetterna på det sätt som Britta alltid hade gjort. Hon brukade göra en solfjäder. Men trots att han hade sett henne göra det så många gånger fick han inte till det. Efter fjärde försöket vällde ilskan och frustrationen upp inom honom och han slet servetten i bitar. Små, små bitar som singlade ner på tallriken. Han satte sig på stolen och försökte samla sig. Torkade en tår som trängde fram i ögonvrån.

Femtiofem år tillsammans hade de fått. Goda år. Lyckliga år. Visst hade det varit upp och ner ibland, så som det var i alla äktenskap. Men grunden hade alltid funnits där. De hade utvecklats tillsammans, han och Britta. Blivit vuxna tillsammans. Framförallt när de fick Anna-Greta. Han hade varit så oerhört stolt över Britta då. Innan de fick dottern, hade han ibland funnit sin hustru både ytlig och flamsig, det var han tvungen att erkänna. Men från och med dagen då hon höll Anna-Greta i sina armar hade hon blivit en annan. Det var som om hon hade fått en botten som hon dittills hade saknat då hon blev mor. Tre döttrar hade de fått. Tre välsignade döttrar, och han hade älskat sin hustru alltmer för varje barn.

Han kände en hand på sin axel. "Pappa? Hur är det? Du svarade inte när jag knackade, så jag klev på."

Herman torkade raskt ögonen och försökte tvinga fram ett leende när han såg sin äldsta dotters bekymrade ansikte. Men han lurade inte henne. Hon lindade armarna om honom och lade sin kind mot hans.

"Är det svårt i dag, pappa?"

Han nickade och tillät sig att för en liten stund känna sig som ett barn i sin dotters famn. De hade uppfostrat henne väl, han och Britta. Anna-Greta var varm och omtänksam och en kärleksfull farmor till två av deras barnbarnsbarn. Ibland kunde han inte förstå hur det hängde ihop. Att den gråhåriga kvinnan i femtioårsåldern var den dotter som hade tultat runt där hemma och lindat honom runt sitt lillfinger.

"Åren går, du Anna-Greta", sa han till slut och klappade henne på armen som låg över hans bröst.

"Ja, pappa, åren går", sa hon och omfamnade honom ännu lite hårdare. Sedan släppte hon, efter en extra liten tryckning.

"Ska vi se till att få lite ordning på den här dukningen? Mamma kommer inte att bli glad annars, när hon får se hur du har ställt till det." Hon skrattade, och han kunde inte låta bli att le tillbaka.

"Jag viker solfjädrarna, så lägger du ut besticken. Jag tror det blir bäst så, att döma av det här." Hon pekade på servettbitarna som låg som konfetti över bordet och blinkade åt honom.

"Det blir nog bäst", sa han och gav sin dotter ett tacksamt leende. "Det blir nog bäst."

"Hur dags skulle de komma?" Patrik ropade uppifrån sovrummet där han på Ericas uppmaning bytte om till något lämpligare än jeans och t-shirt.

Invändningen "Det är ju bara din syrra och Dan som kommer på middag" hade inte haft någon effekt. Var det middagsbjudning en fredagskväll, så var det. Lite stil fick man helt enkelt ha.

Erica öppnade ugnsluckan och kikade på den inbakade fläskfilén. Hon hade haft dåligt samvete ända sedan gårdagen för att hon hade skällt så på Patrik, och som kompensation hade hon gjort en av hans favoriträtter, smördegsinbakad fläskfilé med portvinssås och pressad potatis. Den rätten hade hon lagat första kvällen hon bjöd hem honom. Första kvällen de... Hon skrattade lite för sig själv och stängde ugnsluckan. Det kändes avlägset nu, fast det bara var några år sedan. Hon älskade Patrik högt och rent, men det var märkligt hur fort vardag och småbarnsliv kunde ta död på den där lusten att älska fem gånger på raken, som de hade gjort den där natten. Numera blev hon trött redan vid tanken på så mycket aktivitet i sängen. En gång i veckan kändes som en prestation.

"De är här om en halvtimme", hojtade hon upp till Patrik och började förbereda såsen. Själv hade hon redan klätt om, till svarta byxor och en lila blus som var en favorit sedan åren då hon bodde i Stockholm och fortfarande hade ett hyfsat utbud av butiker att välja mellan. För säkerhets skull hade hon knutit på sig ett förkläde, och Patrik visslade uppskattande när han kom nerför trappan.

"Men vad vilar mina trötta ögon på? En uppenbarelse. En gudomligt glamorös varelse, men ändå med en touche av hemvävdhet och kulinaritet."

"Det finns inget ord som heter kulinaritet", sa Erica och skrattade när Patrik kysste henne i nacken.

"Nu gör det det", sa han och blinkade. Sedan tog han ett steg tillbaka och gjorde en piruett på köksgolvet.

"Nå? Duger jag? Eller blir det upp och byta?"

"Usch, du får det att låta som om jag är värsta huskorset." Erica synade honom låtsat strängt uppifrån och ner, men skrattade sedan och sa:

"Du är en prydnad för vårt hem. Kan du nu bara se till att duka också, så kanske jag börjar förstå varför jag gifte mig med dig."

"Dukning. Betrakta det som klart!"

En halvtimme senare, när det prick klockan sju ringde på dörren, var både mat och dukning klar. Anna och Dan stod utanför, tillsammans med Emma och Adrian som direkt sprang in och började ropa på Maja. Deras lilla kusin var mäkta populär.

"Vem är den här snygga karln?" sa Anna. "Och var har du gjort av

Patrik? Ja, det var inte en dag för tidigt att du bytte upp dig till det här praktexemplaret."

Patrik kramade Anna. "Trevligt att träffa dig också, kära svägerska ... Nå, hur har turturduvorna det? Erica och jag känner oss ärade att ni kan slita er från sovrummet en stund för att komma och hälsa på oss i vår enkla boning."

"Äsch", sa Anna och rodnade medan hon klatschade till Patrik över bröstet. Men blicken hon sedan gav Dan visade att Patrik onekligen hade en poäng.

De hade sedan en mycket trevlig kväll ihop. Emma och Adrian underhöll glatt Maja tills det var dags för henne att lägga sig och slocknade sedan själva i var sitt hörn av soffan. Maten fick det beröm den förtjänade, vinet var gott och försvann fort ur flaskorna, och Erica njöt av att få sitta med sin syster och Dan och bara ha en vanlig, trevlig middag. Utan några mörka moln vid horisonten. Utan någon tanke på allt det som låg bakom dem. Bara harmlöst småprat och kärleksfullt gnabbande.

Plötsligt stördes lugnet av Dans telefon som började ringa ilsket.

"Ursäkta, jag ska bara se vem det är som ringer vid den här tiden", sa Dan och gick för att hämta telefonen i jackfickan. Han rynkade pannan när han tittade på displayen, det verkade inte som om han kände igen numret.

"Hallå, det är Dan", sa han prövande.

"Vem sa du?"

"Ursäkta det hörs inte riktigt vad du ..."

"Belinda? Var då?"

"Hur?"

"Men jag har druckit, jag kan inte ..."

"Sätt henne i en taxi hit. Bums! Ja, jag betalar när hon kommer fram. Se till att hon kommer hit bara." Rynkan mellan ögonbrynen hade fördjupats och han svor när han tryckte bort samtalet efter att först ha rabblat adressen hem till Patrik och Erica.

"Fan också!"

"Vad är det som har hänt?" sa Anna oroligt.

"Det är Belinda. Hon har uppenbarligen varit på någon fest och är stupfull. Det var en kompis till henne som ringde. De sätter henne i en taxi hit."

"Men var? Hon skulle ju vara hos Pernilla i Munkedal?"

"Jo, det blev tydligen inte så. Hennes kompis ringde från Grebbestad."

Dan började knappa på telefonen och det lät som om han väckte sin exfru ur hennes nattsömn. Han gick in i köket och de hörde bara spridda ord av samtalet. Men de orden lät inte vänliga. Några minuter senare kom han tillbaka in i matsalen igen och slog sig ner vid bordet med ett frustrerat ansiktsuttryck.

"Tydligen har Belinda sagt att hon skulle sova över hos en kompis. Och kompisen har med största sannolikhet sagt att hon skulle sova över hos Belinda. Istället har de på något sätt tagit sig till Grebbestad och gått på fest. Helvete också! Jag trodde att jag kunde räkna med att hon hade koll på henne!" Han drog upprört handen genom håret.

"Pernilla menar du?" sa Anna och strök honom över armen för att lugna honom. "Det är inte så lätt, vet du. Du skulle ha kunnat gå på samma sak. Äldsta tricket som finns."

"Nej, det hade jag inte!" sa Dan ilsket. "Jag hade ringt till kompisens föräldrar på kvällen och kollat att allt stod rätt till. Jag skulle aldrig lita på en sjuttonåring. *Hur* dum får man vara? Ska jag inte kunna lita på att hon tar hand om ungarna?"

"Lugna dig nu", sa Anna strängt. "Nu tar vi en sak i taget. Viktigast nu är att vi tar hand om Belinda när hon kommer." Hon avbröt direkt Dan när han öppnade munnen för att säga något. "Och vi skäller inte ut henne i kväll. Den diskussionen får vi ta i morgon när hon har nyktrat till. Okej?" Även om det sista var sagt med ett frågetecken på slutet, insåg samtliga kring bordet, inklusive Dan, att det inte var förhandlingsbart. Han nickade bara.

"Jag går och bäddar i gästrummet", sa Erica och reste sig.

"Och jag hämtar en hink eller något", sa Patrik och hoppades innerligt att det inte var en mening som han skulle behöva upprepa när Maja blev tonåring.

Några minuter senare hördes en bil på uppfarten, och Dan och Anna skyndade sig att öppna ytterdörren. Anna betalade taxichauffören, medan Dan lyfte ur Belinda, som låg som en trasdocka i baksätet.

"Pappa …", sluddrade hon. Sedan lade hon armarna om hans hals och tryckte ansiktet mot hans bröst. Dan fick kväljningar av kräklukten som kom från henne, men kände samtidigt en oerhört stor ömhet för dottern som plötsligt verkade så liten och bräcklig i hans famn. Det var många år sedan han sist hade burit henne i sina armar.

En hulkande rörelse från Belinda fick honom att instinktivt hålla ut hennes huvud åt sidan, bort från hans bröstkorg. En stinkande rödaktig sörja forsade ut över Ericas och Patriks yttertrappa. Det rådde ingen tvekan om vad som hade konsumerats i alldeles för stor mängd. Eller åtminstone var rödvin en stor beståndsdel i överkonsumtionen.

"Kom in med henne, strunta i det där, det spolar vi av sedan", sa Erica och vinkade in Dan och Belinda. "Bär in henne i duschen, så tar jag och Anna hand om henne och byter kläder på henne."

I duschen började Belinda gråta. Ljudet var hjärtskärande. Anna strök henne över huvudet, medan Erica försiktigt torkade av henne med en handduk.

"Schh, det blir nog bra det här ska du se", sa Anna och började dra på Belinda en torr t-shirt.

"Kim skulle vara där... Och jag trodde att... Men han sa till Linda att han tyckte att jag var... fuuul..." Orden kom hackigt och stötvis, med pauser för gråt.

Anna tittade på Erica över huvudet på Belinda. Ingen av dem hade velat byta med flickan för allt i världen. Det finns inget så smärtsamt som ett brustet tonårshjärta. De hade båda varit igenom det och förstod mycket väl varför man i det läget föll för frestelsen att dränka sorgen i för mycket rödvin. Men det var en högst temporär tröst. I morgon skulle Belinda må om möjligt ännu sämre, det visste de också av dyrköpt erfarenhet. Men det enda de kunde göra var att få henne i säng. Resten fick de hantera i morgon.

Mellberg stod med handen på dörrhandtaget. Han vägde för och emot. Kände onekligen att "emot" vann med hästlängder. Men två saker hade ändå fört honom hit. För det första hade han inget bättre för sig en fredagskväll. För det andra såg han bara Ritas mörka ögon framför sig. Men han undrade fortfarande om dessa två faktorer var motivering nog för att göra något så absurt löjligt som att gå en salsakurs. Dessutom skulle det väl bara vara en massa desperata fruntimmer där inne. Som trodde att de kunde ragga karlar genom att gå på danskurs. Patetiskt. För ett ögonblick var han nära att vända på klacken och istället ta en sväng förbi macken, köpa lite chips och slå sig ner framför ett inspelat avsnitt av "Full frys med Stefan och Christer". Han skrockade bara vid tanken. Ja, jädrans. Det var grabbar som visste vad humor handlade om. Mellberg hade precis bestämt sig för denna plan B, när dörren slets upp framför honom.

"Bertil! Vad roligt att du kom! Stig in, vi ska precis börja." Och innan han visste ordet av hade Rita fattat hans hand och släpat in honom i gymnastiksalen. Latinamerikansk musik pumpade ur en bergsprängare på golvet, och fyra par tittade nyfiket på honom när han kom in. Jämna par, noterade Mellberg förvånat, och hans bild av sig själv som ett köttben som slets i stycken av ett gäng lystna och löpska hyndor bleknade bort.

"Du får dansa med mig. Du får hjälpa mig demonstrera", sa Rita och drog honom bestämt mot golvets mitt. Hon ställde sig mittemot honom, fattade hans ena hand och lade den andra runt sin midja. Mellberg fick kämpa med sig själv för att motstå lusten att ta ett grabbatag om hennes härliga hull. Han förstod helt enkelt inte karlar som hellre ville känna ben under handflatorna.

"Bertil, fokusera", sa Rita strängt och han sträckte genast på sig. "Titta nu hur Bertil och jag gör", sa Rita och vände sig till de andra paren. "För damen: höger fot fram, flytta tyngden till vänster fot, och höger fot tillbaka. För herren är det samma sak fast motsatt, vänster fot fram, tyngden på höger, och vänster tillbaka. Vi gör det steget tills det sitter."

Mellberg kämpade för att förstå hur hon menade, men det var som om hjärnan hade valt att radera till och med så grundläggande information som vilken fot som var höger och vilken som var vänster. Men Rita var en bra lärare. Med bestämda rörelser förde hon hans fötter fram och tillbaka, och efter en stund kände han till sin glädje hur han började få in den rätta knycken.

"Och nu ... ska vi också börja röra på höfterna", sa Rita och tittade uppfordrande på sina elever. "Ni svenskar är så stela. Men salsa handlar om rörelse, om följsamhet, om mjukhet."

Hon demonstrerade vad hon menade genom att vicka på höfterna till musiken på ett sätt som gjorde att det såg ut som om de flöt fram och tillbaka, som en våg. Mellberg betraktade fascinerad hur hennes kropp rörde sig. Det såg så lätt ut när hon gjorde det. Fast besluten att imponera på henne, försökte han härma hennes rörelser medan han flyttade fötterna fram och tillbaka i det mönster som han trodde hade satt sig i ryggmärgen. Men nu fungerade ingenting längre. Hans höfter kändes som om de var stelopererade, och alla försök att koordinera deras rörelser med fötternas gjorde att det blev total kortslutning. Han stannade tvärt med frustrerad min. Och för att göra saken ännu värre, valde håret detta tillfälle att trilla ner över hans vänstra öra. Raskt rättade han till det och hoppades att ingen hade noterat det inträffade. Ett litet fniss från ett av de andra paren krossade genast den förhoppningen.

"Jag vet att det är svårt, det kräver övning, Bertil", sa Rita uppmuntrande och uppmanade honom att försöka igen. "Lyssna på musiken, Bertil, lyssna. Och så låter du kroppen följa efter. Och titta inte på fötterna, titta på mig. I salsa ska man alltid titta sin kvinna i ögonen. Det är kärlekens dans, passionens dans."

Hon fäste sin blick i hans och han tvingade sig med viljekraft att hålla kvar blicken mot henne och inte mot fötterna. Först gick det inte alls. Men efter en stund, med Ritas mjuka vägledning, kände han hur något hände. Det var som om hans kropp först nu hörde musiken på riktigt. Höfterna började röra sig mjukt och följsamt. Han tittade djupare in i Ritas ögon. Och medan de latinamerikanska rytmerna dunkade från bandspelaren, kände han hur han föll.

Kristiansand 1943

Det var inte det att Axel tyckte om att ta risker. Det var inte heller det att han var ovanligt modig. Visst var han rädd. Annars skulle han vara en dåre. Men det var helt enkelt något han var tvungen att göra. Han kunde inte bara sitta och se på när det onda tog över, utan att göra något åt det.

Han stod vid relingen och kände vinden som piskade honom i ansiktet. Han älskade lukten av salt vatten. Egentligen hade han alltid varit avundsjuk på fiskarna, på männen som var ute från tidig morgon till sen kväll och lät båten föra dem dit fisken gick. Axel visste att de skulle skratta åt honom om han någonsin yppade något om sin avundsjuka. Att han, doktorns son, som skulle studera vidare och bli något fint, skulle vara avundsjuk på dem. På valkarna i händerna, lukten av fisk som aldrig gick ur kläderna, osäkerheten inför om man skulle återvända hem varje gång man lade ut. De skulle tycka att det var både absurt och förmätet av honom att önska sig det liv de hade. De skulle aldrig förstå. Men han kände i varje fiber i sin kropp att det var det här livet han egentligen var avsedd för. Visserligen hade han ett gott läshuvud, men han kände sig aldrig lika hemma bland böcker och kunskap som han gjorde här, på ett båtdäck som gungade, med vinden som tog tag i håret och med lukten av fisk i näsborrarna.

Erik däremot, han älskade att vara i böckernas värld. Det fanns ett skimmer av lycka kring honom när han satt där på kvällen på sin säng, med ögon som irrade fram och tillbaka över sidorna i någon bok som var alldeles för tjock och alldeles för gammal för att någon annan än Erik skulle lyckas uppamma minsta entusiasm för den. Erik slukade kunskap, han vältrade sig i den, frossade som en utsvulten i fakta, årtal, namn och platser. Det fascinerade Axel, men det gjorde honom också sorgsen. De var så olika, han och hans bror. Kanske skilde det för många år. Det var fyra år mellan dem. De hade aldrig lekt med varandra, aldrig delat leksaker med varandra. Det bekymrade också Axel att se hur föräldrarna gjorde skillnad mellan dem. De höjde honom själv till skyarna på ett sätt som rubbade balansen i familjen, gjorde Axel till något han inte var och förminskade Erik. Men hur skulle han kunna förhindra det? Han kunde bara göra det han var ämnad att göra.

"Vi anlöper strax hamnen."

Elofs torra röst bakom honom fick Axel att hoppa till. Han hade inte hört honom komma.

"Jag smyger i land direkt när vi lägger till. Är borta en timme ungefär."

Elof nickade. "Ta vara på dig, pojk", sa han innan han med en sista blick på Axel gick akterut för att ta över rodret.

Tio minuter senare tittade sig Axel noggrant runt innan han tog sig upp på kajen. Tyska uniformer skymtade i alla väderstreck på land, men merparten av soldaterna såg ut att vara upptagna av någon form av syssla, mestadels kontroll av de båtar som hade lagt till vid kajen. Han kände hur pulsen ökade. En hel del sjömän rörde sig uppe på land, för att lasta eller lasta av, och han försökte gå lika nonchalant som de som utförde sitt arbete utan att ha några dolda motiv. Han hade inte med sig något den här gången. Den här resan skulle han bara hämta. Axel visste inte vad dokumentet han hade fått i uppdrag att smuggla in i Sverige innehöll. Han ville heller inte veta. Han visste bara vem han skulle överlämna det till.

Instruktionerna hade varit tydliga. Mannen han letade efter skulle stå i bortre änden av hamnen, med en blå keps och brun skjorta. Med blicken vaksamt sökande, drog sig Axel närmare det hörn av hamnen där mannen skulle finnas. Allt verkade gå bra än så länge. Ingen brydde sig om en fiskare som vant rörde sig i omgivningen. Tyskarna höll på med sitt och tog ingen notis om honom. Till slut fick han syn på mannen. Han stod och staplade lådor och verkade enbart koncentrerad på att få jobbet gjort. Axel gick målmedvetet mot honom. Tricket var att se ut som om han hade något där att göra. Han fick absolut inte göra misstaget att börja flacka med blicken och se sig runt på ett uppenbart sätt. Det skulle vara detsamma som att bära en måltavla på bröstet.

Väl framme hos mannen, som ännu inte hade tagit någon notis om honom, lyfte han den närmaste lådan och började stapla han med. I ögonvrån såg han hur hans kontaktperson släppte något på marken i skydd av några lådor. Axel låtsades böja sig ner för att lyfta ännu en låda, men nappade först åt sig det hoprullade pappret och stoppade det i fickan. Överlämningen var avklarad. Ännu hade han och mannen inte utbytt en enda blick.

Han kände hur lättnaden rusade genom hans ådror och gjorde honom nästan yr i huvudet. Överlämningen var alltid det mest kritiska ögonblicket. Var det väl avklarat var risken mycket mindre att något skulle ...

"Halt. Hände hoch!"

Det tyska kommandot kom från ingenstans. Axel tittade förbluffad på mannen vid sin sida, och den skamsna blick han mötte fick honom att förstå vad det var fråga om. Det hade varit en fälla. Antingen hade hela uppdraget varit en bluff, för att komma åt honom. Eller så hade tyskarna kommit över information om vad som var på gång och pressat de inblandade att hjälpa dem att gillra fällan. I vilket fall som helst visste Axel att spelet var över. Tyskarna hade troligtvis bevakat honom från det att han steg i land fram till överlämningen. Och dokumentet brände i hans ficka. Han höjde händerna i en gest av underkastelse. De män som stod framför honom tillhörde Gestapo. Spelet var över.

En hård knackning på dörren störde honom i hans morgonritual. Varje morgon samma sak. Först en dusch. Därefter rakning. Sedan förbereda frukosten, två ägg, en skiva rågbröd med smör och ost och en stor kopp kaffe. Alltid samma frukost som han sedan åt framför tv:n. Åren i fängelse hade fått honom att uppskatta rutin, förutsägbarhet. Det knackade på nytt och Frans reste sig irriterad och gick för att öppna.

"Hej, Frans." Hans son stod utanför, med den hårda blick i ögonen som han hade tvingats vänja sig vid.

Frans kunde inte längre minnas den tid då allt hade varit annorlunda. Men man måste acceptera det man inte kan förändra, och det här var en av de saker han aldrig skulle kunna ändra på. Det var bara i drömmarna som han ibland kunde känna känslan av en liten hand i sin. Ett vagt minne från en tid för länge, länge sedan.

Med en knappt hörbar suck klev han åt sidan och släppte in sin son.

"Hej, Kjell", sa han. "Vad har du för ärende till din gamle far i dag då?"

"Erik Frankel", sa Kjell kallt och betraktade sin far som om han förväntade sig en särskild reaktion.

"Jag är mitt i frukosten. Du får komma in."

Kjell följde efter honom in i vardagsrummet. Han kunde inte dölja att han lite nyfiket tittade sig runt. Han hade aldrig varit inne i den här lägenheten.

Frans frågade inte om sonen ville ha något kaffe. Han visste i förväg vad svaret skulle bli.

"Nå, vad är det med Erik Frankel då?"

"Du vet väl att han är död." Det lät som det konstaterande det var.

Frans nickade. "Ja, jag har hört att gamle Erik är död. Beklagligt."

"Är det din uppriktiga åsikt? Att det är beklagligt?" Kjell betraktade honom intensivt, och Frans visste mycket väl varför. Han var inte där i egenskap av son, utan som journalist.

Frans tog god tid på sig innan han svarade. Det fanns så mycket som rörde sig under ytan. Så mycket som rymdes bland minnena och som hade följt honom genom livet. Men det skulle han aldrig kunna berätta för sonen. Kjell skulle aldrig förstå. Han hade dömt sin far för länge sedan. De stod på motsatta sidor om en mur som var så hög att man inte ens kunde kika över den, och så hade det varit under alldeles för många år. Och till största delen hade han sig själv att skylla. Kjell hade inte sett mycket av sin far kåkfararen när han var liten. Några få gånger hade hans mor tagit med honom på besök på anstalten, men åsynen av det lilla ansiktet, fullt av frågor, i det kala, ogästvänliga besöksrummet hade fått honom att förhärda sig och säga nej till fler besök. Han hade trott att det var bättre för pojken att inte ha någon far alls än den far han hade. Kanske hade det varit fel. Men det var för sent att göra någonting åt det nu.

”Ja, jag beklagar Eriks död. Vi kände varandra som unga, och jag har bara goda minnen av Erik. Sedan gick vi åt olika håll och …” Frans slog ut med händerna. Han behövde inte förklara sig för Kjell. De två visste redan allt om olika vägar.

”Men det är ju inte sant. Jag har uppgifter som säger att du hade kontakt med Erik på senare tid. Och att Sveriges vänner har visat ett visst intresse för bröderna Frankel. Du har väl inget emot att jag antecknar, förresten?” Kjell tog demonstrativt upp ett anteckningsblock på bordet och utmanade sin far med blicken, medan han förde pennan till pappret.

Frans ryckte på axlarna och viftade godkännande med handen. Han orkade inte längre spela det här spelet. Det fanns så mycket ilska inom Kjell, och han kände igen varje uns av den. Det var hans ilska. Den där förtärande vreden som han alltid hade burit med sig och som hade ställt till det för honom så många gånger, förstört så mycket. Sonen hade använt sin vrede annorlunda. Jo, han följde nog vad han skrev i tidningen. Det var åtskilliga lokala makthavare och näringsidkare som hade fått smaka på Kjell Ringholms vrede, i tryckt form på tidningens sidor. Egentligen var de inte så olika, han och Kjell, även om de hade valt olika utgångspunkter. De drevs båda framåt av den där vreden de hade inom sig. Det var den som hade fått honom att känna sig så hemma med de fångar med nazistiska sympatier som han hade träffat redan på sin första runda i fängelset. De hade haft samma hat, samma drivkraft. Och han kunde argumentera, visste hur man talade, retoriken hade hans far noggrant skolat honom i. Att tillhöra det nazistiska gänget i fängelset hade gett honom status och makt, han hade varit någon, och den där vreden hade setts som en tillgång, ett bevis på styrka. Och med åren hade han växt in i rollen. Det gick inte längre att skilja på honom och hans åsikter. De hade formats till en enhet som inte gick att separera. Han hade en känsla av att det var samma sak med Kjell.

"Var var vi?" Kjell tittade ner på sitt ännu tomma block. "Jo, det fanns tydligen vissa kontakter mellan dig och Erik."

"Bara på grund av gammal vänskap. Inget särskilt. Och inget som kan kopplas till hans död."

"Säger du, ja", sa Kjell. "Det blir nog andra som får avgöra den saken. Men vad handlade kontakten om? Var det ett hot?"

Frans fnös. "Jag vet inte var du har fått dina uppgifter ifrån. Men jag har inte hotat Erik Frankel. Du har skrivit tillräckligt om mina menings-fränder för att veta att det alltid finns några … brushuvuden som inte tänker rationellt. Och det var bara det jag informerade Erik om."

"Dina meningsfränder", sa Kjell med ett förakt som nästan gränsade till äckel. "Du menar sinnesförvirrade bakåtsträvare som tror att ni kan stänga gränserna."

"Kalla det vad du vill", sa Frans trött. "Men jag hotade inte Erik Fran-kel. Och nu skulle jag uppskatta om du gick."

För ett kort ögonblick såg det ut som om Kjell skulle protestera. Se-dan reste han sig, lutade sig över sin far och spände ögonen i honom.

"Du var ingen vidare far till mig, men det kan jag leva med. Men jag svär. Om du drar in min son djupare i det här än vad du redan har gjort, så …" Han knöt nävarna.

Frans tittade upp på honom och besvarade lugnt hans blick. "Jag har inte dragit in din son i något. Han är vuxen nog att tänka själv. Han gör sina egna val."

"Som du gjorde?" sa Kjell beskt och stormade sedan ut som om han inte längre stod ut med att vara i samma rum som sin far.

Frans satt kvar och kände hjärtat slå i bröstkorgen. Medan han hörde ljudet av ytterdörren som slogs igen tänkte han på fäder och söner. Och på de val som gjordes åt dem.

"Har helgen varit bra?" Paula riktade frågan till både Martin och Gösta, medan hon måttade upp kaffepulver i bryggaren. Båda nöjde sig med att nicka dystert. Ingen av dem uppskattade fenomenet måndagsmorgnar. Martin hade dessutom sovit dåligt hela helgen.

På sistone hade han börjat ligga vaken på nätterna och oroa sig för barnet som skulle anlända om ett par månader. Inte för att det inte var efterlängtat. För det var det. Mycket. Men det var som om det först nu slog honom hur stort ansvaret var. Att det var ett litet liv, en liten människa som han skulle vakta, utveckla och ta hand om på alla möjliga plan. Och den insikten hade under sista tiden fått honom att ligga och stirra upp i taket på nätterna, medan Pias stora mage höjde och sänkte sig i takt med hennes lugna andetag. Det han såg framför sig var mobbing och vapen och knark och sexuellt utnyttjande och sorger och olyckor. När man tänkte på det fanns det ingen ände på allt som skulle kunna drabba det barn som nu var på väg. Och för första gången undrade han för sig själv om han verkligen var mogen för uppgiften. Men det var lite sent att bekymra sig för det nu. Om ett par månader skulle bebisen ofrånkomligen anlända.

"Vilka muntergökar ni var då." Paula slog sig ner och lade upp armarna på bordet, medan hon betraktade Gösta och Martin med ett leende.

"Det borde vara förbjudet att vara så munter en måndagsmorgon", sa Gösta och reste sig för att hämta en ny kopp kaffe. Vattnet hade inte hunnit rinna igenom ännu, så när han drog ut tillbringaren började det rinna kaffe ner på plattan. Gösta verkade inte ens märka det utan satte bara tillbaka tillbringaren när han hade fyllt sin kopp.

"Men Gösta", sa Paula strängt när han vände ryggen åt röran för att gå och sätta sig igen. "Du kan väl inte lämna det så där. Du får ju torka upp."

Gösta kastade en blick på kaffebryggaren och verkade först nu notera kaffepölen som hade bildats på diskbänken. "Jaså, ja, jo", sa han buttert och torkade av bänken.

Martin skrattade. "Skönt att se att någon har pli på dig."

"Ja, jo, typiskt fruntimmer. Ni ska jämt vara så jävla petiga."

Paula skulle precis svara något syrligt när ett ljud hördes ute i korridoren. Ett ljud som inte tillhörde vanligheterna på stationen. Glatt barnpladder.

Martin sträckte på halsen med förhoppningsfull min. "Det måste vara …", sa han och innan han hann avsluta meningen visade sig Patrik i dörröppningen. Med Maja på armen.

"Hej på er!"

"Hej!" sa Martin glatt. "Jaså, du kunde inte hålla dig borta längre."

Patrik log. "Nja, gumman och jag tänkte att vi skulle åka hit och kolla så att ni verkligen jobbar. Eller hur, gumman?" Maja gurglade glatt och

viftade med armarna. Sedan började hon åla sig och visa att hon ville
ner. Patrik lät henne få som hon ville och hon satte omedelbart fart på
de vingliga benen. Direkt fram till Martin.

"Hej, Maja-gumman. Jaså, du kände igen farbror Martin. Som du kol-
lade på blommor med. Vet du vad, Maja? Farbror Martin ska ta och häm-
ta en låda med leksaker till dig." Han reste sig och gick för att hämta lå-
dan som de förvarade på stationen, just för den händelse att någon hade
barn med sig som behövde förströs en stund. Maja blev alldeles till sig av
lycka över den skattkista med roliga och underbara ting som någon mi-
nut senare materialiserade sig i köket.

"Tack, Martin", sa Patrik. Han hällde upp en kopp kaffe och satte sig
ner vid bordet. "Nå, hur går det för er?" sa han och grimaserade när han
tog första klunken kaffe. Det hade tydligen bara tagit en vecka för ho-
nom att glömma hur eländigt kaffet var på stationen.

"Jo, lite trögt går det väl", sa Martin. "Men vi har en del ingångar."
Han berättade om samtalet de hade haft med Frans Ringholm och med
Axel Frankel. Patrik nickade intresserat.

"Och Gösta var och hämtade in ena grabbens finger- och skoavtryck
i fredags. Vi ska bara plocka in den andre killens också, så kan vi börja
avföra deras spår från utredningen."

"Vad sa han då?" sa Patrik. "Hade de sett något av intresse? Varför val-
de de att bryta sig in hos bröderna Frankel? Fick ni fram något vi kan gå
vidare med?"

"Nä, jag fick inget användbart ur honom", sa Gösta vresigt. Det kän-
des som om Patrik ifrågasatte hur han skötte sitt jobb, och det var inget
han uppskattade. Men samtidigt satte Patriks frågor igång något i huvu-
det på honom. Något rörde sig där, något som han kände att han nog
borde få upp till ytan. Men det var kanske bara inbillning. Och Patrik
skulle bara få vatten på sin kvarn om han öppnade munnen och sa nå-
got om det.

"Summa summarum står vi lite och stampar för tillfället. Det enda vi
har av intresse är kopplingen till Sveriges vänner. I övrigt verkar Erik
Frankel inte ha haft några ovänner, vi har inte sett några andra möjliga
motiv till att någon skulle vilja ha ihjäl honom."

"Har ni kollat hans bankuppgifter? Kanske finns det något intressant
där?" Patrik funderade högt.

Martin skakade på huvudet, irriterad över att inte ha tänkt på det
själv. "Vi får göra det så snart som möjligt", sa han. "Och vi borde höra

med Axel om det fanns någon kvinna i Eriks liv. Ja, eller man för den delen. Någon som han kanske delade förtroenden med i sängen. En annan sak vi ska göra i dag är att prata med städerskan som städade hemma hos Erik och Axel."

"Bra", sa Patrik och nickade. "Det kanske kan ge en förklaring till varför hon inte har städat där på hela sommaren. Och därmed inte hittat Erik."

Paula reste sig. "Vet ni, jag ringer Axel med en gång och kollar det där med eventuell partner i Eriks liv." Hon gick iväg till sitt rum.

"Har ni breven här som Frans skickade till Erik?" frågade Patrik.

Martin reste sig. "Javisst, jag går och hämtar dem. För jag antar att du menade att du ville kika på dem?"

Patrik ryckte utstuderat nonchalant på axlarna. "Ja, när jag ändå är här så ..."

Martin skrattade. "Ränderna går aldrig ur, du. Var det pappaledig du var?"

"Hörru, vänta bara tills du sitter där själv. Det finns liksom bara ett visst antal timmar som man orkar tillbringa i sandlådan. Och Erica jobbar ju hemma, så hon är bara glad om vi håller oss ur vägen."

"Fast är du säker på att hon avsåg att ni skulle ta er tillflykt till just polisstationen?" Det glittrade i Martins ögon.

"Nej, kanske inte. Men jag kikar ju bara lite. Kollar så att ni håller er i skinnet."

"Ja, då är det väl bäst att jag hämtar breven då, så att du bara får kika lite ..."

Några minuter senare kom Martin tillbaka med de fem breven, som nu förvarades i plastfickor. Maja tittade upp från leksakslådan och sträckte sig efter papperen i Martins hand, men han höll undan dem och räckte dem till Patrik. "Nej du, gumman, dem får du inte leka med." Maja tog emot beskedet med ett något förorättat uttryck, men återgick sedan till att utforska lådan på golvet.

Patrik bredde ut breven bredvid varandra på bordet. Han läste dem under tystnad med pannan i djupa veck.

"Det är ju inte särskilt konkret. Och han upprepar sig mest. Säger att Erik bör ligga lågt eftersom han inte kan skydda honom längre. Att det finns krafter inom Sveriges vänner som inte tänker innan de agerar." Patrik läste vidare. "Och här får jag intrycket att Erik har svarat. För Frans skriver: *Jag anser att du har fel i det du säger. Du talar om konsekven-*

112

ser. Om ansvar. Jag talar om att begrava det förflutna. Att se framåt. Vi har olika ståndpunkter, olika utgångspunkter, du och jag. Men vår ursprungspunkt är densamma. I botten ligger samma monster och krälar. Och till skillnad från dig anser jag att det vore oklokt att väcka gamla monster till liv. Vissa ben bör få ligga orörda. Jag gav dig min syn på det skedda redan i mitt förra brev, och jag kommer inte att tala mer om saken. Och jag rekommenderar att du gör detsamma. Just nu har jag valt att agera som en beskyddande part, men om situationen förändras, om monstren dras fram i ljuset, kanske jag kommer att känna annorlunda."

Patrik tittade upp på Martin. "Frågade ni Frans vad han menade med detta? Vad det är för 'gamla monster' han talar om?"

"Nej, vi har inte hunnit fråga honom om det ännu. Men vi kommer att tala med honom vid fler tillfällen."

Paula dök upp i dörröppningen igen.

"Jag har lyckats lokalisera kvinnan i Eriks liv. Jag gjorde som Patrik föreslog. Jag ringde Axel. Och han kunde berätta att Erik de senaste fyra åren har haft en 'god vän', som han uttryckte saken, vid namn Viola Ellmander. Och jag har pratat med henne också. Hon kan ta emot oss nu under förmiddagen."

"Det var snabbt marscherat", sa Patrik och log uppskattande mot Paula.

"Du ska inte hänga med?" sa Martin impulsivt, men efter att ha slängt ett öga på Maja som grundligt undersökte en dockas ögon tillade han: "Nej, det är klart, det går ju inte."

"Klart det går, du kan lämna henne här hos mig", hördes en röst från dörröppningen. Annika tittade hoppfullt på Patrik och gav Maja ett stort leende som omedelbart belönades med ett i gengäld. I brist på egna barn tog Annika gärna chansen att få låna ett.

"Nja ...", sa Patrik och tittade fundersamt på Maja.

"Tror du inte att jag klarar uppgiften?" sa Annika. Hon låtsades förorättad och lade armarna i kors över bröstet.

"Nej, det är inte det ...", sa Patrik, fortfarande aningen tveksam. Men sedan vann nyfikenheten och han nickade. "Okej, vi gör så. Jag hänger med en kortis, så är jag tillbaka före lunch. Men ring direkt om det blir några problem. Och just det, hon behöver äta runt halv elva, och hon vill fortfarande helst ha det hon äter noggrant mosat, men jag tror förresten att jag har en burk köttfärssås du kan värma i mikron, och hon brukar bli trött efter maten, men då är det bara att lägga henne i vagnen och gå en kort sväng, och glöm inte nappen och nallen vill hon ha bredvid sig när hon ska somna och ..."

"Stopp, stopp." Annika höll skrattande upp händerna. "Vi grejar nog det här, Maja och jag. Inga problem. Jag ska se till att hon inte svälter ihjäl i min vård, och tuppluren ska vi nog fixa också."

"Tack, Annika", sa Patrik och reste sig. Han satte sig på huk hos dottern och pussade henne på det blonda huvudet. "Pappa ska bara åka iväg en liten sväng. Du får stanna hos Annika. Går det bra?" Maja tittade storögt på honom en sekund men flyttade sedan tillbaka blicken till leksakerna och fortsatte försöka dra bort dockans ögonfransar. Snopet reste sig Patrik och sa: "Jaha, där ser man hur oumbärlig man är. Men ha det så mysigt nu."

Han kramade om Annika och gick sedan ut till garaget. En härlig känsla av upprymdhet spred sig inom honom när han satte sig i förarsätet på polisbilen och Martin gled in på passagerarsätet bredvid honom. Paula satte sig i baksätet med en lapp med Violas adress i handen. Sedan backade Patrik ut bilen ur garaget och körde i riktning mot Fjällbacka. Han bekämpade en lust att nynna glatt av välbehag.

Axel lade sakta på luren. Plötsligt kändes allt så overkligt. Det var som om han fortfarande låg i sängen och drömde. Huset var så tomt utan Erik. De hade varit noga med att ge varandra utrymme. Sett till att inte invadera den andres privata sfär. Ibland hade det gått dagar utan att de ens hade pratat med varandra. De hade ofta ätit vid olika tider, hållit sig på sina rum i olika delar av huset. Men det skulle inte tolkas som att de inte stod varandra nära. Det gjorde de. Eller hade gjort, rättade Axel sig själv. För nu var det en annan tystnad i huset än tidigare. En tystnad som var annorlunda än den som rådde då Erik satt nere i biblioteket och läste. Då hade de alltid kunnat bryta tystnaden genom att byta några ord med varandra. Om de skulle vilja det. Den här tystnaden var total, oändlig. Utan slut.

Erik hade aldrig tagit med sig Viola hit. Han hade heller aldrig talat om henne. De enda gångerna Axel hade kommit i kontakt med henne var när han råkade svara i telefonen när hon ringde. Då brukade Erik försvinna iväg ett par dagar. Packa en liten väska med det nödvändigaste, ta ett knapphändigt farväl och sedan vara borta. Ibland hade Axel känt sig avundsjuk när han såg sin bror försvinna iväg. Avundsjuk på att han hade någon. För Axels del hade det inte blivit något av med den delen

114

av livet. Visst hade det funnits kvinnor, självklart hade det det. Men inget som varade över den första förälskelsen. Det hade alltid varit hans fel. Det var inget han tvivlade på, men det var heller inget han kunnat påverka. Den andra kraften i hans liv hade varit för stark, för uppslukande. Den hade med åren blivit till en krävande älskarinna som inte lämnade utrymme till något annat. Hans arbete hade blivit hans liv, hans identitet, hans innersta kärna. När det hade blivit så visste han inte. Eller nej förresten, det var en lögn.

I tystnaden i huset satte sig Axel ner på den stoppade stolen bredvid hallbyrån. För första gången sedan hans bror dog, grät han.

Erica njöt av stillheten i sitt hus. Hon kunde till och med ha dörren till arbetsrummet öppen, utan att störas av ljud utifrån. Hon lade upp benen på skrivbordet och funderade på samtalet med Erik Frankels bror. Det hade öppnat något slags dammlucka inom henne. En stor, omättlig nyfikenhet inför de sidor hos hennes mor som hon uppenbarligen inte hade känt till, och heller aldrig anat. Hon kände också instinktivt att hon bara hade fått reda på en bråkdel av det som Axel Frankel visste om modern. Men varför skulle han bry sig om att dölja något för henne? Vad fanns det i hennes mors bakgrund som han drog sig för att berätta? Hon sträckte sig efter dagböckerna och fortsatte läsa där hon hade slutat ett par dagar tidigare. Men de gav inga ledtrådar, bara tankar och vardag från en tonårsflicka. Inga stora avslöjanden, inget som kunde orsaka det märkliga uttrycket i Axels ögon när han hade talat om hennes mor.

Erica läste vidare, jagade med blicken över sidorna efter något uppseendeväckande. Något, vad som helst, som skulle kunna stilla den där oroskänslan hon hade inom sig. Men det var inte förrän på de sista sidorna i den tredje boken, som hon hittade något som ens tillnärmelsevis hade en relevant koppling till Axel.

Med ens visste hon vad hon skulle göra. Hon svängde ner benen på golvet igen, tog böckerna och lade dem försiktigt i sin handväska. Efter att ha öppnat dörren och känt på väderleken tog hon på sig en tunn jacka och promenerade iväg i rask takt.

Hon tog den branta trappan upp mot Badis och stannade på sista trappsteget, alldeles svettig av ansträngningen. Den gamla restaurangen såg ödslig och övergiven ut nu då sommarruschen var över, men den hade i och för sig fört en tynande tillvaro även sommartid de senaste åren. Det var synd. Läget gick inte att slå, restaurangen tronade på berget ovanför kajen, med fri utsikt ut över Fjällbacka skärgård. Men byggnaden hade med åren blivit rejält sliten, och antagligen krävdes det ordentliga investeringar om man skulle kunna göra något vettigt av Badis.

Huset hon sökte låg en bit ovanför restaurangen, och hon hade chansat på att den hon sökte var hemma.

Ett par pigga ögon mötte henne när dörren öppnades framför henne. "Ja?" sa damen som stod i hallen och tittade nyfiket på henne.

"Jag heter Erica Falck." Erica tvekade ... "Jag är dotter till Elsy Moström."

Något glimmade till i Brittas ögon. Efter att ha stått tyst och orörlig en stund, log hon plötsligt och klev åt sidan.

"Ja, det är klart. Elsys dotter. Det ser jag ju nu. Kom in."

Erica gick in och tittade sig nyfiket runt. Huset var ljust och trivsamt, med mängder av foton på barn och barnbarn, och eventuellt också små barnbarnsbarn, på väggarna.

"Det här är hela klanen", sa Britta och log medan hon pekade på myllret av fotografier.

"Hur många barn har ni?" sa Erica artigt och tittade på bilderna.

"Tre döttrar. Och för guds skull, säg inte ni. Då känner jag mig så gammal. Inte för att jag inte är det. Men man behöver ju inte känna sig sådan bara för det. Ålder är ju trots allt bara en siffra."

"Ja, det är sant", sa Erica och skrattade. Hon gillade verkligen den här tanten.

"Kom in och sätt dig", sa Britta och rörde lätt vid Ericas armbåge. Efter att ha tagit av sig skor och jacka följde Erica efter henne in i vardagsrummet.

"Vad fint ni har det."

"Vi har bott här i femtiofem år", sa Britta. Hennes ansikte blev mjukt och soligt när hon log. Hon satte sig på en stor, blommig soffa och klappade med handen bredvid sig. "Sätt dig här, så får vi språkas vid lite. Det är roligt att träffa dig, ska du veta. Jag och Elsy ... vi umgicks mycket när vi var yngre."

För ett ögonblick tyckte Erica att hon hörde samma märkliga ton som när hon talade med Axel, men sekunden efter var den borta och Britta log sitt mjuka leende igen.

"Ja, jag hittade lite saker efter min mor när jag rensade på vinden och ... jag blev lite nyfiken helt enkelt. Jag visste inte så mycket om min mor. Hur lärde ni känna varandra till exempel?"

"Vi var bänkkamrater, jag och Elsy. Fick sitta bredvid varandra redan första dagen i skolan och ja, sedan fortsatte vi med det."

"Ni kände visst Erik och Axel Frankel också?"

"Ja, mer Erik än Axel. Eriks bror var ju ett par år äldre än oss och tyckte nog att vi var irriterande småungar. Men rasande stilig var han, Axel."

"Ja, jag har hört det", skrattade Erica. "Han är ju fortfarande stilig dessutom."

"Ja, jag är böjd att hålla med, men säg inte det till min man", teaterviskade Britta.

"Nej, jag lovar." Erica tyckte mer och mer om sin mammas gamla väninna. "Frans då? Vad jag förstår så ingick även Frans Ringholm i er lilla grupp?"

Britta stelnade till. "Frans, ja. Jo, visst var även Frans med i vår lilla grupp."

"Det låter inte som om du var så förtjust i Frans."

"Inte förtjust i Frans? Å jo, jag var rasande förälskad i Frans. Men det var helt obesvarat, måste jag säga. Han hade blickarna på annat håll."

"Jaså, på vem då?" sa Erica, fast hon redan trodde sig veta svaret.

"Frans tittade bara efter din mor. Han hängde efter henne som en hundvalp. Inte för att han hade mycket för det. Din mor skulle aldrig ha tittat åt någon som Frans. Det gjorde bara sådana dumma våp som jag var, som inte gick efter annat än ytan. För snygg det var han. På det där lite farliga sättet som man tycker är härligt i tonåren, men avskräckande i mer mogen ålder."

"Nja, jag vet inte det", sa Erica. "Farliga män verkar behålla sin attraktionskraft även för äldre kvinnor."

"Du har nog rätt", sa Britta och tittade ut genom fönstret. "Men som tur var växte jag ifrån det. Och växte ifrån Frans. Han ... han var ingen man skulle vilja ha i sitt liv. Inte som min Herman."

"Dömer du inte dig själv rätt hårt? Jag menar, du framstår inte direkt som ett våp."

"Nej, inte nu. Men, det är lika bra att erkänna det, tills jag träffade Herman och fick mitt första barn så ... Nej, jag var ingen trevlig flicka."

Brittas rättframhet överraskade Erica. Det var ett hårt omdöme hon fällde om sig själv.

"Och Erik? Hur var han?"

Åter tittade Britta ut genom fönstret. Hon verkade begrunda frågan ett slag. Sedan mjuknade hennes ansikte. "Erik var en liten gubbe redan som ung. Fast jag menar det inte på ett nedsättande vis. Han var bara väldigt lillgammal. Och förståndig på ett vuxet sätt. Han funderade mycket. Och läste mycket. Jämt, jämt satt han med näsan i en bok. Frans brukade reta honom för det där. Men Erik kom nog undan med att vara lite av en kuf på grund av vem hans bror var."

"Axel var populär har jag förstått."

"Axel var en hjälte. Och den som beundrade honom allra mest var Erik. Han dyrkade marken som hans bror gick på. Axel kunde inte göra fel i Eriks ögon." Britta klappade Erica på benet och reste sig sedan abrupt. "Vet du vad, jag tar och sätter på en kaffetår innan vi pratar vidare. Elsys dotter. Ja, det var verkligen, verkligen roligt."

Erica satt kvar när Britta försvann ut i köket. Hon hörde skrammel av porslin och vatten som spolades. Sedan blev det plötsligt tyst. Erica väntade lugnt där hon satt i soffan, njöt av utsikten som bredde ut sig framför henne. Men efter några minuter när det fortfarande var tyst började hon undra. "Britta?" ropade hon. Inget svar. Hon reste sig och gick ut till köket för att leta efter värdinnan.

Britta satt vid köksbordet och stirrade oseende framför sig. En av plattorna på spisen glödde eldröd, och en tom kaffepanna stod på den och hade precis börjat ryka. Erica kastade sig fram och slet av pannan från plattan. "Aj fan", skrek hon när hon brände sig i handen. För att dämpa smärtan satte hon handen under rinnande vatten en stund. Hon vände sig om mot Britta. Det var som om något hade slocknat i ögonen.

"Britta?" sa hon mjukt. För ett ögonblick blev hon orolig att den äldre kvinnan hade fått någon form av anfall, men sedan vände Britta blicken mot henne.

"Tänk att du kom och hälsade på mig till slut, Elsy."

Erica tittade bestört på henne. Hon började protestera: "Britta, det är ju Erica, Elsys dotter."

Den äldre kvinnan verkade inte registrera det hon sa. Istället sa hon tyst: "Jag har velat tala med dig så länge, Elsy. Velat förklara. Men jag har inte kunnat …"

"Vad är det du inte har kunnat förklara? Vad ville du tala med Elsy om?" Erica satte sig ner mittemot henne och kunde inte dölja sin iver. För första gången kände hon att hon var nära att komma till kärnan. Till det som förklarade vad hon hade känt under samtalen med Erik och Axel. Något som var dolt, något som de inte hade velat att hon skulle veta.

Men Britta tittade bara förvirrat på henne, utan att säga något. En del av Erica ville luta sig fram och skaka henne, tvinga fram det som hon hade varit på vippen att berätta. Hon upprepade sin fråga: "Vad är det du inte har kunnat förklara? Något med min mor? Vad?"

Britta vinkade avvärjande med handen men lutade sig sedan fram över bordet mot Erica. Med tyst, viskande röst väste hon: "Har velat prata med dig. Men gamla ben. Måste. Vila i frid. Tjänar inget till att ... Erik sa att ... okänd soldat ..." Hennes röst dog ut i ett mummel och Britta stirrade rakt ut i luften.

"Vilka ben? Vad är det du pratar om? Vad var det Erik sa?" Utan att hon märkte det hade Erica höjt rösten, och i tystnaden i köket lät det som ett skrik. Britta reagerade genom att sätta händerna för öronen och rabbla något otydbart, på det sätt som små barn gjorde när de inte ville lyssna på bannor.

"Vad är det som försiggår här? Vem är du?" En ilsken mansröst bakom henne fick Erica att snurra runt där hon satt på köksstolen. En lång man med grått hår i en krans kring en kal hjässa och två konsumkassar i händerna stirrade på henne. Erica förstod att det måste vara Herman. Hon reste sig.

"Förlåt, jag ... Mitt namn är Erica Falck. Britta kände min mor som ung, och jag ville bara ställa några frågor. Det verkade inte vara någon fara först ... men sedan ... och hon hade satt på plattan." Erica hörde själv hur hon babblade, men hela situationen kändes oerhört olustig. Bakom henne fortsatte Britta med sitt barnsliga babbel.

"Min hustru har Alzheimers", sa Herman och ställde ner kassarna. I orden rymdes en oändlig sorg, och Erica kände ett hugg av dåligt samvete. Alzheimers. Det borde hon ha förstått. Den hastiga växlingen mellan total klarhet och världsfrånvänd förvirring. Hon drog sig till minnes att hon läst om hur Alzheimerspatienters hjärnor tvingar in dem i en sorts gränsland där dimma till slut är allt som återstår.

Herman gick fram till sin hustru och tog varligt bort händerna hon höll över öronen. "Britta, älskling. Jag var ju bara tvungen att åka och handla. Men jag är tillbaka nu. Schhh, så, allt är bra ..." Han vaggade henne i famnen och sakta avtog rabblandet. Han tittade upp på Erica. "Det är nog bäst att du går nu. Och jag ser helst att du inte kommer tillbaka."

"Men Britta nämnde något om ... Jag skulle behöva få veta ..." Erica snubblade över orden i ett försök att hitta rätt, men Herman mötte bara hennes blick och upprepade bestämt:

"Kom inte tillbaka."

Medan hon kände sig som en tjuv, en inkräktare, smög sig Erica ut ur huset. Bakom sig hörde hon hur Herman talade lugnande till sin hustru. Men i huvudet ekade Brittas förvirrade ord om gamla ben. Vad kunde hon ha menat?

Pelargonerna hade varit osedvanligt fina i sommar. Viola gick kärleksfullt runt och plockade vissnade blad från blommorna. Det var en nödvändighet för att de skulle hålla sig fina. Hennes pelargonodling hade vid det här laget blivit imponerande. Varje år tog hon sticklingar från de exemplar hon redan hade, planterade dem omsorgsfullt i små krukor för att sedan plantera om dem ytterligare en gång i en större kruka när de hade växt till sig. Hennes favorit var Mårbackapelargonen. Ingenting slog den i skönhet. Det var något med kombinationen av de skira, rosa blommorna och de lite otympliga, spretiga grenarna som tillsammans skapade en estetisk upplevelse. Men rosenpelargonen var också fin.

De var många till antalet. Pelargonälskarna. Sedan hennes son hade invigt henne i Internets underbara värld var hon medlem i tre olika pelargonforum och prenumererade på fyra nyhetsbrev. Men mest glädje fick hon av mejlväxlingen med Lasse Anrell. Fanns det någon som älskade pelargoner mer än hon, så var det Lasse. De hade mejlat varandra ända sedan hon var på ett av hans föredrag om hans bok om pelargoner. Hon hade haft många frågor att ställa den kvällen. Tycke hade uppstått, och nu såg hon mycket fram emot breven som brukade trilla in i hennes inkorg med jämna mellanrum. Erik hade brukat reta henne för det där. Att hon egentligen hade en hemlig affär med Lasse Anrell bakom hans rygg och att allt pelargonprat egentligen bara var kodbeteckningar för betydligt mer amorösa aktiviteter ... Särskilt betydelsen av ordet "rosenpelargon" hade han haft en hemsnickrad teori om, och sedan dess hade hans smeknamn för hennes, ja ... varit just rosenpelargon ... Viola rodnade lite vid tanken, men rodnaden försvann snabbt och ersattes istället av tårar när hon för tusende gången de senaste dagarna slogs av insikten att Erik var borta.

Pelargonjorden sög villigt åt sig vattnet när hon försiktigt hällde lite på faten med en vattenkanna. Det var viktigt att man inte övervattnade pelargoner. Helst skulle jorden torka ut ordentligt mellan vattningarna. På många sätt var det en lämplig metafor för hennes och Eriks förhållande. Jorden hade varit ordentligt uttorkad hos dem båda när de träffades, och de var noga med att inte övervattna det de hade. De fortsatte att bo var och en på sitt håll, de levde sina egna, separata liv och träffades när de båda hade lust och ork därtill. Det var ett löfte som de hade gett varandra tidigt. Att deras relation skulle vara glädjefylld. Inte nedtyngd av vardagens trivialiteter. Bara ett ömsesidigt utbyte av ömhet, kärlek och god konversation. När andan föll på.

När det knackade på dörren ställde Viola ner vattenkannan och torkade tårarna på blusärmen. Hon tog ett djupt andetag, slängde ett sista ögonkast på sina pelargoner för att få lite styrka och gick för att öppna.

Fjällbacka 1943

"Britta, lugna dig… Vad är det som har hänt? Är han full igen?" Elsy strök väninnan lugnande över ryggen där de satt på hennes säng. Britta nickade. Hon försökte säga något, men det blev bara ett hulkande. Elsy drog henne närmare intill sig och fortsatte att stryka henne över ryggen.

"Schhh, seså, snart kan du flytta därifrån. Ta tjänst någonstans. Slippa eländet där hemma."

"Jag ska… jag ska aldrig komma hem igen sedan", snyftade Britta mot Elsys bröst.

Elsy kände hur blusen blev blöt framtill av Brittas tårar men brydde sig inte om det.

"Var han stygg mot mor din igen?"

Britta nickade. "Han slog henne i ansiktet. Sedan såg jag inte mer. Jag sprang därifrån. Åh, om jag ändå vore pojke, då hade jag slagit honom gul och blå."

"Åh, det hade väl varit synd på ett så vackert ansikte om du var pojke", sa Elsy och vaggade skrattande Britta. Hon kände väninnan tillräckligt väl för att veta att lite smicker alltid lättade upp hennes humör.

"Mmm…", sa Britta, och gråten lugnade sig något. "Men jag tycker synd om småsyskonen."

"Det är inte mycket du kan göra åt det", sa Elsy och såg framför sig Brittas tre yngre syskon. Strupen snördes ihop i ilska över hur eländigt Brittas far Tord hade ställt till det för sin familj. Han var ökänd i Fjällbacka för sitt dåliga ölsinne och det fanns nog ingen som inte visste att han flera gånger i veckan gav sig på sin hustru Rut, en förskrämd varelse som försökte skyla över blåmärkena i ansiktet med sitt huckle om hon var tvungen att visa sig i samhället innan de hade försvunnit. Barnen fick sig också en omgång emellanåt, men mest var det Brittas två yngre bröder som fick ta emot stryk. Britta och hennes yngre syster hade kommit lindrigare undan.

"Om han bara kunde gå och dö. Trilla i och drunkna när han är full", viskade Britta.

Elsy tryckte henne hårdare mot sig igen. "Schhh, så där får du inte säga, Britta. Inte ens tänka. Med Guds försyn ska det nog ordna sig ändå. På något sätt. Utan att du behöver dra synden på dig genom att önska livet ur honom."

"Gud?" sa Britta bittert. "Han har då inte hittat hem till oss. Ändå sitter mor där varje söndag och ber. Just mycket hjälp det har gett henne. Och det är lätt för dig att tala om Gud. Dina föräldrar som är så snälla. Och inga syskon att trängas med och ta hand om." Brittas röst kunde inte dölja en bitterhet som var avgrundsdjup.

Elsy lättade greppet om väninnan. Vänligt, men med en viss skärpa sa hon: "Å jo, vi har det nog inte heller så lätt alltid. Mor oroar sig så mycket för far att hon blir tunnare och tunnare för var dag. Ända sedan Öckerö torpederades tror hon att varje resa kan bli fars sista. Ibland kommer jag på henne med att stå vid fönstret och stirra ut mot vattnet, som om hon försöker besvärja det att föra far hem igen."

"Ja, jag tycker ändå inte att det är samma sak", sa Britta och snyftade ömkligt.

"Självklart är det inte samma sak, men vad jag menade var bara… äsch, glöm det." Elsy visste att det var lönlöst att föra samtalet vidare i den riktningen. Hon hade känt Britta sedan barnsben och höll av henne för de goda sidor hon visste fanns där. Men ibland doldes de onekligen av en stor självupptagenhet och svårighet att se andra problem än sina egna.

De hörde steg i trappan och Britta satte sig raskt upp och började febrilt torka sina tårar.

"Du har besök." Hilmas röst var avmätt. Bakom henne i trappan dök Frans och Erik upp.

"Hej!"

Elsy såg på sin mor att hon inte uppskattade besöket. Men hon lämnade dem ändå efter att ha lagt till: "Elsy, glöm inte att du snart ska till Östermans med tvätten jag har gjort i ordning åt dem. Så tio minuter. Och du vet väl att far ska komma hem när som helst."

Hon försvann nerför trappan och Frans och Erik slog sig ner på golvet i Elsys rum i brist på annat ställe att sätta sig.

"Det verkar inte som om hon tycker om att vi besöker dig", sa Frans.

"Min mor anser inte att man bör blanda folk och folk", sa Elsy. "Ni ska ju föreställa fint folk, ni två, hur de nu får ihop det?" Hon log retsamt och Frans räckte ut tungan till svar. Erik betraktade under tiden Britta.

"Hur är det fatt, Britta?" sa han stilla. "Det ser ut som om du har varit ledsen?"

"Inget du ska bry dig om", fräste hon tillbaka och knyckte stolt på nacken.

"Äh, säkert bara flickproblem", sa Frans och skrattade.

Britta tittade dyrkande på honom och log brett mot honom. Men ögonen var fortfarande rödkantade.

"Att du alltid ska vara så retsam, Frans", sa Elsy och knäppte händerna i knät. "Det finns faktiskt folk som har det svårt, vet du. Alla har det inte som du och Erik. Kriget har kostat på för många familjer. Ni borde tänka på det ibland."

"Ni? Hur kom jag in i den här diskussionen", sa Erik sårat. "Att Frans är en okunnig idiot vet vi väl alla, men att beskylla mig för att inte ha kunskap om folkets lidande ..." Erik tittade förnärmat på Elsy, men ryckte till och skrek "aj" när han fick ett hårt slag på överarmen av Frans.

"Okunnig idiot? Kallade du mig det? Jag tycker snarare att det är idioter som säger saker som 'kunskap om folkets lidande.' Du låter ju som om du är åttio. Minst. Det är nog inte bra för dig med alla de där böckerna du läser. Det har nog blivit lite vajsing här uppe." Frans demonstrerade vad han menade genom att knacka med pekfingret mot tinningen.

"Äh, bry dig inte om honom", sa Elsy trött. Ibland kunde hon bli så less på pojkarnas ständiga käbblande. De var så oerhört barnsliga.

Ett ljud nerifrån fick henne att ljusna. "Far är hemma!" Hon log glatt mot sina tre kamrater och reste sig för att gå ner och möta honom. Men något i föräldrarnas tonläge gjorde att hon stelnade mitt i rörelsen. Något hade hänt. Upprörda röster steg och sjönk och av de glada tongångarna som brukade höras när far kom hem hördes inget. Sedan hörde hon hur tunga fotsteg närmade sig trappan och började gå uppåt. Redan när hon såg sin fars ansikte visste hon att något var fel. Han var grå i ansiktet och strök sig över håret på det där sättet som han bara gjorde när han var verkligt bekymrad över något.

"Far?" sa hon prövande och kände hur hjärtat slog hårt i bröstet. Vad kunde ha hänt? Hon sökte hans blick men såg att han istället höll den riktad mot Erik. Han öppnade munnen flera gånger för att säga något, men stängde den igen, då orden inte riktigt verkade vilja komma ut. Men till slut fick han fram: "Erik, du ska nog gå hem. Din mor och far ... kommer att behöva dig."

"Vad är det som har hänt? Varför ...?" Sedan slog Erik handen för munnen när han insåg vad det var för dåliga nyheter som Elsys far möjligtvis kunde frambringa till honom. "Axel? Är han ...?" Han kunde inte slutföra meningen utan svalde och svalde för att få bort klumpen som hade bildats i halsen. Tankarna rusade runt i huvudet och han såg plötsligt Axels döda kropp framför sig. Hur skulle han kunna möta far och mor? Hur skulle han ...?

"Han är inte död", sa Elof och vinkade avvärjande med handen när han insåg vad pojken trodde. "Han är inte död", upprepade han. "Men tyskarna har tagit honom."

Förvirringen i Eriks ansikte var total när han försökte hantera den nya informationen. Lättnaden och glädjen över att Axel i alla fall inte var död ersattes snart av oro och bestörtning vid tanken på att brodern nu var i fiendens våld.

"Kom nu, jag följer dig hem", sa Elof. Hela hans kropp tycktes nedtyngd inför det svåra som låg framför honom, att berätta för Axels föräldrar att sonen inte skulle komma tillbaka från resan denna gång.

Paula myste där hon satt i baksätet. Det var något tryggt och trevligt med Patriks och Martins smågnabbande i framsätet. Just nu hade Martin en lång utläggning om att Patriks bilkörning inte tillhörde det han saknade. Men det märktes att de båda kollegorna tyckte bra om varandra, och hon hade själv redan fått respekt för Patrik.

Överhuvudtaget hade Tanumshede visat sig vara en lyckträff så här långt. Hon visste inte vad det var. Men ända sedan de flyttade hit hade hon haft en känsla av att ha kommit hem. Hon hade bott så många år i Stockholm att hon hade glömt hur det var att leva i ett litet samhälle. Kanske var det så att Tanumshede på många sätt påminde om den lilla by i Chile där hon hade levt sina första år, innan de flydde till Sverige. Hon kunde inte komma på någon annan förklaring till varför hon så snabbt hade flutit in i tempot och känslan i Tanumshede. Det fanns ingenting i Stockholm som hon saknade. Kanske berodde det också på att hon som polis där hade sett det värsta av det värsta, vilket färgade hennes syn på staden. Men egentligen hade hon aldrig passat in där. Varken som barn eller som vuxen. Hon och hennes mor hade fått sig tilldelade en liten lägenhet i utkanten av Stockholm. De hade tillhört en tidig våg av invandrare och hon var den enda i klassen som inte hade svenskt ursprung. Och det hade hon fått betala för. Varje dag, varje minut hade hon fått betala för det faktum att hon var född i ett annat land. Det hjälpte inte ens att hon redan efter ett år talade perfekt svenska, utan tillstymmelse till brytning. Hennes mörka ögon och svarta hår förrådde henne.

Däremot hade hon inte som många utomstående trodde drabbats av någon rasism när hon började inom polisen. Vid det laget var svenskarna så vana vid människor från andra länder, och hon räknades nästan inte som en invandrare längre. Dels för att hon hade bott så länge i Sverige, dels för att hon med sin sydamerikanska härkomst inte kändes tillnärmelsevis så främmande som de flyktingar som kom från arabländer och den afrikanska kontinenten. Ganska absurt, hade hon ofta tyckt. Att vägen ut ur invandrarskapet för hennes del hade varit att hon kändes mindre ovanlig än den nya tidens flyktingar.

Det var därför hon fann män som Frans Ringholm så skrämmande. De såg inte nyanserna, såg inte variationerna, utan betraktade bara ytan under en sekund och fäste sedan årtusenden av fördomar mot den ytan. Det var samma sorts urskillningslöshet som hade tvingat henne och hennes mor att fly. Någon hade bestämt sig för att en väg, en sort var den enda rätta. En enväldig makt bestämde att allt annat var felaktiga variationer. Sådana som Frans Ringholm hade funnits i alla tider. Människor som ansåg att de ägde intelligensen, eller styrkan eller makten, för att vara de som bestämde normen.

"Vilket nummer sa du att det var?" Martin vände sig mot Paula och väckte henne ur tankarna. Hon tittade ner på lappen som hon höll i handen.

"Nummer sju."

"Där framme", sa Martin och pekade ut huset för Patrik som svängde in och parkerade. Det låg i Kullenområdet, ett lägenhetskomplex strax ovanför idrottsplatsen i Fjällbacka.

Den vanliga standardskylten på dörren var utbytt mot en betydligt personligare i trä, med namnet Viola Ellmander i snirklig stil och handmålade blommor som lindade sig runt namnet. Och kvinnan som öppnade dörren matchade namnskylten. Viola var rund men proportionerlig och hennes ansikte utstrålade vänlighet. När Paula såg hennes romantiska, blommiga klänning fick hon en bild av hur en stråhatt borde balansera längst uppe på det gråa håret som var uppsatt i en knut.

"Kom in", sa Viola och klev åt sidan för att släppa in dem. Paula tittade sig uppskattande runt i hallen. Hemmet var väldigt olikt hennes eget, men hon gillade det. Hon hade aldrig varit i Provence, men det var ungefär så här hon tänkte sig att det såg ut där. Rustika, lantliga möbler, kombinerade med tyg och tavlor med blommotiv. Hon sträckte på halsen för att se in i vardagsrummet och såg att stilen var konsekvent.

"Jag har satt fram kaffe", sa Viola och gick före dem in i vardagsrummet. På soffbordet stod en skirt rosablommig servis framdukad, och kakor var upplagda på ett fat.

"Tackar, tackar", sa Patrik och satte sig försiktigt ner i soffan. Efter att presentationerna var avklarade hällde Viola upp kaffe till dem ur en vacker kanna och verkade sedan vänta på fortsättningen.

"Hur får du pelargonerna så där vackra?" hörde Paula sig själv fråga medan hon smuttade på kaffet. Patrik och Martin tittade förvånat på henne. "Ja, för mig antingen ruttnar de bort eller torkar bort", sa hon för-

127

klarande. Patriks och Martins ögonbryn höjdes än mer.

Viola sträckte stolt på sig. "Å, det är inte så svårt egentligen. Du ser bara till att jorden hinner bli ordentligt uttorkad mellan vattningarna, och sedan får du absolut inte hälla på några mängder. Och jag fick ett sådant oerhört bra tips av Lasse Anrell, att man kan gödsla med lite urin emellanåt, det gör susen om de är lite svårflörtade."

"Lasse Anrell?" ekade Martin. "Han som brukar kommentera sport i Aftonbladet? Och på fyran? Vad har han att göra med pelargoner?"

Viola såg ut som om hon inte ens iddes svara på en sådan dum fråga. Vad henne anbelangade var Lasse först och främst pelargonexpert och att han dessutom var sportjournalist låg långt ute i periferin av hennes medvetande.

Patrik harklade sig. "Vad vi förstår brukade du och Erik Frankel träffas regelbundet." Han tvekade, men fortsatte: "Jag ... jag beklagar verkligen sorgen."

"Tack", sa Viola och tittade ner i sin kaffekopp. "Jo, vi brukade träffas. Erik bodde över här ibland, kanske två gånger i månaden."

"Hur träffades ni?" sa Paula. Det var lite svårt att tänka sig hur de två människorna hade sammanstrålat, efter att ha sett hur olika deras hem var.

Viola log. Paula noterade att hon då fick två väldigt charmerande smilgropar.

"Erik höll ett föredrag på biblioteket för ett par år sedan. Vad kan det vara? Fyra år sedan? Han pratade om Bohuslän och andra världskriget, och jag gick dit för att lyssna. Vi började prata efteråt och, ja ... det ena ledde till det andra." Hon log vid minnet.

"Ni sågs aldrig hemma hos honom?" Martin sträckte sig efter en kaka.

"Nej, Erik tyckte att det var lugnare att ses här. Han delar ... delade ju huset med sin bror, och även om Axel var borta mycket så ... nej, han föredrog att komma hit."

"Nämnde han någonsin något om hot?" sa Patrik.

Viola skakade häftigt på huvudet. "Nej, aldrig. Jag kan inte ens tänka mig ... jag menar varför skulle någon vilja hota Erik, en pensionerad historielärare? Det är ju absurt att ens tänka sig något sådant."

"Fast till saken hör att han faktiskt fick hot, ja, indirekt i alla fall. På grund av sitt intresse för andra världskriget och nazismen. Vissa organisationer uppskattar inte att man målar upp en bild av historien som de inte håller med om."

"Erik målade inte upp någon bild, som du så slarvigt uttrycker det", sa

Viola och det gnistrade plötsligt ilsket i ögonen på henne. "Han var en sann historiker, noggrann med fakta och ytterst petig med att visa sanningen så som den var, inte så som han eller någon annan hade önskat att den var. Erik målade inte. Han lade pussel. Sakta, sakta, bit för bit, plockade han fram hur verkligheten hade sett ut. En bit av en blå himmel där, en bit av en grön äng där, tills han till slut kunde visa upp resultatet för omvärlden. Inte för att han någonsin skulle ha blivit klar", sa hon och det mjuka var åter tillbaka i ögonen på henne. "En historikers arbete blir aldrig färdigt. Det finns alltid lite mer fakta, lite mer verklighet att ta fram."

"Varför brann han så just för andra världskriget?" sa Paula.

"Varför får man ett intresse överhuvudtaget? Varför just pelargoner för min del? Varför inte rosor?" Viola slog ut med händerna, men fick samtidigt något tankfullt i ögonen. "Fast i Eriks fall behöver man kanske inte vara någon Einstein för att räkna ut varför. Hans brors upplevelser under kriget präglade honom mer än något annat, tror jag. Han talade aldrig om det med mig, annat än det jag ibland anade mellan raderna. En enda gång nämnde han sin brors öde, det var för övrigt enda gången jag har sett Erik dricka för mycket. Det var sista gången vi sågs." Rösten bröts, och Viola samlade sig några sekunder innan hon fortsatte. "Erik ringde på oannonserad, bara det var ovanligt, och han var dessutom märkbart påverkad. Vilket var ännu ovanligare, jag hade då aldrig sett det tidigare. Och han gick raka vägen till mitt barskåp och hällde upp en stor whisky. Sedan satte han sig här i soffan och började prata, medan han hällde i sig whisky. Jag förstod inte mycket av det han sa, det var osammanhängande och verkade mest vara fyllesvammel. Men det handlade om Axel, så mycket förstod jag. Det han hade upplevt under sin tid i fångenskap. Hur det hade påverkat familjen."

"Det var sista kvällen du såg Erik, sa du, hur kom det sig? Varför sågs ni inte under sommaren? Varför undrade du inte var han var?"

Violas ansikte förvreds i en grimas, när hon kämpade för att hålla tårarna i schack. Med tjock röst sa hon till slut: "För att Erik sa farväl. Han gick härifrån vid midnatt ungefär, eller gick och gick, raglade är väl en bättre beskrivning. Och det sista han sa var att detta måste bli vårt farväl. Och han tackade för vår tid tillsammans och kysste mig på kinden. Sedan gick han. Och jag trodde bara att det var dumt fylleprat. Jag betedde mig som en riktig fjolla dagen därpå, satt och stirrade på telefonen hela dagen och väntade på att han skulle ringa och förklara, eller be om en ursäkt, eller... Vad som helst... Men jag hörde inte ifrån honom.

Och jag med min dumma, dumma stolthet vägrade förstås ringa. Hade jag gjort det, hade jag inte bara knyckt på nacken och gett upp, så hade han kanske inte behövt sitta där ..." Gråten bröt igenom och gjorde att hon inte kunde fullfölja meningen.

Men Paula förstod vad hon menade. Hon lade sin hand över Violas och sa mjukt: "Det var inget du kunde hjälpa. Hur skulle du kunna veta?"

Viola nickade motvilligt och torkade tårarna med baksidan av handen.

"Vet du vilken dag han var här?" sa Patrik hoppfullt.

"Jag kan titta i kalendern", sa Viola och reste sig, uppenbart lättad över att få en paus. "Jag gör alltid små anteckningar varje dag, så det ska jag nog kunna luska ut." Hon gick ut ur rummet och var borta en stund.

"Det var den femtonde juni", sa hon när hon återvände. "Jag minns, för jag hade varit hos tandläkaren på eftermiddagen, så jag är helt säker."

"Okej, tack", sa Patrik och reste sig.

När de hade sagt adjö till Viola och stod ute på gatan igen var de alla fyllda av samma tanke. Vad hade hänt den femtonde juni som gjorde att Erik helt mot sin karaktär söp sig full och dessutom abrupt avslutade sin relation med Viola? Vad kunde ha hänt?

"Hon har ju uppenbarligen ingen kontroll över henne!"

"Men Dan, nu tycker jag att du är orättvis! Hur kan du vara så säker på att du inte hade gått på samma sak?" Anna stod lutad mot diskbänken med armarna i kors över bröstet och blängde på Dan.

"Nä ... det hade jag absolut inte!" Dans blonda hår stod rakt upp, eftersom han frustrerat drog handen genom det hela tiden.

"Nej, eller hur ... Du som allvarligt övervägde möjligheten att någon hade brutit sig in under natten och ätit upp all chokladen i skafferiet. Hade jag inte hittat kexchokladpappret under Linas kudde hade du fortfarande varit ute och letat efter inbrottstjuvar med chokladfläckar runt munnen ..." Anna kvävde ett skratt och kom av sig lite i ilskan. Dan tittade på henne och kunde inte heller låta bli att dra på munnen.

"Fast hon var väldigt övertygande när hon försäkrade att hon var oskyldig."

"Absolut. Ungen kommer att få en Oscar när hon blir stor. Men tänk på att Belinda kan vara minst lika övertygande. Och då är det kanske inte så konstigt att Pernilla trodde på henne. Du kan faktiskt inte svära på att du inte hade gjort samma sak."

"Nej, du har väl rätt", sa Dan trumpet. "Men hon borde ha ringt till kompisens mamma och dubbelkollat. Det skulle jag ha gjort i alla fall."

"Ja, det hade du säkert gjort. Och från och med nu kommer Pernilla också att göra det."

"Vad pratar ni om mamma för?" Belinda kom nerför trappan, fortfarande klädd i nattlinne och med en frisyr som ett penntroll. Hon hade vägrat att gå ur sängen sedan de hade hämtat henne hos Erica och Patrik på lördagsmorgonen, bakfull och uppenbart ångerfull. Men nu verkade det mesta av ångern ha försvunnit och ersatts med ännu mer av den ilska som verkade ha blivit hennes ständiga följeslagare.

"Vi pratar inte om något särskilt om din mamma", sa Dan trött, fullt medveten om att en konflikt oundvikligen var under uppsegling.

"Är det du som snackar skit om min mamma igen?" fräste Belinda i riktning mot Anna, som skickade en uppgiven blick mot Dan. Sedan vände hon sig mot Belinda och sa lugnt: "Jag har aldrig pratat illa om din mamma. Och det vet du. Så du talar inte till mig i den tonen."

"Jag pratar i vilken jävla ton jag vill!" gastade Belinda. "Det här är mitt hus, inte ditt! Så kan inte du ta dina jävla ungar och flytta härifrån!"

Dan tog ett kliv fram och var mörk i blicken.

"Du säger inte så där till Anna! Hon bor här också nu. Precis som Adrian och Emma. Och passar inte det så ..." Han insåg redan när han började på meningen att det var det dummaste han kunde säga just nu.

"Nä, det passar inte! Jag packar och åker hem till mamma! Och sedan stannar jag där! Tills hon där och hennes ungar har flyttat!" Belinda vände på klacken och rusade uppför trappan. Både Dan och Anna ryckte till när de hörde hur dörren till hennes rum stängdes med en smäll.

"Hon kanske har rätt, Dan", sa Anna blekt. "Det kanske gick för fort alltihop. Jag menar, hon fick inte mycket tid att vänja sig innan vi kom och invaderade hennes hem och hennes liv."

"Hon är för fan sjutton år. Men hon uppför sig som en femåring."

"Du måste förstå Belinda också. Det kan inte ha varit så lätt för henne. Hon var i en känslig ålder när du och Pernilla separerade och ..."

"Ja, tack så mycket, jag behöver inte få hela dåliga samvete-grejen slängd på mig nu också. Jag vet att det var mitt fel att vi skilde oss, och det behöver du inte stå här och kasta i ansiktet på mig."

Dan gick bryskt förbi Anna och ut genom ytterdörren. För andra gången på en minut smällde en dörr så högt i huset att rutorna skallrade. I några sekunder stod Anna orörlig vid diskbänken. Sedan sjönk hon ihop på golvet och grät.

Fjällbacka 1943

"Jag hörde att tyskarna äntligen har lagt vantarna på Frankels pojke, den där Axel."

Vilgot skrockade förnöjt när han hängde upp rocken på kroken i hallen. Han gav sin portfölj till Frans, som tog emot den och placerade den på det vanliga stället, lutad mot stolen i hallen.

"Ja, det var då på tiden. Landsförräderi kallar jag det han höll på med. Ja, jag vet att det inte är många här i Fjällbacka som skulle hålla med om det, men folk är ju får, de följer bara med skocken och bräker på kommando. Det är sådana som jag, som förmår tänka själva, som ser verkligheten som den är. Och sanna mina ord, den pojken var en landsförrädare. Förhoppningsvis gör de processen kort med honom."

Vilgot hade gått in i salongen och slagit sig ner i sin favoritfåtölj. Frans hade följt honom i hälarna, och Vilgot tittade uppfordrande på honom.

"Seså, var är min sup? Du är senfärdig i dag?" Tonen var misslynt och Frans skyndade sig fram till barskåpet för att hälla upp en rejäl sup åt sin far. Det var en rutin de hade haft ända sedan han var liten. Hans mor hade inte uppskattat att Frans hade fått hantera sprit vid så unga år, men hon hade som vanligt inte haft så mycket att säga till om.

"Sätt dig ner, pojk, sätt dig." Med glaset stadigt förankrat i handen viftade Vilgot generöst mot fåtöljen bredvid sig. Frans kände den välbekanta lukten av sprit när han slog sig ner. Supen han hade serverat sin far var med största säkerhet inte dagens första.

"Far din har gjort finfina affärer i dag, förstår du." Vilgot lutade sig fram och spritlukten stack i Frans näsborrar. "Jag har skrivit kontrakt med en tysk firma. Ett exklusivt kontrakt. Jag blir deras enda leverantör i Sverige. De hade haft svårt att hitta bra samarbetspartners, sa de … Jo, jo, tror jag det." Vilgot skrockade och den stora magen hoppade. Han svepte supen och sträckte fram glaset till Frans. "En till." Ögonen hade blivit glansiga av alkoholen. Frans hand darrade lätt när han tog emot glaset. Den darrade fortfarande lite när han hällde upp den klara drycken med den fräna doften, och några droppar förirrade sig utanför.

"Ta dig en du med", sa Vilgot. Det lät mer som en befallning än en uppmaning. Vilket det också var. Frans ställde ifrån sig sin fars fulla glas och sträckte sig efter ett tomt till sig själv. Hans hand darrade inte längre när han fyllde det till brädden. Med full koncentration bar han sedan de två glasen bort till sin far. Vilgot höjde sitt glas mot honom när han hade satt sig ner igen. "Seså, botten upp."

Frans kände hur vätskan rev i bröstet på honom ända ner i magen, där den lade sig som en varm klump. Hans far log. Lite av spriten hade runnit i en rännil nerför hakan.

"Var är din mor?" frågade Vilgot lågt.

Frans stirrade på en punkt på väggen bortom honom. "Hon är hos mormor. Kommer inte förrän sent." Rösten lät dov och burkig. Som om den kom från någon annan. Någon utifrån.

"Vad fint. Då kan vi karlar prata i lugn och ro. Men ta dig en till, vet ja."

Frans kände sin fars blick i ryggen när han reste sig och gick för att fylla på sitt glas. Den här gången lämnade han inte kvar flaskan i barskåpet, utan tog med den tillbaka. Vilgot log uppskattande och höll upp sitt glas för påfyllning.

"Du är en fin pojk, du."

Frans kände återigen hur spriten brände i halsen, och hur den sedan omvandlades till en känsla av välbefinnande någonstans i mellangärdet. Konturerna omkring honom började lösas upp. Han svävade liksom i ett limbo, mellan verklighet och overklighet.

Vilgots röst blev mjukare. "Tusentals fina riksdaler kan jag tjäna på den här affären, bara de närmsta åren. Och fortsätter tyskarna att rusta upp kan det bli betydligt mer än så. Det kan bli fråga om miljoner. Och de lovade också att sätta mig i kontakt med fler företag som var i behov av våra tjänster. När jag väl har fått in foten..." Vilgots ögon lyste i kvällsdunklet. Han slickade sig om läpparna. "Det blir en fin rörelse du får ta över en dag, Frans." Han sträckte sig fram och lade handen på sonens ben. "Det kommer att bli en riktigt fin rörelse. Den dag kommer då du kan be alla här i Fjällbacka att fara och flyga. När tyskarna har tagit makten, när vi styr och ställer, och vi har mer pengar än de någonsin har kunnat drömma om. Så ta nu en sup till med far din och skåla för de ljusa tiderna." Vilgot höjde sitt glas och klingade det mot Frans snapsglas som han själv hade fyllt till brädden.

Välbefinnandet spred sig ännu mer i Frans bröst. Han skålade med sin far.

Gösta hade precis satt igång med en omgång av golfspelet på datorn, när han hörde Mellbergs steg ute i korridoren. Raskt stängde han ner spelet och tog istället upp en rapport och försökte se djupt koncentrerad ut. Mellbergs steg kom allt närmare, men något var annorlunda med dem. Och vad var det för märkligt ojande ljud som chefen gjorde? Gösta rullade nyfiken bakåt på sin kontorsstol så att han kunde sticka ut huvudet i korridoren. Det första han såg var Ernst, som lommade framför Mellberg med tungan som vanligt hängande långt utanför munnen. Sedan såg han en märkligt krum varelse som mödosamt hasade sig fram. Väldigt likt Mellberg faktiskt. Men ändå inte.

"Vad fan glor du på!"

Jodå, rösten och tonfallet var definitivt chefens.

"Och vad har hänt med dig?" sa Gösta, och nu tittade också Annika ut från köket, där hon var sysselsatt med att mata Maja.

Mellberg muttrade något ohörbart.

"Förlåt?" sa Annika. "Vad sa du? Vi hörde inte riktigt."

Mellberg blängde ilsket på henne och sa sedan: "Jag har dansat salsa. Frågor på det?"

Gösta och Annika tittade häpet på varandra. Sedan fick de anstränga sig för att hålla anletsdragen i styr.

"Nå?" röt Mellberg. "Lustiga kommentarer? Någon? För det finns gott om utrymme för lönesänkningar på den här stationen." Sedan smällde han igen dörren till sitt rum.

Annika och Gösta stirrade några sekunder på den stängda dörren, sedan kunde de inte hålla sig längre. Båda skrattade så att tårarna rann, men försökte göra det så ljudlöst som det bara gick. Gösta smög över till Annika i köket och efter att ha kollat att dörren till Mellbergs rum fortfarande var stängd viskade han:

"Sa han verkligen att han dansat salsa? Sa han det?"

"Jag är rädd för det", sa Annika och torkade tårarna med tröjärmen. Maja betraktade dem fascinerat där hon satt vid bordet med en tallrik framför sig.

"Men hur? Varför?" sa Gösta klentroget som nu började få upp bilderna av spektaklet på näthinnan.

"Ja, det är det första jag hör om det i alla fall." Annika skakade skrattande på huvudet och satte sig ner för att fortsätta mata Maja.

"Såg du hur ledbruten han var? Han såg ut som den där figuren i Sagan om Ringen. Gollum, heter han väl." Gösta gjorde sitt bästa för att imitera hur Mellberg hade rört sig och Annika lade handen för munnen för att inte skratta högt.

"Ja, Mellbergs kropp måste ha fått en chock. Han har väl inte motionerat ... Ja, någonsin."

"Nej, skulle inte tro det. Det är mig en gåta hur han klarade fystesten på utbildningen."

"Fast vad vet vi, han kan ju ha varit en riktig atlet i ungdomen." Annika begrundade det hon nyss sagt och skakade sedan på huvudet. "Nej, knappast. Ja herregud, det här var då dagens underhållning. Mellberg på salsakurs. Ja, mycket ska man höra innan öronen trillar av." Hon försökte föra in en sked i Majas mun, men barnet vägrade envist. "Ja, den här lilla gumman hon matvägrar. Får jag inte i henne åtminstone lite grann får jag väl aldrig förtroendet igen", suckade hon och försökte ännu en gång. Men Majas mun var lika ointaglig som Fort Knox.

"Får jag försöka?" sa Gösta och sträckte sig efter skeden. Annika tittade häpen på honom.

"Du? Ja, försök du. Men ha inte för stora förhoppningar bara."

Gösta svarade inte, utan bytte bara plats med Annika och satte sig bredvid Maja. Han slog av hälften av det enorma lass som Annika hade lagt på skeden och höjde sedan upp skeden i luften. "Brum, brum, brum, här kommer flygplanet ..." Han körde runt skeden i luften som ett flygplan och belönades med Majas odelade uppmärksamhet. "Brum, brum, brum, här kommer flygplanet och flyger raaakt in ..." Majas mun öppnades som på en given signal och flygplanet med sin last av spaghetti och köttfärssås gick in för landning.

"Mmm ... visst var det gott", sa Gösta och lade upp en liten hög till på skeden. "Tuff, tuff, tuff, nu är det tåget som kommer ... Tuff, tuff, tuff och raaakt in i tunneln." Majas mun öppnade sig ännu en gång och spaghettin åkte in i tunneln.

"Dra på trissor", sa Annika och gapade. "Var har du lärt dig det där?"

"Äsch, det här var väl inget", sa Gösta blygsamt. Men han log stolt när racerbilen körde in med tugga nummer tre.

Annika slog sig ner vid köksbordet och tittade på när Gösta sakta tömde tallriken framför Maja och varenda liten smula slukades.

"Ja du, Gösta", sa Annika milt. "Livet är bra orättvist ibland."

"Ni har inte funderat på att adoptera?" sa Gösta utan att titta på henne. "På min tid var det inte så vanligt. Men i dag hade jag inte tvekat. Nu är ju var och varannan unge adopterad."

"Vi har pratat om det", sa Annika och ritade cirklar med pekfingret på bordsduken. "Men det har liksom inte blivit av. Vi har ju försökt att se till att fylla livet med annat än barn … men …"

"Det är väl inte för sent än", sa Gösta. "Börjar ni nu så behöver det kanske inte dröja så länge. Och färgen på ungen har ju ingen betydelse, så ta det land som det är kortast kö till. Det finns så många ungar som behöver ett hem. Och hade jag varit unge hade jag tackat min lyckliga stjärna om jag hade fått hamna hos dig och Lennart."

Annika svalde och tittade ner på pekfingrets rörelse mot bordsduken. Göstas ord hade väckt något i bröstet, något som hon och Lennart på något sätt hade tryckt undan de senaste åren. Kanske hade de varit rädda. Alla missfallen, alla förhoppningar som hade krossats gång på gång, hade på något sätt gjort hjärtat skört, bräckligt. De hade inte vågat hoppas igen, inte vågat riskera att misslyckas än en gång. Men kanske var de tillräckligt starka nu. Kanske kunde de, vågade de. För längtan fanns där fortfarande. Lika stark, lika het. De hade inte lyckats trycka undan den, denna längtan efter ett barn att hålla i armarna, efter ett barn att älska.

"Nä, nu måste jag se till att få lite gjort." Gösta reste sig upp utan att titta på henne. Han klappade bara Maja tafatt på huvudet. "Nu har hon fått i sig mat i alla fall, så Patrik behöver inte tro att hon svälter när vi har henne här."

Han hade nästan hunnit ut genom dörren när Annika tyst sa: "Gösta. Tack."

Gösta nickade generad. Sedan försvann han in på sitt rum och stängde dörren bakom sig. Han satte sig framför datorn, men stirrade bara oseende på skärmen. Framför sig såg han istället Maj-Britt. Och pojken. Han som bara blev några dagar gammal. Det hade gått så lång tid sedan dess. En evighet. Nästan ett helt liv. Men han kunde fortfarande känna hans grepp om sitt pekfinger.

Gösta suckade och klickade upp golfspelet igen.

I tre timmars tid lyckades hon koppla bort tanken på det katastrofala besöket hemma hos Britta. Under de timmarna hann hon skriva fem sidor på den nya boken. Sedan tog tankarna på Britta över, och hon gav upp försöken att skriva mer.

Hon hade skämts oerhört när hon gick från Brittas hem. Hon hade haft svårt att skaka av sig Hermans blick när han såg henne sitta där vid köksbordet, bredvid hans hustru som befann sig i upplösningstillstånd. Erica förstod honom. Det hade varit oerhört okänsligt av henne att inte uppfatta signalerna. Men samtidigt hade hon svårt att ångra besöket. Sakta, sakta började hon få allt fler pusselbitar om sin mor. Diffusa och vaga, visst, men betydligt fler än vad hon hade haft tidigare.

Det var märkligt egentligen. Hon hade aldrig tidigare hört namnen Erik, Britta eller Frans. Ändå måste de under en period av hennes mors liv ha varit mycket viktiga. Men ingen av dem verkade ha haft kontakt med någon av de andra i vuxen ålder. Trots att de alla bodde kvar i lilla Fjällbacka, var det som om de hade levt i parallella världar. Och den bild av Elsy som Axel och Britta hade börjat beskriva var märkligt samstämmig, samtidigt som den rimmade oerhört illa med bilden av den mor som Erica mindes. Hon hade aldrig sett sin mor varm eller omtänksam eller något av det som de hade beskrivit den unga Elsy som. Hon kunde inte säga att hennes mor hade varit en elak människa, men hon hade varit avståndstagande, avstängd. Den värme hon en gång haft hade på något sätt försvunnit längs vägen, långt innan Erica och Anna hade fötts, och Erica kände med ens en förlamande sorg över allt det hon hade gått miste om. Allt det som hon aldrig skulle kunna återfå. Hennes mor var borta, död i bilolyckan som även Tore, Ericas och Annas far, hade dött i fyra år tidigare. Det fanns inget hon kunde uppväcka igen, inget hon kunde kräva kompensation för, inget hon kunde böna och be om eller anklaga sin mor för. Det enda hon kunde förvänta sig att finna var förståelse. Vad hade hänt med den Elsy som hennes vänner beskrev? Vad hade hänt med den snälla, varma, ömsinta Elsy?

En knackning på dörren avbröt hennes tankar och hon gick för att öppna.

"Anna? Kom in." Hon släppte in systern och med en storasysters skarpa blick noterade hon genast de röda kanterna runt Annas ögon.

"Vad är det som har hänt?" sa hon och lät oroligare än hon hade avsett. Anna hade varit igenom så mycket de senaste åren, och Erica hade aldrig riktigt kunnat släppa den mammaroll som hon hade intagit gentemot sin syster under hela deras uppväxt.

"Problem med att blanda två familjer bara", sa Anna och försökte le svagt. "Inget jag inte kan hantera, men det skulle vara skönt att få prata av sig lite."

"Kom och prata du", sa Erica. "Jag häller upp en kopp, och gräver jag i skåpen har jag nog lite vi kan tröstäta också."

"Så du har övergett den slanka linjen nu när du är en gift kvinna", sa Anna.

"Tala inte om eländet", suckade Erica och gick mot köket. "Efter en veckas stillasittande jobb måste jag snart köpa nya brallor. De här sitter som korvskinn runt midjan."

"Ja, jag vet vad du pratar om", sa Anna och slog sig ner vid bordet. "Sambolivet har lagt ett par kilo runt midjan på mig också känns det som, och det blir ju inte bättre av att Dan verkar kunna vräka i sig hur mycket som helst utan att lägga på sig."

"Ja, visst hatar man honom för det där", sa Erica och lade upp bullar på ett fat. "Äter han fortfarande kanelbullar till frukost?"

"Jaså, gjorde han det redan när ni var ihop?" sa Anna och skakade skrattande på huvudet. "Fatta hur lätt det är att inpränta betydelsen av en bra frukost hos barnen, när Dan sitter och doppar kanelbullar i varm choklad mitt framför ögonen på dem."

"Du, Patriks kaviarmackor med ost som han doppar i varm choklad är ingen höjdare heller ... Nå, vad är det som har hänt? Är det Belinda som bråkar igen?"

"Ja, det är väl det som ligger i botten, men det blir så fel allting, och i dag så rök Dan och jag ihop på grund av det och ..." Anna såg ledsen ut och sträckte sig efter en bulle. "Fast det är ju egentligen inte Belindas fel och det är det jag försöker förklara för Dan. Hon reagerar på en situation som är ny och som hon inte själv valt. Hon har ju rätt. Hon har inte bett om att få mig och två ohängda ungar på halsen."

"Nej, det har du i och för sig rätt i. Men ni måste ju ändå kunna kräva att hon ska uppföra sig civiliserat. Och det måste vara Dan som hanterar den biten. Dr Phil säger att en styvförälder aldrig kan gå in och disciplinera ett så stort barn ..."

"Dr Phil ..." Anna skrattade så att hon satte bullsmulor i halsen och fick ett rejält hostanfall. "Men Erica, nu märker jag att det verkligen var hög tid att du kom ur mammaledigheten. Dr Phil?"

"Jag har lärt mig mycket bra genom att kolla på Dr Phil ska du veta", sa Erica förnärmad. Hennes husgud skämtade man inte ostraffat med. Dr

Phil hade utgjort höjdpunkten på dagarna, och hon hade tänkt att även i fortsättningen ta lunchpaus från skrivandet lagom till Dr Phil.

"Men han kan faktiskt ha en poäng", medgav Anna motvilligt. "Det känns som om Dan inte riktigt tar det på allvar, eller så tar han det för allvarligt. Jag har haft världens sjå sedan i fredags med att övertala honom att han inte ska börja bråka med Pernilla om vårdnaden om barnen. Men han började yra om att han inte kunde lita på att Pernilla kunde hantera barnen och … Ja, han eldade upp sig rätt bra. Och mitt uppe i det här kom Belinda ner och sedan blev det liksom pannkaka av allt-ihop. Och nu vill Belinda inte vara hos oss, så Dan har satt henne på bussen till Munkedal."

"Vad säger Emma och Adrian om det här?" Erica tog en bulle till. Hon skulle ta tag i kosten nästa vecka. Helt säkert. Bara hon fick den här veckan på sig att komma in i rutinerna med skrivandet så …

"Peppar, peppar, ta i trä, de tycker att det är kanon." Anna knackade i köksbordet. "De avgudar Dan och tjejerna, och tycker det är toppen med storasyskon. Så än så länge har det varit lugnt på den fronten."

"Och Malin och Lisen, hur hanterar de det?" Erica refererade till Belindas småsystrar som var elva och åtta år.

"Också riktigt bra. De gillar att busa med Emma och Adrian och verkar åtminstone tolerera mig. Nej, det är mest Belinda som det strular med. Men hon är väl i den åldern. Då det ska strula." Anna suckade och sträckte sig också hon efter en bulle till. "Du då? Hur går det för dig? Flyter boken på?"

"Jo, det går väl okej. Det är alltid trögt i början, men jag har rätt mycket skriftligt material att bygga på, och så har jag några intervjuer inbokade också. Allt börjar ta form. Men …" Erica tvekade. Hennes instinkt att skydda systern i alla lägen var djupt rotad, men hon bestämde sig för att Anna hade rätt att veta vad hon sysslade med. Snabbt drog hon det från början, berättade om medaljen och det andra som hon hade hittat i Elsys kista, om dagböckerna och att hon hade talat med några ur deras mors förflutna.

"Och allt det här berättar du först nu?" sa Anna.

Erica skruvade på sig. "Ja, jo, jag vet … Men jag berättar det ju nu, eller hur."

Anna tycktes överväga om hon skulle skälla mer på sin syster men verkade sedan bestämma sig för att låta det passera.

"Jag skulle vilja se grejerna", sa hon torrt och Erica reste sig snabbt från stolen, lättad över att systern inte ställde till med mer bråk om hennes underlåtenhet att informera henne.

"Självklart, jag hämtar dem." Erica sprang upp till övervåningen och hämtade föremålen som hon förvarade i arbetsrummet. När hon kom ner igen lade hon dem på köksbordet: dagböckerna, barnskjortan och medaljen.

Anna stirrade på föremålen. "Var fan har hon fått den här ifrån?" sa hon och lade medaljen i handflatan, vände och vred på den och studerade den ingående. "Och den här? Vems är den här?" Anna höll upp den solkiga lilla barnskjortan framför sig. "Är det rost?" Hon höll skjortan nära ögonen för att detaljstudera fläckarna som täckte större delen av plagget.

"Patrik tror att det är blod", sa Erica, vilket fick Anna att bestört dra undan skjortan från ansiktet.

"Blod? Varför skulle mamma ha förvarat en barnskjorta täckt med blod i en kista?" Med äcklad min lade hon ifrån sig skjortan på bordet och plockade istället upp dagböckerna.

"Något barnförbjudet i de här?" sa Anna och viftade med de blå böckerna. "Inga sexberättelser som gör att jag blir traumatiserad för livet om jag läser dem?"

"Nej", skrattade Erica. "Fan, vad störd du är. Nej, det är inget barnförbjudet i dem. Det står inte mycket alls faktiskt. Bara ganska meningslösa vardagsberättelser. Men jag har faktiskt funderat på en sak ..." Erica formulerade för första gången tanken som hade legat i utkanten av hennes medvetande ett tag.

"Ja?" sa Anna nyfiket medan hon bläddrade i böckerna.

"Jo, jag undrar om det finns fler någonstans ... De slutar ju i maj 1944, när den fjärde boken blev fullskriven. Sedan finns inget mer. Och visst, mamma kan ju ha tröttnat på att skriva dagbok. Men skulle det ha sammanfallit med att den fjärde boken blev full? Det känns lite märkligt bara."

"Så du tror att det finns fler? Vad skulle de kunna ge i så fall, mer än det du kan få ut av de här. Jag menar, det verkar inte direkt som om mamma har haft ett rafflande liv. Hon är ju född och uppvuxen här, träffade pappa, vi föddes och ja ... så mycket mer finns liksom inte."

"Säg inte det", sa Erica tankfullt. Hon funderade på hur mycket hon skulle berätta för systern. Hon hade ju inget konkret. Men kalla det intuition. Hon visste att det hon hade fått reda på avslöjade konturerna av något större, något som hade kastat en skugga också över hennes och

Annas liv. Och framförallt måste medaljen och skjortan ha spelat någon roll i deras mors liv, ändå var det något som de aldrig hade hört talas om.

Hon tog ett djupt andetag och berättade mer i detalj om samtalen hon hade haft med Erik och med Axel och Britta.

"Så du gick alltså hem till Axel Frankel och bad att få tillbaka mammas medalj, ett par dagar efter att hans bror hittats död? Fan, vilken jävla gam han måste ha tyckt att du var", sa Anna med sådan brutal ärlighet som bara ett småsyskon kan visa.

"Hörru, vill du veta vad de sa eller inte?" sa Erica harmset. Men till viss del kunde hon instämma med Anna. Det hade väl inte varit speciellt finkänsligt.

När Erica hade berättat färdigt satt Anna med rynkad panna och tittade på henne. "Det låter ju som om de kände en helt annan människa. Vad sa Britta om medaljen då? Visste hon varför mamma hade en nazistmedalj?"

Erica skakade på huvudet. "Jag hann aldrig fråga det. Hon har Alzheimers och blev förvirrad efter en stund, och hennes man kom hem och blev väldigt upprörd och ja ...", Erica harklade sig, "... han bad mig lämna huset."

"Erica!" ropade Anna. "Gick du hem och frågade ut en förvirrad gammal tant! Och blev utslängd av hennes man! Ja, det är inte utan att jag förstår honom ... Du måste ha blivit alldeles konstig i huvudet av allt det här." Anna skakade klentroget på huvudet.

"Ja, men är inte du nyfiken då? Varför hade mamma allt det här liggande gömt? Och varför beskriver människor som känt henne en total främling? Den Elsy de beskriver är inte den som vi växte upp med. Någonstans längs vägen hände något ... Britta var inne på det när hon började bli förvirrad, det var något om gamla ben och ... äsch, jag kommer inte ihåg, men det kändes som om hon använde det som en metafor för något som var dolt och ... äh, jag kanske inbillar mig, men något märkligt är det med det här, och jag tänker gå till botten med det och ..." Telefonen ringde och Erica avbröt sig mitt uppe i den förvirrade utläggningen och gick för att svara.

"Erica. Åh, hej Karin." Erica vände sig mot Anna och spärrade upp ögonen. "Jo tack, allt är bra. Jo, det var trevligt att äntligen få prata med dig också." Hon gjorde en märklig grimas mot Anna som inte såg ut att fatta vad det rörde sig om. "Patrik? Nej, han är inte hemma just nu. Han och Maja åkte till stationen för att hälsa på och sedan vet jag inte riktigt vart de tog vägen. Jaha, jaså ... Jo ... de är säkert sugna på att gå ut och gå med dig och Ludde i morgon. Klockan tio. Vid apoteket. Ja, det ska jag meddela honom, så får han höra av sig om han skulle ha något annat inplanerat, men jag tror inte det. Ja, men tack då. Ja, vi hörs säkert igen. Tack, tack."

"Vad var det där?" sa Anna förbryllad. "Vem är Karin? Och vad ska Patrik göra med henne vid apoteket i morgon?"

Erica satte sig vid köksbordet. Efter en lång paus sa hon: "Karin – det är Patriks exfru. Hon och dansbands-Leffe har nämligen flyttat hit till Fjällbacka. Och nu råkar det slumpa sig så att hon och Patrik är föräldralediga samtidigt, så de ska ut och promenera ihop i morgon."

Anna höll på att krevera av skratt. "Fixade du just en promenadträff åt Patrik med hans exfru? Åh herregud, det här är ju skå bra. Har han inga gamla exflickvänner du kan ringa för att höra om de också vill hänga med? Han får ju inte ha tråkigt under pappaledigheten, stackarn."

Erica blängde på sin lillasyster. "Om du inte noterade det så var det faktiskt hon som ringde hit. Och det är väl inget konstigt i det. De är skilda. Sedan flera år tillbaka. Och de är föräldralediga samtidigt. Nej, inget konstigt alls. Jag har verkligen inga problem med det."

"Eller hur", skrattade Anna och höll sig för magen. "Jag hör verkligen att du inte alls har några problem med det ... Din näsa växer mer och mer för varje sekund."

Erica övervägde för en sekund om hon skulle slänga en bulle på sin syster, men bestämde sig för att avstå. Anna fick tro vad hon ville, hon var *inte* svartsjuk.

"Ska vi ta och prata med städerskan på en gång?" sa Martin. Patrik tvekade en sekund, sedan tog han fram mobiltelefonen.

"Jag ska bara kolla att allt är lugnt med Maja."

Efter att ha fått rapport av Annika stoppade han tillbaka mobilen i fickan och nickade.

"Okej, det var lugnt. Hon hade precis fått Maja att somna i vagnen. Har du adressen?" Han vände sig mot Paula.

"Ja, det har jag." Paula bläddrade i blocket och läste adressen högt. "Hon heter Laila Valthers. Sa att hon skulle vara hemma hela dagen", lade hon till. "Vet du var det ligger?"

"Ja, det är ett av husen vid rondellen in mot Fjällbacka, söderifrån."

"De gula?" frågade Martin.

"Ja, precis, då hittar du, va? Du svänger bara höger en bit fram här vid skolan."

Det tog dem inte mer än en minut eller två att komma fram till rätt adress. Laila var mycket riktigt hemma. Hon såg lätt förskrämd ut när hon öppnade dörren. Hon verkade högst ovillig att släppa in dem, och de blev därför stående i hennes hall. Men de hade egentligen inte så många frågor att ställa henne, så ingen såg någon anledning att be att få kliva på.

"Du städar hemma hos bröderna Frankel, stämmer det?" Patriks röst var lugn och trygg och han försökte vinnlägga sig om att göra deras närvaro så lite hotfull som möjligt.

"Ja, men jag hoppas att jag inte kommer att få problem på grund av det...", sa Laila med låg, viskande röst. Hon var liten till växten och verkade klädd för att gå hemma hela dagen i bruna myskläder i något slags plyschliknande material. Håret hade den där obestämda färgen som brukar kallas musgrå och var klippt i en kort och säkert praktisk frisyr som dock inte var särskilt estetiskt tilltalande. Hon vägde oroligt från fot till fot, med armarna i kors över bröstet och verkade mycket angelägen om att få höra vad de skulle svara på hennes fråga. Patrik trodde att han förstod var skon klämde.

"Du gick och städade svart hos dem, är det det du menar? Jag kan försäkra dig om att det inte är något vi lägger oss i, eller kommer att anmäla på något sätt. Vi bedriver en mordutredning, så vårt fokus ligger på helt andra saker." Han försökte sig på ett lugnande leende och belönades med att Laila slutade med sitt nervösa vaggande.

"Jo, de lade helt enkelt ett kuvert med pengar till mig på hallbyrån varannan vecka. Vi hade avtalat att jag skulle komma dit varje onsdag jämna veckor."

"Hade du egen nyckel?"

Laila skakade på huvudet. "Nej, de lade alltid ut nyckeln under dörrmattan, sedan lade jag tillbaka den igen när jag var klar."

"Hur kom det sig att du inte har städat där under sommaren?" Paula ställde frågan som de helst ville ha svar på. Det frågetecken som behövde rätas ut.

"Jag trodde att jag skulle det. Vi hade inte sagt något annat i alla fall. Men när jag kom dit som vanligt, så låg ingen nyckel där. Jag knackade på, men ingen svarade. Och sedan försökte jag ringa, för att höra om det bara hade blivit något missförstånd. Men ingen svarade. Ja, jag visste ju att den äldre av dem, han Axel, skulle vara bortrest över sommaren, det har han ju varit de år som jag städat där. Och nu när ingen var hemma antog jag helt enkelt att den yngre också var borta över sommaren. Fast jag tyckte att det var lite fräckt av dem att inte bry sig om att tala om det för mig. Men nu förstår jag ju varför ..." Hon slog ner blicken.

"Och du såg inget som inte verkade vara som vanligt?" frågade Martin.

Laila skakade häftigt på huvudet. "Nej, det kan jag inte påstå. Nej, inget som jag tänkte på."

"Vet du vilket datum det var som du var där och inte kom in?" Patrik tog vid igen.

"Ja, det vet jag. För det var min födelsedag. Och jag tyckte att det var typisk otur att det inte skulle bli något av med städningen just på min födelsedag. Hade tänkt gå och köpa mig något för pengarna jag fick just den dagen." Hon tystnade och Patrik frågade försynt:

"Så vilket datum var det? Som var din födelsedag?"

"Åh just det, så dum jag är", hon såg ytterst beklämd ut, "det var den sjuttonde juni. Helt säkert. Den sjuttonde juni. Och jag gick dit två gånger till och kikade. Men det fanns fortfarande ingen där, och fortfarande ingen nyckel utlagd. Så då antog jag att de hade glömt att meddela mig att de inte skulle vara hemma i sommar." Hon ryckte på axlarna i en gest som visade att hon var van vid att folk glömde att meddela henne saker och ting.

"Tack, det är ytterst värdefull information för oss." Patrik sträckte fram handen för att ta farväl och ryste när han kände det slappa handslaget. Det var som om någon hade lagt en livlös fisk i handen på honom.

"Nå, vad tror ni?" sa Patrik när de satt i bilen igen och körde i riktning mot stationen.

"Jag tror att vi med ganska stor säkerhet kan dra slutsatsen att Erik Frankel mördades någon gång mellan den femtonde och sjuttonde juni", sa Paula.

"Ja, jag är böjd att instämma", sa Patrik och nickade medan han tog den snäva kurvan precis före Anrås i alldeles för hög fart och var en hårsmån från att krocka med sopbilen. Sop-Leif hötte med näven åt honom och Martin höll sig skräckslaget i handtaget ovanför dörren.

"Har du fått körkortet i julklapp?" frågade Paula från baksätet, till synes oberörd av deras nära-döden-upplevelse nyss.

"Vad menar du? Jag är en ypperlig bilförare!" sa Patrik förnärmad och sökte med blicken stöd hos Martin.

"Visst", sa Martin och hånskrattade. Sedan vände han sig mot Paula. "Jag försökte anmäla Patrik till det där programmet 'Sveriges värsta bilförare', men jag tror att de ansåg att han var överkvalificerad. Det skulle liksom inte bli någon tävling om Patrik var med."

Paula fnissade och Patrik fnyste förnärmat: "Jag förstår inte vad du pratar om. Så många timmar som vi har spenderat ihop i en bil – har jag någonsin krockat eller haft några som helst incidenter? Nej, just det. Jag har kört fläckfritt i alla år, så det där är rent förtal." Han fnös och blängde på Martin, vilket resulterade i att han nästan körde in i Saaben som låg framför dem och fick ställa sig på bromsen.

"I rest my case", sa Martin och höll upp händerna framför sig, medan Paula i baksätet höll på att bryta ihop av skratt.

Patrik surade sedan hela vägen tillbaka till stationen. Men han höll åtminstone fartgränserna.

Ilskan efter mötet med fadern satt fortfarande i. Frans hade alltid haft den effekten på honom. Eller nej förresten. Inte alltid. När han var liten hade besvikelse varit den dominerande känslan. Besvikelse blandat med kärlek, som med åren förvandlades till en hård kärna av hat och vrede. Han var medveten om att han hade låtit de känslorna styra alla hans val, och att han därmed i praktiken hade låtit sin far styra hans liv. Men det var något han var fullkomligt maktlös inför. Det räckte med att han kom att tänka på känslan han haft när hans mor hade släpat iväg honom till ett av alla otaliga besök hos Frans i fängelset. Det kalla, grå besöksrummet. Helt opersonligt, helt utan känsla. Faderns tafatta försök att prata med honom, låtsas som om han tog del i hans liv och inte bara betraktade det på avstånd. Bakom galler.

Det var många år sedan hans far hade gjort sin sista volta i fängelse. Det betydde inte att han hade blivit en bättre man. Bara att han blivit smartare. Han hade valt en annan väg. Och Kjell hade som en följd av det valt den rakt motsatta. Skrivit om de främlingsfientliga organisationerna med en frenesi och en passion som hade gett honom ett namn och ett anseende som sträckte sig långt utanför Bohusläningens väggar. Han hade ofta tagit ett flygplan från Trollhättan till Stockholm, för att sitta i någon tv-soffa och prata om de destruktiva krafterna inom nynazismen och hur samhället bäst skulle hantera dem. Till skillnad från många andra, som i tidens mjäkiga anda hade velat bjuda in de nynazistiska organisationerna i det offentliga rummet för en öppen diskussion, förordade han en hård linje. De skulle helt enkelt inte tolereras. De skulle motarbetas varje steg längs vägen, få mothugg var de än valde att uttala sig och helt enkelt visas på dörren som den oönskade ohyra de var.

Han parkerade framför sin exfrus hus. Den här gången hade han inte brytt sig om att ringa. Ibland såg hon till att åka hemifrån innan han kom då. Men nu hade han försäkrat sig om att hon var hemma. Han hade suttit en lång stund i bilen, en bit bort, och väntat på att få se henne. Efter en timme hade hon kommit körande och parkerat på uppfarten framför huset. Tydligen hade hon varit och handlat för hon lyfte ut ett par konsumkassar ur bilen. Kjell hade väntat tills hon hade hunnit in och sedan kört de sista hundra meterna fram till huset. Han klev ur och bankade bestämt på. Carina fick ett trött uttryck i ansiktet när hon såg vem det var som stod utanför.

”Är det du? Vad vill du?” Tonen var kort. Kjell kände irritationen komma. Att hon inte kunde förstå allvaret i det här. Förstå att det var dags att de tog i med hårdhandskarna. Skuldkänslorna brände i bröstet och eldade ytterligare på hans irritation. Måste hon jämt se så förbannat ... krossad ut. Fortfarande. Efter tio år.

”Vi behöver prata. Om Per.” Han trängde sig bryskt förbi henne och började demonstrativt ta av sig skorna och hänga av sig jackan. För ett ögonblick såg Carina ut att vilja protestera, sedan ryckte hon på axlarna och gick in i köket, där hon ställde sig med ryggen mot diskbänken och armarna i kors som om hon förberedde sig för strid. Det var en dans de hade dansat många gånger.

”Vad är det nu då?” Hon skakade på huvudet så att den mörka pagen åkte ner i ögonen på henne och hon fick stryka undan luggen med pekfingret. Så många gånger han hade sett den gesten. Det var en av de saker han hade älskat med henne när de träffades. De första åren. Innan vardagen och tristessen hade tagit över, innan kärleken hade bleknat och fått honom att välja en annan väg. Huruvida han hade valt rätt eller fel visste han fortfarande inte.

Kjell drog ut en av köksstolarna och satte sig. ”Vi måste ta tag i det. Du måste inse att det här inte är något som kommer att lösa sig av sig självt. Kommer man in i den här svängen, så ...”

Carina avbröt honom genom att sätta upp en hand. ”Vem har sagt att jag tror att något kommer att lösa sig av sig självt? Jag har bara en annan

146

syn på hur saker och ting ska lösas. Och att skicka iväg Per är inte en lösning, det borde du också fatta."

"Det du inte fattar är att han måste bort från den här miljön!" Han drog ilsket handen genom håret.

"Och med den här miljön så menar du din pappa." Carinas röst dröp av förakt. "Jag tycker att du borde se till att lösa dina problem med din far innan du blandar in Per."

"Vilka problem?" Kjell hörde hur han höjde rösten och tvingade sig själv att ta några djupa andetag för att lugna ner sig. "För det första är det inte bara min pappa jag menar när jag talar om att han måste komma bort härifrån. Tror du inte att jag ser vad som försiggår här? Tror du inte att jag vet att du har flaskor gömda lite varstans i skåp och lådor?" Kjell slog ut med handen mot köksskåpen. Carina tog sats för att protestera, men han höll upp en avvärjande hand. "Och det finns inget att lösa mellan mig och Frans", sa han mellan sammanbitna tänder. "Vad mig anbelangar skulle jag helst aldrig ha med karln att göra, och jag tänker fan i mig inte låta honom ha något inflytande över Per. Men eftersom vi inte kan bevaka honom varje minut av dagen, och du heller inte verkar särskilt intresserad av att ha koll på honom, så ser jag ingen annan lösning än att vi hittar någon skola där han kan bo och där det finns personal som kan hantera sådant här."

"Hur ska det gå till då, har du tänkt dig?" Carina skrek och luggen föll ner i ögonen på henne igen. "De skickar inte bara iväg tonåringar hur som helst till ungdomsvårdsskolor, de måste ha gjort något först, men du kanske bara går och gnuggar händerna och väntar på det så att du kan …"

"Inbrott", avbröt Kjell henne. "Han har gjort inbrott."

"Vad fan snackar du om? Vadå för inbrott?"

"I början av juni. Ägaren till huset tog honom på bar gärning. Ringde mig. Jag kom dit och plockade upp Per. Han hade tagit sig in via ett källarfönster och var i full färd med att plocka på sig grejer från huset när han blev påkommen. Ägaren låste helt sonika in honom. Hotade att ringa polisen om han inte fick numret till hans föräldrar. Och ja, Per gav honom mitt nummer." Han kunde inte låta bli att känna viss tillfredsställelse över bestörtningen och besvikelsen i Carinas ansikte.

"Gav han honom ditt nummer? Varför inte mitt?"

Kjell ryckte på axlarna. "Vem vet. Farsan är alltid farsan."

"Var var det han bröt sig in?" Carina verkade fortfarande ha svårt att smälta att Kjell var den som Per hade velat att man skulle ringa.

Han dröjde ett par sekunder innan han svarade. Sedan sa han: "Du vet, han gubben som de hittade död i Fjällbacka förra veckan. Erik Frankel. Det var i hans hus."

"Men varför?" Hon skakade på huvudet.

"Det är ju det jag försöker säga! Erik Frankel var expert på andra världskriget, hade massor av föremål från den tiden, och Per ville väl imponera på sina polare genom att kunna visa upp några genuina grejer."

"Vet polisen?"

"Nej, inte ännu", sa han kallt. "Men det beror ju på ..."

"Skulle du göra det mot din egen son? Anmäla honom för inbrott?" viskade Carina och stirrade på honom.

Plötsligt fick han en hård klump i magen. Han såg henne framför sig så som hon såg ut första gången de träffades. På en fest på journalisthögskolan. Hon hade följt med en väninna som pluggade där, men väninnan hade försvunnit med en kille direkt när de kom dit, och istället hade Carina hamnat i en soffa och känt sig ensam och bortkommen. Han hade blivit förälskad i henne så fort han såg henne. Hon hade haft en gul klänning och ett gult band i håret, som varit långt då, lika mörkt som nu, men utan de grå hårstrån som hade börjat synas. Det var något hos henne som hade fått honom att vilja ta hand om henne, värna om henne, älska henne. Han mindes bröllopet. Klänningen som hon då hade tyckt var så oerhört vacker, men som nu skulle betraktas som en 80-talsrelik med alldeles för mycket volanger och puffärmar. Han hade i alla fall tyckt att hon var en uppenbarelse. Och första gången han såg henne med Per. Trött, osminkad och klädd i sjukhusets fula kläder. Men med sonen på armen hade hon tittat upp på honom och lett, och han hade känt sig som om han kunde slåss mot drakar, eller ge sig i kast med en hel armé, och vinna.

När de nu stod där i hennes kök, som två kombattanter mittemot varandra, såg de en hastig glimt av det som hade varit i varandras ögon. Under ett ögonblick mindes de stunder då de hade skrattat ihop, älskat ihop, innan kärleken glömdes bort för ett slag, blev skör, bräcklig. Gjorde honom mottaglig. Klumpen i magen hårdnade ännu mer.

Han försökte slå bort tankarna. "Om jag måste så ser jag till att polisen får den här informationen", sa han. "Antingen ordnar vi så att Per kommer ur den här miljön, eller så låter jag polisen göra jobbet."

"Ditt svin!" sa Carina med en röst som var tjock av gråt och av besvikelse över alla löften som hade svikits.

Kjell reste sig. Hans blick var tillkämpat kall när han sa: "Så är det i alla fall. Jag har lite förslag på vart vi kan skicka Per. Jag mejlar det till dig, så får du titta på det. Och han får inte, under några omständigheter, ha någon som helst kontakt med min far. Förstått!"

Carina svarade honom inte, men böjde på huvudet som ett tecken på kapitulation. Det var länge sedan hon hade orkat sätta sig emot Kjell. Den dag han gav upp henne, dem, hade hon gett upp sig själv.

När Kjell hade satt sig i bilen körde han några hundra meter och parkerade sedan. Han lutade pannan mot ratten och blundade. Bakom ögonen flimrade bilder av Erik Frankel. Och det han hade fått veta av honom. Frågan var vad han skulle göra av informationen.

Grini, utanför Oslo 1943

Det var kylan som var värst. Detta att aldrig få känna sig varm. Fukten sög upp den lilla värme som fanns och gjorde att det kalla, våta omslöt kroppen som en filt. Axel kurade ihop sig på britsen. Dagarna var så långa här i ensamcellen. Men han föredrog tristessen framför avbrotten. Förhören, slagen, alla frågorna som haglade över honom, likt ett ihållande regn som vägrade att ge med sig. Hur skulle han kunna ge dem några svar? Han visste så lite, och det lilla han visste skulle han aldrig berätta. Förr fick de ha ihjäl honom.

Axel drog handen över huvudet. Det var bara stubb kvar, och de korta hårstråna kändes sträva mot handflatan. De hade duschat och rakat dem direkt vid ankomsten och satt på dem norska gardesuniformer. Redan när de grep honom hade han förstått att det var här han skulle hamna. I fängelset som låg tolv kilometer utanför Oslo. Men inget hade kunnat förbereda honom på verkligheten här, på den bottenlösa skräcken som fyllde alla dagens timmar, på ledan, på smärtan.

"Mat." Det slamrade till utanför cellen och den unge vakten satte en bricka framför gallret.

"Vad är det för dag?" sa Axel på norska. Han och Erik hade tillbringat så gott som alla sommarlov hos morföräldrarna i Norge, och han behärskade språket perfekt. Han såg vakten varje dag och försökte alltid prata med honom eftersom han var utsvulten på mänsklig kontakt. Men oftast fick han bara enstaviga svar. Så också i dag.

"Onsdag."

"Tack." Axel försökte tvinga fram ett leende. Pojken vände sig om för att gå. Det kändes olidligt att bli kvarlämnad i ensamheten och kylan igen, så Axel försökte få honom att stanna genom att kasta ut ännu en fråga.

"Vad är det för väder ute?"

Pojken stannade. Tvekade. Han tittade sig runt, sedan gick han tillbaka mot Axel.

"Det är mulet. Ganska kallt", sa han. Axel slogs av hur ung han såg ut. Ungefär samma ålder som han själv, kanske ett par år yngre, men så som Axel kände sig nu såg han antagligen betydligt äldre ut, lika gammal utanpå som inuti.

Pojken tog några steg bort igen.

"Lite kallt för årstiden, inte sant?" Rösten bröts och han hörde själv att den konverserande kommentaren lät märklig. Det hade funnits en tid då meningslös konversation hade känts som bortkastad tid. Nu var det en livlina, en påminnelse om det liv som alltmer kändes som ett blekt minne.

"Jo då, det kan man nog säga. Men det kan ofta vara kallt i Oslo så här års."

"Är du härifrån?" Axel skyndade sig att ställa frågan innan vakten hann försöka gå igen.

Pojken tvekade och verkade ovillig att svara. Tittade sig runt igen, men ingen annan sågs eller hördes i närheten.

"Vi har varit här ett par år bara."

Axel valde en annan fråga: "Hur länge har jag varit här? Det känns som en evighet." Han skrattade lätt, men skrämdes av hur skrovligt och ovant skrattet lät. Det var länge sedan han hade haft någon anledning att skratta.

"Jag vet inte om jag får ..." Vakten drog lite i uniformskragen. Det såg ut som om han inte riktigt hade funnit sig tillrätta i den strikta klädseln. Men tids nog skulle han nog vänja sig, tänkte Axel. Finna sig tillrätta både i uniformen och i behandlingen av människor. Människonaturen var ju sådan.

"Vad kan det spela för roll om du säger hur länge jag varit här?" sa Axel bevekande. Det var något ytterst störande i att befinna sig i tidlöshet. Att inte ha klockslag, datum, veckodagar att hänga upp livet på.

"Två månader ungefär. Jag minns inte riktigt."

"Två månader ungefär. Och det är onsdag. Med mulet väder. Det räcker för mig." Axel log mot pojken och fick ett försiktigt leende tillbaka.

När vakten hade gått sjönk Axel ner på britsen med brickan i knät. Maten lämnade mycket övrigt att önska. Samma sak varje dag. Grispotatis och vidriga grytor. Men det var väl ett led i deras försök att bryta ner dem. Han doppade håglöst skeden i den grå sörjan i skålen, men hungern gjorde att han till slut förmådde föra den mot munnen. Han försökte låtsas att det var hans mors köttgryta som han åt, men det gick inget vidare. Det förvärrade bara allt, eftersom tankarna irrade dit han hade förbjudit dem att vandra, till hemmet och familjen, till mor och far och Erik. Plötsligt var inte ens hungern tillräcklig krydda, inget kunde få honom att äta. Han lade ner skeden i skålen och lutade huvudet mot den skrovliga väggen. Med ens såg han dem så tydligt framför sig. Far med den stora, grå mustaschen som han kammade noggrant varje kväll innan han gick till sängs. Mor med det långa håret fäst i en knut i nacken och med glasögonen längst ute på nästippen när hon satt och virkade i läslampans sken på kvällen. Och Erik. Säkert på sitt rum med näsan i en bok. Vad gjorde de? Tänkte de på honom just nu? Hur hade hans föräldrar tagit nyheten att han hade blivit tillfångatagen? Och Erik. Som ofta var tystlåten och höll sig för sig själv. Hans skarpa intellekt bearbetade text och fakta med imponerande snabbhet, men han hade svårt att visa känslor. Ibland hade Axel på pin kiv gett sin bror en riktigt lång björnkram, bara för att känna hur han stelnade till i obehag av så mycket beröring. Men efter en stund hade han alltid känt hur Erik mjuknade, slappnade av och tillät sig att ge efter för närheten några sekunder, innan han slutligen fräste "släpp mig" och slet sig lös. Han kände sin bror så väl. Mycket bättre än Erik någonsin kunde tro. Han visste att Erik ibland kände sig som en udda figur i familjen, att han inte räckte till i jämförelse med Axel. Och nu skulle det väl bli svårare än någonsin för honom. Axel var inte dummare än att han förstod att oron för honom skulle påverka Eriks vardag, att broderns utrymme i familjen skulle bli ännu mindre. Han vågade inte ens tänka på hur det skulle bli för Erik om han dog.

"Hej, nu är vi hemma!" Patrik stängde dörren och satte ner Maja på hallgolvet. Hon satte genast fart inåt, så han fick ta tag i jackan för att hejda henne.

"Hörru du, lilla gumman. Vi får ta av dig skor och jacka först innan du springer in till mamma." Han klädde av henne och släppte sedan iväg henne.

"Erica? Är du hemma?" ropade han. Inget svar, men när han lyssnade hörde han knatter uppifrån. Han tog Maja på armen och gick uppför trappan till Ericas arbetsrum.

"Hej, är det här du sitter?"

"Ja, jag har knackat iväg ett antal sidor i dag. Och sedan har Anna varit här och fikat också." Erica log mot Maja och sträckte armarna mot henne. Maja tultade fram och placerade en blöt puss mitt på Ericas mun.

"Hej gumman, vad har du och pappa haft för er i dag då?" Hon gnuggade näsan mot Majas, och dottern kiknade av skratt. Eskimåpussar var deras specialitet. "Vad länge ni var borta", sa Erica och flyttade uppmärksamheten till Patrik.

"Ja, jag fick hoppa in och jobba lite", sa Patrik entusiastiskt. "Den där nya tjejen verkar jättebra, men de hade inte riktigt tänkt på alla aspekter, så jag åkte med till Fjällbacka och gjorde lite hembesök som ledde vidare till att vi nog har kunnat säkra under vilka två dagar som Erik Frankel måste ha mördats och …" Han hejdade sig mitt i meningen när han såg Ericas min. Och insåg omgående att han nog borde ha funderat en aning innan han öppnade munnen.

"Och var var Maja när du 'hoppade in och jobbade lite'?" frågade Erica med is i rösten.

Patrik vred på sig. Kunde han inte ha sådan tur att brandlarmet gick nu? Nej, uppenbarligen inte. Han tog ett djupt andetag och kastade sig ut. "Annika passade henne ett tag. På stationen." Han kunde inte förstå hur det kunde låta så illa när han sa det högt, när han tidigare inte ens hade tänkt tanken att det kanske var olämpligt.

153

"Så Annika passade vår dotter på polisstationen medan du åkte ut på jobb ett par timmar. Är det korrekt uppfattat?"

"Öh ... ja ...", sa Patrik och letade febrilt efter ett sätt att vända situationen till sin fördel. "Hon hade det jättebra. Hon åt kanon tydligen, och sedan tog Annika en kort promenad med henne så att hon somnade i vagnen."

"Jag är helt övertygad om att Annika gjorde ett ypperligt jobb som barnvakt. Det är inte det. Det som gör mig upprörd är att vi kom överens om att du skulle ta hand om Maja nu, medan jag jobbade. Och det är inte så att jag kräver att du ska vara med henne varje minut ända fram till januari, vi kommer säkert att få användning för barnvakter. Men jag tycker att det är lite tidigt att börja lämna över henne till stationens sekreterare och sticka iväg på jobb efter en veckas pappaledighet. Eller tycker inte du det?"

Patrik övervägde för en sekund om Ericas fråga var retorisk, men när hon såg ut att förvänta sig ett svar insåg han att det nog inte var fallet.

"Äh, när du säger det så där, så ... jo, det var självklart dumt ... Men de hade inte ens kollat upp om Erik träffade någon, och jag blev så ivrig att jag ... Äsch, det var dumt!" avslutade han den förvirrade harangen. Han drog handen genom håret, så att det bruna håret stod rakt upp i en lika förvirrad frisyr.

"Från och med nu. Inget jobb. Heders. Bara jag och gumman. Tummis." Han satte upp båda tummarna i luften och försökte se så förtroendeingivande ut som han bara kunde. Erica såg ut att ha mer på hjärtat, men sedan släppte hon ut en tung suck och reste sig från kontorsstolen.

"Nåja, gumman, det ser ju inte ut att ha gått någon nöd på dig. Ska vi säga att pappa är förlåten och gå ner och laga lite mat?" Maja nickade ivrigt. "Pappa kan laga carbonara till oss som kompensation", sa Erica och gick ner till undervåningen med Maja på höften. Maja nickade återigen ivrigt. Pappas carbonara tillhörde hennes absoluta favoriter.

"Vad kom ni fram till då?" sa Erica en stund senare, när hon satt vid köksbordet och iakttog hur Patrik stekte bacon och kokade spaghetti. Maja hade installerat sig framför Bolibompa, och de fick en vuxenstund i lugn och ro.

"Troligtvis har han dött någon gång mellan den femtonde och sjuttonde juni." Han rörde i stekpannan. "Aj fan!" Lite av fettet som hade smält sprätte upp och brände honom på armen. "Satan, vad ont det gör.

Tur att man inte steker bacon naken."

"Vet du, älskling? Jag tycker också att det är tur att du inte steker bacon naken …" Erica blinkade åt honom och han gick fram och kysste henne på munnen.

"Så jag är 'älskling' igen. Är jag uppe på plus igen?"

Erica låtsades fundera. "Nja, plus skulle jag väl inte säga. Men tillbaka på noll. Men om carbonaran är riktigt god, så är du nog uppe på plus igen…"

"Hur har din dag varit då?" sa Patrik och återvände till spisen för att fortsätta med matlagningen. Han lyfte försiktigt ut baconbitarna ur stekpannan och lade dem på hushållspapper för att rinna av. Tricket med god carbonara var att få bitarna riktigt knapriga, det fanns inget vidrigare än sladdrig bacon.

"Ja, var ska jag börja?" sa Erica och suckade. Hon berättade först om Annas besök och hennes problem som styvmor till en tonåring. Sedan tog hon sats och redogjorde för sitt besök hos Britta. Patrik lade ner stekspaden och stirrade häpen på henne.

"Gick du hem till henne för att fråga ut henne? Och tanten har Alzheimers? Inte konstigt att hennes gubbe blev tokig på dig, det hade jag också blivit."

"Jo tack, Anna sa samma sak, så jag har fått tillräckligt med stryk för det nu, tackar så mycket." Erica mulnade. "Jag visste faktiskt inte det när jag gick dit."

"Vad sa hon då?" sa Patrik medan han lade ner spaghetti i det kokande vattnet.

"Du vet att det där kommer att räcka till ett mindre infanteri", sa Erica när hon såg hur nära två tredjedelar av innehållet i spaghettipaketet åkte ner i kastrullen.

"Är det du eller jag som lagar maten?" sa Patrik och hötte strängt åt henne med stekspaden. "Nå, vad sa hon nu då?"

"Ja, för det första så verkar de ha umgåtts mycket när de var yngre, hon och mamma. Tydligen var de ett ganska tajt gäng, de två och så Erik Frankel och någon som heter Frans."

"Frans Ringholm?" sa Patrik spänt medan han rörde om bland spaghettin.

"Ja, så tror jag att han hette. Frans Ringholm. Hur så? Vet du vem det är?" Erica iakttog honom nyfiket, men Patrik ryckte avvärjande på axlarna.

"Sa hon något mer? Hade hon någon kontakt med Erik eller Frans nu? Eller Axel för den delen?"

"Jag tror inte det", sa Erica. "Det verkade inte som om någon av dem har någon kontakt med varandra, men jag kan ha fel." Hon rynkade ögonbrynen och det såg ut som om hon gick igenom samtalet i tankarna.

"Det var något ...", sa Erica dröjande. Patrik upphörde med rörandet medan han lyssnade efter vad hon tänkte säga.

"Hon sa något ... Jo, det var något om Erik och 'gamla ben'. Och något om att de skulle vila i fred. Och att Erik hade sagt ... Nej, sedan försvann hon in i dimmorna och jag fick inte reda på mer. Hon var rätt förvirrad då, så jag vet inte hur mycket vikt man kan lägga vid det hon sa. Det var säkert bara nonsens."

"Inte så säkert", sa Patrik dröjande. "Inte så säkert. Det är andra gången i dag jag hör det uttrycket i anknytning till Erik Frankel. Gamla ben ... Vad fan kan det betyda?"

Och medan Patrik funderade passade pastavattnet på att koka över.

Frans hade förberett sig noga inför mötet. Styrelsen sammanträdde en gång i månaden, och det var många saker som de behövde ta upp. Det var snart valår och de hade sin allra största utmaning framför sig.

"Har alla kommit?" Han tittade runt bordet och räknade tyst in de övriga fem i styrelsen. Samtliga var män. Jämlikhetsvågen hade ännu inte nått de nynazistiska organisationerna. Troligtvis skulle den aldrig göra det heller.

Lokalen i Uddevalla hade upplåtits av Bertolf Svensson, och de befann sig i källaren till hyreshuset som han ägde. Lokalen användes annars som föreningslokal, och spåren efter den fest som någon av hyresgästerna hade hållit i lokalen under helgen var fortfarande synliga. De hade också tillgång till ett kontor i samma hus, men det var litet och passade illa för gruppsammankomster.

"De har städat dåligt efter sig. Får nog ta mig ett snack med dem efteråt", muttrade Bertolf och sparkade undan en tom ölflaska som rullade iväg över golvet.

"Åter till ordningen", sa Frans stramt. De hade inte tid att prata strunt.

"Hur långt har vi kommit med förberedelserna?" Frans vände sig till Peter Lindgren, den yngste medlemmen av styrelsen. Han hade valts som koordinator av kampanjarbetet, mot Frans uttryckliga protester. Han litade helt enkelt inte på honom. Senast förra sommaren hade han åkt dit för misshandel av en somalier nere på torget i Grebbestad, och Frans trodde honom helt enkelt inte om att kunna behålla lugnet i den utsträckning som nu var nödvändigt.

Som för att bekräfta Frans aningar undvek Peter frågan och sa istället: "Har ni hört om vad som har hänt i Fjällbacka?" Han skrattade. "Någon har tydligen gjort processen kort med den där jävla rasförrädaren Frankel."

"Ja, eftersom jag litar på att ingen av de våra hade med saken att göra, så föreslår jag att vi återgår till dagordningen", sa Frans och spände ögonen i Peter. Det blev tyst en stund när de båda männen utkämpade en tyst maktkamp.

Sedan vek Peter undan med blicken. "Vi är bra på väg. Vi har haft en bra nyrekrytering på sistone och försäkrat oss om att alla, nya liksom gamla, är beredda att göra en del fotarbete för att sprida budskapet i ökande omfattning fram till valet."

"Bra", sa Frans kort. "Och partiregistreringen, är den färdig? Röstsedlar?"

"Under kontroll." Peter trummade med fingrarna mot bordsskivan, uppenbart irriterad över att bli förhörd som en skolpojke. Han kunde inte motstå chansen att ge Frans ett tjuvnyp.

"Du misslyckades alltså med att beskydda din gamle polare. Vad var det som var så viktigt med den där snubben att du tyckte att det var värt att sticka ut hakan för honom? Folk har snackat om det där, vet du. Ifrågasatt dina lojaliteter..."

Frans reste sig och stirrade på Peter. Werner Hermansson som satt på andra sidan tog honom i armen. "Lyssna inte på honom, Frans. Och Peter, ta för fan och lugna ner dig nu. Det här är ju löjligt. Vi ska snacka om hur vi ska ta oss framåt, inte sitta och slänga skit på varandra. Seså, ta varandra i hand nu." Werner tittade bedjande på Peter och Frans. Han var förutom Frans den som hade varit med längst i Sveriges vänner, och han var också den som hade känt Frans längst. Och det var inte Frans välbefinnande han var orolig för i det här läget, utan Peters. Han hade sett vad Frans kunde göra.

För ett ögonblick stod situationen och vägde. Sedan satte sig Frans ner.

"Med risk för att vara tjatig föreslår jag att vi återgår till dagordningen. Någon som har invändningar? Finns det några fler surdegar som vi bör slösa tid på att älta? Nå?" Han stirrade på var och en av de församlade tills de vek ner blicken. Sedan fortsatte han.

"Det verkar som om det mesta av det praktiska är på väg att falla på plats. Ska vi då istället prata om vilka frågor vi ska lyfta upp i partiförklaringen? Jag har lyssnat runt en del med folk här i kommunen, och jag känner verkligen att vi kan nå ända in i kommunstyrelsen den här gången. Folk har insett hur släpphänt regeringen och kommunen har varit i invandringsfrågorna. De ser hur deras jobb går till icke-svenskar. De ser hur kommunens ekonomi äts upp av socialbidrag till samma grupp. Det finns ett utbrett missnöje med hur saker och ting har skötts på kommunnivå och det ska vi utnyttja."

Frans telefon ringde gällt i fickan. "Fan också. Ursäkta, jag har glömt att stänga av den. Ska genast göra det." Han tog fram telefonen ur byxfickan och tittade på displayen. Han kände igen numret. Axels hemtelefon. Han knäppte bort samtalet och stängde av telefonen.

"Ursäkta, nå, var var vi? Jo, vi har ett fantastiskt läge för att kunna utnyttja den ignorans kommunen har visat när det gäller flyktingproblematiken och ..."

Han fortsatte att prata. Alla vid bordet tittade uppmärksamt på honom. Men i huvudet rusade tankarna iväg åt ett helt annat håll.

Beslutet att skippa mattelektionen hade varit självklart. Fanns det någon lektion som han aldrig skulle drömma om att visa sig på, så var det matten. Det var något med siffror och sådana grejer som fick det att krypa i kroppen på honom. Han fattade det helt enkelt inte. Det blev bara mos i huvudet så fort han försökte lägga till eller dra ifrån. Vad fan skulle han med räkning till förresten? Aldrig att han skulle bli en sådan där ekonomsnubbe eller något annat tråkigt, så det var ju liksom bortkastat att sitta där och svettas.

Per tände en cigarett till och spanade ut över skolgården. De andra hade dragit iväg till Hedemyrs för att se om de kunde smyga ner lite i fickorna. Men han orkade inte följa med. Han hade sovit hos Tomas i går och de hade spelat "Tomb raider" till fem på morgonen. Morsan hade ringt flera gånger på mobilen, så till slut hade han helt enkelt stängt av. Helst hade han velat ligga kvar och dra sig, men Tomas morsa hade slängt ut honom när hon gick till jobbet, så de hade dragit ner till skolan istället, i brist på bättre idéer.

Men nu började han bli riktigt, riktigt uttråkad. Kanske skulle han ha hängt med gänget i alla fall. Han reste sig från bänken för att släntra efter dem, men satte sig igen när han såg Mattias komma ut genom dörrarna till skolan, med den där mesiga bruden i släptåg som alla av någon anledning sprang efter. Själv hade han aldrig fattat grejen med Mia. Den där blonda Luciatypen hade liksom aldrig varit hans grej.

Han spetsade öronen för att höra vad de pratade om. Det var Mattias som stod för det mesta av snackandet, och det måste uppenbarligen vara något intressant för Mia spärrade upp de där välsminkade babyblå ögonen i fascination. När de kom närmare kunde Per höra brottstycken. Han höll sig stilla. Mattias var så upptagen med att försöka komma innanför brallorna på Mia att han inte ens såg att Per satt en bit bort.

"Åh, du skulle ha sett så jävla blek Adam blev när han fick se honom. Men jag insåg med en gång vad som behövde göras och sa åt Adam att backa undan sakta så att vi inte förstörde några spår."

"Åh ...", sa Mia beundrande.

Per skrattade tyst. Fy fan vad bra Mattias låg till för att få ligga just nu. Hon var säkert alldeles våt i trosorna.

Han fortsatte att lyssna. "Och du vet det coola är att inga andra än vi vågade oss dit. De andra har snackat rätt mycket om det, men du vet, det är en sak att snacka, en annan sak att göra det ..."

Nu hade Per hört nog. Han flög upp från bänken och sprang ifatt Mattias. Innan Mattias hade fattat vad som hände flög Per på honom bakifrån och fällde honom till marken. Han satte sig på hans rygg, bände upp ena armen tills Mattias skrek av smärta och tog sedan ett rejält tag i hans kalufs. Den där töntiga surfarfrisyren var som gjord för ändamålet. Målmedvetet lyfte han sedan Mattias huvud och dunkade det mot asfalten. Han ignorerade det faktum att Mia stod och skrek några meter bort och sedan började springa mot skolan efter hjälp. Istället dunkade han än en gång Mattias huvud i det hårda underlaget och väste rytmiskt:

"Vad fan är det för jävla skit du snackar! Du är en sådan jävla liten skit och du ska inte tro att jag låter dig gå runt och hållas, din förbannade lilla ... tönt ..." Per var så förbannad att det svartnade för ögonen på honom, och allt omkring honom försvann. Det enda han kände var Mattias hår i handen, stöten som for genom handen varje gång Mattias huvud slog i asfalten. Det enda han såg var blodet som började färga det svarta underlaget under Mattias huvud. Det fyllde honom med välbefinnande att se de röda fläckarna. Det nådde in till ett ställe långt in i bröstet, smekte det, vårdade det, gav honom ett lugn som han sällan kände annars. Han kämpade inte emot raseriet, utan lät det fylla honom, gav girigt efter för det, och njöt av känslan av något primitivt som trängde undan allt det andra, allt det komplicerade, sorgsna, lilla. Han ville inte sluta, kunde inte sluta. Han fortsatte att skrika och slå, fortsatte att se det röda, det klibbiga och våta, varje gång han lyfte Mattias huvud, ända tills han kände hur någon tog tag i honom bakifrån och vräkte bort honom från Mattias.

"Vad fan sysslar du med?" Per vände sig om och såg nästan förvånad det ilskna och bestörta uttrycket i mattelärarens ansikte. Uppe från fönstren i skolan tittade ansikten ut genom varje ruta, och på skolgården hade det samlats en liten flock av nyfikna. Per tittade utan känslor på Mattias livlösa kropp och lät sig slitas undan ytterligare några meter från sitt offer.

"Vad fan, är du inte riktigt klok!" Mattelärarens ansikte var bara några centimeter från hans. Han skrek högt, men Per vände likgiltigt bort ansiktet.

Det hade känts så skönt en stund. Nu var det bara tomt.

Han stod länge och tittade på bilderna på väggen i hallen. Så många glada stunder. Så mycket kärlek. Hans och Brittas svartvita bröllopsfoto, där de såg stramare ut än vad de egentligen kände sig. Anna-Greta i armarna på Britta, han själv bakom kameran. Mindes han rätt hade han lagt ifrån sig kameran sedan han tagit bilden och för första gången tagit dottern i sina armar. Britta hade oroligt bett honom stödja huvudet, men det var som om han instinktivt visste hur han skulle göra med henne. Och han hade efter det alltid varit aktiv i spädbarnsomvårdnaden, i betydligt högre omfattning än vad som förväntades av en man på den tiden. Hans svärmor hade bannat honom många gånger för att det inte var karlgöra att byta blöjor eller bada små barnkroppar. Men han hade inte kunnat låta bli. Det hade kommit så naturligt för honom, och det kändes heller inte rättvist att Britta skulle dra hela lasset med de tre flickor som de fick så tätt. Egentligen hade de velat ha ännu fler, men efter den tredje förlossningen, som hade blivit tio gånger mer komplicerad än de två första tillsammans, så hade doktorn tagit honom åt sidan och sagt att Brittas kropp nog inte skulle orka med en liten till. Och Britta hade gråtit. Böjt huvudet utan att titta på honom och med tårarna rinnande bett om ursäkt för att hon inte hade kunnat ge honom en son. Han hade häpen betraktat henne. Det hade aldrig fallit Herman in att önska sig något annat än det han hade fått. Omgiven av sina fyra flickor kände han sig rikare än det borde vara möjligt att vara. Det hade tagit honom en stund att övertyga henne om det, men när hon väl insåg att han menade det han sa hade tårarna torkat och de hade fokuserat på jäntorna som de hade satt till världen.

Nu fanns det så många fler att älska. Flickorna hade fått barn, som Herman och Britta hade tagit till sina hjärtan, och han hade än en gång fått demonstrera sina färdigheter i att byta blöjor när de ryckte ut för att hjälpa sina flickor och deras familjer. Det var ju så svårt för dem numera, att få allt att gå ihop, med jobb, hem och familj. Men han och Britta hade varit glada och tacksamma över att det fanns en plats för dem, någon att hjälpa, någon att älska. Och nu hade till och med några av barnbarnen fått små. Fingrarna var väl lite stelare på honom nu, men med de där nya fiffiga up-and-go-blöjorna klarade han allt av att byta en och annan blöja fortfarande. Han skakade på huvudet. Vart hade åren tagit vägen?

Han gick upp till sovrummet i övervåningen och satte sig på sängkanten. Britta tog sin middagslur. Det hade varit en dålig dag i dag. Hon hade inte känt igen honom vissa stunder och trott att hon istället var hemma i sitt föräldrahem. Hon hade frågat efter mor. Och sedan med fruktan i rösten efter far. Och han hade strukit henne över håret och gång på gång försäkrat henne att hennes far var borta sedan många år. Att han inte längre kunde göra henne illa.

Han smekte hennes hand där den låg ovanpå det virkade överkastet. Rynkig, och med samma åldersfläckar som han själv hade fått. Men fortfarande med samma långa, eleganta fingrar. Och han log för sig själv när han såg att hon hade rosa nagellack. Hon hade alltid varit lite fåfäng av sig, de ränderna hade aldrig gått ur. Men han hade inte klagat. En vacker hustru hade hon alltid varit, och han hade under femtiofem års äktenskap aldrig lagt vare sig en tanke eller en blick på någon annan.

Ögonen fladdrade bakom ögonlocken. Hon drömde något. Han önskade att han kunde tränga in i hennes drömmar. Leva i dem, med henne, och låtsas som om allt var som tidigare.

I dag hade hon i förvirringen talat om det som de hade kommit överens om att aldrig mer nämna. Men i och med att hennes hjärna bröts ner och vittrade sönder, brast också de fördämningar, de murar som de genom åren hade byggt upp omkring hemligheten. De hade delat den så länge att den på något sätt hade sjunkit in i deras livs brokad och blivit osynlig. Han hade tillåtit sig själv att slappna av, glömma bort.

Det hade inte varit bra att Erik hade besökt henne. Inte alls. Det hade skapat den spricka i muren som nu vidgades alltmer. Om inte den täpptes till skulle en störtflod kunna välla fram och dra dem alla med sig.

Men han behövde inte oroa sig mer för honom nu. De behövde inte oroa sig mer för honom nu. Han fortsatte att klappa hennes hand.

"Just det, jag glömde säga det i går. Karin ringde. Ni har en promenadträff klockan tio. Vid apoteket."

Patrik stannade mitt i ett steg. "Karin? I dag? Om…", han tittade på klockan, "en halvtimme."

"Sorry", sa Erica med ett tonfall som indikerade att hon inte var ett dugg ledsen. Sedan mjuknade hon. "Jag tänkte sticka ner till biblioteket för lite research, så om du bara ser till att du och Maja är klara om tjugo minuter så kan ni få skjuts med mig."

"Är det…", Patrik tvekade, "okej med dig då?"

Erica gick fram och pussade honom på munnen. "Jämfört med att du använder en polisstation som dagis för vår dotter, så är promenaddejter med exfruar ingenting."

"Ha ha, jättekul", sa Patrik trumpet, mest eftersom han visste att Erica hade rätt. Det hade inte varit så smart det han gjorde i går.

"Stå inte där och slöa då! Sjas, på med kläder! Jag skulle definitivt ha något att invända om du gick iväg så där för att träffa din exfru." Erica skrattade och granskade sin make uppifrån och ner där han stod i sovrummet endast iförd kalsonger och ett par tubsockor.

"Nä, jag ser lite hunkig ut så här, eller hur?" sa Patrik och poserade som värsta kroppsbyggaren. Erica skrattade så att hon blev tvungen att sätta sig ner på sängen.

"Åh herregud, gör inte så där."

"Vadå?" sa Patrik och spelade förnärmad. "Jag är ju sjukt vältränad, det här är bara för att lura buset så att de ska tro att de kan känna sig trygga." Han slog sig på magen och det dallrade lite mer än det skulle ha gjort om det bara hade varit muskler som huserade där. Äktenskapet hade inte fått midjemåttet att minska i någon större omfattning.

"Sluta!" tjöt Erica. "Jag kommer aldrig kunna ha sex med dig igen om du håller på så där…" Patrik svarade med att kasta sig över henne på sängen med sitt bästa djuriska vrål och börja kittla henne.

"Ta tillbaka det där! Tar du tillbaka det där? Va?!"

"Ja, ja, jag tar tillbaka det, sluta!" skrek Erica som var hysteriskt kittlig.

"Mamma! Pappa!" hördes det förtjust från dörren och Maja klappade i händerna i glädje över showen. Hon hade lockats ut ur sitt rum av de intressanta ljuden från mammas och pappas rum.

"Kom hit så ska pappa kittla dig också", sa Patrik och lyfte upp dottern i sängen. Sekunden senare tjöt både mor och dotter av skratt. Utpumpade låg de sedan alla tre på sängen en stund och gosade, innan Erica abrupt satte sig upp. "Nej, nu får ni två ta och sätta lite fart. Jag kan klä på Maja, så ser du till att bli anständig."

Tjugo minuter senare körde Erica in mot Servicehuset, som även inhyste apotek och bibliotek. Hon var lite nyfiken. Det var första gången hon träffade Karin, även om hon självklart hade hört en del om henne emellanåt. Men i ärlighetens namn hade Patrik varit rätt tystlåten om sitt förra äktenskap.

Hon parkerade, hjälpte Patrik att lyfta ut vagnen ur bagageluckan och följde sedan med honom för att heja på Karin. Hon tog ett djupt andetag och sträckte fram handen:

"Hej, det är jag som är Erica", sa hon. "Vi talades vid på telefon i går."

"Vad roligt att träffa dig!" sa Karin, och Erica insåg till sin förvåning att hon spontant gillade kvinnan framför sig. I ögonvrån såg hon hur Patrik olustigt stod och vägde fram och tillbaka och hon kunde inte låta bli att njuta lite av situationen. Det var faktiskt riktigt roligt.

Hon studerade nyfiket hans exfru och konstaterade snabbt att Karin var smalare än hon själv, lite kortare och hade mörkt hår som var uppsatt i en enkel tofs. Hon hade inget smink på sig, hade fina drag, men såg lite … trött ut. Säkert småbarnslivet, tänkte Erica och insåg att hon själv inte heller skulle ha hållit för en närmare inspektion innan de fick Maja att sova ordentligt på nätterna.

De småpratade en stund, men sedan vinkade Erica av dem och fortsatte mot biblioteket. På sätt och vis hade det varit en lättnad att äntligen få ett ansikte till den kvinna som hade varit en stor del av Patriks liv i åtta år. Hon hade inte ens sett henne på bild tidigare. Med tanke på omständigheterna under vilka de skildes, hade Patrik förståeligt nog inte velat behålla några bildbevis från deras tid tillsammans.

Biblioteket var lika lugnt som vanligt. Hon hade tillbringat många timmar här, och det var något med bibliotek som gav henne en enorm känsla av tillfredsställelse.

"Hej, Christian!"

Bibliotekarien tittade upp och log brett när han såg Erica.

"Hej, Erica, vad roligt att se dig igen! Vad kan jag hjälpa dig med i dag då?" Hans småländska lät som vanligt ytterst trivsam. Erica undrade alltid varför människor som talade småländska verkade sympatiska så fort de öppnade munnen. Men i Christians fall stämde det första intrycket. Han var alltid trevlig och hjälpsam, och dessutom duktig på sitt jobb. Han hade många gånger hjälpt Erica att trolla fram information som hon bara hade haft en svag förhoppning om att kunna lokalisera.

"Gäller det samma fall som du ville ha bakgrund till sist?" frågade han och tittade förhoppningsfullt på henne. Ericas researchfrågor var alltid ett trevligt avbrott i hans ganska enformiga arbete där hans mestadels fick hjälpa till att söka information om fiskar, segelbåtar och Bohusläns fauna.

"Nej, inte i dag", sa hon och satte sig ner på en stol framför informationsdisken som han satt bakom. "I dag gäller det lite fakta om människor här från Fjällbacka. Och händelser."

"Människor. Och händelser. Kan du möjligtvis vara lite mer specifik än så?" sa han och blinkade.

"Jag ska försöka." Erica rabblade snabbt namnen: "Britta Johansson, Frans Ringholm, Axel Frankel, Elsy Falck, nej, jag menar Moström, och ...", hon tvekade några sekunder och sa sedan: "Erik Frankel."

Christian hajade till. "Är inte det han som de hittade ihjälslagen?"

"Jo", sa Erica kort.

"Och Elsy? Är det din ...?"

"Min mamma, ja. Jag behöver lite information om de här människorna, kring tiden för andra världskriget. Vet du vad, begränsa urvalet till de år som kriget höll på."

"1939 till 1945 med andra ord."

Erica nickade och såg förväntansfullt på medan Christian knackade ner de begärda uppgifterna på sin dator.

"Hur går det med ditt eget projekt förresten?"

Något mörkt drog över bibliotekariens ansikte. Sedan var det borta och han svarade på hennes fråga: "Jo tack, jag har väl kommit halvvägs. Och det är till stor del tack vare dina tips som jag har kommit så långt."

"Äsch, det var väl inget", sa Erica och slog generat bort berömmet. "Det är bara att säga till om du vill ha mer skrivtips, eller om du vill att jag ska kolla på manuset sedan. Förresten, har du något arbetsnamn?"

"Sjöjungfrun", sa Christian utan att möta hennes blick. "Den ska heta Sjöjungfrun."

"Vilket bra namn, varifrån …?" började Erica, men Christian avbröt henne bryskt. Hon tittade förvånat på honom, det var inte likt honom. Hon undrade om hon hade sagt något som kunde väcka anstöt, men kunde inte komma på vad det skulle kunna vara.

"Här är lite artiklar som kanske kan vara intressanta för dig", sa Christian. "Ska jag dra ut dem till dig?"

"Ja tack", sa Erica, fortfarande lite undrande. Men när Christian några minuter senare återvände från skrivaren med en bunt papper till henne var han återigen vänligheten själv.

"Här har du att göra en stund. Och säg till om du vill ha någon mer hjälp."

Erica tackade och gick ut ur biblioteket. Hon hade tur. Fiket som låg precis utanför hade öppnat och hon köpte sig en kaffe innan hon satte sig ner och började läsa. Men det hon fann var så intressant att kaffet kallnade odrucket i sin kopp.

"Nå, vad har vi funnit så långt?" Mellberg sträckte på benen med en grimas. Att träningsvärk kunde sitta i så satans länge. Med den här takten skulle han precis ha hunnit återhämta sig innan det var dags för nästa mangling av kroppen på fredagens salsalektion. Men märkligt nog kändes inte tanken så avskräckande som han hade trott. Det hade varit något med kombinationen av den medryckande musiken, närheten till Ritas kropp och det faktum att hans fötter mot slutet av förra veckans lektion faktiskt hade börjat fatta galoppen. Nej, han tänkte inte ge upp i första taget. Fanns det någon som hade potential att bli Tanumshedes salsakung så var det han.

"Ursäkta vad sa du?" Mellberg ryckte till. Han hade helt missat vad Paula sa medan han var försjunken i dagdrömmar om latinska rytmer.

"Jo, vi har nog lyckats säkerställa det tidsintervall då Erik Frankel måste ha blivit mördad", sa Gösta. "Han var hos sin … flickvän, eller vad man nu kallar folk i den åldern, den femtonde juni. Han gjorde då slut med henne, och var märkbart berusad, vilket han enligt henne aldrig brukade vara."

"Och städerskan var sedan där den sjuttonde juni och kom inte in", fyllde Martin i. "Det behöver ju inte betyda att han var död då, men det är i alla fall en tydlig indikation på det. Det hade aldrig hänt tidigare att hon inte kommit in. Om bröderna inte var hemma, hade de alltid lagt ut en nyckel till henne."

"Okej, bra, då jobbar vi tills vidare enligt antagandet att han dog mellan den femtonde och sjuttonde juni. Kolla med hans bror var han befann sig då." Mellberg böjde sig ner och kliade Ernst bakom öronen där han låg under köksbordet, som vanligt placerad på Mellbergs fötter.

"Men tror du verkligen att Axel Frankel har något med ...?" Paula avbröt sig mitt i meningen när hon såg Mellbergs misslynta min.

"Jag tror ingenting just nu. Men du vet lika väl som jag att de allra flesta mord begås av någon inom familjen. Så skaka om brorsan. Förstått?"

Hon nickade. För en gångs skull hade Mellberg rätt. Hon fick inte låta det faktum att hon funnit Axel Frankel ytterst sympatisk hindra henne i arbetet.

"Och pojkarna som var inne i huset? Har vi säkrat spåren från dem?" Mellberg tittade sig uppfordrande runt kring bordet. Alla de övrigas blickar vändes mot Gösta. Han skruvade besvärat på sig.

"Nja ... Alltså ... Ja och nej ... Jag har tagit sko- och fingeravtryck på den ene killen, Adam, men har inte riktigt hunnit ... den andre ..."

Mellberg spände ögonen i honom. "Du har alltså haft flera dagar på dig att ordna den lilla enkla uppgiften och du har, jag citerar, inte hunnit? Är det korrekt uppfattat?"

Gösta nickade modstulet. "Ja, jo ... jo, det är nog korrekt. Men jag ska ordna det i dag." Ännu en blick från Mellberg.

"Genast, på stubinen", sa Gösta och böjde huvudet.

"Det är nog bäst för dig det", sa Mellberg, som sedan flyttade uppmärksamheten till Martin och Paula.

"Mer då? Hur går det med den där Ringholm? Finns det något att hämta där? Personligen tycker jag att det känns som det allra mest lovande spåret och vi borde fullkomligt vända upp och ner på de där Sveriges vänner eller vad fan det nu är de kallar sig."

"Vi har pratat med Frans hemma i hans bostad och fick väl inte direkt något mer att gå på. Enligt honom var det vissa element inom organisationen som hade skickat hotbrev till Erik Frankel, och han själv försökte ställa sig emellan och beskydda honom på grund av gammal vänskap."

"Och dessa, 'element'", Mellberg ritade citationstecken i luften kring det sista ordet, "har vi pratat med dem?"

"Nej, inte ännu", sa Martin lugnt, "men det står på agendan i dag."

"Bra, bra", sa Mellberg och försökte puffa undan Ernst från fötterna då det börjat sticka lite obehagligt i dem. Det resulterade bara i att Ernst släppte ifrån sig en ljudlig hundfjärt, sedan makade han sig till ro igen på sin tillfällige husses fötter.

"Då så, då har vi bara en sak till att gå igenom. Och det är att den här stationen inte är något dagis! Begrips!" Han spände ögonen i Annika som hade suttit tyst och antecknat allt som sagts under mötet. Hon tittade tillbaka på honom över kanten på sina läsglasögon. Efter en lång stunds tystnad, då Mellberg hade hunnit börja skruva på sig och undra om han kanske använt aningen för skarpt tonläge, sa hon:

"Jag skötte mina arbetsuppgifter även när jag hade hand om Maja en stund i går, och det är det enda du behöver bekymra dig om, Bertil."

En tyst maktkamp utspelade sig när Annika lugnt mötte Mellbergs blick. Sedan vek han undan och mumlade: "Ja, jo, det kanske du bäst kan avgöra ..."

"Dessutom var det tack vare att Patrik kom förbi som vi insåg att vi har glömt att kolla Eriks bankuppgifter ..." Paula blinkade stöttande åt Annika.

"Ja, vi hade ju säkert kommit på det själva förr eller senare ... men nu blev det förr ... istället för senare ...", sa Gösta och tittade också han på Annika, innan han slog ner blicken igen och ivrigt studerade bordsskivan.

"Ja, jag trodde bara att var man pappaledig så var man", sa Mellberg buttert, väl medveten om att han gått förlorande ur striden. "Men då så, då har vi lite att göra." De reste sig allihop och ställde kaffekopparna i diskmaskinen.

I det ögonblicket ringde telefonen.

Fjällbacka 1944

"Jag trodde nog jag skulle hitta dig här." Elsy slog sig ner bredvid Erik, där han satt i lä i en skreva i berget.

"Jo, det är här jag har störst chans att få vara ifred", sa Erik vresigt, men sedan mjuknade ansiktet och han lade ihop boken han hade i knät.

"Förlåt", sa han, "det är inte meningen att jag ska ta ut mitt dåliga humör på dig."

"Är det Axel som är anledningen till ditt dåliga humör?" sa Elsy mjukt och slog sig ner bredvid honom. "Hur är det där hemma?"

"Som om han redan dött", sa Erik och tittade ut över vattnet som rörde sig oroligt i inloppet till Fjällbacka. "Mor åtminstone, hon uppför sig som om Axel redan dött. Och far. Han bara muttrar, vägrar att ens prata om det."

"Och hur känner du?" sa Elsy och betraktade sin vän intensivt. Hon kände Erik så väl. Bättre än han själv trodde. Så många timmar de hade lekt tillsammans, hon, Erik, Britta och Frans. Nu var det inte så många lekar de kunde leka längre, nu när de snart skulle föreställa vuxna. Men just i det här ögonblicket såg hon ingen skillnad mellan den fjortonårige Erik och den femårige, som redan i kortbyxor hade varit en gammal man i en liten kropp. Det var som om Erik hade fötts till en liten farbror, som sedan gradvis växte in i sitt rätta jag. Som om barnkroppen, pojkkroppen och nu, ynglingen, var stadier han måste passera igenom innan han kom dit där skinnet passade på honom.

"Jag vet inte hur jag känner", sa Erik torrt och vände bort huvudet. Men inte snabbare än att Elsy hann se något som blänkte i ögonvrån.

"Jo, det vet du", sa hon och betraktade hans profil intensivt. "Prata med mig."

"Jag känner mig så ... delad ... Mitt ena jag känner en sådan rädsla och sorg inför vad som hänt, och händer, med Axel. Bara tanken på att han skulle dö gör mig ..." Han letade efter rätt ord, men fann inga. Men Elsy förstod vad han menade. Hon satt tyst och lät honom fortsätta.

"Men mitt andra jag ... känner en sådan vrede." Rösten mörknade

168

och gav en föraning om hur den vuxne Eriks röst skulle komma att låta.

"Jag känner vrede för att nu mer än någonsin tidigare, har jag blivit osynlig. Jag finns inte. Jag existerar inte. Så länge Axel fanns hemma var det som om han kunde avleda en del av ljuset som föll på honom, mot mig. En liten strimma, då och då. En liten glimt av ljus, av uppmärksamhet, som föll på mig. Och det räckte. Jag har aldrig begärt mer än så. Axel förtjänade att stå i ljuset, få uppmärksamhet. Han har alltid varit bättre än vad jag är. Jag skulle aldrig våga göra det han gjorde. Jag är inte modig. Jag drar inte folks blickar till mig. Och jag har inte Axels förmåga att få folk omkring mig att må bra. För det är där jag tror hans hemlighet låg ... ligger ... att han alltid får alla omkring sig att må bra. Jag har inte den förmågan. Jag gör folk nervösa, oroliga. De vet inte riktigt vad de ska göra med mig. Jag vet för mycket. Jag skrattar för lite. Jag ..." Han blev tvungen att dra efter andan av vad som troligtvis var hans längsta sammanhängande tal någonsin.

Elsy kunde inte låta bli att skratta. "Akta så du inte gör slut på orden, Erik. Du brukar vara så sparsam med dem." Hon log, men Erik bet ihop käkarna.

"Men det är precis det jag menar. Och vet du vad, jag tror att jag skulle kunna börja gå, bortåt, och fortsätta gå och gå och gå, och inte komma tillbaka igen. Och ingen hemma skulle ens märka att jag var borta. För mor och far är jag bara en skugga i utkanten av deras synfält, och på sätt och vis tror jag nästan att de skulle se det som en lättnad om den skuggan försvann, så att de kunde fokusera helt och hållet på att se Axel framför sig." Rösten bröts och han vände skamset bort ansiktet igen.

Elsy lade armen om honom och lutade huvudet mot hans axel, tvingade honom tillbaka från det dunkla ställe där han befann sig.

"Erik, jag lovar att de skulle märka om du försvann. De är bara ... upptagna av att hantera vad som hänt med Axel."

"Det har gått fyra månader sedan tyskarna tog honom", sa Erik dovt. "Hur länge ska de vara upptagna? Sex månader? Ett år? Två år? Ett liv? Jag är ju här nu. Jag finns fortfarande kvar här. Varför kan inte det betyda något? Och samtidigt känner jag mig som en så usel människa när jag blir svartsjuk på min bror som antagligen sitter i fängelse och kan bli avrättad utan att vi någonsin får se honom. Det är just en fin bror jag är."

"Ingen tvivlar på att du älskar Axel." Elsy strök honom över skjortan. "Men det är ju inte konstigt att du också vill bli sedd, vill finnas till. Och

169

det är det jag vet att du gör ... Men du måste tala om för dem hur du känner, du måste tvinga dem att se dig."

"Jag vågar inte." Erik skakade häftigt på huvudet. "Tänk om de tycker att jag är en förfärlig människa."

Elsy tog hans huvud mellan sina händer och tvingade honom att titta på henne. "Lyssna på mig nu, Erik Frankel. Du är ingen förfärlig människa. Du älskar din bror och dina föräldrar. Men du sörjer också. Du måste tala om det för dem, måste kräva att också få lite utrymme för det. Förstått!"

Han försökte vända bort ansiktet, men hon fortsatte hålla fast det mellan sina handflator och stirrade honom in i ögonen.

Till slut nickade han. "Du har rätt. Jag ska prata med dem ..."

Impulsivt lade Elsy armarna om honom och kramade honom hårt. Hon kände hur han slappnade av när hon strök honom över ryggen.

"Vad fan?" En röst bakom dem fick dem att dra sig ifrån varandra. Elsy vände sig om och såg Frans, vit i ansiktet och med hårt knutna händer, stirra på dem.

"Vad fan!" upprepade han, och verkade ha svårt att hitta andra ord. Elsy insåg hur det måste ha sett ut och talade lugnt för att försöka få Frans att förstå det som verkligen utspelat sig, innan hans humör for iväg med honom. Hon hade sett hans humör blossa upp lika hastigt som man tände en tändsticka, många gånger tidigare. Det var något hos Frans som gjorde att han ständigt låg i beredskap att bli vred, som om han ständigt letade orsaker att få ut ilskan. Och hon var inte dummare än att hon hade förstått att han var svag för henne. I den här situationen kunde det innebära en katastrof om hon inte lyckades förklara för honom ...

"Erik och jag satt bara och pratade lite." Hon talade lugnt och sakta.

"Jo, jag såg nu hur ni bara satt och pratade", sa Frans och det fanns något i ögonen på honom som gjorde att Elsy rös till.

"Vi talade om Axel, och hur svårt det känns att han är där han är", sa hon och vek inte undan från Frans blick. Det vilda och kalla i blicken lade sig något. Hon fortsatte att prata.

"Jag tröstade Erik. Det var vad som skedde. Sätt dig nu ner och prata med oss."

Hon klappade uppfordrande på klipphällen bredvid sig. Han tvekade. Men händerna hade börjat slappna av och det kalla var nu helt borta. Han suckade djupt och satte sig ner.

"Förlåt ...", sa han utan att titta på henne.

170

"Det är ingen fara", sa hon, "men var inte så snar att dra förhastade slutsatser."

Frans satt tyst en stund. Sedan vände han blicken mot henne. Intensiteten i känslan hon såg där skrämde henne plötsligt mer än det kalla, ilskna tidigare. En aning for igenom henne om att detta inte kunde sluta väl.

Hon tänkte också på Britta och de förälskade blickar som hon ständigt och jämt skickade i riktning mot Frans.

Elsy upprepade för sig själv. Detta kunde inte sluta väl.

"Vad trevlig hon verkar." Karin log medan hon sköt vagnen med Ludde framför sig.

"Erica är toppen", sa Patrik och kände hur mungiporna drogs uppåt. Visst hade det varit lite gnissel på sistone, men det var bara småsaker. Han kände sig oerhört lyckligt lottad som fick vakna upp bredvid Erica varje morgon.

"Jag önskar att jag kunde säga detsamma om Leif", sa Karin. "Men jag börjar verkligen bli trött på livet som dansbandshustru. Fast jag visste ju vad jag gav mig in på, så jag antar att jag inte kan klaga."

"Det blir annorlunda när man får barn", sa Patrik, till hälften som ett konstaterande, till hälften som en fråga.

"Säger du?" sa Karin ironiskt. "Jag var väl naiv, men jag hade ingen aning om hur mycket jobb det är, och hur mycket som krävs av en då man har ett litet barn, och ja … det är inte så lätt att dra hela lasset själv. Ibland känns det som om jag är den som gör allt grovjobb, tar vaknätter, byter blöjor, leker med honom, matar honom, tar honom till doktorn när han blir sjuk. Och sedan kommer Leif hemglidande och får ett mottagande som om han vore jultomten själv av Ludde. Och det känns så jävla orättvist."

"Men vem är det Ludde vill till när han slår sig?" sa Patrik.

Karin log. "Du har rätt, då är det mig han vill till. Så något betyder det väl för honom att jag har varit den som har burit runt honom på nätterna. Men jag vet inte … jag känner mig lite lurad liksom. Det var ju inte så här det skulle vara." Hon suckade och rättade till Luddes mössa som hade hamnat på sniskan så att ena örat syntes.

"Jag måste säga att jag tycker att det har varit mycket roligare än jag någonsin kunnat föreställa mig", sa Patrik, men förstod att han sagt något dumt när han fick en genomträngande blick av Karin.

"Tycker Erica samma sak?" sa hon skarpt och Patrik insåg vart hon ville komma.

"Nej, det gör hon inte. Eller har inte gjort i alla fall", sa Patrik och det

172

högg till i magen vid tanken på hur blek och liksom tömd på glädje Erica hade varit under Majas första månader.

"Kan det bero på att Erica har blivit ryckt ur sin vuxentillvaro och varit hemma med Maja, medan du har gått iväg till jobbet varenda dag?"

"Men jag har hjälpt till allt jag kunnat", protesterade Patrik.

"Hjälpt till, ja", sa Karin och passerade honom med vagnen när de kom ut på den smala gatsträckan mot Badholmen. "Det är en jävla skillnad på att 'hjälpa till' och vara den som måste bära det yttersta ansvaret. Det är inte så enkelt att lura ut hur man ska lugna en upprörd bebis, hur och när de ska äta och hur man sysselsätter sig själv och en bebis minst fem dagar i veckan, oftast utan tillgång till annat vuxet sällskap. Det är en helt annan sak att vara vd i Företag Bebis jämfört med att bara vara en hantlangare som står vid sidan av och inväntar order."

"Men du kan ju inte skylla allt på papporna", sa Patrik och sköt vagnen uppför den branta backen. "Jag har fattat det som att det ofta är mammorna som inte vill släppa kontrollen till papporna, och byter man blöja så gör man det på fel sätt, och matar man håller man flaskan fel, och allt det där. Så jag tror inte alltid att det är så lätt för papporna att få ta del av den där vd-rollen som du pratar om."

Karin var tyst en stund, sedan tittade hon på Patrik och sa: "Var Erica sådan tycker du, när hon var hemma med Maja? Att hon inte släppte in dig?" Hon inväntade lugnt hans svar.

Patrik tänkte efter noga och länge och blev sedan tvungen att erkänna. "Nej, det var hon inte. Det var snarare så att jag tyckte att det var skönt att slippa ta huvudansvaret. När Maja var ledsen och jag försökte trösta henne, var det skönt att veta att hur mycket hon än skrek så kunde jag alltid lämna över henne till Erica om jag inte kunde få henne lugn, så fick hon fixa det. Och visst var det skönt att få gå iväg till jobbet på morgnarna, för då var det alltid lika roligt att komma hem till Maja på kvällarna."

"Eftersom du då hade fått din dos av vuxenvärld", sa Karin torrt. "Hur går det nu då? Nu när du ska ha huvudansvaret? Funkar det?"

Patrik tänkte efter och blev sedan tvungen att skaka på huvudet. "Nja, jag har väl inte fått stora A som pappaledig om man säger så. Men det är inte så lätt. Erica jobbar ju hemifrån och hon vet var alla grejer finns och …" Han skakade på huvudet igen.

"Jo, jag känner igen det där. Varenda gång Leif kommer hem står han och skriker. 'Kaarin! Var finns blöjorna?!' Ibland funderar jag på hur ni män kan fungera på era jobb, eftersom ni hemma inte ens klarar av att komma ihåg var blöjorna förvaras."

"Äh, nu får du ge dig", sa Patrik och stötte Karin i sidan. "Så jäkla hopplösa är vi inte. Ge oss lite cred i alla fall. Det är bara en generation sedan män knappt bytte en blöja på sina barn när de var små, och jag tycker faktiskt att vi har kommit ganska långt sedan dess. Men det är inte så lätt att ställa om sådant här på nolltid. Våra fäder var ju våra modeller, dem vi präglades av, och ja, det tar tid att förändra saker och ting. Men vi gör så gott vi kan."

"Du kanske", sa Karin, och åter kom den där bittra tonen. "Men Leif gör då inte så gott han kan."

Patrik sa inget. Det fanns liksom inget att säga. Och när de hade skilts åt i Sälvik vid korsningen vid Segelsällskapet Norderviken, kände han sig både sorgsen och tankfull. Länge hade han önskat olycka över Karin på grund av det svek hon utsatte honom för. Men nu tyckte han istället oerhört synd om henne.

Telefonsamtalet till stationen hade fått dem att kasta sig in i bilen. Mellberg hade som vanligt mumlat någon ursäkt och skyndat in på sitt rum, men Martin, Paula och Gösta for ner längs Affärsgatan i riktning mot Tanumshedes högstadium. De hade fått instruktioner att ta sig till rektorsexpeditionen, och eftersom det inte var deras första besök på skolan hade Martin inga problem med att leda dem raka vägen dit.

"Vad är det som har hänt?" Han tittade sig runt i rummet, där en trumpen tonåring satt på en stol, flankerad av rektorn och två män som Martin gissade var lärare.

"Per misshandlade en av våra elever", sa rektorn bistert och satte sig på skrivbordet. "Bra att ni kunde komma så fort."

"Hur är det med eleven?" sa Paula.

"Ser rätt illa ut. Skolsköterskan är hos honom, och ambulans är på väg. Jag har ringt Pers mamma, hon bör vara här snart." Rektorn blängde på pojken, som svarade med en likgiltig gäspning.

"Du får komma med oss till stationen", sa Martin och tecknade åt honom att resa sig upp. Han vände sig till rektorn. "Se om du kan nå hans mamma innan hon hinner hit, annars får du be henne fortsätta bort till stationen. Min kollega, Paula Morales, kommer att stanna kvar och förhöra de vittnen som såg misshandeln."

Paula nickade bekräftande mot rektorn.

"Jag sätter igång genast", sa hon och lämnade dem.

Per hade fortfarande samma likgiltiga min när han en stund senare släntrade efter poliserna ut i korridoren. En större mängd nyfikna elever hade samlats där, och Per reagerade på uppmärksamheten genom att flina och ge dem fingret.

"Jävla idioter", mumlade han.

Gösta gav honom en skarp blick. "Nu håller du tyst tills vi kommer till stationen."

Per ryckte på axlarna men gjorde som han sa. Resten av den korta vägen bort till den låga stationsbyggnaden som inhyste både polis och brandkår satt han och stirrade ut genom fönstret utan att yttra ett ord.

När de kom fram satte de honom i ett eget rum och väntade på att hans mamma skulle anlända. Plötsligt ringde Martins telefon. Han lyssnade intresserat på vad den som ringde hade att säga och vände sig sedan till Gösta med ett fundersamt uttryck i ansiktet.

"Det var Paula", sa han. "Vet du vem det var som blev misshandlad?"

"Nej, är det någon vi känner?"

"Jajamensan. Mattias Larsson, han som hittade Erik Frankel. Han är på väg till sjukhuset nu. Så vi får förhöra honom senare."

Gösta tog emot informationen utan kommentarer, men Martin såg att han blev alldeles blek.

Tio minuter senare sprang Carina in genom ytterdörren och frågade andfått efter sin son i receptionen. Annika visade lugnt in henne till Martin.

"Var är Per? Vad har hänt?" Hon pratade som om gråten satt i halsen på henne, och hon var märkbart uppriven. Martin sträckte fram handen och presenterade sig. Formalia och välbekanta ritualer brukade ofta fungera lugnande. Så även i det här fallet. Carina upprepade sin fråga, men i ett mer dämpat tonfall, och satte sig sedan ner på den stol som Martin anvisade henne. Han grimaserade lätt när han slog sig ner på sin plats bakom skrivbordet och kände en välbekant doft som slog emot honom från kvinnan mittemot honom. Gammal fylla. Doften var distinkt och lätt att känna igen. Kanske hade hon helt enkelt varit på fest under gårdagen. Men han trodde inte det. Det fanns något upplöst och lätt plufsigt över hennes anletsdrag som han kände igen som en alkoholists signum.

"Per har blivit gripen för misshandel. Enligt den rapport vi har fått från skolan så slog han ner en kamrat på skolgården."

"Åh herregud", hon kramade stolens armstöd hårt. "Hur ...? Den han ..." Hon förmådde inte avsluta meningen.

"Han är på väg till sjukhuset just nu. Tydligen blev han rätt illa åtgången."

"Men vad? Varför?" Hon svalde hårt och skakade samtidigt på huvudet.

"Det är det vi tänkte reda ut. Vi har Per i ett av förhörsrummen och skulle med din tillåtelse vilja ställa lite frågor till honom."

Carina nickade. "Ja, självklart." Hon svalde igen.

"Då så. Då går vi och pratar med Per." Martin gick före Carina ut ur rummet. Han stannade till i korridoren och knackade lätt på Göstas dörrpost. "Kom med. Vi tar och snackar med killen nu."

Carina och Gösta hälsade artigt i hand, och de tre gick sedan in i rummet där Per satt och försökte se ut som om han var djupt uttråkad. Men han tappade masken för ett ögonblick när hans mor klev in. Inte mycket. En lätt ryckning i ögonvrån. En darrning på händerna. Sedan tvingade han sig själv att anta det likgiltiga uttrycket igen och vände blicken mot väggen.

"Per, vad har du nu ställt till med?" Carinas röst skar sig när hon slog sig ner bredvid sonen och försökte lägga armen om honom. Han skakade av sig hennes arm och svarade inte på frågan.

Martin och Gösta slog sig ner mittemot Per och Carina, och Martin satte på bandspelaren framför dem. Av vanans makt hade han också block och penna med sig, och dessa lade han upp på bordet. Sedan rabblade han datum och klockslag för bandspelaren och harklade sig.

"Nå Per, kan du berätta vad det var som hände? Mattias är för övrigt på väg till sjukhuset med ambulans nu. Ifall du undrade."

Per log bara, och hans mor satte en armbåge i sidan på honom.

"Per! Du får ju svara nu. Och det är klart att du undrade! Eller hur?" Rösten skar sig igen, och sonen vägrade fortfarande titta på henne.

"Låt Per svara", sa Gösta och blinkade lugnande åt Carina.

Det blev tyst en stund när de väntade ut femtonåringen. Sedan knyckte han på huvudet.

"Äh, Mattias snackade massa skit bara."

"Vadå för 'skit'", sa Martin vänligt. "Skulle du kunna vara lite mer precis?"

Åter en stunds tystnad. Sedan: "Nä, men han försökte snacka in sig hos Mia, som är typ skolans Lucia, ni fattar, och jag hörde hur han skrävlade om hur jävla modig han hade varit när han och Adam gick till den där gubbens hus och hittade honom och hur ingen annan vågat! Jag menar, vad fan, de fick ju idén efter att jag hade varit där. Hade öron stora som parabolantenner när jag berättade om alla coola grejer han hade där, och det fattar ju vem som helst att de inte själva vågat ta sig in först. De jävla nördarna."

Per skrattade och Carina tittade skamset ner i bordsskivan. Det tog några sekunder innan Martin kopplade vad det var Per hade sagt. Sedan upprepade han långsamt:

"Är det Erik Frankels hus du menar? I Fjällbacka?"

"Ja, han gubben som Mattias och Adam hittade död. Med alla nazist-prylarna. Hur mycket coola prylar som helst", sa Per och ögonen lyste. "Jag hade tänkt ta mig dit igen med polarna och försöka få med mig lite grejer, men så kom ju gubben och låste in mig och ringde farsan och ..."

"Vänta, vänta nu", sa Martin och höll avvärjande upp händerna. "Ta det lite lugnare nu. Säger du att Erik Frankel kom på dig när du bröt dig in. Och att han låste in dig?"

Per nickade. "Jag trodde ju inte att han var hemma och tog mig genom ett källarfönster. Men han kom ner när jag var i det där rummet med alla böcker och skit, och han stängde dörren och låste den. Och sedan tvingade han mig att lämna numret till farsan och ringde honom."

"Kände du till det här?" Martin riktade en skarp blick mot Carina.

Hon nickade svagt. "Fast inte förrän häromdagen. Kjell, min exman, berättade det inte förrän då. Innan dess hade jag ingen aning. Och jag förstår inte varför du inte lämnade mitt nummer, Per. Istället för att blanda in pappa i det här!"

"Du skulle ändå inte fatta", sa Per och tittade för första gången på sin mamma. "Du ligger ju bara och super och skiter i allt annat. Du luktar gammal fylla nu också, förresten, vet du det!" Pers händer darrade på nytt, så som de hade gjort då de just hade kommit in i rummet och han hade förlorat kontrollen en kort stund.

Tårar trängde fram i Carinas ögon och hon stirrade på sin son. Med låg röst sa hon sedan: "Är det allt du har att säga om mig efter allt jag har gjort för dig? Jag har fött dig och klätt dig och ställt upp i alla år, när din pappa har skitit i oss." Hon vände sig mot Martin och Gösta. "Han bara gick en dag. Packade väskorna och gick. Det visade sig att han fått ihop det med någon tjugofemåring som nu var på smällen, och han lämnade mig och Per utan att någonsin se sig om igen. Startade bara en ny

177

familj och lämnade oss som gammalt avfall bakom sig."

"Det är tio år sedan pappa drog", sa Per trött och såg med ens betydligt äldre ut än sina femton år.

"Vad heter din pappa?" sa Gösta.

"Min exman heter Kjell Ringholm", svarade Carina med stram röst. "Ni kan få telefonnumret av mig."

Martin och Gösta utbytte en blick.

"Är det Kjell Ringholm på Bohusläningen?" sa Gösta och bitarna började falla på plats i huvudet på honom. "Son till Frans Ringholm?"

"Frans är min farfar", sa Per stolt. "Han är hur cool som helst. Har suttit i fängelse till och med, men nu jobbar han politiskt istället. De kommer att vara med i nästa val och regera, och sedan åker blattarna ut ur kommunen."

"Per!" sa Carina förfärad och vände sig till poliserna.

"Han är i den åldern då han söker. Provar olika roller. Och ja, hans farfar har inget bra inflytande över honom. Kjell har förbjudit Per att träffa hans far."

"Ni kan ju alltid försöka", muttrade Per. "Och den där gubben med naziprylarna, han fick i alla fall vad han tålde. Jag hörde hur han snackade med farsan när han kom för att hämta mig, och han snackade massa skit om att han kunde ge farsan bra stoff till artiklarna han skrev om Sveriges vänner, och särskilt om Frans. De trodde inte att jag hörde, men de bestämde ändå att de skulle träffas lite senare. Jävla förrädare, jag förstår att farfar skäms för farsan", sa Per hätskt.

Smack! Carina gav honom en örfil och i tystnaden efter smällen tittade mor och son på varandra med lika delar överraskning och hat. Sedan mjuknade Carinas ansikte. "Förlåt, förlåt, älskling. Det var inte meningen... jag... Förlåt." Hon försökte omfamna sonen, men han stötte bryskt bort henne.

"Bort med dig, din jävla fyllkäring. Du rör mig inte! Hör du det!"

"Nu lugnar vi ner oss." Gösta reste sig halvt upp och stirrade barskt på Carina och Per. "Jag tror inte att vi kommer så mycket längre nu, du får gå tills vidare, Per. Men..." Han tittade frågande på Martin som nickade nästan omärkligt. "Men vi kommer att kontakta socialen i det här ärendet. Vi har sett en del som oroar oss och vi tycker nog att socialen bör titta närmare på det här. Och utredningen om misshandeln kommer ju att rulla vidare nu."

"Behövs det verkligen?" sa Carina med darr på rösten, men frågan var ställd utan någon verklig energi bakom. Gösta fick intrycket att en del av henne kände lättnad över att någon tog tag i hennes situation.

När Per och Carina hade lämnat stationen, sida vid sida, men utan att titta på varandra, följde Gösta efter Martin in på hans rum.

"Ja, det gav ju en lite att fundera på, det där", sa Martin och satte sig ner.

"Jo, det gjorde det", sa Gösta. Han bet sig i läppen och vägde lite på hälarna.

"Du ser ut som om du har något att säga?"

"Ja, jo, en liten grej kanske." Gösta tog sats. Det var något som hade legat och gnagt i hans undermedvetna ett par dagar, och under förhöret hade han plötsligt insett vad det var. Nu var frågan bara hur han skulle formulera sig. Martin skulle inte bli glad.

Han stod länge på förstukvisten och tvekade. Till slut knackade han på. Herman öppnade nästan genast.

"Så, du kom."

Axel nickade. Han blev stående precis utanför dörren.

"Kom in. Jag har inte sagt att du ska komma. Visste inte om hon skulle komma ihåg."

"Är det så illa?" Axel betraktade medlidsamt mannen framför sig. Herman såg trött ut. Det kunde inte vara lätt.

"Är det här klanen?" sa Axel och nickade mot korten i hallen. Herman lyste upp.

"Ja, det är hela högen."

Axel studerade fotografierna med händerna knäppta bakom ryggen. Midsomrar och födelsedagar, jular och vardagar. Ett myller av människor, av barn, av barnbarn. För ett ögonblick tillät han sig att reflektera över hur hans egen bildvägg skulle ha sett ut, om han hade gjort någon. Bilder från dagar på kontoret. Oändliga mängder papper. Otaliga middagar med politiska höjdare och andra människor med makt att påverka. Få, om ens några, vänner. Det var inte många som orkade med. Som stod ut med den ständiga jakten, drivkraften att alltid finna en till där ute. En brottsling till som levde ett oförtjänt behagligt liv. En till som hade blod på sina händer men ändå åtnjöt förmånen att kunna klappa sina barnbarns huvuden med just dessa händer. Hur kunde familj, vänner, ett vanligt liv mäta sig med den drivkraften? Större delen av sitt liv hade han inte ens tillåtit sig att reflektera över om det var något han hade saknat.

Och belöningen var ju så stor när arbetet bar frukt. När åratal av letande i arkiv, åratal av intervjuer med människor som glömde allt snabbare, resulterade i att de skyldiga hanns upp av sitt förflutna och fick möta rättvisan. Den belöningen var så stor att den trängde ut längtan efter ett vanligt liv. Eller det hade han i alla fall alltid trott. Men nu, när han stod framför Hermans och Brittas fotografier, undrade han för ett kort ögonblick om det inte var fel att han hade prioriterat död framför liv.

"De är fina", sa Axel och vände fotografierna ryggen. Han följde efter Herman in i vardagsrummet och stannade tvärt när han såg Britta. Trots att han och Erik under alla år hade haft sin bas i Fjällbacka, var det decennier sedan han såg henne sist. Deras liv hade inte haft anledning att korsas.

Nu föll åren av honom med brutal kraft, och han vacklade till. Hon var fortfarande vacker. Egentligen hade hon varit mycket vackrare än Elsy, som mer kunde beskrivas som söt. Men Elsy hade haft en inre lyster, en vänlighet som Brittas ytliga skönhet inte kunde mäta sig med. Fast något hade förändrats med åren. Av Brittas tidigare hårdhet och kantighet syntes inga spår, nu utstrålade hon bara varm moderlighet. En mognad som åren måste ha gett henne.

"Är det du?" sa hon och reste sig från soffan. "Är det verkligen du? Axel?" Hon sträckte fram båda sina händer mot honom och han tog dem. Så många år hade gått. Så ofantligt många år. Sextio år. En livstid. När han var yngre hade han aldrig kunnat föreställa sig att tiden skulle kunna gå så fort. Händerna han höll i sina var skrynkliga och fulla med små, små bruna åldersfläckar. Håret var inte mörkt längre, utan vackert silvergrått. Britta tittade lugnt in i hans ögon.

"Det är gott att se dig igen, Axel. Du har åldrats väl."

"Lustigt, jag tänkte just detsamma om dig", sa Axel och log.

"Seså, sätt dig och prata lite. Herman, ordnar du lite kaffe till oss?"

Herman nickade och gick ut och började stöka i köket. Britta satte sig i soffan och höll fortfarande Axels hand i sin när han satte sig bredvid.

"Ja du, Axel, att vi skulle bli gamla vi med. Det hade man väl aldrig trott", sa hon med huvudet på sned. En del av det koketta från ungdomen fanns fortfarande kvar, konstaterade Axel roat.

"Du har gjort mycket gott, du, genom åren, har jag hört", sa Britta och tittade forskande på honom. Han undvek hennes blick.

"Gott och gott. Jag har gjort det som måste göras. Vissa saker kan man inte sopa under mattan", sa han och tystnade sedan tvärt.

"Det har du rätt i, Axel", sa Britta allvarligt. "Det har du rätt i."

De satt bredvid varandra i tystnad och tittade ut över bukten, tills Herman kom med kaffe och koppar på en blommig bricka.

"Här kommer lite kaffe."

"Tack, älskling", sa Britta. Axel kände hur hjärtat snörptes ihop då han såg blicken de gav varandra. Han påminde sig själv om att han genom sitt arbete hade kunnat bidra till en känsla av frid hos mängder av människor. De hade fått tillfredsställelsen att få se sina plågoandar ställas inför rätta. Det var också ett slags kärlek. Inte en personlig, inte en fysisk, men likväl en kärlek.

Som om hon kunde läsa hans tankar sa Britta, medan hon räckte honom en kopp kaffe: "Har du haft ett bra liv, Axel?"

Frågan innehåll så många dimensioner, så många lager, att han inte visste hur han skulle svara. Han såg Erik och hans vänner framför sig, hemma i biblioteket i deras hus, sorglösa, obekymrade. Elsy med det milda leendet och det mjuka sättet. Frans, som alltid fick alla i omgivningen att känna det som om de trippade runt på kanten av en vulkan, men som samtidigt hade något skört, ömtåligt över sig. Britta, som framstod så annorlunda nu än hon gjorde då. Hon som hade burit sin skönhet som en sköld och som han hade dömt ut som ett tomt skal, utan något innehåll värt att bry sig om. Och så hade det kanske varit också. Men åren hade fyllt upp det skalet, och nu tyckte han att hon lyste inifrån. Och Erik. Tanken på Erik var så smärtsam att hjärnan ville stöta bort den. Men där han satt i Brittas vardagsrum tvingade Axel sig att se sin bror som han var då, innan de svåra tiderna hade kommit. Sittande bakom fars skrivbord. Med fötterna på bordsskivan. Det bruna håret alltid lite rufsigt, och med det där distrå uttrycket som bidrog till att han såg betydligt äldre ut än han var. Erik. Älskade, älskade Erik.

Axel insåg att Britta väntade på ett svar. Han tvingade sig tillbaka från "då" och försökte hitta svaret i "nu". Men som alltid var de två hopplöst sammantvinnade och de sextio år som hade gått blandades i minnet ihop till en sörja av människor, möten och händelser. Handen som höll kaffekoppen darrade, och till slut sa han:

"Jag vet inte. Jag tror det. Så bra som jag har förtjänat."

"Jag har haft ett bra liv, Axel. Och jag bestämde mig för länge, länge sedan att jag förtjänade det. Det borde du också göra."

Hans hand darrade ännu mer och kaffe skvimpade ut på soffan.

"Oj, förlåt … jag …"

181

Herman for upp. "Ingen fara, jag hämtar en trasa." Han försvann in i köket och kom snabbt tillbaka med en blårutig kökshandduk dränkt i vatten som han försiktigt pressade mot soffan.

Britta kved högt och Axel ryckte till. "Oj, nu kommer mor att bli arg. Hennes finaste soffa. Det här var inte bra."

Axel tittade frågande på Herman, som svarade genom att gnugga häftigare på fläcken.

"Tror du att den går att få bort? Mor kommer att bli så arg på mig!" Britta gungade av och an och betraktade ängsligt Hermans ansträngningar att få bort kaffet. Han reste sig och lade armen om sin hustru. "Det går bra, älskling. Jag ska få bort fläcken. Jag lovar."

"Är det säkert det? För om mor blir vred kanske hon säger till far och …" Britta knöt ena handen och bet nervöst på knogen.

"Jag lovar att jag får bort den. Hon kommer inte att få veta något."

"Vad bra. Det var bra", sa Britta och slappnade av. Sedan stelnade hon till och stirrade på Axel. "Vem är du? Vad vill du?"

Han tittade på Herman för att söka vägledning.

"Det kommer och går", sa han och satte sig bredvid henne och klappade lugnande på hennes hand. Hon studerade Axel intensivt, som om hans ansikte var något retsamt, gäckande, som envisades med att glida undan. Sedan greppade hon hårt om Axels hand och flyttade sitt ansikte nära hans.

"Han ropar på mig, vet du."

"Vem?" sa Axel och bekämpade impulsen att dra undan sitt ansikte, sin hand, sin kropp.

Britta svarade inte. Istället fick han höra sina egna ord eka tillbaka mot honom.

"Vissa saker går inte att sopa under mattan", viskade hon sakta, med ansiktet bara några centimeter från hans.

Han ryckte häftigt undan sin hand och tittade på Herman över Brittas silvergrå hjässa.

"Du ser själv", sa Herman trött. "Vad gör vi nu?"

"Adrian! Nu skärper du dig!" Anna slet så att svetten rann för att försöka klä på honom, men han hade på sista tiden gjort det till en konstform att åla sig så mycket att det var omöjligt att få på ens en socka. Hon försökte hålla fast honom medan hon drog på honom ett par kalsonger, men han slet sig loss från henne och började skrattande springa runt i huset.

"Adrian! Ge dig nu! Snälla, mamma orkar inte. Vi ska ju åka med Dan till Tanumshede. Handla lite. Du kan få kolla lite på leksakerna på Hedemyrs", lockade hon, väl medveten om att mutor kanske inte var det bästa sättet att hantera klädkrisen på. Men vad gjorde man?

"Är ni inte klara än?" sa Dan när han kom nerför trappan och såg Anna sitta på golvet med en hög kläder bredvid sig medan Adrian for runt som en skottspole. "Min lektion börjar om en halvtimme, jag måste åka strax."

"Ja, men gör det här själv då", fräste Anna och kastade Adrians kläder mot honom. Dan tittade undrande på henne. Hennes humör hade sannerligen inte varit på topp på sistone, men det var kanske inte så konstigt. Att föra ihop två familjer kostade på mer än de båda hade trott.

"Kom Adrian", sa Dan och fångade in den nakna vilden när han for förbi. "Nu ska vi se om jag fortfarande har handlaget." Han fick på kalsonger och sockor med oväntad lätthet, men sedan tog det stopp. Adrian testade sina ålningsfärdigheter på Dan och totalvägrade att låta sig kläs på ett par byxor. Dan gjorde ett par försök under lugna former, sedan tröt tålamodet även på honom. "Adrian, nu sitter du STILL!"

Häpen stannade Adrian mitt i rörelsen. Sedan blev han högröd i ansiktet. "Du är INTE min pappa! Bort med dig! Jag vill ha min pappa! Pappaaa!"

Det blev för mycket för Anna. Alla minnen av Lucas, av den förfärliga tiden då hon levde som en fånge i sitt eget hem, kom tillbaka, och gråten bara vällde upp. Hon rusade uppför trappan till sovrummet och kastade sig på sängen, där hon gav efter för en våldsam, hulkande gråt.

Sedan kände hon en mjuk hand på ryggen. "Men älskling, hur är det med dig? Det där var väl inte så farligt. Han är självklart ovan vid den här situationen och testar oss. Och det där är för övrigt ingenting mot hur Belinda var som liten. Han är bara amatör i jämförelse med henne. Vid ett tillfälle blev jag så trött på att hon alltid skulle trilskas när kläderna skulle på, att jag satte ut henne i bara trosorna utanför ytterdörren. Fast då blev Pernilla rätt förbannad på mig. Det var trots allt december. Fast hon fick bara vara ute någon minut innan jag ångrade mig."

Anna skrattade inte. Istället ökade bara gråten och hela hennes kropp skakade.

"Men gumman, vad är det? Nu blir jag snart riktigt orolig. Jag vet att du har varit igenom mycket, men det här kan vi fixa. Alla inblandade behöver lite tid på sig bara, sedan kommer allt att lugna ner sig. Du… Du och jag… vi fixar det här ihop."

Hon vände upp ett rödgråtet ansikte mot honom och satte sig halvt upp i sängen.

"Jag… jag… vet…", hackade hon medan hon försökte få gråten under kontroll. "Jag… vet… det… och jag fattar… inte… varför jag blir… så här…" Dan strök henne lugnande över ryggen och gråten avtog alltmer.

"Jag… är… bara lite överkänslig… jag fattar… inte… jag brukar bara bli… sådan här när…" Anna slutade tvärt mitt i meningen och stirrade med öppen mun på Dan.

"Vadå?" sa han och såg ut som ett frågetecken. "Du brukar bara bli sådan här när…?"

Anna förmådde inte svara honom och efter någon minut såg hon att ett ljus gick upp för honom.

Hon nickade sakta med uppspärrade ögon. "Jag brukar bara bli så här när jag är…. gravid."

Det blev fullkomligt tyst i sovrummet. Sedan hördes en liten stämma från dörren.

"Jag har klätt på mig nu. Alldeles själv. Jag är stor pojke. Ska vi åka till leksaksaffären nu?"

Dan och Anna tittade på Adrian där han stod i dörröppningen och pöste av stolthet. Mycket riktigt. Byxorna satt visserligen bak och fram, och tröjan ut och in. Men kläderna hade han tagit på. Helt själv.

Det luktade gott redan i hallen. Mellberg gick förväntansfullt in i köket. Rita hade ringt strax före elva och frågat om han ville komma över på lunch eftersom Señorita hade uttryckt en önskan om att få busa med Ernst. Han hade inte ifrågasatt hur hunden hade kommunicerat denna önskan till sin matte. Vissa saker tog man bara emot som manna från himlen.

"Hej igen." Johanna stod bredvid Rita och hjälpte henne att hacka grönsaker. Dock med viss möda eftersom magen tvingade henne att hålla ett visst avstånd till diskbänken.

"Hej, hej. Här luktar det gott", sa Mellberg och sniffade i luften.

"Det blir chili con carne", sa Rita och gick fram och gav honom en puss på kinden. Mellberg motstod en impuls att lyfta handen och känna på den plats där hennes läppar hade varit och slog sig istället ner vid matbordet som var dukat till fyra.

"Får vi sällskap?" sa han och tittade frågande på Rita.

"Min sambo kommer hem på lunchen", sa Johanna och masserade sig i korsryggen.

"Ska du inte ta och sätta dig?" sa Mellberg och drog ut en stol. "Måste vara tungt att bära runt på den där."

Johanna gjorde som han sa och satte sig pustande ner bredvid honom. "Jo, du anar inte. Men förhoppningsvis är det snart slut på bärandet. Ska bli innerligt skönt att slippa den här." Hon strök sig över magen.

"Vill du känna?" sa hon till Mellberg när hon såg hans blick.

"Får man det?" sa han fåraktigt. Sin egen sons existens hade han upptäckt först när Simon var i tonåren, så den här delen av föräldraskapet var ett mysterium för honom.

"Här, det sparkar." Johanna tog hans hand och lade den på magens vänstra sida.

Mellberg ryckte till när han kände en kraftig kick mot handen. "Oj, jäklar. Det var inte dåligt. Gör inte det där ont?" Han stirrade på magen samtidigt som han fortsatte att känna rejäla sparkar mot handflatan.

"Inte särskilt. Lite obehagligt ibland när jag ska sova bara. Min sambo tror att det blir en fotbollsspelare."

"Ja, det skulle nog jag säga också", sa Mellberg och kunde knappt förmå sig att ta bort handen. Upplevelsen väckte märkliga känslor hos honom, och han förmådde inte riktigt definiera vad de var. Längtan, fascination, saknad ... Han visste inte riktigt.

"Har pappa några bolltalanger som kan gå i arv då?" sa han och skrattade. Till sin stora förvåning möttes hans fråga enbart av tystnad. Han tittade upp och mötte Ritas häpna blick.

"Men Bertil, vet du inte att ..."

I det ögonblicket öppnades ytterdörren.

"Vad gott det luktar, mamma", hördes det utifrån hallen. "Vad blir det? Din goda chili?"

Paula klev in i köket och hennes förvånade ansiktsuttryck speglade mer än väl Mellbergs.

"Paula?"

"Chefen?"

Sedan rasslade det till i Mellbergs huvud och brickorna föll på plats. Paula som hade flyttat hit med sin mamma. Rita som var nyinflyttad. Och de mörka ögonen. Att han inte hade noterat det tidigare. De hade exakt samma ögon. Det var bara en sak som han inte riktigt ...

"Så du har träffat min sambo", sa Paula och lade demonstrativt armarna om Johanna. Hon stirrade avvaktande på honom. Utmanade honom att säga fel sak, att göra fel sak.

I ögonvrån såg han hur Rita iakttog honom spänt. Hon höll en träslev i handen, men hade upphört att röra i grytan medan hon väntade på hans reaktion. Tusen tankar for igenom huvudet på honom. Tusen fördomar. Tusen saker som han hade sagt genom åren, som kanske inte alltid hade varit så genomtänkta. Men plötsligt insåg han att det här var det ögonblick i livet då han måste säga rätt sak, göra rätt sak. Alldeles för mycket stod på spel, och med Ritas mörka ögon riktade mot sig sa han lugnt:

"Jag visste inte att du skulle bli mamma. Och så snart. Jag måste be att få gratulera. Och Johanna har varit vänlig nog att låta mig få känna på vildbasaren där inne, och jag är nog böjd att hålla med om din teori att det är en blivande fotbollsspelare."

Paula stod blickstilla ytterligare ett par sekunder, med armarna om Johanna och med blicken låst i hans, för att försöka utröna om det fanns någon ironi, något dolt i det han sa. Sedan slappnade hon av och log. "Visst är det häftigt att känna sparkarna." Det var som om hela rummet imploderade av lättnad.

Rita började röra i grytan igen och sa skrattande: "Det var ingenting mot hur du kunde sparka, Paula. Jag minns att din far brukade skoja med mig och säga att det verkade som om du ville ta dig ut en annan väg än den som var bruklig."

Paula pussade Johanna på kinden och slog sig ner vid bordet. Hon kunde inte dölja att hon tittade undrande på Mellberg. Själv kände han sig enormt nöjd med sig själv. Han tyckte fortfarande att det var underligt med två kvinnfolk som levde ihop, och det här med bebisen satte myror i huvudet på honom. Förr eller senare var han tvungen att stilla sin nyfikenhet när det gällde den biten ... Men ändå. Han hade sagt rätt sak, och till sin stora förvåning hade han faktiskt menat det han sa.

Rita ställde ner grytan på bordet och uppmanade dem att börja ta. Blicken hon gav Mellberg var det slutliga beviset på att han hade gjort rätt.

Han kom fortfarande ihåg känslan av magens spända hud under handen, och barnfoten som sparkade mot handflatan.

"Du kommer precis i lagom tid till lunchen. Jag skulle just ringa efter dig." Patrik smakade på tomatsoppan med en tesked och ställde sedan fram kastrullen på bordet.

"Vilken service. Vadan detta?" Erica kom in i köket, ställde sig bakom honom och kysste honom i nacken.

"Du tror att det här är allt? Du menar att det skulle ha räckt med att laga lunch för att imponera på dig? Fan, då har jag ju tvättat, städat vardagsrummet och bytt den trasiga glödlampan på toan helt i onödan." Patrik vände sig om och kysste henne på munnen.

"Vad du än går på för knark vill jag ha lite av samma", sa Erica och tittade undrande på honom. "Och var är Maja?"

"Hon sover sedan en kvart tillbaka. Så vi kommer att kunna äta lunch i lugn och ro bara du och jag. Och sedan när du har ätit så piper du upp och jobbar, så tar jag disken."

"Okeeej ... Nu börjar det här bli läskigt", sa Erica. "Antingen har du förskingrat alla våra pengar, eller så ska du berätta att du har en älskarinna, eller så har du blivit antagen till NASA:s rymdprogram och ska precis släppa nyheten att du ska snurra runt jordklotet i ett år ... Eller så har min man blivit kidnappad av aliens och du är bara någon sorts hybrid mellan människa och robot ..."

"Hur kunde du gissa det där med NASA?" sa Patrik och blinkade. Han skar upp lite bröd som han lade i en korg och satte sig sedan mittemot Erica vid köksbordet. "Nej, sanningen är den att jag fick en liten tankeställare när jag var ute och promenerade med Karin i dag och ... ja, jag tyckte att jag skulle erbjuda lite bättre markservice bara. Men räkna inte med den här behandlingen jämt, jag kan inte garantera att jag inte får återfall."

"Så det enda man behöver göra för att få sin man att hjälpa till mer hemma är att skicka ut honom på dejt med sin exfru. Det måste jag föra vidare till mina väninnor ..."

"Mmmm, eller hur?" sa Patrik och blåste på skeden med soppa. "Fast nu var det ju faktiskt ingen dejt. Och hon har det nog inte så lätt." Han drog i korthet vad Karin hade sagt och Erica nickade. Även om Karin verkade få betydligt mindre stöd hemifrån än vad hon själv hade fått, kände hon väl igen sig.

"Hur gick det för dig då?" sa Patrik och sörplade lätt när han drog i sig tomatsoppan.

Erica sken upp. "Jag hittade massor av bra grejer. Du fattar inte vad mycket spännande som hände här i Fjällbacka med omnejd under tiden

187

för andra världskriget. Det smugglades både fram och tillbaka till Norge, mat, nyheter, vapen, människor. Och det var både avhoppade tyskar och norska motståndsmän som kom över hit. Och sedan fanns ju risken med minorna, ett antal fiskebåtar och fraktfartyg gick under med besättning och allt när de gick på minor. Och vet du att det sköts ner ett tyskt flygplan utanför Dingle? 1940 sköt svenskt luftvärn ner ett plan och alla tre i besättningen dog. Och jag hade aldrig ens hört talas om det. Trodde att kriget passerade förbi ganska obemärkt här, förutom att det var svårt med ransonering och sådant."

"Det låter som om du har gått igång ordentligt på det här", skrattade Patrik och serverade Erica mer soppa.

"Ja, och då har du inte hört allt än! Jag bad ju Christian att också ta fram sådant där min mor och hennes vänner möjligtvis kunde förekomma. Trodde egentligen inte att jag skulle hitta något, de var ju så unga då. Men titta här ..." Erica darrade på rösten när hon gick för att hämta sin dokumentportfölj. Hon lade den på köksbordet och plockade fram en tjock bunt med papper.

"Oj, det var inte lite du hittade."

"Nej, jag har suttit i tre timmar och bara läst", sa Erica och fortsatte bläddra med fingrar som darrade lätt. Till slut hittade det hon sökte.

"Här! Titta där!" Hon pekade på en artikel med ett stort svartvitt fotografi.

Patrik tog emot pappret och granskade artikeln noggrant. Fotografiet var det som först drog till sig hans blick. Fem människor. Bredvid varandra. Han kisade för att kunna tyda bildtexten och kände igen fyra av namnen: Elsy Moström, Frans Ringholm, Erik Frankel och Britta Johansson. Men det femte hade han aldrig hört förut. En pojke, i uppskattningsvis samma ålder som de andra, vid namn Hans Olavsen. Han läste under tystnad resten av artikeln, medan Erica hängde med blicken vid hans ansikte.

"Nå? Vad säger du? Jag vet inte vad det betyder, men det kan inte vara en slump. Titta på datumet. Han kom till Fjällbacka nästan på dagen då min mor verkar ha slutat att skriva i dagboken. Eller hur? Det kan inte vara en tillfällighet! Det här måste betyda något!" Erica vankade ivrigt av och an i köket.

Patrik böjde ner huvudet över fotografiet igen. Han studerade de fem ungdomarna. En av dem död, mördad, sextio år senare. Något i magtrakten sa honom att Erica hade rätt. Det måste ha någon betydelse.

Tankarna snurrade i huvudet på Paula när hon gick tillbaka till stationen. Hennes mor hade nämnt att hon haft promenadsällskap av en trevlig man, som hon sedan hade lyckats locka till salsakursen. Men aldrig hade Paula kunnat föreställa sig att det var hennes egen chef. Och det var väl ingen överdrift att säga att hon inte direkt var förtjust. Mellberg var ungefär den siste mannen på jorden som hon ville att hennes mor skulle få ihop det med. Fast hon var tvungen att erkänna att han hade hanterat informationen om henne och Johanna riktigt bra. Förvånansvärt bra. Trångsynthet hade annars varit hennes främsta argument mot att flytta till Tanumshede. Det hade varit svårt nog för henne och Johanna att bli accepterade i Stockholm som en familj. Och på en liten ort … Ja, det kunde bli en katastrof. Men hon hade pratat igenom saken med Johanna och sin mor, och de hade gemensamt kommit fram till att om det inte funkade fick de helt enkelt flytta tillbaka till Stockholm. Fast hittills hade allt gått över förväntan. Hon själv trivdes ypperligt på polisstationen, hennes mor hade funnit sig tillrätta med sina salsakurser och ett halvtidsjobb på Konsum, och trots att Johanna var sjukskriven för tillfället och sedan skulle vara föräldraledig ett tag framöver, hade hon redan pratat med ett av de lokala företagen som definitivt var intresserat av att få förstärkning på ekonomisidan. Men när Paula såg Mellbergs min då hon kom in och lade armen om Johanna, hade det för ett ögonblick känts som om allt skulle rasa ihop som ett korthus. Där, precis där, hade deras tillvaro kunnat falla samman. Men Mellberg hade överraskat. Kanske var han inte riktigt så hopplös som hon hade trott.

Paula bytte några ord med Annika i receptionen, knackade sedan på Martins dörrpost och steg in.

"Hur gick det?"

"Med misshandeln? Jo, han erkände, fanns ju inte mycket annat att välja på för hans del. Hans mamma har tagit med sig honom hem, men Gösta håller som bäst på och informerar socialen. Verkar inte vara en särskilt bra hemsituation."

"Nej, det är väl som det oftast är", sa Paula och slog sig ner.

"Det som var riktigt intressant var att det visade sig att upprinnelsen till händelsen var att Per bröt sig in hos Erik Frankel i våras."

Paula höjde ett ögonbryn, men lät Martin fortsätta berätta.

När han hade dragit hela historien satt de båda tysta en stund.

"Undrar vad det var Erik hade som kunde intressera Kjell", sa Paula sedan. "Kan det ha varit något som rörde hans far?"

Martin ryckte på axlarna. "Jag har ingen aning. Men jag tänkte att vi skulle prata med honom och ta reda på det. Vi måste ändå till Uddevalla för att förhöra några av herrarna i Sveriges vänner, och Bohusläningen har sitt högsäte där. Och så kan vi prata med Axel på vägen."

"Sagt och gjort", sa Paula och reste sig.

Tjugo minuter senare stod de utanför Axels och Eriks hus igen. Han såg äldre ut än sist, tänkte Paula. Gråare, tunnare, lite genomskinlig på något sätt. Han log vänligt när han släppte in dem, frågade inte varför de var där, utan visade bara in dem till verandan.

"Har ni kommit någonvart?" sa han när de hade satt sig ner. "Med utredningen", förtydligade han, helt i onödan.

Martin tittade på Paula men sa sedan: "Vi har vissa spår som vi följer upp. Det viktigaste är nog att vi har lyckats ta reda på mellan vilka datum som er bror måste ha dött."

"Men det är ju ett stort framsteg", sa Axel och log, men leendet tog inte bort vare sig det sorgsna eller det trötta som fanns i hans ögon. "När tror ni att det var?" Han tittade på Martin och Paula.

"Han träffade sin … dambekant, Viola Ellmander, den femtonde juni, så då är vi helt säkra på att han levde. Sedan är det andra datumet aningen osäkrare, men vi tror i alla fall att han redan var död den sjuttonde juni, då er städerska …"

"Laila", fyllde Axel i när han märkte att Martin letade i minnet efter namnet.

"Laila, ja. Hon kom hit den sjuttonde juni och skulle städa som vanligt, men ingen öppnade när hon kom, och nyckeln var heller inte utlagd till henne som den tydligen brukar vara om ni inte är hemma när hon kommer hit."

"Ja, Erik var oerhört noga med att lägga ut nyckeln till Laila och har mig veterligen aldrig glömt det. Så om han inte öppnade och det inte låg någon nyckel där så …" Axel tystnade och drog hastigt handen över ögonen, som om han såg syner av sin bror framför sig som han genast ville stryka bort.

"Jag ber så mycket om ursäkt", sa Paula mjukt, "men vi måste fråga var du befann dig mellan den femtonde och den sjuttonde juni. Det är ren formalia, jag försäkrar."

Axel viftade bort hennes ursäkter. "Finns ingen anledning att be om ursäkt, jag förstår att det ingår i ert jobb, och dessutom säger väl statistiken att de flesta mord begås av någon inom familjen, inte sant?"

190

Martin nickade. "Jo, vi vill gärna få uppgifterna så att vi om möjligt kan utesluta dig ur utredningen."

"Självklart. Jag hämtar min kalender."

Axel var borta några ögonblick och återvände sedan med en tjock kalender. Han satte sig ner igen och började bläddra.

"Nu ska vi se … Jag reste från Sverige direkt till Paris den tredje juni och kom sedan inte tillbaka förrän ni … var vänliga nog att hämta upp mig på flygplatsen. Men den femtonde till sjuttonde … Låt oss se … Jag hade ett möte i Bryssel den femtonde, reste till Frankfurt den sextonde och sedan återvände jag till huvudkontoret i Paris den sjuttonde. Jag kan se till att ni får en kopia på biljetterna om ni vill ha." Han räckte över kalendern till Paula.

Hon studerade den noga, men efter en frågande blick mot Martin som skakade lätt på huvudet sköt hon tillbaka den över bordet.

"Nej, jag tror inte att det ska behövas. Men du minns inget från de här datumen vad gäller Erik? Inget särskilt? Något telefonsamtal? Något han nämnde?"

Axel skakade på huvudet. "Nej, tyvärr. Som jag sa, min bror och jag hade inte som vana att ringa varandra särskilt ofta när jag var utomlands. Erik skulle nog bara ha ringt om huset stod i lågor." Han skrattade lätt, men tystnade sedan tvärt och strök sig återigen över ögonen.

"Var det allt? Inget mer jag kan hjälpa till med?" sa han och lade omsorgsfullt ihop kalendern på bordet.

"Jo, det var faktiskt en sak", sa Martin och betraktade Axel intensivt. "Vi har förhört en Per Ringholm med anledning av en misshandel i dag. Och han berättade att han hade gjort ett försök till inbrott här hos er, i början av juni. Och att Erik kom på honom, låste in honom i biblioteket och ringde till hans pappa, Kjell Ringholm."

"Frans son", sa Axel konstaterande.

Martin nickade. "Ja, precis. Och Per hörde också delar av en konversation mellan Erik och Kjell, där de bestämde att de skulle ses vid ett senare tillfälle, eftersom Erik hade någon sorts information som han trodde att Kjell skulle vara intresserad av. Är det något som låter bekant?"

"Jag har ingen aning", sa Axel och skakade häftigt på huvudet.

"Och det som Erik ville berätta för Kjell? Du har ingen aning om vad det kan ha varit?"

Axel satt tyst en lång stund och såg ut att fundera. Sedan skakade han dröjande på huvudet. "Nej, jag kan inte föreställa mig vad det kan ha varit. Fast Erik lade ju mycket tid på att kartlägga perioden för andra världskriget och kom självklart i kontakt med den tidens nazism, och Kjell har ju ägnat sig åt nazismen i nutid i Sverige. Så jag kan tänka mig att han hade funnit någon koppling där, något av historiskt intresse som kunde ge Kjell bakgrundsmaterial. Men det är väl bara att fråga Kjell om det, så kan han berätta för er vad det handlade om ..."

"Jo, vi är på väg till Uddevalla för att ta ett samtal med honom nu. Men om du skulle komma på något i efterhand så får du mitt mobilnummer." Martin skrev upp sitt nummer på en lapp och räckte den till Axel som noggrant stoppade in den i kalendern.

Både Paula och Martin satt tysta hela vägen till stationen. Men deras tankar rörde sig i samma banor. Vad var det de missade? Vad var det för frågor som de borde ha ställt? De önskade båda att de visste.

"Vi kan inte skjuta upp det mer. Hon kan inte vara hemma så mycket längre." Herman tittade på döttrarna med en förtvivlan som var så bottenlös att de knappt kunde förmå sig att titta på honom.

"Vi vet, pappa. Du gör rätt, det finns inte något annat alternativ. Du har tagit hand om mamma så länge det har gått, men nu måste andra ta vid. Vi kommer att hitta ett jättefint ställe åt mamma." Anna-Greta ställde sig bakom sin far och lade armarna om honom. Hon skälvde till när hon kände hur mager han var under skjortan. Moderns sjukdom hade tärt på honom. Kanske mer än de hade sett. Eller velat se. Hon lutade sig fram och lade sin kind mot Hermans.

"Vi finns här, far. Jag, Birgitta, Maggan och våra familjer. Vi finns här för dig, det vet du. Du kommer aldrig att behöva känna dig ensam."

"Utan er mor känner jag mig ensam. Det kan ingen rå på", sa Herman dovt och torkade hastigt bort en tår ur ögonvrån med skjortärmen. "Men jag vet att det här är det bästa för Britta. Jag vet det."

Döttrarna utbytte en blick över faderns huvud. Herman och Britta hade varit kärnan i alla deras liv, något fast, något solitt som de alla hade kunna luta sig mot. Nu vacklade själva grunden i deras liv, och de sträckte sig mot varandra för att försöka ge stadga åt tillvaron igen. Det var skrämmande att se en förälder krympa, reduceras, bli mindre än en själv. Att behöva gå in och vara vuxen gentemot dem som man under hela sin uppväxt betraktat som ofelbara, oförstörbara. Även om man som vuxen självklart har slutat att se sina föräldrar som gudalika varelser som har svaret på allt, så är det ändå smärtsamt att se dem tappa all den kraft de en gång haft.

Anna-Greta kramade några extra gånger om Hermans magra axel och satte sig vid köksbordet igen.

"Klarar hon sig nu när du är här?" sa Maggan oroligt. "Ska jag inte kila över och kika till henne."

"Hon somnade precis när jag gick", sa Herman. "Men hon brukar inte sova mer än en timme så jag ska nog bege mig hemåt nu", sa han och reste sig tungt upp.

"Kan inte vi gå över och vara hos henne ett par timmar, så kan du lägga dig och vila en stund", sa Birgitta. "Pappa skulle väl kunna lägga sig i gästrummet ett slag?" sa hon till Maggan, eftersom det var hos henne de hade samlats för en fika och en stunds samtal om modern.

"Men det är ju en jättebra idé", sa Maggan och nickade ivrigt mot sin far. "Ta du och lägg dig en stund så går vi över."

"Tack, flickor", sa Herman och gick mot hallen. "Men mor och jag har tagit hand om varandra i över femtio år, så jag vill gärna passa på att ta hand om henne under de få stunder som finns kvar. När hon väl kommer in på hemmet så …" Han avslutade inte meningen utan skyndade sig bara ut genom ytterdörren innan döttrarna hann se tårarna.

Britta log i sömnen. Den klarhet som hjärnan förnekade henne i vaket tillstånd, fick hon desto mer av i sömnen. Då såg hon allt så tydligt. En del minnen var inte välkomna, men trängde sig på ändå. Som ljudet av faderns bälte mot bara barnrumpor. Eller hennes mors tårdränkta kinder. Eller trångheten i det lilla huset i backen, där de gälla barnskriken genljöd i rummen och fick henne att vilja sätta händerna för öronen och skrika hon med. Men annat var behagligare att minnas. Som somrarna då de sprang över de varma klipphällarna och lekte obekymrat. Elsy i sina blommiga klänningar som hennes mor var så flink att sy. Erik i sina kortbyxor och med sin allvarliga uppsyn. Frans med det lockiga, blonda håret, som hon alltid längtade efter att dra handen igenom, även när de var så små att skillnaden mellan pojke och flicka inte hade någon större betydelse.

En röst trängde fram genom sömnens minnen. En röst som hon kände igen alltför väl. Den som hade talat till henne allt oftare. Inte gett henne någon ro, vare sig hon var vaken, sov eller var omsluten av dimmorna. Den som trängde igenom allt, ville allt, insisterade på att få finnas till i hennes värld. Den röst som inte ville tillåta henne att försonas, att glömma. Den röst som hon hade trott att hon aldrig mer skulle höra. Ändå var den här. Det var så märkligt. Och så skrämmande.

Hon kastade huvudet av och an på kudden. Försökte i sömnen skaka av sig rösten, skaka av sig de minnen som störde hennes vila. Till slut lyckades hon. Lyckliga minnen gled fram. Den första gången hon såg Herman. Det tillfälle då hon visste att det var han och hon som skulle leva tillsammans. Ett bröllop. Hon själv i vacker vit klänning, fullkomligt yr av lycka. Smärtorna och sedan kärleken när Anna-Greta föddes. Och Birgitta och Margareta, som hon älskade lika högt. Herman som bytte på och skötte barnen, trots hennes mors högljudda protester. Han hade gjort det av kärlek. Inte av plikt, inte av krav. Hon log. Ögonen fladdrade bakom ögonlocken. Här ville hon stanna kvar. Här, i dessa minnen. Om hon var tvungen att välja ett enda minne att fylla sitt huvud med för resten av livet, så var det minnet av Herman, badande minsta flickan i det lilla badkaret för spädbarn. Han nynnade medan han varligt stödde hennes lilla huvud i sin hand. Oändligt försiktigt förde han en tvättlapp över den lilla kroppen. Mötte dotterns ögon, som storögt följde alla rörelser han gjorde. Hon såg sig själv stå i dörröppningen dit hon hade smugit för att få titta på dem. Om hon så glömde allt annat så skulle hon kämpa för att hålla fast i detta minne. Herman och Margareta, handen under huvudet, ömsintheten, närheten.

Ett ljud tvingade upp henne ur drömmen. Hon försökte ta sig tillbaka dit igen. Tillbaka till ljudet av vatten som plaskade när Herman fuktade tvättlappen. Ljudet av Margaretas belåtna jollrande när det varma vattnet omslöt henne. Men ett nytt ljud tvingade henne ännu närmare ytan. Ännu närmare dimman som hon till varje pris ville undvika. Att vakna var att riskera att omslutas av det gråa, suddiga som tog över hennes huvud och upptog en allt större del av hennes tid.

Till slut slog hon motvilligt upp ögonen. En figur stod lutad över henne, tittade på henne. Britta log. Kanske var hon ändå inte vaken. Kanske höll hon ännu dimmorna stången med sömnens minnen.

"Är det du?" sa hon och betraktade den som nu lutade sig över henne. Kroppen var lealös och tung av sömnen som ännu inte hade lämnat henne helt, och hon förmådde inte röra sig. Under någon minut sa ingen av dem någonting. Det fanns inte så mycket att säga. Sedan började vissheten tränga in i Brittas angripna hjärna. Minnen steg upp mot ytan. Känslor som hade fallit i glömska men nu sprakade till och vaknade till liv igen. Och hon kände hur rädslan fick fäste. Den som den gradvisa glömskan hade befriat henne ifrån. Nu såg hon Döden stå där vid sängen, och hela hennes väsen protesterade mot att behöva lämna livet nu, lämna allt det hon hade. Hon greppade hårt om lakanet med händerna, och över de torra läpparna kom det bara gutturala ljud. Skräcken spred sig genom hennes kropp och fick henne att häftigt vrida huvudet från sida till sida. Desperat försökte hon skicka tankar, rop på hjälp till Herman, som om han skulle kunna höra henne via de tankevågor hon skickade ut i luften. Men hon visste redan att det var förgäves. Döden var här för att hämta henne, lien skulle snart falla, och det fanns ingen som kunde hjälpa henne. Ensam skulle hon dö här i sin säng. Utan Herman. Utan flickorna. Utan något farväl. I just den stunden var alla dimmorna borta och hennes hjärna var klarare än den hade varit på länge. Med rädslan skenande som ett vilt djur i bröstet lyckades hon till slut ta ett djupt andetag och släppa ut ett skrik. Döden rörde inte på sig. Tittade bara på henne där hon låg i sängen, tittade och log. Inte ett ovänligt leende men just därför så mycket mer skrämmande.

Sedan lutade sig Döden fram och tog kudden som låg på Hermans sida mellan sina händer. Britta såg skräckslaget hur det vita närmade sig. Den slutgiltiga dimman.

Kroppen protesterade ett ögonblick. Fick panik av bristen på luft. Försökte dra in andan, få in syre i lungorna igen. Händerna släppte taget om lakanet, famlade vilt i luften. Mötte motstånd, mötte hud. Rev och slet och kämpade för att få leva ytterligare en stund.

Sedan blev det svart.

Grini, utanför Oslo 1944

"Det är dags att gå upp nu!" Vaktens röst ljöd genom baracken. "Uppställning på gården om fem minuter för inspektion."

Axel öppnade mödosamt ett öga i taget. För någon sekund var han helt desorienterad. Baracken var mörk och det var så tidigt att nästan inget ljus trängde in utifrån. Men det var ändå en förbättring jämfört med cellen han hade suttit isolerad i de första månaderna. Han föredrog trängseln och stanken i baracken framför de långa dagarna i ensamhet. Det var tretusenfemhundra fångar på Grini, hade han hört. Det förvånade honom inte. Vart han än vände sig fanns det människor, med samma uppgivna uttryck i ansiktet som han själv antagligen hade.

Axel satte sig upp på britsen och gnuggade sömnen ur ögonen. Ordern om uppställning kom flera gånger om dagen, när vakterna än behagade, och nåde den som drog benen efter sig. Men i dag hade han ändå svårt att kliva ur sängen. Han hade drömt om Fjällbacka. Drömt om att sitta uppe på Veddeberget, titta ut över vattnet och se fiskebåtarna som kom in fullastade med sill. Han hade nästan hört ljudet av fiskmåsarna som skränade när de lystet kretsade kring båtarnas master. Egentligen ett oerhört fult ljud, men det hade på något sätt blivit en del av samhällets själ. Han hade drömt om känslan av vinden som svepte omkring honom, varm och ljummen på sommaren. Och doften av tång som vinden ibland förde med sig ända upp på berget och som han girigt drog in genom näsborrarna.

Men verkligheten var alltför rå och kall för att han skulle kunna klänga sig kvar vid drömmen. Istället kände han filtens sträva tyg mot huden när han drog den av sig och svängde benen över kanten på den rangliga sängen. Hungern rev i honom. Visst fick de mat, men alldeles för lite och alldeles för sällan.

"Det är dags för er att ge er ut", sa den yngre av vakterna, som nu gick en runda bland dem. Han stannade till vid Axel.

"Det är kallt i dag", sa han vänligt.

Axel undvek hans blick. Det var samma pojke som han frågat ut om fängelset när han kom, och som han då uppfattat som vänligare än de andra. Och det hade visat sig stämma. Han hade aldrig sett ynglingen misshandla eller förnedra någon, på det sätt som de flesta av de andra vakterna gjorde. Men månaderna i fängelset hade dragit en tydlig gräns mellan dem. Fånge och vakt. De var som två vitt skilda väsen. De levde så olika liv att han knappt förmådde titta på vakterna när de passerade förbi hans synfält. Hans gardesuniform var det som främst signalerade att han tillhörde en del av mänskligheten som var mindre värd. Av de andra fångarna hade han fått veta att gardesuniformen hade införts efter att en fånge flydde 1941. Han undrade hur någon kunde ha kraft att fly. Själv kände han sig orkeslös, tömd på all energi, efter en kombination av hårt arbete, för lite mat, för lite sömn och för mycket oro för dem där hemma. Och för mycket elände.

"Du får ta och sätta fart nu", sa den unge vakten och puffade lätt på honom.

Axel gjorde som han sa och skyndade på stegen. Konsekvenserna kunde bli hårda om man kom för sent till morgonuppställningen.

När han gick nerför trappan mot gården snubblade han plötsligt. Han kände hur foten tappade fästet på trappsteget, hur han föll framåt, mot vakten som gick precis framför honom. Han fäktade med armarna för att återfå balansen, men istället för luft kände han vaktens uniform och kropp. Med en tung duns landade Axel ovanpå hans rygg, och luften gick ur lungorna när han tog emot smällen med bröstkorgen. Det blev först alldeles tyst. Sedan kände han hur armar slet upp honom på fötter.

"Han attackerade dig", sa den vakt som höll ett stadigt tag i hans krage. Han hette Jensen och var en av de grymmaste fängelsevakterna.

"Jag tror inte…", sa ynglingen tvekande när han reste sig upp och borstade jorden från uniformen.

"Han attackerade dig, sa jag!" Jensens ansikte var högrött. Han tog varje chans att jävlas med dem som han hade makt över. När han gick genom lägret delade sig folkmängden som Röda havet hade delat sig för Moses.

"Nej, han…"

"Jag såg att han gav sig på dig!" skrek den äldre vakten och tog hotfullt ett steg framåt. "Nå, ska du lära honom en läxa, eller ska jag?"

"Men, han…" Vakten, som inte var mer än en pojke, tittade desperat på Axel och sedan på den äldre vakten.

Axel betraktade honom likgiltigt. Han hade för länge sedan slutat

197

reagera, slutat känna. Det som hände, det hände helt enkelt. Stretade man emot skeendet överlevde man inte.

"Då så, då tar jag och ..." Den äldre vakten gick mot Axel och höjde sitt gevär.

"Nej! Jag gör det! Det är mitt jobb ...", sa ynglingen blekt och gick emellan. Han tittade Axel i ögonen och det såg nästan ut som om han bad om förlåtelse. Sedan höjde han handen och gav Axel en örfil.

"Skulle det där föreställa bestraffning?" hojtade Jensen hest. En liten klunga hade nu samlats kring dem och ett gäng av de andra vakterna skrattade förväntansfullt. Allt som avbröt tristessen i fängelsets vardag var välkommet.

"Slå hårdare!" skrek Jensen och ansiktet blev ännu rödare.

Ynglingen tittade ännu en gång på Axel, som återigen vägrade att möta hans blick. Då tog vakten sats och sköt ut en knuten näve mot Axels haka. Hans huvud for bakåt, men han stod fortfarande på benen.

"Hårdare!" Nu var det flera av vakterna som skanderade tillsammans, och svettdroppar glänste i pannan på den unge vakten. Men nu sökte han inte längre Axels blick. Ögonen hade fått en glansig hinna och han böjde sig ner och tog upp geväret som låg på marken och höjde det till ett slag.

Axel vände ena sidan av ansiktet till, av ren reflex, och slaget träffade hårt över hans vänstra öra. Det kändes som om något brast, och smärtan var obeskrivlig. När nästa slag kom tog han det rakt framifrån. Sedan mindes han inget mer. Han kände bara smärtan.

Det fanns ingen skylt på dörren som indikerade att det här var en lokal som innehades av Sveriges vänner. Bara en lapp ovanför brevinkastet om att "Reklam undanbedes" och namnet "Svensson" på en skylt. Martin och Paula hade fått adressen av kollegorna i Uddevalla, som höll ett vakande öga på organisationens förehavanden.

De hade inte ringt i förväg. Istället hade de chansat på att det skulle finnas någon där på kontorstid. Martin tryckte på ringklockan. En gäll signal hördes innanför dörren, men till en början hände inget. Han lyfte precis fingret för att trycka igen, när dörren öppnades.

"Ja?" En man i trettioårsåldern tittade frågande på dem och fick en rynka mellan ögonbrynen när han noterade deras uniformer. Rynkan fördjupades när han såg Paula. Under några sekunder synade han henne tyst uppifrån och ner, på ett sätt som fick henne att vilja placera sitt knä på ett handfast sätt mellan hans ben.

"Så. Vad kan jag hjälpa statsmakten med då?" sa han spydigt.

"Vi skulle vilja byta några ord med någon från Sveriges vänner. Har vi kommit rätt?"

"Visst, kom in." Mannen, som var blond, lång och stor på det där aningen övertränade sättet, backade undan och släppte in dem.

"Martin Molin, och det här är Paula Morales. Vi är från Tanumshede-polisen."

"Jaså, långväga besök", sa mannen och gick före dem in på det lilla kontoret. "Jag heter Peter Lindgren." Han satte sig bakom skrivbordet och pekade på två besöksstolar.

Martin gjorde en minnesnotering om namnet och att han skulle kolla upp honom i systemet direkt när han kom tillbaka till stationen. Något sa honom att registren innehöll en hel del matnyttigt om mannen framför honom.

"Nå, vad vill ni då?" Peter lutade sig tillbaka och knäppte händerna i knät.

"Vi utreder mordet på en man vid namn Erik Frankel. Låter namnet bekant?" Paula tvingade sig själv att låta lugn. Det var något med män av den här typen som fick det att krypa av motvilja inom henne. Men ironiskt nog var det säkerligen exakt så Peter Lindgren kände när han såg någon av hennes sort.

"Borde det göra det?" sa Peter och tittade på Martin istället för Paula.

"Ja, det borde det", sa Martin. "Ni har haft viss ... kontakt med honom. Hot för att vara mer exakt. Men det är inget du känner till?" Martins ton var ironisk.

Peter Lindgren skakade på huvudet. "Nej, det känns inte bekant. Har ni några bevis på dessa ... hot?" sa han och log.

Martin kände sig som om han synades inifrån och ut. Efter en stunds tvekan sa han: "Vad vi har och inte har i det här läget är inte relevant. Men vi vet att ni har hotat Erik Frankel. Och vi vet också att en man i er egen organisation, Frans Ringholm, kände den mördade och varnade honom för dessa hot."

"Jag skulle inte ta Frans på så stort allvar", sa Peter, och något farligt glimmade till i ögonen. "Han åtnjuter ett högt anseende inom vår ... organisation, men Frans har också börjat komma till åren, och ja ... vi är en ny generation som är beredd att ta över. Det är nya tider, nya villkor som gäller och ... sådana som Frans förstår inte alltid de nya spelreglerna."

"Men det gör sådana som du?" sa Martin.

Peter slog åter ut med händerna. "Man måste veta när man ska följa reglerna och när man ska bryta dem. Allt handlar om att göra det som i längden tjänar den goda saken."

"Och den goda saken i det här fallet är ...?" Paula hörde själv hur hätsk hon lät, och en varnande blick från Martin bekräftade det.

"Ett bättre samhälle", sa Peter lugnt. "De som har lett det här landet har inte förvaltat det väl. De har tillåtit ... främmande krafter att ta alltför stor plats. Tillåtit det svenska, det rena att trängas ut." Han tittade utmanande på Paula, som svalde och svalde för att tvinga sig själv att hålla tyst. Det här var inte rätt plats och rätt tillfälle. Och hon var ytterst medveten om att han försökte provocera henne.

"Men vi känner att vindarna har vänt nu. Folk har blivit mer och mer medvetna om att vi är på väg mot avgrundens rand om vi fortsätter på det här sättet, om vi låter de som sitter vid makten fortsätta att riva ner det våra förfäder har byggt upp. Vi kan erbjuda ett bättre samhälle."

"Och på vilket vis skulle ... teoretiskt sett då ... en äldre, pensionerad före detta historielärare utgöra att hot mot ett … bättre samhälle?"

"Teoretiskt sett …" Peter knäppte händerna i knät igen. "Teoretiskt sett skulle han naturligtvis inte utgöra något större hot. Men han bidrog till att sprida en felaktig bild, en bild som krigets segrare har arbetat hårt för att föra fram. Och det skulle självklart inte tolereras. Teoretiskt sett."

Martin började säga något, men Peter avbröt honom. Han var uppenbarligen inte färdig.

"Alla bilder, alla berättelser från koncentrationsläger och liknande, det är rena fabrikationer, överdrivna lögner som sedan har hamrats in som en sanning. Och vet du varför? Jo, för att fullständigt trycka ner det ursprungliga budskapet, det rätta budskapet. Det är krigets segrare som skriver historien, och de bestämde sig för att dränka verkligheten i blod, förvanska den bild som världen fick se, för att ingen skulle våga ställa sig upp och ifrågasätta om rätt sida vann. Och den mörkläggningen, den propagandan, var Erik Frankel en del av. Därför skulle … teoretiskt sett … någon som Erik Frankel stå i vägen för det samhälle vi vill skapa."

"Men ni har dig veterligen inte uttryckt några som helst hot mot honom?" Martin betraktade honom. Han visste vilket svar han skulle få.

"Nej, det har vi inte. Vi jobbar enligt demokratins regler. Röstsedlar. Valmanifest. Skaffa makt genom folkets röst. Något annat skulle vara oss fullkomligt främmande." Han tittade på Paula som knöt händerna i knät. Hon såg framför sig soldaterna som hade kommit och fört bort hennes far. De hade haft samma uttryck i ögonen.

"Nej, då ska väl inte vi störa mer." Martin reste sig. "Vi har fått namnen på de övriga i styrelsen från Uddevallapolisen … så vi ska självklart tala om det här med dem också."

Peter reste sig och nickade. "Självklart. Men ingen annan kommer att ha något annat att säga. Och vad gäller Frans … ja, jag skulle inte lyssna för mycket på en gammal man som lever i det förgångna."

Erica hade svårt att koncentrera sig på skrivandet. Tankarna på modern störde hela tiden. Hon tog fram högen med artiklar och lade den med bilden överst. Det var så frustrerande. Att stirra på ansiktena på de här människorna, utan att kunna få något svar. Hon lutade sig nära bilden, med ansiktet tätt intill pappret. Detaljstuderade dem en efter en. Först Erik Frankel. Allvarlig uppsyn mot kameran. Stel hållning. Det låg något sorgset över honom, och utan att veta om det var fel eller rätt drog hon slutsatsen att det var hans brors tillfångatagande som hade satt spår hos honom. Men han hade haft samma aura av allvar och sorgsenhet när hon träffade honom i juni för att fråga om moderns medalj.

Erica flyttade blicken till den person som stod bredvid Erik. Frans Ringholm. Han såg bra ut. Mycket bra. Blont hår som lockade sig lite längre ner över kragen än hans föräldrar säkert föredrog. Leendet mot kameran var brett och charmerande. Han hade armarna nonchalant lagda över axlarna på dem han stod emellan. Ingen av dem såg ut att uppskatta det.

Erica studerade personen till höger om Frans intensivt. Hennes mor. Elsy Moström. Hon hade visserligen ett mjukare ansiktsuttryck än Erica någonsin hade sett hos henne. Men det fanns en viss stramhet kring hennes försynta leende som signalerade att hon inte uppskattade armens placering. Erica kunde inte låta bli att reflektera över hur söt hennes mor var. Hon såg så snäll ut. Den Elsy hon hade känt och växt upp med hade varit kall, otillgänglig. Karg på ett sätt som inget hos flickan på bilden gav en föraning om. Sakta strök Erica med fingret över moderns ansikte på bilden. Så annorlunda allt hade kunnat vara om det här var den mor hon hade fått lära känna. Vad hände med den här flickan, vad var det som tog bort allt det mjuka? Som fick det försynta att ersättas av likgiltighet? Varför kunde hon aldrig förmå sig att lägga de mjuka armarna som syntes under den blommiga klänningens korta ärmar om sina döttrar, att sluta dem till sig i en omfamning?

Erica flyttade sorgsen blicken från sin mor till nästa person på bilden. Brittas blick var inte riktad mot kameran. Istället var den vänd mot Elsy. Eller Frans. Det var omöjligt att säga. Erica sträckte sig efter förstoringsglaset som låg på skrivbordet. Hon förde det över Brittas ansikte och kisade för att få så mycket skärpa som möjligt. Det var fortfarande omöjligt att säga helt säkert. Men hennes första intryck var att Brittas ansikte visade på vrede. Mungiporna var vända nedåt. Det fanns något hårt och sammanbitet över käkpartiet. Och blicken. Jo, Erica var nästan säker. Det var någon av dem, Elsy eller Frans, eller kanske båda, som Britta betraktade.

Så den sista personen på bilden. Ungefär i samma ålder som de övriga. Också blond, liksom Frans, men med kortare, lockigt hår. Lång, fast rätt spensligt byggd, och med ett tankfullt uttryck i ansiktet. Inte glatt, inte ledset. Tankfullt var det närmsta Erica kom för att beskriva det.

Hon läste artikeln igen. Hans Olavsen var en norsk motståndsman som hade flytt från Norge ombord på fiskebåten Elfrida från Fjällbacka.

Han hade fått husrum av båtens skeppare, Elof Moström, och firade nu, enligt artikelförfattaren, att kriget var över tillsammans med sina vänner i Fjällbacka.

Erica lade fundersamt pappret överst i högen igen. Det var något med dynamiken mellan ungdomarna, något som kändes… Nej fasiken, hon kunde inte sätta fingret på det. Kalla det vad som helst, intuition, magkänsla. Hon kände bara att här låg svaret på alla de frågor hon hade, och som bara verkade öka i antal ju mer hon fick veta. Hon visste att hon måste ta reda på mer om den här bilden, om vännernas relation och om den norske motståndsmannen Hans Olavsen. Och det fanns bara två kvar att fråga. Axel Frankel eller Britta Johansson. Och den som låg närmast till hand var Britta. Erica var tvungen att få en förklaring till ilskan i hennes blick. Det bar henne emot att gå tillbaka till den förvirrade gamla damen, men om hon bara fick förklara för Brittas man varför hon behövde prata med hans hustru så skulle han kanske förstå. Kanske skulle hon få prata med henne igen, i vad som förhoppningsvis var ett klart ögonblick. I morgon, bestämde sig Erica för, i morgon skulle hon ta tjuren vid hornen och gå dit igen.

Något sa henne att Britta satt inne med svaren som hon behövde.

Fjällbacka 1944

Det hade tärt på honom. Kriget. Alla turer över vattnet, som inte längre var hans vän utan hans fiende. Han hade alltid älskat havet utanför Bohuslän. Älskat hur det rörde sig, hur det luktade, hur det lät när det forsade mot bogen på båten. Men sedan kriget kom hade han och havet inte samma vänskapsrelation längre. Havet var nu fientligt. Det dolde faror under ytan, minor, som när som helst kunde spränga honom och hela hans besättning i luften. Och tyskarna som patrullerade vattnen var inte så mycket bättre. Man visste aldrig vad de skulle kunna få för sig. Havet hade blivit oberäkneligt, på ett helt annat sätt än det de var vana vid och förväntade sig. Stormar, grund, det var sådant som de hade lärt sig hantera, som de parerade med generationers erfarenhet. Och fick naturen övertaget, ja, då togs det med fattning och jämnmod.

Denna nya oberäknelighet var mycket värre. Och överlevde de färden över vattnet, fanns det ytterligare faror när de hade ankrat i hamnarna där de skulle lasta och lossa. Om inte annat så hade händelsen då de förlorade Axel Frankel till tyskarna påmint honom om det. Han stirrade ut över horisonten och tillät sig själv att under några minuter tänka på pojken. Så modig. Så till synes osårbar. Nu visste ingen var han fanns. Han hade hört vissa rykten om att han hade förts till Grini. Men han visste varken om det var sant eller om han i så fall fortfarande satt där. Det sas att en del av fångarna i Norge hade börjat skeppas iväg till Tyskland. Kanske var det där pojken fanns. Kanske fanns han inte alls längre. Det hade ändå gått ett helt år sedan tyskarna tog honom, och ingen hade fått ett livstecken från honom. Så man kunde inte annat än befara det värsta. Elof drog djupt efter andan. Han stötte på pojkens föräldrar ibland. Herr och fru Frankel. Doktorn och doktorinnan. Men han förmådde inte möta deras blick. Om han kunde så bytte han sida på gatan och skyndade förbi dem med blicken sänkt. Det kändes på något sätt som om han borde ha kunnat göra mer. Han visste inte vad. Men något. Kanske borde han ha nekat pojken att alls följa med.

Det värkte i hjärtat när han såg pojkens bror också. Den lille allvarlige. Erik. Inte för att han någonsin hade varit en muntergök, men sedan brodern försvann hade han blivit ännu tystare. Han hade tänkt tala med Elsy om det där. Att han inte tyckte om att hon umgicks med de där pojkarna, Erik och Frans. Inte för att han hade något emot Erik. Pojken hade något snällt i ögonen. Annat var det med Frans. Stryktäck var det ord som kom för honom när han skulle beskriva pojken. Men ingen av dem var ett lämpligt sällskap åt Elsy. De kom från två olika klasser. Två helt olika folk. Han och Hilma kunde lika gärna vara födda på en annan planet är Frankels och Ringholms. Och deras världar borde aldrig mötas. Det kunde aldrig komma något gott ur det. Det hade väl gått an när de var små glin och lekte röda vita rosen och tafatt. Men de var äldre nu. Det kunde aldrig gå väl.

Hilma hade påpekat det för honom flera gånger. Bett honom tala med tösen. Men än hade han inte haft hjärta att göra det. Det var nog svårt som det var med kriget. Kamrater var kanske den enda lyxen ungdomarna kunde unna sig, och vem var han att beröva Elsy hennes vänner? Men förr eller senare skulle han bli tvungen. Pojkar var ändå pojkar. Tafatt och röda vita rosen skulle snart bli famntag i lönndom, sådant visste han av egen erfarenhet. Nog hade han också varit ung en gång, även om det numera kändes oerhört avlägset. Det var snart dags för de två världarna att skiljas åt. Det var så det var och det var så det måste förbli. Tingens ordning gick inte att rubba.

"Kapten! Det är bäst han kommer."

Elof rycktes ur sina funderingar och tittade åt det håll rösten kom från. En av hans besättningsmän vinkade ivrigt åt honom att komma. Elof rynkade förbryllad pannan och gick åt hans håll. De var ute på öppet vatten och hade ännu några timmars resa kvar innan de anlöpte Fjällbackas hamn.

"Vi har en till med oss", sa Calle Ingvarsson torrt och pekade mot lastutrymmet. Elof såg häpen efter. En yngling satt hopkrupen bakom en av lastsäckarna, men kröp nu försiktigt fram.

"Jag hittade honom när jag hörde ett ljud här inifrån. Han hostade så att det var ett under att vi inte hörde det ända upp till däck", sa Calle och stoppade in en prilla under läppen. Han grinade illa. Snuset under krigstid var inte mer än ett otillfredsställande substitut.

"Vem är du, och vad gör du på min båt?" sa Elof barskt. Han funderade på om han skulle ropa på förstärkning från någon av mannarna där uppe.

"Jag heter Hans Olavsen och jag gick på båten i Kristiansand", sa ynglingen på klingande norska. Han reste på sig och sträckte fram en hand för att hälsa, och efter en kort stunds tvekan fattade Elof hans hand. Pojken tittade honom rakt i ögonen. "Jag hade hoppats på att få åka med till Sverige. Tyskarna har … ja, låt oss säga att jag inte längre kan vara kvar på norsk mark om jag har livet mitt kärt."

Elof stod tyst en lång stund och funderade. Han gillade inte att bli lurad på det här sättet. Men å andra sidan. Hur skulle pojken ha gjort annars? Skulle han ha stegat fram till honom inför alla tyskarna som patrullerade hamnen och artigt frågat om han fick åka med till Sverige?

"Var kommer du ifrån?" sa han till slut och studerade pojken uppifrån och ner.

"Från Oslo."

"Och vad har du gjort eftersom du inte längre kan vara kvar i Norge?"

"Man pratar inte om vad man har tvingats göra under kriget", sa Hans och ett mörker lade sig över anletsdragen. "Men låt oss säga som så att motståndsrörelsen inte längre kan ha någon nytta av mig."

Säkert har han fört folk över gränsen, tänkte Elof. Det var ett farligt jobb, och började tyskarna komma en på spåren var det klokt att ge sig iväg medan man fortfarande hade livet i behåll. Elof kände hur han började mjukna. Han tänkte på Axel, som hade gjort resan till Norge så många gånger, utan att någonsin tänka på konsekvenserna för egen del, och som också hade fått betala priset för det. Skulle han vara sämre än doktorns nittonårige pojke? Han bestämde sig på stående fot.

"Nåväl, du får åka med. Vi ska till Fjällbacka. Har du fått något att äta?"

Hans skakade på huvudet och svalde. "Nej. Inte sedan i förrgår. Resan från Oslo var … svår. Det går inte att ta raka vägen." Han slog ner blicken.

"Calle, du ordnar så att pojken får lite mat i sig. Nu måste jag se till att vi kommer hem i ett stycke. De där satans minorna som tyskarna envisas med att gödsla med här i farvattnen." Han skakade på huvudet och började gå uppför trappan. När han vände sig om mötte han pojkens blick. Medlidandet han kände överraskade honom. Vad kunde han vara? Arton år, inte mer. Ändå fanns det mycket skrivet i blicken som inte borde finnas där. Förlorad ungdom och förlust av den oskuldsfullhet som borde följa med den ungdomen. Kriget hade onekligen skördat många offer. Inte bara de som var döda.

Gösta kände sig lite skyldig. Om han hade skött sitt jobb hade kanske inte den där Mattias legat på sjukhuset nu. Eller förresten. Han visste inte om det hade påverkat något. Men han hade kanske fått fram att Per hade brutit sig in hos Frankels redan i våras, och kanske hade det gett förloppet en annan riktning. När Gösta var hemma hos Adam och tog fingeravtryck på honom, hade han faktiskt nämnt att någon annan från skolan hade sagt att det fanns coola grejer där. Det var det som hade legat och gnagt där i det undermedvetna, retat honom, gäckat honom. Om han bara hade varit lite mer uppmärksam. Lite mer noggrann. Kort sagt, gjort sitt jobb. Han suckade. Den där speciella Gösta-sucken som är av träning hade slipat till perfektion. Han visste ju vad han måste göra nu. Han måste försöka ställa saker till rätta så gott det gick.

Han gick ut i garaget och tog den kvarvarande polisbilen. Martin och Paula hade tagit den andra till Uddevalla. Fyrtio minuter senare parkerade han utanför Strömstads sjukhus. Receptionisten upplyste honom om att Mattias tillstånd hade stabiliserats och talade om hur han skulle gå för att hitta hans rum.

Han tog ett djupt andetag innan han sköt upp dörren. Det skulle säkert finnas familj där. Gösta gillade inte att möta anhöriga. Det blev alltid så känslomässigt, så svårt att hålla jobbet ifrån sig. Ändå hade han ibland förvånat både kollegor och sig själv genom att visa en viss fingertoppskänsla i kontakten med människor i svåra situationer. Om orken och energin hade funnits, skulle han kanske ha kunnat utnyttja den talangen i arbetet, gjort den till en tillgång. Nu var den istället som en sällsynt och för honom inte särskilt välkommen gäst.

"Har ni tagit honom?" En stor man med kostym och slipsen på svaj reste sig upp när Gösta kom in. Han hade hållit om en gråtande kvinna, som av likheten med pojken i sängen att döma var hans mor. Fast likheten Gösta noterade kom troligtvis från minnesbilder från mötet med Mattias utanför Frankels hus. För pojken i sängen var inte lik någon. Istället var hans ansikte ett enda svullet, rödskrubbat sår med begynnan-

207

de blåa partier. Läpparna hade svällt upp till dubbla storleken, och han verkade endast kunna se hjälpligt genom ena ögat. Det andra var fullkomligt igenmurat.

"När jag får tag på den där jävla ... ligisten", svor Mattias pappa och knöt nävarna. Han hade tårar i ögonen och Gösta kände återigen att det här med anhöriga och deras känslor var en bit som han helst hade sluppit.

Men nu var han här. Lika bra att få det överstökat. Särskilt som skuldkänslorna växte för varje sekund han tittade på Mattias misshandlade ansikte.

"Låt polisen göra sitt jobb", sa Gösta och slog sig ner på en stol bredvid dem. Han presenterade sig med namn och tittade sedan Mattias föräldrar i ögonen för att försäkra sig om att de lyssnade.

"Vi har haft Per Ringholm inne på förhör. Han har erkänt misshandeln, och det kommer att bli påföljder för honom. Vad vet jag inte i dagsläget, det är upp till åklagaren att avgöra."

"Men han sitter väl inlåst?" sa Mattias mamma med darrande läppar.

"Inte just nu. Det är bara i undantagsfall som åklagaren beslutar att man häktar en minderårig. I praktiken är det ytterst ovanligt. Han har därför fått följa med sin mor hem medan utredningen löper vidare. Vi har också kopplat in de sociala myndigheterna."

"Så han får åka hem till mamma, medan min son ligger här och ..." Mattias pappas röst brast och han flyttade oförstående blicken mellan Gösta och sin son.

"För tillfället, ja. Men det kommer att bli påföljder. Det garanterar jag. Men nu skulle jag vilja byta några ord med er son om möjligt, för att se till att vi har täckt in allting."

Mattias föräldrar tittade på varandra, sedan nickade de båda.

"Okej, men bara om han orkar. Han har bara varit vaken av och till. Han får smärtstillande."

"Vi tar det i den takt han orkar", sa Gösta lugnande och drog stolen intill Mattias säng. Han hade viss möda att förstå de ord som sluddrades fram, men till slut hade han fått en bekräftelse på hur allt gått till. Det stämde helt med det som Per hade erkänt.

När han hade frågat färdigt, vände han sig till Mattias föräldrar igen.

"Går det bra att jag tar hans fingeravtryck också?"

Åter utbytte föräldrarna en blick. Och åter var det Mattias pappa som tog till orda. "Ja, det ska väl gå bra. Om det är nödvändigt för ..." Han fullföljde inte meningen utan tittade på sin son medan ögonen tårades.

"Det går på en minut", sa Gösta och plockade fram fingeravtrycksutrustningen.

En stund senare satt han i bilen på parkeringen och tittade på lådan med Mattias fingeravtryck. De kanske inte alls skulle ha någon betydelse för utredningen. Men han hade gjort sitt jobb. Till slut. Det var en klen tröst.

"Sista stoppet för i dag, va?" sa Martin när de klev ur polisbilen utanför Bohusläningens redaktion.

"Ja, vi får nog dra oss hemåt snart", sa Paula och tittade på klockan. Hon hade suttit tyst hela vägen från Sveriges vänners kontor, och Martin hade låtit henne fundera i lugn och ro. Han förstod att det måste vara svårt för henne att konfronteras med den typen av människor. Sådana som dömde henne innan de hunnit säga hej, och som bara såg hudfärg, inget annat. Han tyckte själv att det var obehagligt, men med sin kritvita fräkniga hy och sitt illröda hår tillhörde han inte dem som utsattes för sådana blickar som Paula fick. I och för sig hade han fått stå ut med en och annan retsam ramsa under skoltiden på grund av sin hårfärg, men det var länge sedan nu, och det var inte samma sak.

"Vi söker Kjell Ringholm", sa Paula och lutade sig mot receptionsdisken.

"Ett ögonblick så ska jag säga till honom." Damen i receptionen lyfte telefonluren och meddelade Kjell Ringholm att han hade besök.

"Sitt ner så kommer han strax och hämtar er."

"Tack." De satte sig i fåtöljerna som fanns utplacerade kring ett lågt bord och väntade. Efter några minuter kom en lätt rundlagd man med mörkt hår och stort skägg emot dem. Paula reflekterade över att han var väldigt lik Björn. Eller Benny. Hon kunde aldrig hålla isär dem.

"Kjell Ringholm", sa han och sträckte ut handen och hälsade på dem. Handslaget var fast, på gränsen till smärtsamt hårt, och Martin kunde inte låta bli att grimasera.

"Kom, vi går bort till mitt skrivbord." Han gick före dem genom redaktionen och ledde dem till sitt rum.

"Varsågoda och sitt. Jag trodde att jag kände till alla poliserna i Uddevalla, men ni är nya ansikten måste jag säga. Vem jobbar ni för?" Kjell slog sig ner bakom sitt skrivbord som var belamrat med papper.

"Vi är inte från Uddevallapolisen. Vi är från Tanumshede polisstation."

"Jaså, säger ni det?" sa Kjell och såg förvånad ut. Men Paula tyckte sig för ett ögonblick skymta något annat. Men det försvann lika snabbt igen. "Vad har ni på hjärtat då?" Han lutade sig tillbaka och knäppte händerna över magen.

"Först och främst måste vi berätta att vi i dag hämtade in din son för misshandel av en skolkamrat", sa Martin.

Mannen bakom skrivbordet satte sig rakare upp i stolen. "Vad fan är det ni säger? Har ni tagit in Per? Vem var det han ...? Hur mår ...?" Han stakade sig när orden forsade ur munnen på honom, och Paula väntade lugnt in att han skulle göra en paus så att de kunde räta ut hans frågetecken.

"Han slog ner en skolkamrat vid namn Mattias Larsson ute på skolgården. Han är förd till Strömstad sjukhus och senaste rapporten säger att läget är stabilt, men att han fått en del allvarliga skador."

"Vad ..." Kjell verkade ha svårt att ta in vad de sa. "Men varför har ingen ringt mig tidigare? Det låter ju som om det var ett par timmar sedan det här hände."

"Per ville att vi skulle ringa hans mamma. Så hon kom till stationen och var med Per under förhöret. Sedan fick han åka hem med henne."

"Ja, det är ju ingen idealisk situation direkt, som ni kanske märkte." Kjell tittade noga på Paula och Martin.

"Nej, vi förstod under förhöret att det fanns vissa ... problem", Martin tvekade, "så vi har bett socialen se över situationen."

Kjell suckade. "Ja, jag borde väl ha tagit tag i det tidigare ... Men saker kom hela tiden emellan ... Jag vet inte ..." Han stirrade på ett foto på skrivbordet, med en blond kvinna och två barn strax under tio. Det blev tyst en stund.

"Vad händer nu då?"

"Åklagaren kommer att se över händelsen, och sedan fatta beslut om hur vi går vidare. Men det är allvarligt ..."

Kjell viftade med handen. "Jag vet, jag förstår. Tro mig, jag tar inte lätt på det. Jag inser allvaret till fullo. Men jag vill bara veta mer konkret vad ni tror ..." Han tittade på fotografiet igen, men vände sedan tillbaka blicken till poliserna.

Det var Paula som svarade honom. "Svårt att säga. Men jag gissar på behandlingshem."

Kjell nickade trött. "Ja, på sätt och vis kanske det är till det bästa. Per har varit ... svår länge, och det här kanske kan få honom att förstå tingens allvar. Men det har inte varit lätt för honom. Jag har inte varit där som jag borde och hans mamma ... Ja, ni förstod ju läget där. Men hon har inte alltid varit sådan. Det var skilsmässan som ..." Rösten dog ut och blicken sökte sig åter mot fotot. "Den tog hårt på henne."

"Det var en annan sak också." Martin lutade sig fram och betraktade Kjell.

"Ja?"

"Jo, under förhöret kom det också fram att Per bröt sig in i ett hus strax före sommaren, i juni. Och att husets ägare, Erik Frankel, kom på honom. Vad vi förstår är det här inte obekant för dig?"

För en sekund var Kjell helt tyst, sedan skakade han sakta på huvudet.

"Nej, det är riktigt. Erik Frankel ringde mig efter att ha låst in Per i biblioteket, och jag åkte dit." Han log snett. "Var riktigt roligt faktiskt, att se Per inlåst bland alla böcker. Det var nog den enda närkontakt han haft med böcker."

"Finns väl inget särskilt roligt med inbrott", sa Paula torrt. "Det kunde ha slutat illa."

"Jo, jag vet, ursäkta. Ett misslyckat skämt", sa Kjell och log urskuldande.

"Men både Erik och jag var överens om att inte göra någon stor affär av saken, utan Erik tyckte att det räckte med en minnesbeta. Han trodde inte att Per skulle göra om det i första taget. Mer än så var det inte. Jag hämtade upp Per, läxade upp honom och ja ..." Han ryckte uppgivet på axlarna.

"Fast tydligen pratade du och Erik Frankel om något annat än Pers inbrott. Han hörde Erik säga att han hade information till dig, som du kunde vara intresserad av i egenskap av journalist, och ni kom överens om att ni skulle ses vid ett senare tillfälle. Ringer det någon klocka?"

Det blev helt tyst. Sedan skakade Kjell på huvudet. "Nej, det måste jag säga att jag inte riktigt kan påminna mig. Per har antingen hittat på, eller så missuppfattade han helt enkelt. Det vi pratade om var att jag kunde höra av mig om jag behövde någon hjälp med bakgrundsfakta om nazismen."

Martin och Paula betraktade honom skeptiskt. Ingen av dem trodde ett ord av vad han sa. Det var så uppenbart att han ljög. Men de hade inget som kunde bevisa det.

"Vet du om din far och Erik hade någon kontakt?" sa Martin till slut.

Kjells axlar sjönk ihop en aning, som om han var lättad över att de lämnade det förra ämnet.

"Inte vad jag vet. Men jag har å andra sidan vare sig koll på eller intresse av min fars aktiviteter. Annat än när det berör mina artiklar."

"Känns inte det märkligt?" sa Paula nyfiket. "Att hänga ut sin pappa på det sättet?"

"Du av alla borde väl förstå vikten av att vi aktivt bekämpar främlingsfientligheten", sa Kjell. "Det är som en cancersvulst på samhället, och vi måste bekämpa den med alla medel. Och om min far råkar vara en del av den cancersvulsten ... ja ... det är hans val", sa Kjell och slog ut med händerna. "Min far och jag har för övrigt inget band förutom att han gjorde min mor med barn. Hela min barndom mötte jag honom bara i besöksrum på fängelser, och så fort jag blev gammal nog att tänka själv och fatta egna beslut, så såg jag att han inte var en person som jag ville ha i mitt liv."

"Så ni har ingen kontakt? Har Per kontakt med honom?" sa Martin, mer av nyfikenhet än för att det hade någon relevans för utredningen.

"Jag har ingen kontakt med honom. Tyvärr har min far lyckats slå i min son en massa dumheter. Medan Per var liten kunde vi se till att de inte kom i kontakt med varandra, men nu när han är större och rör sig fritt så ... ja, vi har inte kunnat förhindra det i den utsträckning vi har önskat."

"Ja, då har väl vi inte så mycket mer. Just nu", tillade Martin och reste sig. Paula följde hans exempel. På väg ut genom dörren stannade Martin till och vände sig om.

"Du är helt säker på att du inte har någon information om eller från Erik Frankel som vi kan ha nytta av?"

Deras ögon möttes och för ett kort ögonblick såg det ut som om Kjell tvekade. Sedan skakade han eftertryckligt på huvudet och sa kort: "Nej, ingenting. Absolut ingenting."

Inte heller den här gången trodde de på honom.

Margareta var orolig. Ingen hade svarat hemma hos hennes mor och far sedan Herman hade varit hos dem i går. Det var märkligt, och oroande. De brukade alltid säga till om de skulle någonstans, men nuförtiden gick de ju inte bort så ofta. Och varje kväll brukade hon slå en signal till föräldrahemmet och prata en stund. Det var en ritual som de hade haft i många år, och hon kunde inte minnas att det någonsin hade hänt att föräldrarna inte svarat. Men när hon slog telefonnumret som vid det här laget satt i fingrarna ljöd signalerna obesvarade. Signal efter signal ekade ut i tomheten, utan att någon lyfte luren i andra änden. Hon hade velat gå över och titta till dem redan under gårdagskvällen, men hennes man Owe hade övertalat henne att låta det bero över natten. De hade säkert bara gått och lagt sig tidigt. Men nu var det morgon, snart förmiddag, och fortfarande svarade ingen. Margareta kände oron växa sig allt starkare, tills den nu nästan hade blivit en visshet om att något hade hänt. Det var den enda förklaringen hon kunde finna.

Hon drog på sig skor och jacka och gick beslutsamt i riktning mot föräldrarnas hus. Det var en promenad på tio minuter och varje sekund av den tiden bannade hon sig själv för att hon hade lyssnat på Owe och inte gått dit redan under kvällen. Något var fel, det kände hon.

När hon bara hade några hundra meter kvar fick hon se en figur som stod utanför föräldrahemmets ytterdörr. Hon kisade för att försöka se vem det var, men inte förrän hon kom närmare såg hon att det var den där författarinnan, Erica Falck.

"Kan jag hjälpa dig med något?" sa hon vänligt, men hörde själv hur oron ljöd genom hennes röst.

"Ja … ja, jag sökte Britta. Men ingen verkar svara …" Den blonda kvinnan såg tafatt ut där hon stod på farstutrappan.

"Jag har ringt till dem sedan i går utan att någon har svarat, så jag ska bara titta till så att allt är väl med dem", sa Margareta. "Du kan komma med in och vänta i hallen." Margareta sträckte upp handen ovanför en av bjälkarna som höll upp det lilla taket ovanför ytterdörren och plockade fram en nyckel. Hennes hand skälvde en aning när hon låste upp dörren.

"Kom in, jag går och tittar", sa hon och kände sig med ens tacksam att det fanns en annan människa där. Egentligen borde hon väl ha ringt någon eller båda av sina systrar innan hon gick hit. Men då skulle hon inte ha kunnat dölja hur allvarligt hon såg på situationen, hur oron höll på att äta upp henne inifrån.

Hon gick runt i undervåningen och tittade sig omkring. Det var fint och undanplockat, och allt såg ut att vara precis som vanligt.

"Mamma? Pappa?" ropade hon, men fick inget svar. Nu började skräcken riva i henne på allvar, och hon fick svårt att andas. Hon borde ha ringt sina systrar, hon borde ha gjort det.

"Stanna här, så går jag upp och tittar", sa hon till Erica och började gå uppför trappan. Hon skyndade inte på stegen, utan gick sakta, bävande upp till övervåningen. Allt var så onaturligt stilla. Men när hon kom upp på översta trappsteget hörde hon ett svagt ljud. Det lät som ett snyftande. Nästan som ett litet barn som grät. Hon stod stilla ett ögonblick för att lokalisera var ljudet kom ifrån och insåg snart att det kom från föräldrarnas sängkammare. Med hjärtat hårt bultande i bröstet skyndade hon dit och sköt sakta upp dörren. Det tog några sekunder att ta in scenen. Sedan hörde hon, som långt bortifrån, sin egen röst skrika på hjälp.

Det var Per som öppnade när han ringde på.

"Farfar", sa han och såg ut som en hundvalp som behövde en klapp på huvudet.

"Vad har du nu ställt till med?" sa Frans bryskt och trängde sig in i hallen.

"Men jag … han … han snackade massa skit. Skulle jag bara ta det, eller?" Pers röst lät sårad. Han hade trott att om någon skulle förstå, så var det farfar. "Det var förresten ingenting mot sådant som du har gjort", sa han trotsigt, men vågade inte se Frans i ögonen.

"Just därför vet jag vad jag pratar om!" Frans tog tag i hans axlar och ruskade om honom, tvingade sonsonen att titta på honom.

"Vi går in och sätter oss och pratar, så kan jag kanske få in lite vett i den där tjuriga skallen du har. Var har du din mamma förresten?" Frans såg sig om efter Carina, redo att ta strid för sin rätt att vara där och tala med sitt barnbarn.

"Hon ligger väl och sover ruset av sig", sa Per och lommade in i köket. "Hon började supa direkt när vi kom hem i går, och höll fortfarande på i natt när jag gick och lade mig. Men nu har jag inte hört något på ett tag."

"Jag går och tittar till henne. Sätt på lite kaffe under tiden", sa Frans.

"Men jag vet inte hur man …", började Per säga med gnälligt, motsträvigt tonfall.

"Då är det dags att du lär dig det nu", fräste Frans och satte kurs mot Carinas sovrum.

"Carina", sa han med hög röst och gick in i rummet. Han möttes bara av en hög snarkning. Hon höll på att glida ur sängen och låg med ena armen släpande i golvet. Det luktade gammal fylla och spyor.

"Fy fan", sa Frans högt. Men sedan tog han ett djupt andetag och gick fram till henne. Han lade handen på hennes ena axel och skakade henne.

"Carina, dags att vakna nu." Fortfarande ingen reaktion. Han såg sig om. Badrummet låg i direkt anslutning till hennes sovrum och han gick dit och började tappa upp ett bad. Medan vattnet forsade ner i karet, började han med äcklad min klä av henne. Det gick fort, hon hade bara trosor och bh på sig. Han bar henne inlindad i täcket till badkaret och släppte helt sonika ner henne i vattnet.

"Vad fan", frustade hans före detta sonhustru yrvaket. "Vad fan gör du?"

Frans svarade inte. Istället gick han fram till hennes garderob, öppnade dörren och valde ut lite rena kläder till henne. Han lade dem på toalettstolen bredvid badkaret.

"Per har satt på kaffe. Tvätta av dig, klä på dig och kom ut i köket."

För ett ögonblick såg det ut som om hon skulle protestera. Sedan nickade hon spakt.

"Nå, har du lyckats med konststycket att sätta på kaffebryggaren?" sa han till Per, som satt vid köksbordet och studerade sina nagelband.

"Det kommer säkert smaka skit", sa Per surt, "men något verkar det bli i alla fall."

Frans studerade den kolsvarta drycken som hade börjat rinna ner i glasbehållaren. "Ja, det ser ut att bli tillräckligt starkt i alla fall."

Länge satt de tysta mittemot varandra, han och sonsonen. Det var en sådan märklig känsla, att se sin egen historia i någon annan. För nog kunde han se drag från sin far i pojken. Drag från den far som han fortfarande ångrade att han inte slog ihjäl. Kanske hade allt blivit annorlunda om han hade gjort det. Använt all ilska som bubblade inom honom och riktat den mot den som egentligen förtjänade det. Istället hade den fått pysa ut helt utan riktning, helt utan mål. Den fanns där fortfarande. Det visste han. Han lät den bara inte härja vilt som den gjorde när han var yngre. Nu var det han som kontrollerade raseriet, inte tvärtom. Det var det han var tvungen att få sonsonen att förstå. Det var inget fel på raseriet. Men det gällde att se till att det var man själv som valde när det var rätt tillfälle att släppa lös det. Att raseriet var som en noga ivägskjuten pil, inte som en yxa som man svingade vilt omkring sig. Den vägen hade han prövat. Det enda som det hade gett honom var ett liv som till stora delar hade tillbringats i fängelse och en son som knappt tålde att se honom. Inga andra fanns där. De inom organisationen var inga vänner. Han hade aldrig gjort misstaget att ta dem för det, eller försöka

215

göra dem till det. De var alla alltför fyllda av sitt eget personliga raseri, för att kunna knyta den typen av band till varandra. De delade ett mål. Det var allt.

Han tittade på Per och såg sin far. Men han såg också sig själv. Och Kjell. Sonen som han fick försöka lära känna under de korta besöken i anstalternas besöksrum och under de korta perioder då han tillfälligt var ute. Ett företag som var dömt att misslyckas. Och som också gjorde det. Skulle han vara ärlig visste han inte ens om han älskade sonen. Kanske hade han gjort det en gång. Kanske hade det hoppat till i bröstet när Rakel kom med deras son till fängelset. Han mindes inte längre.

Det märkliga var att när han satt där vid köksbordet med sin sonson, var den enda kärlek han egentligen kunde minnas den som han hade känt till Elsy. Sextio år gammal kärlek, men ändå var det den som hade etsat sig fast i hans minne. Hon och sonsonen. De var de enda personer han någonsin hade brytt sig om. Som hade lyckats framkalla någon känsla hos honom. I övrigt var det dött. Hans far hade dödat allt annat. Frans hade inte tänkt på det på länge. Inte på sin far. Inte på allt det andra. Men sedan hade det förflutna plötsligt väckts till liv. Och det var dags att tänka på det nu.

"Kjell blir vansinnig om han vet att du kommer hit." Carina stod i dörröppningen. Hon svajade lätt men var ren och påklädd. Håret var drypande vått, men hon hade lagt en handduk över axlarna för att inte blöta ner tröjan.

"Jag bryr mig inte om vad Kjell anser", sa Frans torrt. Han reste sig för att hälla upp kaffe till sig och Carina.

"Det där ser inte drickbart ut", sa hon när hon satte sig och stirrade ner i koppen som var fylld till brädden med kolsvart kaffe.

"Du dricker det där nu." Frans började öppna skåp och lådor.

"Vad gör du?" Carina tog en klunk av kaffet och grimaserade illa. "Ge fan i mina skåp!"

Han sa inget utan började bara dra ut flaskor, en efter en, och hällde metodiskt ut innehållet i vasken.

"Du har ingen rätt att lägga dig i!" skrek hon. Per reste sig för att gå.

"Du sitter kvar", sa Frans och pekade befallande på honom. "Nu ska vi gå till botten med det här."

Per lydde omedelbart och sjönk ner på stolen igen.

En timme senare, när all spriten var uthälld, fanns bara sanningarna kvar.

Kjell stirrade på datorskärmen. Det dåliga samvetet gnagde oupphörligt i honom. Ända sedan polisernas besök under gårdagen hade han samlat sig för att åka hem till Per och Carina. Men han hade inte orkat. Inte vetat i vilken ände han skulle börja. Det som skrämde honom var att han kände att han började ge upp. Yttre fiender kunde han slåss mot hur mycket som helst. Han kunde ge sig på makthavare och nynazister och fajtas med hur stora väderkvarnar som helst utan att känna trötthet. Men när det gällde hans gamla familj, när det gällde Per och Carina, så var det som om det inte längre fanns några krafter kvar. Dem hade det dåliga samvetet ätit upp.

Han tittade på fotografiet av Beata och barnen. Visst älskade han Magda och Loke, och han skulle inte vilja vara utan dem… men samtidigt hade allt gått så fort, blivit så fel. Han hade hamnat i en situation som bara förde honom med sig, och fortfarande kunde han ibland undra om det hade fört med sig mer ont än gott. Kanske hade tajmingen varit olycklig. Kanske hade han befunnit sig i något slags fyrtioårskris, och så kom Beata i precis fel ögonblick. Han kunde först inte fatta att det var sant. Att en snygg, ung tjej som hon kunde vara intresserad av någon som han, som ju borde vara gubbe i hennes ögon. Men det hade varit sant. Och han hade inte kunnat motstå det. Att ligga med henne, känna hennes nakna, fasta kropp, se hennes beundran som riktades som en strålkastare mot honom, det hade varit som att berusa sig. Han hade inte kunnat tänka klart, inte kunnat ta ett steg tillbaka och fatta några som helst rationella beslut. Istället hade han låtit sig föras med, låtit sig bli berusad. Men det ironiska var att han precis hade börjat känna de första tecknen på tillnyktring, när situationen gled honom ur händerna. Han hade börjat tröttna på att aldrig få något verkligt motstånd i diskussionerna, att hon inte kände till något om vare sig månlandningar eller Ungernuppror. Till och med tröttnat på känslan av hennes släta hud under fingrarna.

Han mindes fortfarande ögonblicket när allt föll samman. Han mindes det som i går. Mötet på caféet. Hennes stora blå ögon när hon glädjestrålande berättade att han skulle bli pappa, att de skulle få barn ihop. Att nu var han ju tvungen att berätta för Carina som han hade lovat så länge.

Han mindes hur han i det ögonblicket insåg vilket misstag han gjort. Han kom ihåg den tunga känslan i bröstet, insikten om att detta misstag nu var omöjligt att reparera. För ett ögonblick övervägde han att lämna henne där vid bordet. Lämna henne och gå hem och lägga sig i soffan bredvid Carina, och titta på nyheterna tillsammans med henne medan femårige Per sov tryggt i sin säng.

Men hans manliga instinkt sa honom att det alternativet inte fanns för honom. Det fanns älskarinnor som inte berättade för frun. Och det fanns de som gjorde det. Och han visste instinktivt vilken kategori Beata tillhörde. Hon skulle inte bry sig om vem eller vad hon krossade, om han krossade henne först. Hon skulle stampa på hans liv, förstöra hela hans tillvaro, utan att någonsin blicka tillbaka. Och han skulle sitta där mitt bland spillrorna.

Han visste det och han hade valt den fege mannens väg. Han hade inte stått ut med tanken på att stå ensam. Att sitta i någon sketen ungkarlslägenhet, stirra på väggarna och undra var fan hans liv tog vägen. Så han hade valt den enda väg som fanns kvar. Beatas väg. Hon hade fått sin triumf. Och han hade lämnat Carina och Per. Som avskräde längs vägen. I sina egna ögon bortkastade. Inte tillräckliga. Han hade förnedrat och krossat Carina. Och han hade förlorat Per. Det var det pris han hade fått betala för känslan av ung hud under fingrarna.

Kanske hade han kunnat ha Per kvar. Om han hade haft kraften att sätta sig över skulden som föll som ett tungt stenblock över hans bröst varje gång han ens tänkte på dem som han hade lämnat kvar. Men han hade inte klarat av det. Han hade gjort sporadiska inhopp, lekt auktoritet, lekt pappa vid sällsynta tillfällen med erbarmligt resultat.

Och nu kände han inte längre sin son. Han var en främling för honom. Och Kjell förmådde inte försöka mer. Han hade förvandlats till sin far. Det var det som var den bittraste sanningen. Han hade ägnat en livstid åt att hata fadern som hade valt bort honom och modern för ett liv som gjorde att de inte fick någon del av honom.

Och nu insåg han att han hade gjort precis samma sak.

Kjell slog näven hårt i bordet, för att försöka ersätta smärtan i hjärtat med en fysisk smärta. Det hjälpte inte, istället öppnade han nedersta skrivbordslådan för att titta på det enda som kunde få bort hans tankar från det ställe som var så plågsamt att besöka.

Han stirrade på mappen. Under ett ögonblick hade han varit frestad att lämna över materialet till poliserna, men yrkesmannen i honom hade i sista stund slagit till bromsen. Det var inte mycket som han hade fått av Erik. När han kom upp på Kjells kontor hade han till stor del talat i cirklar, verkat tveka om vad han ville berätta, och hur mycket. Under några sekunder hade det sett ut som om han skulle vända på klacken och gå, utan att ha avslöjat något.

Kjell öppnade mappen. Han önskade att han hade hunnit fråga ut Erik mer, vad det var han ville att Kjell skulle göra, i vilken riktning han skulle leta. Det enda han hade var några tidningsartiklar som Erik gav honom, utan några kommentarer, utan några förklaringar.

"Vad ska jag göra med de här?" hade Kjell sagt och slagit ut med armarna.

"Det är ditt jobb", hade Erik svarat. "Jag förstår att det kan verka underligt. Men jag kan inte ge dig hela svaret. Det förmår jag inte. Men jag ger dig verktygen, så får du göra resten."

Och sedan hade han gått. Lämnat Kjell vid sitt skrivbord med en mapp med tre artiklar framför sig.

Kjell kliade sig i skägget och öppnade mappen. Han hade redan läst materialet flera gånger, men det hade hela tiden kommit saker emellan som hade hindrat honom från att börja jobba ordentligt med det. Skulle han vara helt ärlig hade han också ifrågasatt vitsen i att lägga en massa timmar på det. Gubben kunde ju vara gaggig, och varför talade han inte klarspråk om han nu satt inne med sådant sprängstoff som han antydde. Men nu hade saken kommit i ett helt annat läge. Nu hade ju Erik Frankel blivit mördad. Och plötsligt brände mappen under Kjells fingrar.

Det var dags att kavla upp ärmarna och börja jobba. Och han visste precis i vilken ände han skulle börja. Den enda gemensamma nämnaren för de tre artiklarna. En norsk motståndsman vid namn Hans Olavsen.

Fjällbacka 1944

"Hilma!" Något i Elofs tonfall fick både hans hustru och hans dotter att rusa honom till mötes.

"Jösses vad du gapar, vad står på?" sa Hilma, men stannade tvärt när hon såg att Elof hade sällskap med sig.

"Får vi främmat?" sa hon och torkade nervöst händerna på förklädet. "Och jag som står mitt i disken ..."

"Det är ingen fara", sa Elof lugnande. "Pojken här bryr sig inte mycket om hur vi har det här hemma. Han kom med oss på båten i dag. Han har flytt från tyskarna."

Pojken sträckte fram handen till Hilma och bockade när hon tog den.

"Hans Olavsen", sa han på klingande norska och sträckte fram handen till Elsy, som tafatt tog den och neg lätt.

"Han har haft en svår väg till Sverige, så kanske vi kan hitta någon förplägnad åt honom", sa Elof. Han hängde upp vegamössan och gav rocken till Elsy, som blev stående med den i famnen.

"Stå inte bara där, tösunge, häng upp rocken åt far din", sa han strängt, men sedan kunde han inte hålla sig från att stryka dottern över kinden. I och med farorna som nu fanns under varje resa till sjöss kändes det alltid som en gåva då han fick komma hem och se henne och Hilma igen. Han harklade sig, brydd över att ha släppt fram sådana känsloyttringar inför främlingen, och pekade med handen inåt stugan.

"Kliv på, kliv på. Jag tror nog att Hilma hittar något som vi kan få i oss, både fast och drickbart", sa han och slog sig ner på en av pinnstolarna vid köksbordet.

"Vi har inte mycket att bjuda på", sa hans hustru med blicken nedslagen. "Men det lilla vi har, det delar vi gärna med oss av."

"Jag tackar er innerligt", sa pojken och satte sig på stolen mittemot Elof, medan han hungrigt betraktade smörgåsarna som Hilma hade lagt upp på ett fat på bordet.

"Seså, ta för sig nu", sa hon och gick till skåpet för att försiktigt hälla upp var sin liten nubbe till karlarna. Det var dyra droppar, men vid ett sådant här tillfälle kom de väl till pass.

De åt en stund under tystnad. När det bara var en smörgås kvar, sköt Elof över fatet till norrmannen och uppmanade honom med blicken att ta den. Elsy iakttog dem i smyg där hon stod borta vid diskbänken och hjälpte sin mor med bestyren. Det var rasande spännande. Att det här i deras kök satt en som hade flytt från tyskarna, hela vägen från Norge. Hon kunde inte vänta tills hon fick berätta det för de andra. En tanke slog henne och hon kunde nästan inte hejda orden från att flyga ut. Men hennes far måste ha tänkt samma sak, för han ställde frågan i precis det ögonblicket.

"Jo, vi har en pojke här från bygden som tyskarna har tagit. Det är över ett år sedan, men kanske du ..." Elof slog ut med händerna, men blicken hängde hoppfullt vid pojken på andra sidan bordet.

"Ja, sannolikheten är ju inte så stor att jag känner till honom. Det är mycket folk i omlopp. Vad heter han?" sa han.

"Axel Frankel", sa Elof och betraktade norrmannen hoppfullt. Men ögonen blev besvikna när pojken hade funderat en stund och sedan sakta skakade på huvudet.

"Nej tyvärr. Det är ingen som vi har stött på. Tror jag i alla fall. Ni har inte hört något om vad som har hänt med honom? Inget som kan ge lite mer information ...?"

"Tyvärr", sa Elof och skakade på huvudet han med. "Tyskarna tog honom i Kristiansand, och sedan har vi inte hört ett pip. För allt vad vi vet så kan han vara ..."

"Nej far, så kan det inte vara!" Elsy kände hur tårarna steg i ögonen och sprang förödmjukad uppför trappan till sitt rum. Maken till att skämma ut sig, och mor och far. Börja tjuta som en barnunge inför en vilt främmande människa.

"Känner er dotter den här ... Axel?" sa norrmannen bekymrat och tittade efter henne i riktning mot trappan.

"Hon och hans lillebror är kamrater. Det har tagit Erik hårt. Ja, hela Axels familj förstås", sa Elof och suckade.

Hans ögon fick en mörk hinna. "Ja, det är många som har farit illa av det här kriget", sa han. Elof kunde se att han såg saker framför sig som ingen pojke i den åldern borde ha fått se.

"Din familj ...?" sa han försiktigt. Hilma, som höll på att torka en tallrik borta vid diskbänken, blev stilla.

"Jag vet inte var de är", sa Hans till slut och tittade ner i bordet. "Efter krigets slut, om det tar slut någon gång, får jag leta efter dem. Till dess kan jag inte återvända till Norge."

Hilma mötte Elofs blick över pojkens ljusa kalufs. Efter en tyst konversation dem emellan som enbart ägde rum via ögonen, var de ense. Elof harklade sig.

"Jo, det är ju så att vi brukar hyra ut huset till sommargäster och bo i rummet i källaren på somrarna. Men resten av året står rummet tomt. Kanske han vill ... stanna här ett slag och vila upp sig, och fundera över vart han vill ta vägen härnäst. Och jag kan nog ordna arbete också. Kanske inte så att han har fullt upp, men åtminstone så att det blir lite i fickan. Jag måste förstås rapportera till landsfiskalen att jag har tagit i land dig, men om jag lovar att se efter dig så ska det nog inte bli några problem med den saken."

"Bara om jag får lov att betala för husrummet med de pengar jag tjänar", sa Hans och tittade på dem med ögon som var fyllda med en blandning av tacksamhet och skuld.

Elof tittade på Hilma igen och nickade sedan.

"Det ska väl gå för sig. Alla tillskott är ju välkomna i dessa krigstider."

"Jag går och gör i ordning för han", sa Hilma och drog på sig kappan.

"Jag vill verkligen tacka. Verkligen", sa pojken på sin sjungande norska och böjde huvudet, men inte snabbare än att Elof hann se att det blänkte i ögonen på honom.

"Det är inget att tala om", sa han tafatt. "Det är inget att tala om."

"Hjälp!"

Erica ryckte till när hon hörde skriket från övervåningen. Hon rusade mot ljudet och tog trappan i några få steg.

"Vad?" sa hon, men tvärstannade när hon fick se Margaretas ansikte där hon stod i dörröppningen till ett av rummen på övervåningen. Erica tog några steg fram och drog häftigt efter andan när en stor dubbelsäng kom inom synhåll.

"Pappa", sa Margareta med ett kvidande och klev in i rummet. Erica blev stående i dörröppningen, osäker på vad hon såg och vad hon nu skulle göra.

"Pappa…", upprepade Margareta.

Herman låg på sängen. Han tittade tomt ut i luften och reagerade inte på Margaretas tilltal. Bredvid honom på sängen låg Britta. Ansiktet var vitt och stelt, och det var ingen tvekan om att hon var död. Herman låg tätt intill henne, med armarna lindade runt hennes stela kropp.

"Jag dödade henne", sa han lågt. Margareta drog häftigt efter andan.

"Vad säger du, pappa? Det är klart att du inte dödade mamma!"

"Jag dödade henne", upprepade han entonigt och omfamnade sin döda hustru ännu hårdare.

Hans dotter gick runt sängen och satte sig på sängkanten på den sida där han låg. Försiktigt försökte hon lossa hans armars krampaktiga grepp, och efter några försök lyckades hon. Hon strök honom över pannan och pratade lågt till honom.

"Pappa, det var inte ditt fel. Mamma var inte riktigt bra. Det var säkert hjärtat som gav upp. Det är inte ditt fel, det måste du väl ändå förstå."

"Det var jag som dödade henne", upprepade han igen och stirrade på en fläck på väggen.

Margareta vände sig mot Erica. "Ring efter ambulans är du snäll."

Erica tvekade. "Ska jag ringa efter polis också?"

"Pappa är chockad. Han vet inte vad han pratar om. Det behövs ing-

223

en polis", sa Margareta fränt. Sedan vände hon sig mot sin far igen och tog hans hand i sin.

"Låt mig ta hand om det här nu, pappa. Jag ringer efter Anna-Greta och Birgitta, så hjälper vi dig. Vi finns här."

Herman svarade inte, utan låg bara viljelös kvar och lät henne hålla hans hand, men utan att trycka den tillbaka.

Erica gick ner i nedervåningen och tog upp mobiltelefonen. Hon stod en lång stund och funderade, innan hon började knappa in ett nummer.

"Hej Martin, det är Erica. Patriks fru. Jo, det har uppstått en situation här. Jag är hemma hos en Britta Johansson, och hon har dött. Och hennes man säger att han har dödat henne. Det ser ut som en naturlig död, men ..."

"Ja, okej, då väntar jag här. Ringer du på ambulans eller ska jag?"

"Okej." Erica lade på luren och hoppades att hon inte hade gjort något dumt. Visst såg det ut som om Margareta hade rätt, att Britta helt enkelt hade dött i sömnen. Men varför sa Herman i så fall att han hade dödat henne? Och det var dessutom en märklig slump att ytterligare en i kretsen kring hennes mor hade dött, bara två månader efter Erik. Nej, hon hade gjort rätt.

Erica gick upp till övervåningen igen.

"Jag har ringt efter hjälp", sa hon. "Finns det något mer jag kan ...?"

"Sätt på lite kaffe är du snäll, så ska jag försöka få ner pappa."

Margareta drog varsamt upp Herman i sittande ställning.

"Seså, pappa, kom nu så går vi ner och väntar på ambulansen."

Erica gick ner till köket. Hon letade runt tills hon hade hittat allt hon behövde och satte sedan igång att brygga en rejäl kanna. Några minuter senare hörde hon steg i trappan och såg Margareta försiktigt och varligt leda Herman ner till undervåningen. Hon stöttade honom bort till en av köksstolarna, där han föll ner som en säck.

"Jag hoppas att de har något som de kan ge honom", sa Margareta bekymrat. "Han måste ha legat hos henne sedan i går. Jag förstår inte varför han inte ringde efter oss ..."

"Jag har ...", Erica tvekade, men tog sedan ny sats. "Jag har ringt till polisen också. Du har säkert rätt, men jag var tvungen att ... Jag kunde inte ..." Hon hittade inte rätt ord och Margareta stirrade på henne som om hon var från vettet.

"Har du ringt polisen? Tror du pappa menar allvar? Är du inte klok? Han är chockad efter att ha hittat sin hustru död, och nu ska han dessutom få svara på frågor inför polisen? Hur vågar du?" Margareta tog ett steg fram mot Erica som stod med kaffekannan i högsta hugg, men hann inte längre innan det ringde på dörren.

"Det är säkert de, jag går och öppnar", sa Erica med nedslagen blick och ställde ifrån sig kaffekannan innan hon skyndade ut i hallen.

Mycket riktigt. När hon öppnade dörren var Martin den förste hon såg.

Han nickade bistert. "Hej, Erica."

"Hej", svarade hon tyst och klev åt sidan. Tänk om hon hade fel. Tänk om hon utsatte en nedbruten man för onödig plåga. Men det var för sent att ångra sig nu.

"Hon ligger där uppe i sovrummet", sa hon tyst och nickade med huvudet mot köket. "Hennes man är där inne. Med hennes dotter. Det var hon som hittade ... Det verkar som om hon har legat död ett tag."

"Okej, vi får ta en titt", sa Martin och vinkade in Paula och ambulanspersonalen. Han presenterade kort Paula och Erica för varandra och fortsatte sedan in i köket, där Margareta stod och strök sin far över axlarna.

"Det här är befängt", sa hon och stirrade på Martin. "Min mor har dött i sömnen och min far är chockad. Ska det här verkligen vara nödvändigt?"

Martin höll avvärjande upp händerna. "Det är säkert precis som du säger. Men nu är vi här, så låt oss ta en titt, det är snart överstökat. Och jag beklagar verkligen." Han mötte hennes blick med fasthet och till slut nickade hon motvilligt.

"Hon ligger där uppe. Kan jag ringa mina systrar, och min man?"

"Absolut", sa Martin och gick mot trappan.

Erica tvekade men följde sedan efter honom och ambulanspersonalen upp. Hon ställde sig lite vid sidan av och sa lågt till Martin:

"Jag kom hit för att prata med henne, om bland annat Erik Frankel. Det kanske är ett sammanträffande, men är det inte lite märkligt?"

Martin tittade på henne, medan han lät ansvarig läkare gå in först. "Skulle det finnas någon koppling, menar du? Hur då?"

"Jag vet inte", sa Erica och ruskade på huvudet. "Men jag håller på att göra efterforskningar kring min mor, och hon var barndomsvän med Erik Frankel, och med Britta. Det fanns också en Frans Ringholm i gruppen."

"Frans Ringholm?" sa Martin och ryckte till.

"Ja, känner du till honom?"

"Jo … vi har stött på honom med anledning av mordet på Erik", sa Martin fundersamt medan kugghjulen snurrade i huvudet på honom.

"Är det då inte lite märkligt att Britta också dör? Två månader efter Erik Frankel?" insisterade Erica.

Martin såg ändå tveksam ut. "Vi pratar ju inte om unga människor här. Jag menar, vid deras ålder börjar det hända en del: slaganfall, hjärtattack, allt möjligt."

"Ja, jag kan säga direkt att det här vare sig är en hjärtattack eller ett slaganfall", sa läkaren inifrån sovrummet, och både Martin och Erica hajade till.

"Vad är det då?" sa Martin. Han gick in i rummet och ställde sig precis bakom läkaren vid Brittas säng. Erica valde att stå kvar i dörröppningen men sträckte på halsen för att kunna se.

"Den här damen blev kvävd", sa läkaren och pekade på Brittas ögon med ena handen medan han lyfte på ena ögonlocket med den andra. "Hon har petekier i ögonen."

"Petekier?" sa Martin och såg oförstående ut.

"Det är en sorts röda prickar i ögonvitorna, som kommer sig av att små, små blodkärl brister till följd av ökat tryck i blodsystemet. Typiska vid kvävning, eller strypning och liknande."

"Men kan hon inte ha drabbats av något som gjorde att hon inte fick luft? Skulle hon inte få samma symptom då?" sa Erica.

"Jo, det är en möjlighet, absolut", sa läkaren. "Men eftersom jag redan vid en första inspektion kan se en fjäder i halsen på henne, så skulle jag våga satsa mycket på att det där är mordvapnet." Han pekade på en vit kudde som låg bredvid Brittas huvud. "Fast petekierna indikerar att det måste ha funnits tryck direkt mot halsen också, som till exempel om någon dessutom tog ett strypgrepp på henne med handen. Men allt det här kommer obduktionen att ge definitivt svar på. En sak är i alla fall säker, jag kommer inte att skriva naturlig dödsorsak förrän rättsläkaren har överbevisat mig om att jag har fel. Det här är nu att betrakta som en mordplats." Han reste sig och gick försiktigt ut ur rummet.

Martin gjorde likadant och plockade upp telefonen för att ringa efter teknikerna, som skulle få gå igenom rummet minutiöst.

Efter att ha motat ner alla till undervåningen gick han sedan in i köket igen och slog sig ner mittemot Herman. Margareta tittade på honom och en bred rynka formades mellan hennes ögonbryn då hon såg på honom att något inte var som det skulle.

226

"Vad heter din far?" sa han och tittade på Margareta.

"Herman", sa hon. Rynkan fördjupades.

"Herman", sa Martin. "Kan du berätta för mig vad det är som har hänt här?"

Först fick han inget svar. Det enda som hördes var ljudet av ambulanspersonalen som talade lågmält med varandra ute i vardagsrummet. Sedan lyfte Herman blicken och sa tydligt:

"Jag dödade henne."

Fredagen kom med ett underbart sensommarväder. Mellberg sträckte ut benen ordentligt när han lät Ernst springa av sig, och även hunden verkade uppskatta brittsommardagen.

"Ja, du Ernst", sa Mellberg och väntade in hunden när han stannade till för att lyfta benet mot en buske. "I kväll du, då ska lilla pappsen ut och svänga sina lurviga igen."

Ernst tittade undrande på honom och lade huvudet på sned några ögonblick, men återgick sedan till toalettbestyren.

Mellberg kom på sig själv med att vissla när han tänkte på kvällens kurstillfälle, och på känslan av Ritas kropp mot sin. Han kunde bli riktigt biten av det här med salsadansandet, det var då ett som var säkert.

Han mulnade när tankarna på heta rytmer gled bort och ersattes av tankar på utredningen. Eller utredningarna. Det var då satan att man aldrig kunde få någon lugn och ro i det här samhället. Att folk skulle vara så förbenat inställda på att ha ihjäl varandra. Nåja, det ena fallet verkade i alla fall vara ganska enkelt att lösa. Hennes make hade ju erkänt. Nu väntade de bara på rättsläkarens rapport som skulle bekräfta att det var mord, så var den saken ur världen. Det där som Martin Molin gick och muttrade om, att det var lite märkligt att någon med anknytning till Erik Frankel också blev mördad, det var inget som han tog någon större notis om. Herregud, efter vad han förstod hade de varit barndomsvänner. För sextio år sedan. Det var ju en evighet sedan och ingenting som hade något samband med den här mordutredningen. Nej, tanken var befängd. Men han hade i alla fall gett sitt tillstånd till att Molin fick kolla lite på det, gå igenom telefonlistor och sådant för att se om han kunde hitta någon koppling. Han skulle helt säkert inte hitta något. Men det fick i alla fall tyst på honom.

Plötsligt insåg Mellberg att hans fötter hade fört honom till Ritas port, medan han varit försjunken i tankar. Ernst ställde sig framför dörren och viftade ivrigt med svansen. Mellberg tittade på klockan. Elva. Perfekt tid för en liten kaffepaus, om hon var hemma. Han tvekade en stund, men ringde sedan på porttelefonen. Inget svar.

"Hallå där."

En röst bakom honom fick honom att hoppa till. Det var Johanna som med möda kom gående emot dem. Hon vaggade lätt och höll ena handen tryckt mot korsryggen.

"Att det ska vara så jävla svårt att ta sig runt på en sketen liten promenad", sa hon frustrerat och lutade sig bakåt för att sträcka på ryggen, medan hon grimaserade illa. "Jag får spader av att bara sitta hemma och vänta, men kroppen vill inte riktigt samma sak som huvudet." Hon suckade och strök sig över den stora magen.

"Jag antar att du söker Rita?" sa hon och tittade på honom med ett finurligt leende.

"Öh, ja, jo ...", sa Mellberg och kände sig med ens brydd. "Vi ... alltså Ernst och jag, vi var bara ute på vår lilla runda, och Ernst han ville väl hit för att träffa ... öh ... Señorita, så vi ..."

"Rita är inte hemma", sa Johanna, fortfarande med samma finurliga leende. Hon hade uppenbarligen mycket roligt åt hans förlägenhet. "Hon är hos en väninna hela eftermiddagen. Men om du kan tänka dig att komma upp och ta en fika ändå, ja, alltså om Ernst kan tänka sig att komma upp utan att Señorita är hemma", hon blinkade åt honom, "så får du gärna göra mig sällskap. Jag håller på att få lappsjuka."

"Ja ... ja, visst", sa Mellberg och följde henne in genom porten.

När de kom in i lägenheten satte sig Johanna på en av köksstolarna och pustade ut.

"Jag ska strax sätta på kaffet, måste bara andas lite först."

"Sitt du", sa Mellberg åt henne. "Jag såg var hon förvarade grejerna sist, så jag kan sätta på kaffet. Det är bättre att du vilar."

Johanna tittade häpen på honom när han började öppna skåp och luckor, men satt tacksamt kvar.

"Det måste vara rätt tungt det där", sa Mellberg medan han hällde upp vatten i bryggaren och sneglade på hennes mage.

"Tungt är bara förnamnet. Att vara gravid är totalt överreklamerat, måste jag säga. Först mår man skit i tre fyra månader och måste se till att ha nära till muggen hela tiden ifall man måste kräkas. Sedan kommer i och för sig ett par månader som är rätt okej och emellanåt till och med lite mysiga. Sedan är det som om man över natten förvandlas till Barba-pappa. Ja, eller Barbamamma kanske."

"Ja, och sedan …"

"Fortsätt inte på den meningen, hörru du", sa Johanna strängt och hötte med pekfingret. "Det har jag inte ens vågat tänka på än. Börjar jag fundera på att det bara finns en väg ut för den här ungen, så får jag panik. Och säger du att 'ja, men kvinnor har fött barn i alla tider och överlevt, och dessutom skaffat fler, så så jävligt kan det inte vara', så måste jag tyvärr nita dig."

Mellberg höll avvärjande upp händerna. "Du pratar med någon som aldrig ens har varit i närheten av ett BB …"

Han dukade fram kaffet och slog sig ner hos henne vid bordet.

"Måste vara skönt att kunna äta för två i alla fall", sa han och flinade när hon tryckte in tredje kakan i munnen.

"Det är den fördel jag utnyttjar till fullo", skrattade Johanna och sträckte sig efter en kaka till. "Fast du verkar ju ha anammat samma filosofi, fast du inte har graviditet som ursäkt", sa hon och pekade retsamt på Mellbergs rejäla mage.

"Den här kommer jag att salsa bort på nolltid." Han slog sig för magen.

"Ja, jag får väl komma och titta på er någon gång", sa Johanna och log vänligt.

Mellberg kände sig för ett ögonblick både fascinerad och ovan vid att någon faktiskt verkade uppskatta hans sällskap. Men han kom fram till att även han till sin stora förvåning trivdes i Ritas svärdotters sällskap. Efter ett djupt andetag vågade han sig på frågan som hade legat där och pockat sedan lunchen då bitarna föll på plats.

"Hur …? Pappan …? Vem …?" Han insåg att det kanske inte var hans livs mest välformulerade ögonblick, men Johanna fattade i alla fall vad han menade. Hon tittade skarpt på honom i några sekunder och verkade överväga om hon skulle svara på hans fråga. Till slut mjuknade hennes ansikte och hon tycktes ha bestämt sig för att lita på att det inte låg annat än nyfikenhet bakom den.

"En klinik. I Danmark. Vi har aldrig träffat pappan. Så jag drog inte ut på krogen en kväll om det var det du tänkte."

"Nej … det trodde jag nog inte", sa Mellberg men var tvungen att erkänna för sig själv att tanken ändå hade slagit honom.

Han tittade på klockan. Nu var han nog tvungen att ta sig bort till stationen. Det var strax lunch, och den kunde han ju inte gå miste om. Han reste sig och bar bort kopparna och faten till diskhon, sedan blev han stående, tvekade en stund. Till slut tog han fram plånboken han hade i bakfickan, drog ut ett visitkort och räckte det till Johanna.

"Skulle det ... Skulle det knipa på något sätt, eller tillstöta något ... Ja, jag antar att både Paula och Rita står stand by nu fram till ... men, ja ... utifall att ..."

Johanna tog häpen emot kortet, och Mellberg skyndade sig ut i hallen. Han förstod inte själv var infallet att ge Johanna kortet kom ifrån. Kanske hade det något att göra med att han hade känt känslan av sparkarna mot handflatan ända sedan hon lade hans hand på sin mage.

"Ernst, kom hit", sa han barskt och motade ut hunden. Sedan stängde han dörren bakom sig, utan att ropa hej då.

Martin stirrade på telefonlistorna. De bevisade inte att det hans magkänsla hade sagt honom stämde, men inte heller motsatsen. Strax innan Erik Frankel mördades hade någon ringt till hans och Axels gemensamma telefon hemifrån Britta och Herman. Två samtal fanns registrerade. Och ytterligare ett nu för ett par dagar sedan, då det måste ha varit Axel som Britta eller Herman hade ringt till. Dessutom fanns ett samtal till Frans Ringholm registrerat.

Martin stirrade ut genom fönstret, sköt bak stolen och lade upp benen på skrivbordet. Han hade ägnat förmiddagen åt att gå igenom alla papper, alla fotografier och allt annat material som de hade fått fram under utredningen av Erik Frankels död. Han var fast besluten att inte ge sig förrän han hittade en möjlig koppling mellan de båda morden. Men hittills ingenting. Förutom detta. Telefonsamtalen.

Frustrerad kastade han telefonlistorna på bordet. Det kändes som om han hade kört fast. Och han visste att Mellberg bara hade gett honom tillåtelse att titta lite mer på omständigheterna kring Brittas död för att få tyst på honom. Han, liksom alla övriga, verkade övertygade om att det var maken som var den skyldige. Men de hade ännu inte kunnat förhöra Herman. Han befann sig enligt läkarna i ett djupt chocktillstånd och var inlagd på sjukhus. Så de fick vackert vänta tills läkarna ansåg att han var stark nog att klara av ett förhör.

Nej, det var en förbannad röra alltihop, och han visste inte i vilken ände han skulle fortsätta. Han stirrade på mappen med utredningsdokumenten, som för att besvärja dem att tala, och fick sedan en idé. Självklart. Att han inte hade tänkt på det tidigare.

Tjugofem minuter senare svängde han in på Patriks och Ericas uppfart. Han hade ringt Patrik på vägen och försäkrat sig om att han var hemma, och nu öppnade han på första signalen. Maja satt på Patriks arm och började genast vifta med händerna när hon såg vem det var som kom.

"Hej tjejen", sa Martin och vinkade med fingrarna. Hon svarade genom att sträcka ut armarna efter honom, och eftersom hon vägrade släppa taget fann han sig en stund senare sitta i vardagsrumssoffan med Maja i knät. Patrik satt i fåtöljen, framåtlutad över alla papper och fotografier och strök sig fundersamt över hakan.

"Var är Erica?" sa Martin och tittade sig runt.

"Öh, va?" Patrik tittade förvirrat upp. "Jo, hon har åkt till biblioteket ett par timmar. Lite mer research till nya boken."

"Jaha", sa Martin och koncentrerade sig sedan på att underhålla Maja, medan Patrik i lugn och ro fick läsa igenom allt.

"Så du tror att Erica har rätt?" sa han till slut och tittade upp. "Du tror också att det kan finnas någon koppling mellan morden på Erik Frankel och Britta Johansson?"

Martin funderade några ögonblick, sedan nickade han. "Ja, det tror jag. Jag har inte några konkreta belägg för det ännu, men om du frågar vad jag tror så är svaret att jag nästan är övertygad om att det finns ett samband."

Patrik nickade. "Jo, det är ju onekligen ett märkligt sammanträffande annars." Han sträckte ut benen framför sig. "Har ni frågat Axel Frankel och Frans Ringholm vad samtalen från Brittas och Hermans hus gällde?"

"Nej, inte än." Martin ruskade på huvudet. "Jag ville först stämma av lite med dig, kolla så att det inte bara är jag som har blivit tokig eftersom jag söker efter något annat när vi faktiskt redan har någon som har erkänt."

"Hennes man, ja …", sa Patrik fundersamt. "Frågan är varför han säger att han har dödat henne, om det nu inte är han som har gjort det?"

"Vad vet jag? För att skydda någon kanske?" Martin ryckte på axlarna.

"Hmm …" Patrik funderade högt medan han fortsatte att bläddra bland papprena på bordet.

"Och utredningen av mordet på Erik Frankel? Har ni kommit någonstans där?"

"Nja, nej, det skulle jag väl inte säga direkt", sa Martin modstulet medan han studsade Maja på knät. "Paula håller på och kollar lite närmare på Sveriges vänner, vi har pratat med grannarna, men ingen kan påminna sig att de har sett något utöver det vanliga. Nu bor ju bröderna Frankel så pass avsides att vi inte hade mycket hopp om att någon skulle ha sett något, och tyvärr stämde våra farhågor. I övrigt finns allt där." Han pekade mot pappren som låg som en solfjäder på bordet framför Patrik.

"Eriks finanser då?" Han bläddrade bland pappren och drog sedan fram några som låg underst. "Ingenting där som verkade konstigt?"

"Nej, inte direkt. Mest det vanliga. Räkningar, enstaka mindre kontantuttag, ja, du vet."

"Inga större summor som har flyttats eller något sådant?" Patrik studerade intensivt kolumnerna med siffror.

"Nej, det enda som möjligtvis stack ut lite är en månatlig överföring som Erik har gjort. Banken säger att han gjort överföringen regelbundet i snart femtio år."

Patrik hajade till och tittade på Martin. "Femtio år? Vem eller vad är det han har fört över pengar till?"

"Någon privatperson i Göteborg, tydligen. Namnet ska finnas på någon lapp här i mappen", sa Martin. "Summorna har inte varit så stora. Visserligen ökande genom åren, men nu låg de på tvåtusen kronor och det lät inte som om det skulle vara något … Jag menar det kan ju knappast ha varit utpressning eller något sådant, för vem skulle hålla på och betala i femtio år …?"

Martin hörde hur ihåligt det lät och hade lust att slå sig för pannan. Han borde ha kollat upp den där överföringen. Nåja, bättre sent än aldrig.

"Jag kan ringa honom i dag och höra vad det handlar om", sa Martin och flyttade över Maja till det andra knät, eftersom det ben som hon hade suttit på hittills hade börjat domna.

Patrik satt tyst en stund, sedan sa han: "Nej, vet du vad. Jag behöver komma ut och röra på mig." Han öppnade mappen och tog fram lappen. "Wilhelm Fridén heter tydligen han som pengarna har förts över till. Jag kan åka dit i morgon och prata med honom personligen. Jag har ju adressen här." Han viftade med lappen. "För den är väl aktuell?"

"Ja, det är den adress som jag fick av banken. Så den ska vara aktuell", sa Martin.

232

"Bra. Men då gör vi så att jag sticker dit i morgon. Det kan ju vara något känsligt, så jag tror att det är dumt att ringa."

"Okej, vill du och kan du, så är jag bara tacksam", sa Martin. "Men vad gör du med …?" Han pekade på Maja.

"Gumman får komma med", sa Patrik och sprack upp i ett leende som han riktade mot dottern. "Så passar vi på att hälsa på faster Lotta och kusinerna också, eller hur gumman? Träffa kusinerna blir ju kul."

Maja gurglade bekräftande och slog ihop händerna.

"Skulle jag kunna behålla den här ett par dagar?" sa Patrik och pekade på mappen. Martin tänkte efter. Det mesta hade han kopior på, så det borde inte vara några problem.

"Visst, behåll den du. Och säg till om du hittar något mer som du vill att vi ska kika närmare på. Om du kollar upp det där i Göteborg, så pratar vi med Frans och Axel om varför Britta eller Herman har sökt dem."

"Vänta lite med att fråga Axel om utbetalningarna i så fall, tills jag har fått lite mer information."

"Självklart."

"Tappa inte modet bara", sa Patrik tröstande när han och Maja följde Martin till dörren för att vinka av honom. "Du vet ju sedan tidigare hur det är. Förr eller senare så trillar den där lilla biten på plats som får allt att lossna."

"Jo, jag vet", sa Martin, men lät inte riktigt övertygad. "Jag tycker bara att det är en jävla tajming att du är ledig nu. Vi hade behövt dig." Han log för att ta bort udden i det han sa.

"Tro mig, du kommer hit du med. Och när du sitter i blöjträsket är jag i full fart på stationen igen." Patrik blinkade mot Martin och stängde sedan dörren bakom honom.

"Tänk att vi ska till Göteborg i morgon, du och jag", sa han till Maja och tog några danssteg med henne i famnen.

"Nu ska vi bara sälja in det till mamma."

Maja nickade instämmande.

Paula kände sig oerhört trött. Trött och äcklad. Hon hade suttit och surfat i flera timmar för att få fram uppgifter om de svenska nynazistiska organisationerna och framförallt om Sveriges vänner. Fortfarande kändes det mest troligt att de låg bakom Erik Frankels död, men problemet var att de inte hade något konkret att gå på. De hade inte hittat några hotbrev, endast antydningar i breven från Frans Ringholm, som skrev att

Sveriges vänner inte uppskattade hans verksamhet och att han inte längre kunde garantera ett skydd mot dessa krafter. Det fanns inte heller någon teknisk bevisning som kunde binda någon av dem till mordplatsen. Samtliga i styrelsen hade frivilligt, och hånfullt, lämnat fingeravtryck med benägen hjälp från kollegorna i Uddevalla. Men SKL hade konstaterat att inget matchade något av fingeravtrycken i Eriks och Axels bibliotek. Frågan om alibi hade lämnat dem lika fattiga. Ingen av dem hade ett helt vattentätt alibi, men de flesta hade ett som var gott nog för att räcka tills de fick bevis som pekade i någon särskild riktning. Flera av dem hade också intygat att Frans hade varit med på en resa till en systerorganisation i Danmark under de aktuella dagarna och hade därmed gett honom alibi. Problemet var också att organisationen var så stor, större än Paula hade kunnat gissa, och de kunde inte kolla alibi och ta fingeravtryck på alla som var knutna till Sveriges vänner. Det var därför de hade bestämt sig för att tills vidare begränsa sig till ledningen. Men hittills var resultatet alltså noll.

Hon klickade frustrerad vidare. Var kom alla de här människorna ifrån? Var kom allt deras hat ifrån? Hon kunde förstå hat som riktades mot specifika människor, människor som hade begått oförrätter mot en. Men att urskillningslöst hata människor på grund av att de kom från ett annat land än ens eget, eller för att de hade en speciell hudfärg? Nej, hon förstod det helt enkelt inte.

Själv hatade hon bödlarna som dödade hennes far. Hatade dem så mycket att hon utan tvekan skulle kunna döda dem om hon fick chansen, om de fortfarande levde. Men hennes hat stannade där, även om det hade kunnat fortsätta uppåt, utåt, vidgat sig. Hon hade vägrat att låta sig fyllas av så mycket hat. Istället hade hon begränsat hatet till männen som höll i gevären som avfyrade kulorna rakt in i hennes fars kropp. Om hon inte hade begränsat hatet, skulle det ha slutat med att hon hatade det land hon kom ifrån. Och hur skulle hon kunna göra det? Hur skulle hon orka med bördan av att hata det land där hon var född, där hon hade tagit sina första steg, där hon hade lekt med vänner, suttit i sin mormors knä, hört sångerna som sjöngs på kvällarna och dansat på festerna som hölls i glädje? Hur skulle hon ha kunnat hata allt det?

Men de här människorna … Hon scrollade vidare ner och läste kolumn efter kolumn om hur sådana som hon borde utrotas, eller åtminstone jagas tillbaka till sina hemländer. Och det fanns bilder. En hel del från Nazityskland såklart. De svartvita bilderna som hon hade sett så många gånger tidigare, högarna av nakna, utmärglade kroppar som hade slängts bort som avskräde efter att de hade dött i koncentrationslägren. Auschwitz, Buchenwald, Dachau... alla namnen som var skrämmande bekanta, för evigt förknippade med den yttersta ondskan. Men här, på dessa sidor, var de hyllade och firade. Eller förnekade. Det fanns ju de falangerna också. Peter Lindgren tillhörde en av dem. Han hävdade att det aldrig hade hänt. Att sex miljoner judar inte hade dödats, fördrivits, plågats, torterats, gasats ihjäl i koncentrationslägren under andra världskriget. Hur kunde man förneka något sådant, när det fanns så många spår kvar, så många vittnen? Hur fungerade de här människornas förvridna hjärnor?

Hon hoppade högt när en knackning avbröt henne.

"Hej, vad håller du på med?" Martin stack in huvudet genom dörren.

"Jag kollar upp alla bakgrundsfakta som jag kan hitta om Sveriges vänner", sa hon och suckade. "Men man blir ta mig fan mörkrädd när man börjar rota i det här. Vet du att det finns cirka tjugo nynazistiska organisationer i Sverige? Och att Sverigedemokraterna fick sammanlagt 281 mandat i 144 kommuner. Vart fan är det här landet på väg?"

"Inte vet jag, men man börjar verkligen undra", sa Martin.

"Ja, för jävligt är det i alla fall", sa Paula och kastade ilsket ifrån sig en penna som kanade av skrivbordet och åkte ner på golvet.

"Låter som om du behöver lite paus från det där", sa Martin. "Jag tänkte att vi skulle ta ett snack med Axel igen."

"Om något särskilt?" sa Paula nyfiket. Hon reste sig och gick efter Martin mot garaget.

"Nja, jag tänkte bara att det kan vara bra att stämma av med honom igen, han var ju den som stod Erik närmast och visste mest om honom. Men framförallt vill jag kolla en grej..." Han tvekade. "Alltså, jag vet att det bara är jag som tycker att det känns som om det finns någon koppling till mordet på Britta Johansson, men någon har ringt från deras hus till Axel så sent som häromdagen, och redan i juni ringdes ytterligare ett samtal dit, fast det är ju omöjligt att säga om det gick till Erik eller Axel. Och jag har precis stämt av med Frankels telefonlistor, och i juni var det någon från deras hus som ringde till Britta eller Herman. Två gånger. Innan telefonsamtalet från deras hus kom."

"Värt att kolla i alla fall", sa Paula och spände fast säkerhetsbältet. "Och bara jag slipper nassarna en stund så köper jag vilken långsökt anledning som helst."

Martin nickade och körde ut ur garaget. Han förstod Paula till fullo. Men något sa honom att det ändå inte var så långsökt.

Hon hade varit chockad hela veckan, och först på fredagen kände Anna att hon kunde börja ta in informationen. Dan hade tagit det mycket bättre. Sedan den initiala chocken hade lagt sig hade han gått och smånynnat för sig själv. Alla hennes invändningar hade han viftat bort med ett glatt: "Äh, det ordnar sig. Det blir ju skitkul, det här! En liten bebis ihop, det kommer att bli kanon."

Men Anna kunde inte riktigt ta in "kanon" än. Hon kom på sig själv med att smeka sig över magen, försöka föreställa sig den lilla, lilla klumpen där inne. Än så länge något oidentifierbart, ett mikroskopiskt embryo som om bara några månader skulle bli till ett litet barn. Trots att hon hade varit med om det här två gånger tidigare, kändes det lika ofattbart. Kanske ännu mer den här gången. För graviditeterna med Emma och Adrian mindes hon knappt. De hade försvunnit in i ett töcken, där rädslan för slagen dominerade varje vaken och icke vaken stund. All hennes energi gick åt till att skydda magen, skydda liven, mot Lucas.

Den här gången behövde hon inte det. Och absurt nog så skrämde det henne. Den här gången kunde hon glädja sig. Fick glädja sig. Skulle glädja sig. Hon älskade ju Dan. Var trygg med honom. Visste att han aldrig skulle komma på tanken att göra henne eller någon annan illa. Hur kunde det vara skrämmande? Det var det hon hade ägnat de senaste dagarna åt att försöka förstå och hantera.

"Vad tror du? Pojke eller flicka? Några känningar åt endera hållet?" Dan hade smugit upp bakom henne, lagt armarna om henne och smekte nu hennes ännu platta mage.

Anna skrattade och försökte fortsätta röra i grytan trots att Dans armar var i vägen.

"Du, jag är i typ vecka sju. Är det inte lite för tidigt att börja känna efter vad det blir? Hur så förresten?" Anna vände sig om med orolig min. "Jag hoppas att du inte sätter för mycket hopp till att det ska bli en son nu, för du vet att det är pappan som avgör vilket kön det blir, och eftersom du har fått tre tjejer tidigare är den statistiska sannolikheten ..."

"Schh ..." Dan lade skrattande sitt pekfinger över Annas läppar. "Jag blir precis lika glad vad det än blir. Blir det en liten kille, jättekul. Blir det en liten tjej, kanon. Och dessutom." Hans ansikte blev allvarligt. "Jag ser det som att jag redan har en son. Adrian. Det hoppas jag att du vet. Det trodde jag att du visste. När jag bad er att flytta in hos mig, så var det inte bara in i huset jag menade. Utan här." Han lade knytnäven på bröstet precis där hjärtat satt, och Anna kände hur hon fick svälja gråten. Hon lyckades inte riktigt, för en tår rann över franskanten och ner på kinden. Underläppen hade börjat darra förargligt. Dan torkade tåren med handen och tog sedan hennes ansikte mellan sina händer. Han tittade henne stadigt in i ögonen. Tvingade henne att hålla kvar blicken i hans.

"Om det blir en liten tjej, så får väl jag och Adrian gadda ihop oss mot alla er brudar här. Men tvivla aldrig på att jag ser dig, Emma och Adrian som något annat än en enhet. Och jag älskar er alla tre. Och jag älskar dig där inne också, hör du det", hojtade han neråt magen.

Anna skrattade. "Jag tror inte att öronen utvecklas förrän någonstans runt vecka tjugo."

"Du, mina barn utvecklas väldigt, väldigt tidigt." Dan blinkade.

"Hm, jo, eller hur", sa Anna, men kunde inte låta bli att skratta igen. De kysstes en stund, men ryckte till när ytterdörren rycktes upp och sedan smälldes igen.

"Hallå? Vem är det?" sa Dan och gick mot hallen.

"Jag", hördes en trumpen stämma. Belinda tittade under lugg på dem.

"Hur har du tagit dig hit?" sa Dan och tittade ilsket på henne.

"Hur fan tror du? På samma jävla sätt som jag tog mig härifrån. Med buss fattar du väl."

"Prata med mig i ett hövligt tonfall, eller prata inte med mig alls", sa Dan sammanbitet.

"Öh ... då väljer jag ..." Belinda satte pekfingret mot kinden och låtsades fundera. "Jo, nu vet jag. Då väljer jag INTE PRATA MED DIG ALLS!" Och så stormade hon uppför trappan till sitt rum, kastade igen dörren med en rungande smäll och drog igång stereon på så hög volym att golvet vibrerade under fötterna på dem.

Dan satte sig tungt på nedersta trappsteget, drog Anna intill sig och pratade mot magen som hamnade precis i jämnhöjd med hans mun.

"Jag hoppas att du höll för öronen där inne. För din pappa kommer att vara alldeles för gammal för sådan vokabulär när du är i den åldern."

Anna strök honom medlidsamt över håret. Ovanför dem dunkade musiken.

Fjällbacka 1944

"Hade han några nyheter om Axel?" Erik kunde inte dölja sin upphetsning. De hade samlats alla fyra på den vanliga platsen på Rabekullen strax ovanför kyrkogården. Alla hade varit nyfikna på vad Elsy kunde berätta om nyheten som hade spridit sig som en löpeld genom samhället, att Elof hade fått med sig hem en norsk motståndsman som hade rymt från tyskarna.

Elsy skakade på huvudet. "Nej, far frågade honom, men han kände inte till honom, sa han."

Erik tittade besviken ner i graniten och sparkade med kängan mot ett sjok av grå lav.

"Men han kanske inte känner honom till namnet, om man beskrev lite mer om honom kanske han skulle veta något", sa Erik med ett nytt blänk av hopp i ögonen. Om det bara gick att få någon liten nyhet som visade att Axel fortfarande levde. I går hade mor för första gången yttrat högt det som de alla oroade sig för. Hon hade gråtit, mer hjärtskärande än på länge, och sagt att de nog fick tända ett ljus i kyrkan för Axel på söndag, för han fanns nog inte mer i livet. Far hade blivit arg och bannat henne, men Erik hade sett resignationen i hans ögon. Inte heller far trodde längre att Axel levde.

"Ja, vi går och pratar med honom", sa Britta ivrigt och reste sig upp och borstade av kjolen. Hon kände med handen över håret så att flätorna var släta och fick en hånfull kommentar av Frans.

"Ja, jag förstår att det är av omtanke om Erik som du står där och putsar dig, Britta. Inte visste jag att du sprang efter norrmän. Finns det inte svenskar så att det räcker för dig?" Han skrattade och Britta blev högröd i ansiktet av ilska.

"Tig Frans, du gör dig till åtlöje. Det är klart att jag bryr mig om Erik. Och att få reda på något om Axel. Sedan skadar det ju inte att se anständig ut."

"Då får du nog anstränga dig. Om du ska se anständig ut", sa Frans rått och drog i Brittas kjol. Hon blev ännu rödare i ansiktet och såg ut att vara på väg att brista ut i gråt när Elsy med skarp röst sa:

"Tyst med dig, Frans. Du pratar så mycket dumheter ibland, så att hälften kunde vara nog!"

Han stirrade på henne och blev alldeles vit i ansiktet. Abrupt reste han sig och sprang iväg, svart i blicken.

Erik petade på några lösa stenar med fingrarna. Utan att titta på Elsy sa han lågt:

"Du får akta dig för vad du säger till Frans. Det är något med honom ... Något som kokar där under. Jag känner det."

Elsy betraktade honom häpet och undrade var det märkliga uttalandet kom ifrån. Men hon visste instinktivt att han hade rätt. Hon hade känt Frans sedan de var i koltåldern, men något växte inom honom, något okontrollerbart, något otämjbart.

"Äh, vad löjlig du är", fnös Britta. "Det är väl inget fel på Frans. Vi ... retades lite bara."

"Du är blind för att du är kär i honom", sa Erik konstaterande.

Britta daskade till honom på axeln.

"Aj, vad gjorde du så där för?" sa han och höll sig för axeln.

"För att du pratar så mycket strunt. Nå, vill du gå och prata med norrmannen om din bror eller inte?"

Britta marscherade iväg och Erik bytte en blick med Elsy.

"Han var inne hos sig när jag gick. Det kan väl inte skada om vi byter några ord med honom."

En liten stund senare knackade Elsy försynt på källardörren. Hans såg lite förlägen ut när han öppnade och upptäckte den lilla församlingen utanför.

"Hej?" sa han frågande.

Elsy tittade på de andra innan hon tog till orda. I ögonvrån såg hon att Frans kom släntrande mot dem, nu med ett lugnare ansiktsuttryck och händerna nonchalant nedstuckna i byxfickorna.

"Jo, vi undrar om vi kan få komma in. Och språka med dig en stund?"

"Javisst", sa norrmannen och klev åt sidan. Britta blinkade kokett åt honom när hon gick förbi, och pojkarna tog i hand och hälsade. Det fanns inte många möbler i det lilla rummet. Britta och Elsy satte sig på de enda två stolarna som fanns, Hans slog sig ner på den välbäddade sängen och Frans och Erik satte sig helt sonika på golvet.

"Det var om min bror", sa Erik och tittade under lugg. Hoppet fanns där i ögonen på honom, inte stort, men det glimmade till emellanåt.

"Min bror har hjälpt de dina under hela kriget. Åkt med Elsys pappas båt, samma som du kom med, och forslat saker fram och tillbaka till er sida. Men för ett år sedan tog tyskarna honom i hamnen i Kristiansand och…", han blinkade till, "vi har inte hört något om honom sedan dess."

"Elsys far frågade mig om honom", sa Hans och mötte Eriks blick. "Men jag känner tyvärr inte till namnet. Och jag minns inte att jag har hört något om en svensk som har tagits i Kristiansand. Men vi är många. Och det är inte få svenskar som har hjälpt till heller, för den delen."

"Men du kanske inte känner honom till namnet, men skulle känna igen honom till utseendet?" Eriks röst var ivrig och han knöt händerna i knät.

"Chansen är liten, men du kan ju pröva. Beskriv honom för mig."

Erik beskrev honom så gott han kunde. Och det var inte svårt. För trots att brodern hade varit borta ett helt år såg han honom fortfarande klart och tydligt framför sig. Fast samtidigt var det många som liknade Axel och det var svårt att komma på särdrag som skilde honom från andra svenska pojkar i den åldern.

Hans lyssnade men skakade sedan bestämt på huvudet. "Nej, han känns inte det minsta bekant. Jag är verkligen ledsen."

Erik sjönk besviken ihop. De satt alla tysta en stund. Sedan sa Frans:

"Nå, berätta vad du har varit med om för äventyr under kriget. Du måste ha varit med om mycket spännande!" Hans ögon lyste.

"Nja, det är inte så mycket att orda om", sa Hans motvilligt, men Britta protesterade. Hon hade ögonen stadigt fästa på honom och uppmanade honom att berätta något, vad som helst, om allt det som han hade varit med om. Efter ytterligare några protester gav norrmannen med sig och började berätta om hur det hade varit i Norge. Om tyskarnas framfart, om folkets lidande, om de uppdrag som de hade utfört för att slå tillbaka mot tyskarna. De andra fyra ungdomarna satt med öppna munnar och lyssnade. Det var så spännande alltihop. Visst såg de att det bodde något ledset i ögonen på Hans och förstod att han säkert hade sett mycket elände. Men ändå. Det gick inte att komma ifrån att det var spännande.

"Ja, jag tycker att det är förfärligt modigt av dig", sa Britta och rodnade. "De flesta pojkar skulle aldrig våga, det är bara sådana som Axel, och du, som är modiga nog att slåss för det de tror på."

"Skulle inte vi våga, menar du", fräste Frans. Hans irritation underblåstes av det faktum att Britta gav de beundrande blickar som annars var vikta för honom åt norrmannen. "Vi är lika modiga vi, både jag och Erik, och när vi blir lika gamla som Axel och … hur gammal är du förresten?" frågade han Hans.

"Jag fyllde nyss sjutton", sa Hans som verkade känna sig obekväm med allt intresse kring hans person och förehavanden. Han sökte Elsys blick. Hon hade suttit helt tyst och bara lyssnat på de andra, men nu uppfattade hon direkt signalerna.

"Jag tror att vi ska låta Hans vila nu, han har varit med om mycket", sa hon mjukt och spände ögonen i sina vänner. Motvilligt reste de på sig och tackade för sig medan de backade ut genom dörren. Elsy var sist ut och vände sig om precis innan hon stängde dörren.

"Tack", sa Hans och log svagt mot henne. "Men det var trevligt med lite sällskap, så ni får gärna komma igen. Men just nu är jag lite …"

Hon log mot honom. "Jag förstår precis. Vi kommer tillbaka en annan gång, och vi ska nog se till att visa dig samhället också. Men vila nu."

Hon stängde dörren. Men märkligt nog hängde bilden av honom kvar på näthinnan och vägrade att ge sig av.

Erica var inte på biblioteket som Patrik trodde. Hon hade visserligen varit på väg dit. Men precis när hon parkerat bilen hade en tanke slagit rot. Det fanns ju någon mer som hade stått hennes mor nära. Och som hade varit hennes vän betydligt senare än för sextio år sedan. Egentligen den enda vän som hon kunde komma på att hennes mor hade haft under hennes och Annas uppväxt. Att hon inte hade tänkt på det tidigare. Men Kristina hade ju blivit så mycket hennes svärmor att hon på något sätt hade lyckats glömma bort att hon också hade varit hennes mors vän.

Beslutsamt startade hon bilen igen och körde i riktning mot Tanumshede. Det var första gången hon gjorde ett spontanbesök hemma hos Kristina, och hon sneglade på mobiltelefonen och övervägde om hon skulle ringa först. Nej, så fasiken heller. Kunde Kristina dundra in oanmäld hos henne och Patrik när som helst, kunde väl hon göra samma sak.

Irritationen satt fortfarande i när hon kom fram, och på pin kiv tryckte hon en kort signal på dörrklockan och klev sedan rakt in.

"Hallå?" ropade hon.

"Vem är det?" Kristinas röst kom från köket, hon lät lite ängslig. En stund senare stod hon i hallen.

"Erica?" sa hon häpet och stirrade på svärdottern. "Kommer du och hälsar på? Har du Maja med dig?" Hon tittade sökande runt Erica, men kunde inte se sitt barnbarn någonstans.

"Nej, hon är hemma med Patrik", sa Erica. Hon tog av sig skorna och ställde dem prydligt på skohyllan.

"Ja, men kom in då", sa Kristina, fortfarande undrande. "Jag sätter på en kopp kaffe till oss."

Erica följde efter henne ut i köket och betraktade förvånad sin svärmor. Hon kände inte riktigt igen henne. Hon hade aldrig sett Kristina annat än oklanderligt klädd och rejält sminkad. Och när hon kom hem på besök till dem, for hon alltid fram som ett energiknippe, pratade oavbrutet och rörde konstant på sig. Den här kvinnan var någon helt annan. Kristina gick fortfarande i ett gammalt urtvättat nattlinne, trots att klockan var en bra bit in på förmiddagen, och ansiktet var totalt fritt från make up. Det gjorde att hon såg mycket äldre ut, med tydliga fåror och linjer i ansiktet. Håret hade hon inte heller gjort något åt, det var platt efter kudden.

"Som jag ser ut", sa Kristina, som om hon hörde vad Erica tänkte, och drog brydd handen genom håret. "Det känns liksom inte som så stor idé att göra sig i ordning om man inte har något direkt att göra, eller någonstans att vara."

"Men det brukar ju alltid låta på dig som om du har fullt upp", sa Erica och slog sig ner vid bordet.

Kristina sa först inget, utan dukade bara fram två koppar och satte en rulle med ballerinakex på bordet.

"Det är inte lätt att gå i pension när man har jobbat ett helt liv", sa hon till slut och hällde kaffe i muggarna. Och alla har fullt upp med sitt. Det finns väl i och för sig saker jag skulle kunna göra, men jag har liksom inte riktigt orkat ta itu med det …" Hon sträckte sig efter ett kex och undvek att titta på Erica.

"Men varför har du då sagt till oss att du har så mycket om dig och kring dig?"

"Äh, ni ungdomar har ju ert eget liv. Jag ville inte att ni skulle känna att ni måste ta hand om mig. Jag vill gud bevars inte bli en börda. Och jag känner ju när jag är hos er att det inte alltid är så välkommet, och då tänkte jag att det var bäst att …" Hon tystnade och Erica stirrade häpen på henne. Kristina lyfte blicken från bordet och fortsatte: "Du ska veta att jag lever för stunderna när jag får vara hos er och med Maja. Lotta har ju sitt i Göteborg och det är inte alltid så lätt för henne att komma hit, eller för mig att komma dit för den delen när de bor så trångt. Och jag känner som sagt att jag inte alltid mottas med glädje hemma hos er …" Hon tittade bort igen, och Erica skämdes.

"Ja, jag har nog haft stor del i det, det erkänner jag", sa hon mjukt. "Men du är alltid välkommen. Och Maja och du har ju så roligt ihop. Det enda vi begär är att vårt privatliv respekteras. Det är vårt hem, och du är välkommen dit som gäst. Så vi, jag, uppskattar sådant som att du ringer och hör om det passar innan du kommer, att du inte kliver rätt in i huset, och försök för guds skull att inte tala om för oss hur vi ska sköta vårt hem och vårt barn. Kan du respektera de reglerna är du så välkommen i vårt hem, och Patrik kommer säkert uppskatta möjligheten att få en del avlastning nu under pappaledigheten."

"Jo, det kan jag tänka mig", sa Kristina och skrattade, ett skratt som nu nådde ögonen. "Hur går det för honom?"

"Det var lite sisådär de första dagarna", sa Erica och berättade om Majas inhopp på både brottsplats och polisstation. "Men nu tror jag att vi har enats om vad som gäller."

"Ja, se karlar", sa Kristina. "Jag minns när Lars skulle vara ensam hemma med Lotta för första gången. Hon var väl ändå runt året och jag skulle för första gången gå ut och handla en stund på egen hand. Det tog bara tjugo minuter, sedan kom butiksföreståndaren och hämtade mig och sa att Lars hade ringt och sagt att det var kris och att jag måste hem. Så jag lämnade alla varorna och störtade hem, och nog var det kris alltid."

"Vadå?" sa Erica storögt.

"Jo, nu ska du få höra. Han hittade inte blöjorna utan trodde att mina bindor var Lottas blöjor. Och han kunde inte hitta något vettigt sätt att fästa bindan, så när jag kliver in genom dörren står han och försöker vira fast den med gaffatejp."

"Nä!" sa Erica och föll in i Kristinas skratt.

"Ja, han lärde sig tids nog. Lars var en bra far till Patrik och Lotta när de växte upp, något annat ska jag inte säga. Men det var andra tider då."

"Apropå andra tider", sa Erica och tog chansen att byta ämne till det hon hade kommit dit för att prata om. "Jag håller på och försöker ta reda på lite om mamma, hennes uppväxt och så. Jag hittade lite gamla saker på vinden, bland annat några gamla dagböcker och, ja ... det har väl satt igång lite funderingar."

"Dagböcker?" sa Kristina och stirrade på Erica. "Vad stod det i dem?" Tonen var skarp och Erica tittade förvånat på sin svärmor.

"Inget av särskilt intresse tyvärr. Mest tonårstankar. Men det lustiga är att det står en hel del om de vänner som hon umgicks mycket med då. Erik Frankel, Britta Johansson och Frans Ringholm. Och nu har två av dem, Erik och Britta, mördats inom loppet av några månader. Kan vara en slump, men lite märkligt är det."

Kristina stirrade på henne. "Är Britta död?" sa hon och tonen angav att hon hade svårt att ta in informationen.

"Ja, har du inte hört det? Har inte djungeltelegrafen nått hit än? Hennes dotter hittade henne död för två dagar sedan, och det verkar som om hon kvävts. Men hennes man säger att han har dödat henne."

"Så både Erik och Britta är döda?" sa Kristina. Tankarna verkade snurra fort innanför pannan på henne.

"Kände du dem?" sa Erica nyfiket.

"Nej." Kristina skakade bestämt på huvudet. "Jag kände dem bara genom det som Elsy berättade om dem."

"Vad berättade hon då?" sa Erica och lutade sig ivrigt fram över bordet. "Det var precis därför jag kom hit. För att du var mammas vän under så många år. Jag tänkte att om någon känner till saker om mamma, så är det du. Så vad berättade hon om de där åren? Och varför slutade hon skriva dagbok så tvärt 1944? Eller finns det fler någonstans? Sa mamma någonsin något om det? Och i sista dagboken nämner hon att det kom en norsk motståndsman till dem, en Hans Olavsen. Jag har hittat tidningsklipp som verkar visa att de alla fyra umgicks en hel del med honom. Vart tog han vägen?" Frågorna bubblade ur Erica så snabbt att hon knappt hängde med själv. Kristina satt tyst mittemot henne. Ansiktet var slutet.

"Jag kan inte svara på dina frågor, Erica", sa hon tyst. "Jag kan inte. Den enda jag kan svara på är vart Hans Olavsen tog vägen. Elsy berättade för mig att han försvann tillbaka till Norge, strax efter krigsslutet. Sedan såg hon honom aldrig mer."

"Var de ..." Erica tvekade, visste inte hur hon skulle formulera sig. "Älskade hon honom?"

Kristina satt tyst länge. Pillade på mönstret på vaxduken och verkade väga sitt svar på guldvåg. Till slut mötte hon Ericas blick.

"Ja", sa hon. "Hon älskade honom."

Det var en fin dag. Han hade inte tänkt på sådant på mycket länge. Att vissa dagar kunde vara finare än andra. Men den här var verkligen det. Mitt emellan sommar och höst. En varm, mild vind. Ljuset som hade tappat sommarens skärpa och börjat anta höstens glöd. En riktigt fin dag.

Han gick fram och ställde sig vid fönstren i burspråket och tittade ut. Händerna knäppta bakom ryggen. Men han såg inte träden bortom tomten. Eller gräset som hade fått växa sig lite för högt och nu började krokna inför hösten. Istället såg han Britta. Ljusa, vackra Britta som han aldrig hade sett som annat än en jäntunge, då, under kriget. En av Eriks vänner, en söt men rätt fåfäng flicka. Hon hade inte intresserat honom. Hon hade varit för ung. Han hade varit för upptagen av det som måste göras, av vad han kunde göra. Hon hade varit något högst perifert i hans värld.

Men han tänkte på henne nu. Hur hon var när han träffade henne häromdagen. Sextio år emellan. Fortfarande vacker. Fortfarande aningen fåfäng. Men åren hade förändrat henne. Gjort henne till en annan än den hon var då. Axel undrade för sig själv om han hade förändrats lika mycket. Kanske. Kanske inte. Kanske hade åren i tyskarnas förvar förändrat honom tillräckligt för en hel livstid, så att han sedan inte förmådde ändra sig mer. Allt han hade sett. Alla fasor han hade skådat. Kanske hade det förändrat något djupt inom honom, som sedan inte hade gått att vare sig läka eller ersätta.

Axel såg andra ansikten framför sig. Ansikten på de människor som de hade jagat, som han hade hjälpt till att fånga. Inte genom rafflande jakter som på film, utan genom metodiskt arbete, disciplin och administration. Genom att från sitt kontor outtröttligt följa upp fem decenniers pappersspår. Genom att ifrågasätta identiteter, utbetalningar, resor och möjliga tillflyktsorter. De hade fångat in dem en efter en. Sett till att de straffades för de försyndelser som halkade allt längre tillbaka i tiden. De skulle aldrig komma ikapp. Han visste det. Fortfarande fanns det så många där ute, och allt fler av dem började nu dö. Och istället för att dö i fångenskap, i förnedring, dog de i lugn och ro av ålderdom, utan att ha behövt konfronteras med sina gärningar. Det var det som drev honom. Det som fick honom att aldrig vila, att ständigt leta, jaga, åka från möte till möte, gå igenom arkiv efter arkiv. Fanns det en enda kvar där ute som han kunde hjälpa till att fånga in, så kunde han inte vila.

Axel stirrade med blanka ögon ut genom fönstret. Han visste att det hade blivit en besatthet. Arbetet hade fått uppsluka allt. Det hade blivit en livlina han kunde gripa tag i, när han tvivlade på sig själv och sin mänsklighet. Så länge han jagade behövde han inte ifrågasätta vem han var. Så länge han arbetade i det godas tjänst betade han sakta men säkert av skulden. Bara genom att inte stå stilla kunde han skaka av sig allt det som han inte förmådde tänka på.

Han vände sig om. Det ringde på dörren. För ett ögonblick kunde han inte slita sig ifrån alla de ansikten som flimrade förbi framför hans ögon. Sedan blinkade han bort dem och gick för att öppna.

"Jaså, det är ni", sa han när han fick syn på Paula och Martin. Trötheten tog för en sekund över. Ibland kändes det som om det här aldrig skulle ta slut.

"Kan vi komma in och prata några minuter", sa Martin vänligt.

"Visst, kom in", sa Axel och visade dem till samma platser på verandan som sist.

"Några nyheter? Jag hörde om Britta förresten. Förskräckligt. Jag träffade ju henne och Herman för bara ett par dagar sedan och ja, jag har så svårt att föreställa mig att han ..." Axel skakade på huvudet.

"Ja, det är verkligen en tragisk händelse", sa Paula. "Men vi försöker att inte dra några förhastade slutsatser."

"Men vad jag förstår har Herman erkänt?" sa Axel.

"Ja, jo ..." Martin drog på orden. "Men innan vi har kunnat förhöra honom så ..." Han slog ut med händerna. "Det är förresten med anledning av det som vi ville prata lite med dig."

"Absolut, fast jag förstår inte vad jag skulle kunna hjälpa till med?"

"Vi har tittat lite på telefonsamtalen som har gjorts från Brittas och Hermans hem, och ert telefonnummer dyker upp vid tre tillfällen."

"Ja, ett kan jag i alla fall ge upplysningar om. Herman ringde mig för ett par dagar sedan och bad mig komma över och hälsa på Britta. Ja, vi hade ju inte haft kontakt på många, många år, så det var lite överraskande. Men efter vad jag förstod hade hon tyvärr drabbats av Alzheimers, och jag uppfattade det som att Herman helt enkelt ville träffa någon från den gamla tiden, ifall det skulle kunna hjälpa på något sätt."

"Så det var därför du gick dit?" sa Paula och betraktade honom noga. "För att Britta ville träffa någon från den gamla tiden?"

"Ja, det var vad Herman sa i alla fall. Visserligen var vi inte särskilt nära varandra då, hon var ju egentligen min bror Eriks kamrat, men jag tyckte ändå att det inte kunde skada. Och vid min ålder är det ju alltid trevligt att få prata gamla minnen."

"Så vad hände när du var där?" Martin lutade sig aningen framåt.

"Hon var hyfsat klar en stund, och vi småpratade lite om den gamla goda tiden. Men sedan försvann hon in i förvirringen och ja, det var inte så stor vits att jag stannade kvar, så då ursäktade jag mig och gick. Oerhört tragiskt. Det är en grym sjukdom."

"Och telefonsamtalen i början av juni?" Martin konsulterade sina anteckningar. "Först ett från er telefon den andra, sedan ett från Britta eller Herman den tredje, och slutligen ett från deras telefon den fjärde?"

Axel skakade på huvudet. "Nej, det känner jag inte till något om. Det måste ha varit Erik de talade med. Men det var säkert i samma ärende. Och det var egentligen naturligare för Britta att vilja träffa Erik om hon nu hade börjat återvända till gamla dagar. Det var ju de som var vänner, som jag sa tidigare."

"Fast det första samtalet kom ju från er telefon", sa Martin insisterande. "Vet du varför Erik kan ha ringt dem?"

"Som jag också har sagt tidigare, så levde jag och min bror visserligen under samma tak, men vi lade oss inte i varandras förehavanden. Jag har ingen aning om varför Erik skulle ha velat kontakta Britta. Men han kanske också ville återknyta bekantskapen igen. Man blir lite lustig med sådant när man blir äldre. Det som ligger långt tillbaka i tiden flyttar sig plötsligt allt närmare och får allt större vikt."

Axel insåg hur sant det var så fort han sa det. För sin inre blick såg han hur hånskrattande människor ur det förflutna kom springande mot honom. Han greppade hårt om armstöden. Det här var inte något tillfälle då han kunde tillåta sig att bli ifattsprungen.

"Så du tror att det var han som ville träffas för gammal vänskaps skull?" sa Martin skeptiskt.

"Som sagt", Axel släppte greppet om armstöden. "Jag har absolut ingen aning. Men det är väl den förklaring som ligger närmast till hands."

Martin utbytte en blick med Paula. Det kändes inte som om de kom så mycket längre. Ändå hade han en irriterande känsla av att han bara fick små, små smulor av något mycket större.

När de hade gått ställde sig Axel vid fönstret igen. Framför honom dansade ansiktena från förr.

"Hej, hur gick det på biblioteket?" Patrik lyste upp när han såg Erica kliva in genom ytterdörren.

"Öh ... jag ... åkte inte till biblioteket", sa Erica med ett lustigt uttryck i ansiktet.

"Vart åkte du då?" sa Patrik undrande. Maja tog sin middagslur och han höll på att röja undan efter deras lunch.

"Till Kristina", sa hon kort och kom in till honom i köket.

"Vilken Kristina? Åh, menar du mamma?" sa Patrik förbluffad. "Varför gjorde du det? Nä, nu måste jag kolla så att du inte har feber." Patrik gick fram till henne och lade en hand på hennes panna. Erica viftade bort honom.

"Äh vadå, så konstigt är det väl inte. Det är ju ... min svärmor trots allt. Det är klart att jag kan åka och hälsa på henne. Lite spontant så där."

"Ja, eller hur", sa Patrik och skrattade. "Nä, fram med det nu, vad ville du morsan?"

Erica berättade för honom om insikten hon hade fått utanför biblioteket, att det faktiskt fanns någon mer som kände Elsy då hon var ung. Och hon berättade om Kristinas underliga reaktion, och avslöjandet att Elsy hade haft en kärleksrelation med norrmannen som flydde från tyskarna. "Men sedan ville hon inte säga något mer", sa Erica frustrerad. "Eller om hon inte visste mer. Jag vet inte. Det verkade i alla fall som om Hans Olavsen övergav mamma på något sätt. Han åkte från Fjällbacka och enligt Kristina så hade Elsy sagt att han hade återvänt till Norge."

"Hur ska du gå vidare med det här då?" sa Patrik och ställde in resterna från lunchen i kylen.

"Jag ska försöka spåra upp honom såklart", sa Erica och gick mot vardagsrummet. "Jag tycker förresten att vi ska bjuda över Kristina på söndag. Så att hon får träffa Maja lite."

"Nu är jag helt säker på att du måste ha hög feber", skrattade Patrik. "Men visst, jag ringer mamma sedan och frågar om hon vill komma över och fika på söndag. Men vi får väl se om hon kan, hon brukar ju alltid ha så fullt upp."

"Mmmm", hörde han Erica säga med konstigt tonfall utifrån vardagsrummet. Patrik skakade på huvudet. Kvinnor. Han skulle aldrig förstå sig på dem. Fast det var kanske det som var själva grejen.

"Vad är det här?" ropade Erica.

Patrik gick efter henne för att se vad hon menade. Hon stod och pekade på mappen på vardagsrumsbordet, och för en sekund ville Patrik sparka sig själv för att han inte hade smugglat undan den innan hon kom hem. Nu kände han henne tillräckligt väl för att veta att det var för sent att försöka hålla henne ifrån den.

"Det är allt utredningsmaterial som rör mordet på Erik Frankel", sa han och hötte sedan varnande med fingret mot henne. "Och du får inte yppa något om det som du läser där. Okej!"

"Ja, ja", sa Erica förstrött och viftade bort honom som om han var en irriterande fluga. Sedan satte hon sig i soffan och började bläddra bland dokumenten och fotografierna.

En timme senare hade hon gått igenom allt som fanns i mappen och började då om igen. Patrik hade tittat in till henne några gånger, men gett upp alla försök att få kontakt och istället slagit sig ner med morgontidningen som han ännu inte hunnit läsa.

"Ni har inte så mycket fysiska spår att gå efter", sa Erica och for med fingrarna över raderna i teknikernas rapport.

"Nej, det verkar vara magert", sa Patrik och lade ner tidningen. "I biblioteket fanns inga fingeravtryck förutom Eriks och Axels och från grabbarna som hittade honom. Inget verkar saknas, och fotspåren har också kunnat härledas till samma personer. Mordvapnet låg under skrivbordet och var ju ett vapen som redan fanns på plats så att säga."

"Inget överlagt mord med andra ord, snarare ett hastigt infall", sa Erica tankfullt.

"Ja, om inte någon visste att stenbysten stod där i fönstret förstås." Patrik slogs av en tanke som han hade haft ett par dagar tidigare. "Du, vilket datum var det som du var hos Erik Frankel med medaljen?"

"Hurså?" sa Erica och lät fortfarande som om hon var en mil bort.

"Jag vet inte. Det kanske inte har någon betydelse alls. Men det kan vara bra att veta."

"Det var dagen innan vi åkte till Nordens Ark med Maja", sa Erica och fortsatte bläddra bland papperen. "Var det inte den tredje juni vi åkte dit? I så fall var det den andra juni jag var hos Erik."

"Fick du någonsin någon information om medaljen? Sa han något när du var där?"

"Det hade jag väl berättat när jag kom hem i så fall", sa Erica. "Nej, han sa bara att han ville kolla upp det lite grundligare innan han gav mig någon information om den."

"Så du vet fortfarande inte vad det är för slags nazistmedalj?"

"Nej", sa Erica och tittade fundersamt på Patrik. "Men det är definitivt något som jag borde ta tag i. Jag kollar upp det i morgon, vart man kan vända sig." Hon böjde ner huvudet över mappen igen och studerade intensivt bilderna från brottsplatsen. Hon tog upp den översta bilden och kisade för att se bättre.

"Det går fan inte att ...", muttrade hon och gick uppför trappan till övervåningen.

"Vadå?" sa Patrik men fick inget svar. Strax därefter kom Erica ner igen, nu med ett förstoringsglas i högsta hugg.

"Vad gör du?" sa han och betraktade sin hustru över kanten på tidningen.

"Nja, jag vet inte ... Det är säkert inget, men ... Det ser ut som om något är klottrat på det här blocket som ligger på Eriks skrivbord. Men jag ser inte riktigt ..." Hon böjde sig ännu närmare bilden och placerade förstoringsglaset precis ovanför den lilla vita fläcken på bilden som var blocket.

"Jag tror att det står ...", hon kisade igen. "Jag tror att det står 'Ignoto Militi'."

"Jaha, och vad fan betyder det?" sa Patrik.

"Jag vet inte. Syftar på något militärt, gissar jag. Men det är säkert inget. Bara klotter", sa hon besviket.

"Du ..." Patrik sänkte tidningen och lade huvudet på sned. "Jag pratade ju lite med Martin när han var här med mappen. Och han bad mig om en tjänst i gengäld." Nåja, skulle han vara helt sanningsenlig hade han ju ganska raskt erbjudit sig att hjälpa till, men det var ju inget han behövde upplysa Erica om. Han harklade sig och fortsatte. "Han bad mig kolla upp en person i Göteborg som Erik Frankel har gjort regelbundna insättningar till varje månad i femtio års tid."

"Femtio år?" sa Erica och höjde på ögonbrynen. "Har han betalt till någon i femtio år? Vad rör det sig om? Utpressning?" Hon kunde inte dölja att hon tyckte att det lät spännande.

"Ingen har någon aning. Och det är säkert inget men ... Ja, Martin undrade i alla fall om jag kunde tänka mig att kolla upp det."

"Visst, jag hänger med", sa Erica entusiastiskt.

Patrik stirrade på henne. Det var inte riktigt den reaktion han hade förväntat sig.

"Öh, ja, jo, det kanske ...", sa han medan han funderade på om det fanns någon bra anledning till att han inte skulle kunna ta med sin hustru. Men det var ju bara ett rutinärende, en koll av en utbetalning, så han kunde inte se att det skulle vara något problem.

"Ja, men häng med då. Så tar vi en sväng förbi Lotta sedan, så att Maja får hälsa på kusinerna."

"Jättebra", sa Erica, som gillade Patriks syster. "Och jag kanske kan hitta någon i Göteborg som jag kan fråga om medaljen."

"Borde inte vara omöjligt. Ring runt lite i eftermiddag och se om du hittar någon som kan något om sådant." Han tog upp tidningen igen och fortsatte läsa. Bäst att passa på innan Maja vaknade.

Erica plockade upp förstoringsglaset igen och granskade åter det lilla blocket på Eriks skrivbord. Ignoto Militi. Något rörde sig i hennes undermedvetna.

Den här gången tog det bara någon halvtimme innan takterna började sätta sig.

"Bra, Bertil", sa Rita uppskattande och gav hans hand en extra tryckning. "Du har börjat få in rytmen nu, känner jag."

"Jo vars", sa Mellberg anspråkslöst, "det här med dans har jag alltid haft lätt för."

"Jaså, det har du", sa hon och blinkade. "Jag hörde att du och Johanna tog en fika ihop i dag." Hon log och tittade upp mot honom. Det var ytterligare något som tilltalade honom med Rita. Han hade aldrig varit särskilt reslig av sig, men med henne som var så kort kände han sig som en och nittio.

"Jo, jag råkade gå förbi er port ...", sa han förläget. "Och så kom Johanna och frågade om jag ville komma med upp på en tår."

"Jaså, du råkade gå förbi", skrattade Rita, medan de fortsatte att gunga i takt med salsamusiken. "Vad synd att jag inte var hemma när du nu råkade gå förbi. Men ni hade det riktigt trevligt, sa Johanna."

"Ja, jo, det är en rar flicka", sa Mellberg och kände åter den där känslan av barnets fot som sparkade mot handflatan. "Riktigt rar flicka."

"Det har ju inte alltid varit lätt för dem." Rita suckade. "Och jag hade väl också lite svårt att vänja mig i början. Men jag hade nog känt på mig det redan innan Paula kom hem och presenterade Johanna. Och nu har de varit tillsammans i snart tio år, och ja, jag kan ärligt säga att det inte finns någon annan som jag hellre hade velat att Paula skulle leva med. De är perfekta för varandra och då känns ju kön som en bagatell."

"Fast det måste ha varit lättare i Stockholm? Med acceptansen alltså", sa Mellberg försiktigt och svor till när han råkade placera en av sina fötter ovanpå Ritas. "Där är det ju så vanligt, menar jag. Tittar man på tv så får man ibland intrycket att var och varannan människa i Stockholm är lagd åt det hållet."

"Nja, det skulle jag nog inte hålla med om", sa Rita skrattande. "Men visst var vi lite oroliga när vi skulle flytta hit. Men jag har blivit positivt överraskad måste jag säga. Jag tror inte att flickorna har stött på några problem så här långt. Fast folk kanske inte har fattat å andra sidan. Men den dagen den sorgen. Vad ska de göra? Sluta leva? Inte flytta dit de vill? Nej, ibland måste man våga kasta sig ut i det okända." Hon såg med ens ledsen ut, och blicken tittade bort i fjärran, över Mellbergs axel. Han trodde att han förstod vad hon tänkte på.

"Var det svårt? Att fly?" sa han försiktigt och insåg till sin stora förvåning att han verkligen ville höra svaret. Annars brukade han för det mesta undvika känsliga frågor eller ställa dem för att det förväntades av honom och sedan strunta i vad svaret blev. Men nu ville han verkligen veta.

"Det var både svårt och lätt", sa Rita och i hennes mörka ögon såg han att hon hade varit med om saker som han inte ens kunde föreställa sig.

"Det var lätt att lämna det som mitt land hade blivit. Men svårt att lämna det land som det en gång hade varit." För ett ögonblick tappade hon rytmen i dansen och blev stående stilla, fortfarande med sina händer i Mellbergs. Sedan blixtrade det till i ögonen och hon frigjorde händerna och klappade hårt.

"Så, nu är det dags att lära oss nästa steg, att snurra. Bertil, du hjälper mig att visa." Hon fattade hans händer igen och visade långsamt vilka steg han skulle ta för att kunna snurra henne ett varv under armen. Det var inte helt enkelt och han trasslade in både händer och fötter. Men Rita tappade inte tålamodet, utan visade gång på gång tills både Bertil och de övriga paren hade fattat galoppen.

"Det ska nog gå bra det här", sa hon och tittade på honom. Han undrade om hon bara menade dansen. Eller något annat. Han hoppades på det senare.

Det började mörkna utanför. Sjukhussängens lakan prasslade lätt när han rörde på sig, så han försökte sitta stilla. Han ville helst att det skulle vara helt tyst. Ljuden utifrån kunde han inte påverka, ljuden av röster, av människor som gick, av brickor som slamrade. Men här inne kunde han se till att stillheten rådde så mycket som möjligt. Att tystnaden inte stördes av prasslande lakan.

Herman stirrade ut genom fönstret. Hans spegelbild hade börjat framträda i rutan efterhand som det blev mörkare utanför, och han reflekterade över hur ynklig figuren i sängen såg ut. En liten, grå gubbe i vita sjukhuskläder, med tunt hår och fårade kinder. Det var som om Britta hade varit den som hade gett honom pondus. Som hade gett honom ett värde som fyllde upp honom, förlängde honom. Det var som om hon hade varit den som hade gett hans liv mening. Och nu var det hans fel att hon var borta.

Flickorna hade kommit och hälsat på honom i dag. Tagit i honom, kramat om honom, tittat på honom med oroliga ögon och talat till honom med bekymrade röster. Men han hade inte ens förmått titta på dem. Han var rädd att de skulle se skulden i ögonen på honom. Se vad han hade gjort. Vad han hade orsakat.

De hade ju burit hemligheten så länge. Han och Britta. Delat den, stoppat undan den, sonat den. Det var i alla fall vad han hade trott. Men när sjukdomen kom och dammarna började vittra, hade han i ett ögonblick av klarsyn insett att ingenting någonsin kunde sonas. Förr eller senare kom tiden och ödet ikapp en. Det gick inte att gömma sig. Det gick inte att springa. De hade enfaldigt nog trott att det var tillräckligt att leva ett gott liv, att vara goda människor. Att älska sina barn och göra dem till människor som kunde ge den kärleken vidare. Och till slut hade de inbillat sig själva att det goda som de hade skapat hade överskuggat det onda.

Han hade dödat Britta. Att de inte kunde förstå det. Han visste att de ville prata med honom, fråga honom saker, ifrågasätta. Om de bara kunde acceptera hur det var.

Han hade dödat Britta. Och nu hade han ingenting kvar.

"Har du någon aning om vem det är och varför Erik har betalat ut pengar i alla dessa år?" sa Erica nyfiket när de började närma sig Göteborg. Maja hade skött sig exemplariskt i baksätet och eftersom de hade kommit iväg redan strax före halv nio var klockan bara nära tio när de körde in i staden.

"Nej, de enda uppgifter vi har är de som du har framför dig." Patrik nickade mot papppret som Erica hade i en plastmapp i knät.

"Wilhelm Fridén, Vasagatan 38, Göteborg. Född 3 oktober 1924", läste Erica högt.

"Ja, där har du allt vad vi vet. Jag pratade med Martin som hastigast i går kväll och han hade inte hittat några kopplingar till Fjällbacka, ingen kriminell belastning. Ingenting. Så det är ett skott i blindo. Och apropå det, när var det du bestämde träff med den där snubben om medaljen?"

"Klockan tolv, i hans antikvitetsaffär", sa Erica och kände med handen på fickan där medaljen låg i säkert förvar, inlindad i en mjuk duk.

"Stannar du i bilen med Maja, eller tar du en promenad med henne medan jag pratar med Wilhelm Fridén?" sa Patrik och svängde in på en parkeringsficka på Vasagatan.

"Vadå?" sa Erica förnärmat. "Jag hänger med upp så klart."

"Men det kan du ju inte göra... Maja...", sa Patrik tafatt och insåg redan när han sa det vart den här diskussionen skulle föra honom. Och vad den skulle sluta med.

"Om hon kan följa med till brottsplatser och polisstationen kan hon nog följa med upp till en gubbe på åttio bast", sa hon och tonfallet klargjorde att det inte var läge för någon vidare diskussion.

"Okej då", sa Patrik med en suck. Han visste när han var besegrad.

När de hade ringt på dörren tre trappor upp i det gamla hyreshuset från sekelskiftet öppnade en man i sextioårsåldern. Han tittade frågande på dem.

"Ja? Vad kan jag hjälpa er med?"

Patrik höll fram polisbrickan. "Jag heter Patrik Hedström och är från Tanumshede polisstation. Jag har lite frågor rörande en Wilhelm Fridén?"

"Vem är det?" hördes en svag kvinnoröst inifrån våningen. Mannen vände sig om och ropade inåt rummet: "Det är någon polis som vill fråga något om pappa!"

Han vände sig mot Patrik igen. "Ja, jag kan inte för mitt liv föreställa mig varför polisen intresserar sig för pappa, men kom in för all del." Han klev åt sidan för att släppa in dem och höjde förvånat på ögonbrynen när Erica klev in med Maja på armen.

"Det börjas tidigt inom polismyndigheten i dag", sa han roat.

Patrik log generat. "Ja, det här är min hustru Erica Falck och min dotter Maja. De ... ja, min fru har ett visst personligt intresse i det fall som vi håller på att utreda och ..." Sedan avbröt han sig. Det fanns liksom inget bra sätt att motivera varför man som polis släpade med fru och ettåring till en utfrågning.

"Förlåt, jag har ju inte presenterat mig. Jag heter Göran Fridén och det är alltså min far som ni efterfrågar."

Patrik betraktade honom nyfiket. Han var av medellängd, med grått, aningen lockigt hår och vänliga, blå ögon.

"Är din far hemma?" sa Patrik medan de följde efter Göran Fridén genom en lång hall.

"Tyvärr kommer ni för sent om ni vill fråga min far om något. Han dog för två veckor sedan."

"Åh", sa Patrik överraskat. Det var inte det svar han hade förväntat sig. Han hade varit säker på att mannen trots sin höga ålder fortfarande levde, eftersom han inte fanns registrerad som död i folkbokföringen. Men anledningen var säkert att dödsfallet hade inträffat så nyligen, det var ingen nyhet att det tog lite tid innan uppgifter kom in i registren. Han kände en djup besvikelse. Skulle det spår som hans intuition sa honom var viktigt kallna redan nu?

"Ni kan tala med min mor om ni vill", sa Göran och visade med handen in dem i vardagsrummet. "Jag vet ju inte vad det gäller, men när ni väl har upplyst oss om det kanske hon kan hjälpa er?"

En liten, skröplig dam med snövitt hår reste sig ur soffan. Hon var fortfarande söt på ett näpet vis och kom emot dem med utsträckt hand. "Märta Fridén." Hon betraktade dem nyfiket och sprack upp i ett stort leende när hon fick se Maja. "Nej, men hej! Åh, en sådan liten raring! Vad heter hon?"

"Maja", sa Erica stolt och fattade omedelbart tycke för Märta Fridén.

"Hej Maja", sa Märta och gick fram och klappade henne på kinden. Maja strålade av glädje över uppmärksamheten men började sprattla vilt när hon fick syn på en gammal docka som satt i det ena soffhörnet.

"Nej Maja", sa Erica strängt och försökte hålla tillbaka sin dotter.

"Äsch, låt henne titta på den", sa Märta och viftade avvärjande med handen. "Det finns inget här som jag är så rädd om att tösen inte kan få känna lite på det. Sedan Wilhelm gick bort så har jag mer och mer insett att vi ju inte kan ta med oss något dit vi går." Hennes ögon blev ledsna och hennes son kom fram och lade en arm om henne.

"Sätt dig, mamma, så ordnar jag lite kaffe till våra gäster. Då får ni prata en stund i lugn och ro också."

Märta följde honom med blicken när han gick ut i köket. "Han är en fin pojk", sa hon. "Jag försöker att inte ligga honom till last, barnen ska ju få leva sitt eget liv. Men han är för snäll för sitt eget bästa ibland. Men Wilhelm var så stolt över honom." Hon verkade förirra sig i minnena, men vände sig sedan mot Patrik.

"Nå, vad var det polisen ville tala med min Wilhelm om?"

Patrik harklade sig. Han kände att han beträdde tunn is nu. Kanske skulle han dra fram en massa saker i ljuset som den här sympatiska lilla damen helst ville leva i okunskap om. Men han hade inget val. Trevande sa han:

"Jo, det är så att vi har ett mord som vi utreder norröver, i Fjällbacka. Ja, jag är ju från Tanumshede polisstation och Fjällbacka tillhör Tanums polisdistrikt", förtydligade han.

"Åh, kära nån, ett mord", sa Märta och rynkade pannan.

"Ja, det är en man vid namn Erik Frankel som har mördats", sa Patrik och gjorde en paus för att se om det väckte någon reaktion. Men efter vad han kunde bedöma såg Märta inte ut att känna igen namnet. Vilket hon också bekräftade.

"Erik Frankel? Nej, det låter inte bekant. Hur har det lett er fram till Wilhelm?" Hon lutade sig intresserad fram.

"Joo, det är så …" Patrik tvekade. "Det är så att i snart femtio års tid har denne Erik Frankel gjort en månatlig utbetalning till en Wilhelm Fridén. Din man. Och vi undrar självklart varför denna utbetalning har gjorts, och vad kopplingen mellan dem var?"

"Har Wilhelm fått pengar av … av en man i Fjällbacka vid namn Erik Frankel?" Märta såg uppriktigt häpen ut. Göran kom precis in med en bricka med kaffekoppar och han tittade nyfiket på dem.

"Vad gäller det här egentligen?" sa han.

Hans mor svarade honom. "Polismannen här säger att en man vid namn Erik Frankel, som har hittats mördad, har betalat ut pengar till din far varje månad i femtio år."

"Vad säger du?" sa Göran häpet och slog sig ner i soffan bredvid sin mor. "Till pappa? Varför det?"

"Ja, det är vad vi undrar", sa Patrik. "Vi hade ju hoppats att Wilhelm själv skulle kunna svara på det."

"Gocka", sa Maja förtjust och höll upp den gamla dockan mot Märta.

"Ja, docka", sa Märta och log mot Maja. "Den hade jag när jag var liten."

Maja tryckte ömt dockan mot bröstet och kramade den. Märta kunde knappt se sig mätt på henne.

"Vilket förtjusande barn", sa hon och Erica nickade entusiastiskt.

"Hur stora utbetalningar rör det sig om?" sa Göran och stirrade på Patrik.

"Det är inga jättestora summor. Tvåtusen kronor i månaden de senaste åren. Men det har ökat gradvis över åren och verkar ha gjort det i enlighet med hur penningvärdet har förändrats. Så även om summan har förändrats har det ungefärliga värdet varit konstant."

"Men varför har pappa aldrig sagt något om det till oss?" sa Göran och tittade på sin mor. Hon skakade sakta på huvudet.

"Jag har ingen aning, kära du. Men jag och Wilhelm talade ju aldrig om ekonomiska frågor. Han skötte den biten och jag skötte hemmet, som brukligt var i vår generation. Det var den uppdelning vi hade. Så vore det inte för Göran skulle jag stå helt rådvill nu, inför allt som har med räkningar och lån och sådant att göra." Hon lade sin hand på sonens, och han kramade den tillbaka.

"Jag hjälper dig så gärna, mamma, det vet du."

"Finns det några papper som rör ekonomin som vi kan få titta på?" sa Patrik modstulet. Han hade hoppats att få svar på alla frågor kring den märkliga månatliga utbetalningen, men istället verkade han ha sprungit rakt in i en återvändsgränd.

"Vi har inga papper här hemma, allt finns hos advokaten", sa Göran ursäktande. "Men jag kan be dem att ta kopior på det som finns och skicka över."

"Det skulle vi vara mycket tacksamma för", sa Patrik och kände hoppet stiga en aning. Kanske skulle det ändå gå att komma till botten med det här.

"Förlåt, jag har ju alldeles glömt att servera kaffet", sa Göran och reste sig hastigt.

"Vi ska ändå passa på att gå", sa Patrik och tittade på klockan. "Så inget besvär för vår skull."

"Jag är ledsen att vi inte kunde vara till mer hjälp." Märta lade huvudet på sned och log milt mot Patrik.

"Ingen fara, det är inte mycket att göra åt. Och jag får be att beklaga sorgen", sa Patrik. "Jag hoppas att ni inte har upplevt det som besvärande att vi kom hit och ställde frågor så nära inpå... Ja, vi visste ju inte..."

"Ingen fara, kära du", sa hon och viftade bort hans ursäkter. "Jag kände min Wilhelm utan och innan och vad än den där utbetalningen har att göra med, så är det garanterat inget som är vare sig brottsligt eller oetiskt. Så fråga vad ni vill, och som Göran sa så ordnar vi gärna så att ni får ta del av det ekonomiska. Jag är bara ledsen att jag inte kunde hjälpa er."

Alla reste sig och gick mot hallen. Maja följde efter, men höll fortfarande dockan hårt i famnen.

"Maja gumman, du får lämna dockan nu." Erica stålsatte sig inför det utbrott som oundvikligen skulle komma.

"Låt du flickan behålla dockan", sa Märta och smekte Majas hår när hon gick förbi. "Som sagt, jag kan inte ta med mig något dit jag ska, och jag är för gammal för att leka med dockor."

"Men är det säkert det?" stammade Erica. "Den är ju så gammal och är säkert ett kärt minne och..."

"Minnena förvarar man här", sa Märta och knackade sig på pannan. "Inte i föremål och saker. Så inget kan göra mig gladare än att veta att Greta får bli lekt med igen. Hon har säkert haft förfärligt tråkigt här i soffhörnet hos en gammal käring."

"Tack. Tack så hemskt mycket", sa Erica som till sin förargelse kände att hon blev så rörd att hon fick blinka för att hålla tårarna borta.

"Inget att tala om." Märta strök Maja över huvudet igen, och både hon och sonen följde dem sedan till dörren.

Det sista Erica och Patrik såg innan dörren stängdes bakom dem var Göran som ömt lade armen om sin mors axlar och kysste henne på den vita hjässan.

Martin irrade oroligt runt där hemma. Pia jobbade och när han gick ensam hemma i lägenheten fick han ingen ro från tankarna på fallet. Det var som om hans känsla för ansvar för utredningen hade tiofaldigats i och med att Patrik var ledig, och han var inte riktigt säker på att han var redo för det ansvaret. På ett sätt hade han upplevt det som en svaghet att han behövde be Patrik om hjälp. Men han litade så oerhört på hans omdöme, och kanske inte lika mycket på sitt eget. Ibland undrade han om han någonsin skulle kunna känna sig helt trygg i sitt yrke. Det var det där tvivlet som ständigt låg på lut, den där osäkerheten som hade funnits där ända sedan Polishögskolan. Var han verkligen lämpad för det här jobbet? Kunde han prestera på det sätt som förväntades av honom?

Han vankade av och an när han grubblade. Han insåg själv att hans osäkerhet kring yrket förstärktes av det faktum att han stod inför den största utmaningen i sitt liv, och att han inte var säker på att han skulle klara av att axla det ansvaret. Tänk om han inte höll måttet? Tänk om han inte kunde stötta Pia på det sätt som hon behövde? Tänk om han inte kunde leva upp till det som förväntades av en pappa? Tänk om, tänk om … Tankarna snurrade allt fortare och till slut insåg han att han var tvungen att göra något konkret om han inte skulle bli tokig. Han slet åt sig en jacka och satte sig i bilen och körde söderut. Först visste han inte riktigt vart han var på väg, men när han började närma sig Grebbestad klarnade det. Det var det där samtalet från Brittas och Hermans hem till Frans Ringholm som han hade grubblat över sedan gårdagen. Ständigt stötte de på samma människor i de två utredningarna, och även om de såg ut att löpa parallellt kände Martin på sig att de egentligen korsades. Varför hade Herman eller Britta ringt till Frans i juni? Innan Erik dog? Det fanns bara ett samtal registrerat, den fjärde juni. Det hade inte varat länge. Två minuter och trettiotre sekunder, hade Martin memorerat från telefonlistorna. Men vad hade de för ärende till honom? Var det så enkelt som Axel framställde det? Att Brittas sjukdom hade gjort att hon velat återknyta bekantskaperna från förr? Med människor som hon, efter vad allt pekade på, inte hade haft någon kontakt med på sextio år? Nog kunde den mänskliga hjärnan spela en märkliga spratt men ... Nä, det var något som stod skrivet mellan raderna här. Något som undgick honom. Och han tänkte inte ge sig förrän han hade tagit reda på vad det var.

Frans var precis på väg ut när Martin mötte honom i dörren till hans lägenhet.

"Vad kan jag hjälpa dig med i dag då?" sa han artigt.

"Lite kompletterande frågor bara."

"Jag var precis på väg ut på min dagliga promenad. Vill du prata med mig så får du följa med. Min promenad ruckar jag inte på för någon. Det är så jag håller mig i form." Han började gå i riktning mot vattnet och Martin följde efter.

"Inga problem med att synas tillsammans med polisen då?" sa Martin och log skevt.

"Du, jag har tillbringat så mycket tid med plitar i mina dagar, så jag är van vid ert sällskap." Frans ögon spelade muntert. "Nå, vad var det du ville då?" sa han sedan, och det muntra var borta. Martin småsprang för att hinna med. Gubben höll ett bra tempo.

"Jag vet inte om du har hört det, men vi har ju fått ett mord till i Fjällbacka."

Frans saktade in för någon sekund, sedan fick han upp farten igen. "Nej, det har jag inte hört. Vem?"

"Britta Johansson." Martin studerade Frans intensivt.

"Britta?" sa Frans och vände huvudet mot Martin. "Men hur? Vem?"

"Hennes man säger att han gjorde det. Men jag är tveksam ..."

Frans ryckte till. "Herman? Men varför? Jag kan inte tro ..."

"Kände du Herman?" sa Martin och försökte att inte avslöja hur viktigt svaret på frågan var.

"Nej, det kan jag inte säga", sa Frans och skakade på huvudet. "Jag har faktiskt bara träffat honom vid ett tillfälle. Han ringde i juni och sa att Britta var sjuk och att hon uttryckt en önskan om att träffa mig."

"Tyckte du inte att det lät konstigt? Med tanke på att ni inte har träffats på sextio år?" Martins röst avslöjade tydligt hur skeptisk han var inför Frans uppgifter.

"Jo, det är klart att jag tyckte det var lite underligt. Men Herman förklarade att hon drabbats av Alzheimers, och det är tydligen inte helt ovanligt att man går tillbaka i minnet till tider och människor som varit viktiga för en. Och ja, vi kände ju varandra under hela uppväxten och umgicks hela gänget."

"Och gänget det var ..."

"Det var jag, Britta, Erik och Elsy Moström."

"Av vilka två nu är döda, mördade inom loppet av två månader", sa Martin och flåsade där han småsprang bredvid Frans. "Du tycker inte att det är ett märkligt sammanträffande?"

Frans stirrade bort mot horisonten. "När man kommer upp i min ålder har man upplevt tillräckligt med märkliga sammanträffanden för att veta att det inte är så sällan de uppkommer. Och du sa dessutom att hennes man hade erkänt att han mördat henne. Menar ni att det är han som har mördat Erik också?" Frans tittade på Martin.

"Vi menar ingenting just nu. Men det får en onekligen att undra, att två ur ett gäng på fyra mördas inom en så kort tidsrymd."

"Som sagt, det finns inget märkligt i märkliga sammanträffanden. Bara slumpen. Och ödet."

"Det låter ganska filosofiskt för att komma från en man som har tillbringat större delen av sitt liv på anstalt. Var det slumpen och ödet som gjorde det också?" Martins ton var aningen frän och han fick påminna sig själv om att hålla sina personliga känslor utanför det här. Men han hade sett hur det som Frans Ringholm stod för hade påverkat Paula under den senaste veckan, och han hade svårt att dölja sin avsky.

"Slumpen och ödet har inget med det att göra. Jag var vuxen och kompetent att fatta mina egna beslut när jag väl slog in på den banan. Och visst kan jag med facit i hand säga att jag inte borde ha gjort det, och det, och det ... Och att jag borde ha tagit den vägen istället. Eller den ... Eller den ..." Frans stannade till och vände sig mot Martin. "Men vi har inte den förmånen när vi lever livet, eller hur?" sa han och fortsatte gå. "Förmånen att sitta med facit på hand. Jag har gjort de val jag har gjort. Jag har levt det liv jag har levt. Och jag har betalat priset för det."

"Och dina åsikter? Har du valt dem också?" Martin fann sig själv uppriktigt nyfiken på svaret. Han förstod sig inte på de här människorna. De som dömde ut andra delar av mänskligheten. Förstod inte hur de motiverade det inför sig själva. Och medan en del av honom var full av avsky för dem, kände han också en nyfikenhet på hur de fungerade, på samma sätt som ett litet barn som vill skruva isär en radio för att ta reda på hur den fungerar.

Frans var tyst länge. Han verkade uppfatta Martins fråga som allvarligt ställd och funderade på hur han skulle svara.

"Mina åsikter står jag för. Jag ser att något är fel på samhället. Och det här är min tolkning av vad som är fel. Och jag ser det då som min plikt att försöka bidra till att rätta till det felet."

"Men att lägga skulden på hela folkgrupper …" Martin skakade på huvudet. Han förstod helt enkelt inte de här tankegångarna.

"Du gör misstaget att betrakta människor som individer", sa Frans torrt. "Människan har aldrig varit en individ. Vi är en del av en grupp. En del av ett kollektiv. Och dessa grupper har i alla tider slagits mot varandra, slagits för sin plats i hierarkin, i världsordningen. Man kan önska att det inte skulle vara så. Men det är så det är. Och även om jag inte med våld försäkrar mig om min plats i världen så är jag är en överlevare. Den som till slut kommer att stå som segrare i den världsordningen. Och det är alltid segrarna som skriver historien."

När han hade tystnat vände han blicken mot Martin, och Martin kände hur han rös trots att svetten rann om honom efter den snabba promenaden. Det var något så bottenlöst skrämmande med att stå inför den fanatiska övertygelsen. Han blev alldeles kall av insikten om att det inte fanns någon logik i världen som skulle kunna övertyga Frans och hans likar om att de betraktade världen genom skeva glasögon. Det var bara en fråga om att lyckas hålla dem stången, minimera dem, decimera dem. Martin hade alltid trott att om man bara kunde resonera med en annan människa, så skulle man så småningom kunna nå fram till en kärna som kunde förändras. Men i Frans blick såg han en kärna som var så hårt omgärdad av raseri och hat att det aldrig skulle gå att nå dit in.

Fjällbacka 1944

"Det smakade det här", sa Vilgot och tog ännu en portion av den stekta makrillen. "Det smakade riktigt bra det här, Bodil."

Hon svarade inte, utan böjde bara huvudet i lättnad. Det gav alltid en känsla av frist, när hennes make för tillfället var på gott humör och nöjd med henne.

"Ja, det ska du tänka på, pojk, att den dag du gifter dig ska du först försäkra dig om att tösen är kompetent både i köket och i sängen!" Vilgot skrattade högt så att man såg hela tuggan i munnen, och pekade med gaffeln på Frans.

"Vilgot!" sa Bodil och tittade på honom men vågade inte lägga in mer än en lam protest i tonfallet.

"Äh, det är väl lika bra att pojken lär sig", sa han och slevade upp en rejäl sked till av potatismoset. "Förresten kan du vara stolt över far din i dag. Jag fick precis ett samtal från Göteborg om att den där juden Rosenbergs firma har gått i konkurs tack vare att jag tagit så mycket affärer från honom det senaste året. Det du! Det är något att fira det! Det är så de ska bemötas. Tvingas ner på knä en efter en, både ekonomiskt och med piskan!" Han skrattade så att magen hoppade. Smöret från makrillen hade runnit ner på hakan och den glänste av flott.

"Det blir inte lätt för honom att försörja sig nu, i dessa tider", sa Bodil utan att kunna hejda sig, men insåg sitt misstag i samma ögonblick som hon sa det.

"Och hur tänker du nu, kära du?" sa Vilgot, förledande lent, och lade ner besticken bredvid tallriken. "När du känner medlidande med en sådan där, så skulle jag gärna vilja höra dig utveckla den tankegången lite."

"Nej, det var inget", sa hon och tittade ner i knät, och hoppades att hon skulle klara sig undan med detta tecken på kapitulation. Men den där glimten i Vilgots ögon hade redan hunnit tändas och han fokuserade nu hela sin uppmärksamhet på hustrun.

"Nej, nej, jag är intresserad av vad du har att säga. Seså, fortsätt nu."

Frans flyttade blicken mellan sina föräldrar, medan en allt större klump bildades i magen. Han såg hur modern darrade lätt under Vilgots blick. Och hur fadern hade fått något glansigt i ögonen, en glans som Frans hade sett många gånger förut. Han övervägde om han skulle be att få gå från bordet men insåg att det redan var för sent.

Bodils röst sprack en aning av nervositet, och hon fick svälja flera gånger innan hon sa: "Nej, jag tänkte bara på hans familj. Att det kan vara svårt att hitta ny försörjning i dessa tider."

"Det är en jude vi pratar om, Bodil." Hans ton var förmanande, och han talade långsamt, som till ett barn. Och just den tonen verkade väcka något inom hans hustru. Hon lyfte huvudet och sa, med en liten biton av trots:

"Judar är väl också människor. De måste skaffa mat till sina barn, precis som vi."

Frans kände hur klumpen i magen växte till gigantiska proportioner. Han ville skrika till sin mor att hålla tyst, att inte tala så till far. Det skulle aldrig gå väl att tala så till honom. Vad hade farit i henne? Hur kunde hon säga så till honom? Och försvara en jude? Hur kunde det vara värt det pris han visste att hon skulle få betala? Plötsligt kände han ett oresonligt hat mot sin mor. Hur kunde hon vara så dum? Visste hon inte att det aldrig var lönt att utmana far? Att det bästa var att böja ner huvudet och göra som han sa, aldrig opponera sig. Då kunde man komma undan ett tag. Men den dumma, dumma kvinnan. Hon hade visat just det man inte fick visa inför Vilgot Ringholm. En liten gnista av revolt. En liten gnista av ifrågasättande. Frans bävade inför den krutdurk som den gnistan nu skulle tända.

Först blev det helt tyst i rummet. Vilgot stirrade på henne, utan att verka kunna ta in vad hon just hade sagt. En åder bultade på hans hals, och Frans såg hur han knöt händerna. Han ville bara fly. Springa från bordet och fortsätta springa tills han inte orkade längre. Istället var det som om han var fastlimmad vid stolen, oförmögen att röra sig.

Sedan exploderade det. Vilgots knutna näve for ut och träffade Bodil rakt över hakan, så att hon for bakåt. Stolen välte och hon landade med en hård duns på golvet. Hon stönade högt av smärta, ett ljud som Frans kände ända in i benen, men som istället för medlidande väckte ännu mer raseri. Varför hade hon inte kunnat hålla tyst? Varför tvingade hon honom att se detta?

"Så du är en riktig judevän, du", sa Vilgot och reste sig upp. "Va! Är du det?"

Bodil hade lyckats vända sig om och låg på alla fyra på golvet och försökte hämta andan.

Vilgot tog sats och sparkade henne i mellangärdet. "VA! Svara mig då! Har jag en judeälskare här hemma? I mitt eget hem! Har jag det?"

Hon svarade inte, utan försökte bara mödosamt krypa bort. Vilgot följde efter henne och måttade en ny spark, som hamnade på samma ställe i sidan på henne. Hon ryckte till och föll ihop på golvet, men tog sig sedan svajande upp på alla fyra igen och gjorde ett nytt försök att krypa.

"En jävla hynda är vad du är! En förbannad jävla judeälskande hynda!" Vilgot spottade fram orden och när Frans tittade på sin fars ansikte, såg han en lysten njutning där. Vilgot tog sats och sparkade igen, medan han öste okvädingsord över Bodil. Sedan tittade han på Frans. Upphetsningen lyste i hans ansikte, ett uttryck som Frans kände igen alltför väl.

"Nu du, pojk, nu ska du få lära dig hur man behandlar hyndor. Det enda språk de förstår. Titta på och lär dig nu." Han andades tungt när han med blicken fäst på Frans sakta knäppte upp livremmen och byxorna. Sedan tog han några steg fram till Bodil som hade lyckats krypa iväg någon meter och tog tag i hennes hår med ena handen, medan han drog upp kjolen med den andra.

"Nej, nej, inte ... tänk på ... Frans ...", sa hon bedjande.

Vilgot bara skrattade och drog bak hennes huvud, medan han trängde in i henne med ett högt stön.

Klumpen i Frans mage hårdnade. En stor, kall klump av hat. Och när hans mor vände huvudet och mötte hans blick, stående på knä på golvet medan hans far stötte in i henne, visste han att det enda han kunde göra för att överleva var att vårda det hatet.

Kjell tillbringade lördagsförmiddagen på kontoret. Beata hade tagit barnen och åkt till hans svärföräldrar, och det kändes som ett ypperligt tillfälle att göra lite undersökningar kring Hans Olavsen. Hittills hade han huggit i sten. Det fanns alldeles för många norrmän med det namnet vid den tidpunkten, och om han inte hittade något som gjorde att han kunde börja eliminera några skulle det visa sig vara en omöjlig uppgift.

Han hade läst artiklarna som Erik lämnat till honom flera gånger utan att hitta något konkret att gå på och utan att förstå vad det var Erik ville att han skulle få ut av dem. Det var det som förbryllade honom mest i det här. Om nu Erik Frankel ville att han skulle få reda på något, varför sa han inte bara rätt ut vad det var? Varför det här kryptiska tillvägagångssättet med artiklarna? Kjell suckade. Det enda han visste om Hans Olavsen var att han hade varit motståndsman under andra världskriget, och frågan var hur han kunde använda den informationen för att gå vidare. För en sekund övervägde han att prata med sin far, fråga honom om han visste något mer om norrmannen. Men han slog genast bort den tanken. Han satt hellre hundra timmar i ett arkiv än bad sin far om hjälp med något.

Arkiv. Där var en tanke. Fanns det någon förteckning i Norge över norska motståndsmän? Det borde ju finnas en del skrivet om det, och med stor sannolikhet fanns det någon som hade forskat på ämnet och försökt kartlägga motståndsrörelsen. Det fanns det alltid.

Han öppnade Explorer på datorn och gjorde några sökningar, prövade sökord i olika kombinationer tills han till slut hittade det han sökte. Det fanns en Eskil Halvorsen som hade skrivit ett antal böcker om Norge under andra världskriget och som speciellt hade inriktat sig på motståndsrörelsen. Det var mannen som han borde prata med. Kjell lokaliserade norska telefonkatalogen på nätet och hittade snabbt numret till Eskil Halvorsen. Han sträckte sig efter telefonen och slog numret, men fick börja om eftersom han glömde att slå landsnumret till Norge. Att han ringde och störde honom hemma på en lördagsförmiddag bekymrade honom föga, sådana skrupler kunde man inte ha som journalist.

Efter några sekunders otålig väntan hörde han till slut hur den han sökte svarade i telefonen. Kjell presenterade sitt ärende och förklarade att han försökte lokalisera en man vid namn Hans Olavsen, som hade varit norsk motståndsman under kriget och som hade flytt till Sverige under krigets sista år.

"Det är alltså inget namn du känner igen på rak arm?" Kjell ritade besviken cirklar på blocket bredvid sig. En del av honom hade hoppats att han skulle få napp omedelbart.

"Jo, jag förstår att vi pratar om tusentals som var aktiva inom motståndsrörelsen, men finns det någon möjlighet att ...?"

Han fick en lång utläggning om hur organisationen inom motståndsrörelsen hade sett ut och antecknade febrilt medan han lyssnade. Det var onekligen ett intressant ämne, särskilt med tanke på att nynazismen var ett av hans specialintressen, men han fick inte tappa fokus på vad det var han egentligen var ute efter.

"Finns det arkiv någonstans med namn på dem inom motståndsrörelsen?"

"Okej, vissa dokumenterade uppgifter finns alltså ..."

"Skulle du möjligtvis kunna hjälpa mig med att se om det finns några uppgifter om en Hans Olavsen och var han finns i dag?"

"Det tackar jag stort för. Och han kom alltså till Sverige 1944, till Fjällbacka, om det kan vara till någon hjälp i efterforskningarna."

Kjell lade på med en nöjd min. Han hade visserligen inte fått något besked direkt som han hade hoppats, men han kände på sig att om någon kunde gräva fram information om Hans Olavsen så var det mannen han nyss talat med.

Och en sak kunde han själv göra under tiden. Fjällbacka bibliotek kunde möjligtvis sitta på mer information om norrmannen. Det var i alla fall värt ett försök. Han tittade på klockan. Åkte han nu kunde han hinna dit innan de stängde. Han tog sin jacka, stängde av datorn och lämnade kontoret.

Många mil därifrån hade Eskil Halvorsen redan börjat leta efter uppgifter om motståndsmannen Hans Olavsen.

Maja höll krampaktigt i dockan där hon satt i bilen. Erica var fortfarande lite rörd av tantens gest och gladdes åt den uppenbara, omedelbara förälskelse som Maja hade drabbats av vid åsynen av dockan.

"Vilken gullig dam", sa hon till Patrik, som bara nickade, då han sammanbitet försökte navigera sig fram i Göteborgs snåriga trafik, med enkelriktade gator vart man än körde och plingande spårvagnar som alltid verkade dyka upp ur tomma intet.

"Var ska vi parkera?" sa han och tittade sig runt.

"Där finns en lucka." Erica pekade och Patrik följde hennes anvisningar.

"Det är nog bäst att du och Maja inte följer med in i butiken", sa hon och plockade fram vagnen ur bakluckan. "Jag tror inte att en antikvitetsaffär är rätt forum för vår klåfingriga lilla dotter."

"Nej, du har nog rätt", sa Patrik och placerade Maja i vagnen. "Vi tar en promenad under tiden, jag och gumman. Men du får berätta allt sedan."

"Jag lovar." Erica vinkade åt Maja och gick i riktning mot adressen som hon hade fått per telefon. Antikvitetsaffären låg på Guldheden och hon hittade rätt vid första försöket. Dörren plingade när hon klev in, och en liten spenslig man med vitt vippande skägg kom ut bakom ett skynke.

"Kan jag hjälpa till med något?" sa han artigt och förväntansfullt.

"Hej, det är jag som är Erica Falck. Vi talades vid per telefon." Hon gick fram till honom och sträckte fram handen för att hälsa.

"Enchanté", sa han och kysste ovansidan av hennes hand till Ericas stora förvåning. Hon mindes inte när hon sist hade blivit kysst på hand. Om någonsin.

"Du hade visst en medalj du ville veta lite mer om? Kom in här så kan vi sitta ner medan jag tittar på den." Han höll upp skynket för henne och hon fick huka sig lätt för att komma in genom en ovanligt låg dörröppning. Väl innanför skynket stannade hon häpen. Ryska ikoner täckte varje millimeter av väggarna i det mörka lilla krypinet, där det förutom ikonerna bara fanns plats för ett litet bord och två stolar.

"Min passion", sa mannen som under gårdagens telefonsamtal hade presenterat sig som Åke Grundén. "Jag har en av Sveriges främsta samlingar av ryska ikoner", sa han stolt medan de satte sig vid bordet.

"De är väldigt fina", sa Erica och tittade sig nyfiket runt.

"Mycket mer än så, mycket mer än så, kära du", sa han och fullkomligt lyste av stolthet när han betraktade sin samling. "De är bärare av en historia och en tradition som är … magnifik." Han avbröt sig och satte på sig ett par glasögon. "Men jag har lätt att bli lite långrandig vad gäller detta ämne, så det är bäst att vi övergår till det du kom för att prata om. Det lät intressant, måste jag säga."

"Ja, jag förstår att det är ännu ett av dina specialintressen, medaljer från andra världskriget."

Han tittade på henne över glasögonkanten. "Man blir lätt lite insnöad när man har missat att omge sig med människor och istället prioriterat gamla föremål. Jag är inte helt säker på att jag har prioriterat rätt, men det är lätt att vara efterklok." Han log och Erica besvarade hans leende. Han hade en stillsam, ironisk humor som tilltalade henne.

Medan hon stoppade ner handen i fickan och försiktigt tog upp den inlindade medaljen, tände Åke en stark lampa som stod på bordet. Vördnadsfullt betraktade han henne när hon vecklade upp tyget och tog fram medaljen.

"Ah …", sa han och lade den i handflatan. Han studerade den intensivt, vände och vred på den under lampans starka sken, och kisade för att inte missa några av de små detaljerna.

"Var fann du den här?" sa han till slut och kikade åter på henne över glasögonen.

Erica berättade för honom om moderns kista och hur hon hade funnit medaljen där.

"Och din mor har ingen koppling till Tyskland vad du vet?"

Erica skakade på huvudet. "Nej, ingen som jag någonsin har hört talas om i alla fall. Men jag har läst på en del den senaste tiden och Fjällbacka, där min mor levde och växte upp, ligger ju nära norska gränsen och under kriget var det många som ville hjälpa den norska motståndsrörelsen i deras kamp mot tyskarna. Jag vet bland annat att min morfar tillät att man smugglade saker med hans båt över till norrmännen. Mot slutet fick han även med sig en norsk motståndsman tillbaka, som sedan inhystes hos honom."

"Ja, det var onekligen en hel del kontakt mellan kustorterna där och det tyskockuperade Norge. Även Dalsland hade mycket att göra med tyskar och norrmän under kriget." Han lät som om han tänkte högt, medan han fortsatte att studera medaljen.

"Ja, jag har ju ingen aning om hur den här har kommit i din mors ägo", sa han. "Men jag kan säga så mycket som att det är en medalj som kallas Järnkorset och som delades ut för speciellt goda insatser under kriget."

"Finns det någon förteckning eller något över dem som fick den här medaljen?" sa Erica hoppfullt. "Tyskarna var ju goda administratörer under kriget, på gott och ont, och det borde ju finnas något arkiverat …"

Åke skakade på huvudet. "Nej, någon sådan förteckning finns tyvärr inte. Och jag kan inte heller säga att den här medaljen var särskilt sällsynt. Just den här medaljen kallas Järnkorset av första klassen. Det delades ut ungefär fyrahundrafemtiotusen sådana här under kriget, så det är en omöjlighet att spåra vem som fick just den här."

Erica såg besviken ut. Hon hade hoppats att medaljen skulle kunna ge henne mer information än så, nu visade den sig vara ännu en återvändsgränd.

"Ja, det är inte mycket att göra åt", sa hon och kunde inte dölja besvikelsen i sin röst. Hon reste sig och tackade Åke genom att ta i hand, och fick ännu en puss på handens ovansida.

"Jag beklagar", sa han och följde henne ut i butiken. "Jag önskar att jag hade kunnat vara mer behjälplig …"

"Ingen fara", sa hon och öppnade dörren. "Jag får hitta andra vägar, för jag vill verkligen komma till botten med varför min mor hade den i sin ägo."

Men när dörren föll igen bakom henne kände hon stor hopplöshet. Hon skulle nog aldrig kunna lösa mysteriet med medaljen.

Sachsenhausen 1945

Han hade genomlevt transporten som i ett töcken. Han mindes mest att örat hade värkt och varat sig. Han hade suttit på tåget till Tyskland, hopföst med en mängd andra fångar från Grini, och inte kunnat fokusera på annat än huvudet som kändes som om det skulle sprängas i bitar. Inte ens beskedet att de skulle förflyttas till Tyskland hade han reagerat på med annat än slö likgiltighet. På ett sätt kändes det som en befrielse. Han förstod ju vad det innebar. Tyskland betydde döden. Det var inte ett faktum, ingen visste egentligen vad som väntade. Men det fanns viskningar. Och antydningar. Och rykten om döden som väntade dem där. De visste att de kallades NN-fångar. Nacht und Nebel. Meningen var att de skulle försvinna, dö, utan rättegång, utan dom. Bara glida in i natten och dimman. De hade alla hört historierna, förberett sig på vad som kunde vänta dem vid ändstationen.

Men inget som de hade hört kunde ha förberett dem på verkligheten. Det var själva helvetet de hade anlänt till. Ett helvete utan eld som brände under fötterna, men likväl ett helvete. Han hade varit där i några veckor nu, och det han hade sett under den tiden förföljde honom i drömmar under nattens oroliga sömn, och fyllde honom med ångest varje morgon när de tvingades upp klockan tre för att sedan jobba oavbrutet fram till nio på kvällen.

NN-fångarna hade det inte lätt. De betraktades som redan döda och kom långt ner i lägrets hackordning. För att det inte skulle råda något tvivel om vilka de var hade de ett rött "N" på ryggen. Den röda färgen visade att de var politiska fångar. De kriminella fångarna hade istället gröna symboler, och det pågick en ständig kamp mellan rött och grönt om vem som skulle ha herraväldet i lägret. Den enda trösten var att de nordiska fångarna hade slutit sig samman. De var spridda över lägret, men varje kväll efter arbetet träffades de och talade om det som skedde. De som kunde avvara lite skar av en bit av sin dagliga ranson bröd. Sedan samlade man ihop brödbitarna och gav dem till de nordiska fångarna som låg på sjukstugan. Så många skandinaver som möjligt skulle hem, hette det. Men för många av dem hjälpte det föga. Fler än Axel kunde hålla reda på hade redan strukit med.

Han betraktade sin hand som höll i skoveln. Den var bara ben, inget kött, utan bara hud som stramade över benknotor. Han hängde matt på skoveln ett kort slag medan den närmsta vakten tittade bort, men skyndade sig sedan att försöka gräva när vakten vände sig om mot hans håll. Varje spadtag fick honom att flåsa av ansträngning. Axel tvingade sig själv att inte titta på anledningen till att han och de andra fångarna grävde. Det misstaget hade han bara gjort den första dagen. Och han såg fortfarande synen framför sig varje gång han slöt ögonen. Högen med människor. Med lik. Utmärglade skelett som hade kastats på hög som avskräde och nu skulle förpassas ner i en grop, huller om buller. Det var lättast att inte titta. Han såg den bara i ögonvrån, medan han mödosamt försökte skyffla undan tillräckligt med jord för att inte dra på sig vakternas missnöje.

Bredvid honom segnade en fånge ner på marken. Lika mager, lika undernärd som Axel, rasade han kraftlös ihop, utan att kunna ställa sig upp igen. Axel övervägde att gå fram och hjälpa honom, men sådana tankar fick inte längre fäste i hjärnan, ledde aldrig fram till någon handling. För nu handlade allt om överlevnad. Det var det enda som den lilla energi man hade kvar räckte till. Var och en fick klara sig själv, fick överleva bäst man kunde. Han hade lyssnat på råden från de tyska politiska fångarna. "Nie auffallen", att inte sticka ut, inte dra uppmärksamheten till sig. Istället gällde det att diskret dra sig in mot mitten och hålla huvudet nere när det drog ihop sig till bråk. Det var därför med likgiltighet som Axel såg vakten gå fram till fången bredvid, ta honom i armen och släpa ner honom till mitten av gropen där den var som djupast och där de hade hunnit gräva färdigt. Vakten klättrade sedan lugnt upp ur gropen och lämnade fången där. Han slösade ingen kula på honom. Det var bistra krigstider nu och det skulle vara slöseri att skjuta ett skott mot någon som i princip redan var död. Liken skulle helt enkelt läggas ovanpå honom. Var han inte död dessförinnan, skulle han kvävas då. Axel vände bort blicken från fången mitt i gropen och fortsatte att gräva i sitt hörn. Han tänkte inte längre på dem där hemma. Det fanns inte utrymme för sådana tankar om han skulle överleva.

Två dagar senare kände Erica sig fortfarande modstulen, hon hade hoppats att få mycket mer information om medaljen. Hon visste att Patrik kände likadant efter det misslyckade försöket att ta reda på vad inbetalningarna gällde. Men ingen av dem hade gett upp, Patrik hade fortfarande ett litet hopp om att pappren efter Wilhelm Fridén skulle kunna ge något, och hon själv var fast besluten att forska vidare om medaljens ursprung.

Hon hade satt sig i arbetsrummet för att skriva ett tag, men kunde inte fokusera på boken. Det var alldeles för mycket som snurrade i huvudet. Hon sträckte sig efter påsen med Dumlekola och njöt av kolasmaken när chokladen började smälta i munnen. Snart fick hon lägga av med de här. Det hade bara varit så mycket på sistone att hon inte hade kunnat missunna sig själv nöjet av lite godishetsätning. Hon fick ta tag i det sedan. Hon hade ju lyckats gå ner inför bröllopet i våras, av ren viljekraft. Då skulle hon väl klara det igen. Fast en annan dag.

"Erica!" Patriks röst nerifrån. Hon reste sig och gick ut på trappavsatsen på övervåningen för att höra vad det var han ville.

"Karin ringde. Jag och Maja hänger med henne och Ludde på en promenad."

"Okej", sa Erica, fast lite grumligt eftersom hon fortfarande höll på att bearbeta Dumlekolan i munnen. Hon gick in i arbetsrummet igen och satte sig framför datorn. Hon hade fortfarande inte riktigt bestämt sig för vad hon tyckte om det där. Promenerandet med Karin alltså. Visserligen hade hon verkat sympatisk, och det var ju ett bra tag sedan Patrik och hon skilde sig, och Erica var helt övertygad om att det var fullständigt överspelat sedan länge för Patriks del. Men ändå. Det kändes lite konstigt att släppa iväg honom till hans exfru. Han hade ju faktiskt legat med henne en gång i tiden. Erica ruskade på huvudet för att få bort bilderna som kom upp på näthinnan och tröstade sig med en Dumle till ur påsen. Nu fick hon skärpa sig. Hon brukade ju aldrig vara svartsjuk.

För att distrahera sig gick hon in på Internet och surfade en stund. En tanke dök upp och hon tog upp sökverktyget och fyllde i rutan där. "Ignoto militi", skrev hon och tryckte förväntansfullt på "sök". Ett antal träffar dök genast upp. Hon valde den översta och läste intresserat vad som stod där. Nu mindes hon varför uttrycket var bekant. En skolutflykt till Paris för många herrans år sedan hade fört hela gänget måttligt intresserade franskelever till Triumfbågen. Och den okände soldatens grav. "Ignoto militi" betydde helt enkelt "Till den okände soldaten".

Erica rynkade pannan när hon läste på skärmen. Tankarna löpte vilt runt i huvudet på henne och blev till frågor. Var det bara en slump att Erik Frankel hade suttit och klottrat det på sitt block på skrivbordet? Eller hade det någon betydelse? Vad i så fall? Hon läste vidare på nätet, men hittade inget mer av intresse och klickade ner fönstret. Med en tredje Dumlekola i munnen lade hon upp benen på skrivbordet och funderade på hur hon skulle kunna gå vidare. En idé kom strax innan hon hade svalt sista biten av kolan. Det fanns någon som kanske skulle kunna veta något. Det var ett långskott, men ... Hon skyndade sig ner till undervåningen, tog bilnycklarna från hallbordet och körde sedan iväg, i riktning mot Uddevalla.

Fyrtiofem minuter senare blev hon sittande på parkeringen, eftersom hon insåg att hon saknade en bra plan för hur hon skulle fortsätta. Det hade varit relativt lätt att via telefon ta reda på vilken avdelning på Uddevalla sjukhus som Herman låg på, men hon hade ingen aning om ifall det skulle bli svårt att ta sig in till honom. Nåja, det fick lösa sig. Hon fick improvisera. För säkerhets skull tog hon vägen via butiken i sjukhusets entré och köpte en stor blombukett. Hon tog hissen och klev av på rätt våning, och gick sedan med bestämda steg in på avdelningen. Ingen verkade ta någon notis om henne. Erica kikade på numren på rummen. Trettiofem. Där skulle han ligga. Nu fick hon bara hoppas att han var ensam och inte hade döttrarna där, för då skulle det ta hus i helvete för hennes del.

Erica tog ett djupt andetag och sköt upp dörren. Hon andades lättad ut. Ingen var på besök. Hon klev in och stängde försiktigt dörren bakom sig. Herman låg i en av två sjukhussängar i rummet, men hans rumskamrat såg ut att sova djupt. Herman däremot låg och stirrade ut i luften, med armarna prydligt längs sidorna ovanpå lakanet.

"Hej Herman", sa Erica mjukt och drog fram en stol intill hans säng. "Jag vet inte om du kommer ihåg mig. Jag besökte Britta. Du blev arg på mig."

Först trodde hon att Herman inte kunde, eller ville, höra henne. Sedan flyttade han långsamt blicken till henne. "Jag vet vem du är. Elsys dotter."

"Det stämmer. Elsys dotter." Erica log.

"Du var hemma ... häromdagen också", sa han och tittade på henne utan att blinka. Erica fylldes av en märklig ömhet för honom. Hon såg framför sig hur han låg intill sin döda hustru, krampaktigt famnande henne. Och nu såg han så liten ut där han låg i sängen, liten och skröplig. Inte längre samma man som hade skällt ut henne för att hon hade gjort Britta upprörd.

"Ja, jag var där hemma. Med Margareta", sa Erica. Herman nickade bara. De satt tysta en stund. Till slut sa Erica:

"Jag håller på att försöka ta reda på lite om min mor. Det var ju så jag stötte på Brittas namn. Och när jag talade med Britta fick jag känslan av att hon visste mer än hon ville, eller kunde, berätta för mig."

Herman log ett märkligt leende, men svarade inte. Erica tog sats och fortsatte:

"Jag tycker också att det är ett konstigt sammanträffande att två av de tre som min mamma umgicks med på den tiden har dött på så kort tid ..." Hon tystnade och inväntade hans reaktion.

En tår rullade nerför hans kind. Han lyfte handen och torkade bort den. "Jag dödade henne", sa han och stirrade rakt ut i luften igen. "Jag dödade henne."

Erica hörde vad han sa och enligt Patrik fanns det egentligen ingenting som bevisade motsatsen. Men hon visste att Martin var skeptisk, hon var själv skeptisk, och det fanns en underlig ton i Hermans röst när han sa det som hon inte riktigt kunde tolka.

"Vet du vad det var som Britta inte ville tala med mig om? Var det något som hände då, runt krigsåren? Var det något som rörde min mor? Jag tycker att jag har rätt att veta", sa hon insisterande. Hon hoppades att hon inte pressade en uppenbart instabil man för hårt, men hon ville så gärna ta reda på vad det var som låg där i bakgrunden i hennes mors förflutna, att hennes omdöme måhända hade avtrubbats en aning. När hon inte fick något svar fortsatte hon: "När Britta började bli förvirrad när jag var där sa hon något om en okänd soldat som viskade. Vet du vad det var? Hon trodde att jag var Elsy då. Inte Elsys dotter. Och hon talade om en okänd soldat. Vet du vad hon menade?"

Först kunde hon inte identifiera ljudet som Herman gav ifrån sig. Sedan insåg hon att han skrattade. En oändligt sorglig imitation av ett skratt. Hon förstod inte vad det var som var så roligt. Men det kanske det inte heller var.

"Fråga Paul Heckel. Och Friedrich Hück. De kan svara på dina frågor." Han skrattade igen, högre och högre, tills hela sängen skakade. Hans skratt skrämde Erica mer än hans tårar, men hon frågade ändå:

"Vilka är de? Var hittar jag dem? Vad har de med det här att göra?" Hon ville ruska om Herman för att få honom att svara på frågorna, skaka ur honom ett tydligt besked, men precis då öppnades dörren.

"Vad försiggår här?" En läkare kom in och ställde sig i dörröppningen med armarna korsade över bröstet och en bister min.

"Ursäkta, jag gick fel. Och farbrorn här ville bara prata lite, sa han. Men sedan ..." Hon reste sig abrupt och skyndade ut genom dörren med en ursäktande min.

Hjärtat bultade när hon kom ut till bilen på parkeringen igen. Två namn hade hon fått. Två namn som hon aldrig hade hört tidigare och som inte betydde något för henne. Vad hade två tyskar med det här att göra? Hade det något med Hans Olavsen att göra? Han hade ju kämpat mot tyskarna innan han flydde. Hon förstod ingenting.

Hela vägen tillbaka till Fjällbacka snurrade de två namnen runt i huvudet på henne. Paul Heckel och Friedrich Hück. Det var märkligt. Hon var så säker på att hon inte hade hört dem förut. Samtidigt var de vagt bekanta ...

"Martin Molin." Han svarade i telefonen efter första signalen och lyssnade intensivt under några minuter, avbröt bara med några korta frågor. Sedan tog han sitt block, där han hade gjort några anteckningar under samtalet, och gick in till Mellberg. Han fann honom i en märklig position. Mellberg satt mitt på golvet, med benen utsträckta framför sig, och försökte med stor möda sträcka sig mot sina tår. Utan vidare framgång.

"Öh, ursäkta? Stör jag?" sa Martin som hade tvärstannat i dörröppningen. Ernst var dock glad för hans uppdykande och kom emot honom med vilt viftande svans och började slicka honom på handen. Mellberg svarade inte utan rynkade bara pannan och försökte ta sig upp. Men till sin egen förtret fick han till slut ge upp och sträcka ut en hand mot Martin som drog upp honom på fötter.

"Bara stretchar lite", mumlade Mellberg och gick stelbent till sin stol.

Martin satte en hand för munnen för att dölja flinet. Det här blev bara bättre och bättre.

"Nå, ville du något särskilt, eller tänkte du bara störa i onödan?" fräste Mellberg och sträckte sig efter en av kokosbollarna som han förvarade i nedersta skrivbordslådan. Ernst sniffade i luften och kom raskt sättande i riktning mot den ljuvliga, och vid det här laget välbekanta, doften och såg med bedjande, fuktiga ögon på Mellberg. Han försökte att titta strängt på hunden, men veknade och sträckte sig efter ännu en kokosboll som han slängde till jycken. Den var borta två sekunder senare.

"Han börjar bli lite rund om magen, Ernst", sa Martin och tittade bekymrad på hunden vars bukfetma började likna sin tillfällige husses.

"Äh, det går ingen nöd på honom. Lite pondus mår man bara bra av", sa Mellberg nöjt och klappade sig på kaggen.

Martin lämnade ämnet bukfett och slog sig ner framför Mellberg.

"Det var Pedersen som ringde. Och jag fick också en rapport från Torbjörn i morse. Ja, de första uppgifterna stämmer definitivt. Britta Johansson blev mördad. Kvävd med kudden som låg bredvid henne i sängen."

"Och hur vet …?" började Mellberg, men Martin avbröt honom.

"Ja", sa han och konsulterade sitt anteckningsblock. "Pedersen använde som vanligt lite snårigare språk, men på ren svenska så hade hon en fjäder från kudden i halsen. Antagligen kom den dit när hon försökte dra efter andan när kudden pressades mot hennes ansikte. Det gjorde att Pedersen också letade efter spår av fibrer i halsen, och då fann han bomullsfibrer som matchar kuddens fibrer. Dessutom fanns det skador på benen i halsen, vilket visar att någon även har applicerat tryck direkt över halsen. Troligtvis med handen, de kollade efter fingeravtryck på huden men fann tyvärr inga."

"Ja, det talar väl sitt tydliga språk. Efter vad jag har hört var hon sjuk. Lite snurrig", Mellberg viftade med pekfingret vid tinningen.

"Hon hade Alzheimers", sa Martin skarpt.

"Ja, ja, fortsätt", sa Mellberg och viftade bort Molins irritation. "Men säg inte något annat än att allt tyder på att det var gubben som gjorde det. Kan ha varit ett sådant där … barmhärtighetsmord", sa han, nöjd över sin egen slutledningsförmåga, och belönade sig med ytterligare en kokosboll.

"Jo … visst …", sa Martin motvilligt samtidigt som han bläddrade fram en annan sida i blocket. "Men det finns ett fingeravtryck på örngottet som är riktigt fint och tydligt, enligt Torbjörn. Annars brukar det ju vara svårt att ta fingeravtryck på tyg, men i det här fallet finns det ett par blanka knappar som man knäpper örngottet med, och på en av dem finns det ett tydligt tumavtryck. Som inte tillhör Herman", sa Martin med eftertryck.

Mellberg rynkade pannan och tittade bekymrad på honom ett ögonblick. Sedan ljusnade hans ansikte. "Säkert någon av döttrarna. Kolla det för säkerhets skull så att du kan få det bekräftat. Sedan ringer du den där avdelningsläkaren och säger att nu får de ge Brittas man vilken jäkla elterapi eller medicinering som helst för att han ska kvickna till, för senast innan veckan är slut ska vi ha pratat med honom. Förstått!"

Martin suckade men nickade. Han gillade inte det här. Inte alls. Men Mellberg hade rätt. Det fanns inga bevis som pekade i någon annan riktning. Bara ett enda tumavtryck. Och om han hade riktig otur så hade Mellberg rätt på den punkten.

Men på väg ut vände han sig om och slog sig för pannan. "Nej, jag glömde ju en sak. Fan, vad dum jag är. Pedersen hittade avsevärda mängder DNA under fingernaglarna på henne, både hudrester och blod. Troligtvis har hon rivit den som kvävde henne. Och ganska rejält dessutom, trodde Pedersen, med tanke på att hon hade vassa naglar och att det var ganska mycket hud som hon hade skrapat loss. Och han bedömde att det troligaste var att hon hade rivit sin mördare på armarna eller i ansiktet." Martin lutade sig mot dörrposten.

"Och har maken några rivmärken?" sa Mellberg och lutade sig fram över skrivbordet med armbågarna mot bordsskivan.

"Det låter onekligen som om vi borde göra ett besök hos Herman omgående", sa Martin.

"Det gör onekligen det", svarade Mellberg uppfordrande.

"Ta Paula med dig", ropade han sedan, men Martin hade redan hunnit iväg.

Han hade tassat runt på tå hemma de senaste dagarna. Inte kunnat tro att det skulle hålla i sig. Morsan hade tidigare inte lyckats hålla sig nykter ett enda dygn. Inte sedan farsan drog. Han mindes knappt hur det hade varit innan dess, men de få, vaga minnen som han hade var behagliga.

Och trots att han kämpade emot allt vad han orkade, började han få upp hoppet. Mer och mer för varje timme. Ja, för varje minut. Hon såg skakig ut och gav honom en skamsen blick varenda gång de passerade varandra i huset. Men hon var nykter. Han hade kollat överallt och inte hittat en enda nyinskaffad flaska. Inte en enda. Och då kände han ändå till vartenda ett av hennes gömställen. Han hade aldrig förstått varför hon brydde sig om att försöka gömma dem. Hon hade lika gärna kunnat låta dem stå kvar på diskbänken.

"Ska jag göra lite middag?" sa hon tyst och tittade försiktigt på honom. Det var som om de tassade runt varandra som två djur, två förskrämda djur som hade träffat varandra för första gången och nu inte visste riktigt hur saker och ting skulle utveckla sig. Och så kanske det var också. Det var så länge sedan han träffade henne helt nykter. Han visste inte vem hon var utan sprit i sig. Och hon visste inte vem han var. Hur hade hon kunnat ta reda på det, när hon ständigt hade gått omkring i en alkoholdimma som filtrerade allt hon såg, och allt hon gjorde? Nu var de främlingar för varandra. Men nyfikna, intresserade och rätt hoppfulla främlingar.

"Har du hört något från Frans?" sa hon medan hon började plocka fram ingredienser ur kylen till köttfärssås och spaghetti.

Per visste inte riktigt vad han skulle svara. Hela sin uppväxt hade han fått höra att det var totalt förbjudet att ha någon kontakt med farfar, och nu var han den som hade gått in och åtminstone tillfälligt räddat situationen.

Carina såg hans förvirring och hans tvekan inför att svara. "Det är okej. Kjell får säga vad han vill. För min del får du gärna prata med Frans. Bara du …" Hon tvekade, rädd att säga något fel, något som skulle störa det sköra som de hade ägnat de senaste dagarna åt att bygga upp. Men hon tog sats och fortsatte: "Jag har inget emot att du har kontakt med farfar. Det … ja, Frans sa saker som behövde sägas. Som fick mig att inse att …" Hon lade ifrån sig kniven som hon hade börjat skära lök med, och Per såg att hon kämpade mot tårarna när hon vände sig mot honom. "Han fick mig att inse att saker och ting måste bli annorlunda. Och för det är jag honom evigt tacksam. Men jag vill att du lovar mig att du inte umgås med … de där människorna omkring honom …" Hon tittade vädjande på honom. Underläppen darrade lätt. "Och jag kan inte lova något … Jag hoppas att du förstår det. Det är svårt. Varje dag, varje minut är svår. Och jag kan bara lova att försöka. Okej?" Åter den där skamsna, vädjande blicken.

Per kände hur en liten del av det hårda i bröstet smälte bort. Det enda han hade velat under alla år, framförallt under de första åren efter att farsan hade lämnat dem, var att få vara liten. Istället hade han fått torka hennes spyor, kolla så att hon inte brände ner huset när hon rökte i sängen, gå och handla. Göra saker som ingen liten pojke skulle behöva göra. Allt det flimrade förbi. Men det spelade ingen roll. För det enda han hörde var hennes röst, hennes vädjande, mjuka mammaröst. Och han tog ett steg fram och lade armarna om henne. Kröp ihop i hennes famn trots att han snart var huvudet längre än hon. Och tillät sig för första gången på tio år att känna sig liten.

Fjällbacka 1945

"Känns det inte skönt att få vara ledig?" kuttrade Britta och strök Hans över armen. Han skrattade bara och skakade av sig hennes hand. Efter att ha lärt känna dem allihop under dryga halvåret, visste han när han användes för att göra Frans svartsjuk. Den roade blicken Frans gav honom sa att han också visste exakt vad Britta sysslade med. Men man fick beundra Brittas ihärdighet, hon skulle nog aldrig sluta tråna efter Frans. Men lite fick han skylla sig själv, eftersom han ibland underblåste hennes förälskelse i honom, genom att ge henne lite, lite uppmärksamhet, bara för att sedan behandla henne på sitt vanliga kyliga sätt. Hans tyckte att det spel som Frans bedrev gränsade till grymhet, men han ville inte lägga sig i. Det som däremot störde honom var att han efter en tid hade listat ut vem som hade fångat Frans verkliga intresse. Han tittade på henne där hon satt ett stycke ifrån honom och kände hur det högg till i bröstet när hon i just det ögonblicket sa något till Frans och log. Elsy hade ett så vackert leende. Ja, inte bara leendet, utan ögonen, själen, de nätta armarna i den kortärmade skjortklänningen, den lilla gropen som hon fick på vänster sida om munnen när hon log. Allt, allt, varje detalj av henne, inifrån och ut, var vacker.

De hade varit snälla mot honom, Elsy och hennes familj. Han betalade en liten, ytterst skälig hyra, och Elof hade ordnat arbete åt honom på en av båtarna. Han bjöds också ofta in att äta med dem, ja, så gott som varje kväll, och det var något i deras värme, deras gemenskap, som fyllde varje del av honom. Känslorna som kriget hade tömt honom på återkom så sakteliga. Och Elsy. Han hade försökt kämpa emot tankarna, försökt kämpa emot bilderna och känslorna som kom över honom när han hade lagt sig om kvällen och såg henne framför sig. Men till slut hade han förstått att han måste kapitulera inför insikten att han var hopplöst, hjälplöst förälskad i henne. Och svartsjukan slet i hjärtat på honom var gång han såg Frans titta på henne med samma blick som han själv antagligen hade. Och så var det Britta. Som inte var så klok att hon förstod hur det var fatt, men som instinktivt kände att hon inte var i fokus vare sig för Frans eller Hans. Han visste att det tärde på henne. Hon var en självisk, ytlig flicka, och han förstod egentligen inte varför någon som Elsy kunde umgås med henne. Men så länge Elsy valde att ha henne i sin närhet fick han stå ut med henne.

Den han egentligen tyckte bäst om av sina fyra nya vänner, förutom Elsy då, var Erik. Det var något lillgammalt, något allvarligt över honom som Hans kände att han bottnade i. Han tyckte om att sitta en bit ifrån de andra och tala med honom. De talade om kriget, om historien, om politik och ekonomi, och Erik hade förtjust insett att han i Hans hade en jämlike som han tidigare hade saknat. Visserligen var han inte lika påläst vad gällde siffror och fakta som Erik, men han hade mycket kunskap om hur världen och historien såg ut, och hur de olika delarna hängde samman. Så de talade i timmar. Elsy brukade skoja med dem och säga att de var som två farbröder som satt på ljugarbänken, men han såg att hon tyckte om att de fann sig så tillrätta i varandras sällskap.

Det enda som de inte talade om var Eriks bror. Hans hade aldrig tagit upp ämnet, och efter den där första gången hade inte heller Erik gjort det.

"Jag tror att mor har middagen färdig snart", sa Elsy samtidigt som hon reste sig upp och borstade av kjolen. Hans nickade och reste sig han med.

"Det är nog bäst att jag följer med, annars är hon inte go att tas med", sa han och tittade på Elsy, som bara log överseende och började klättra nerför bergknallen. Hans kände hur han rodnade. Han var två år äldre än hon, sjutton år, men hon fick honom alltid att känna sig som en bortgjord skolpojke.

Han vinkade adjö till de övriga tre som lugnt satt kvar och hasade nerför berget efter Elsy. Hon såg sig för innan hon gick över vägen och öppnade grinden in till kyrkogården. Det var den närmsta vägen att snedda över den.

"Härligt väder i kväll", sa han och hörde hur han med ens lät nervös. Han bannade sig själv och påminde sig om att sluta uppföra sig som en tok. Hon gick fort över grusgången och han småsprang efter. Efter några steg var han ikapp och gick bredvid henne med händerna nedkörda i byxfickorna. Hon hade inte svarat på hans kommentar om vädret, vilket han var glad för med tanke på hur lam den var.

Plötsligt kände han sig djupt och innerligt lycklig. Han gick bredvid Elsy, kunde till och med smyga till sig en blick på hennes nacke och profil emellanåt, vinden var överraskande ljummen och småstenarna på grusgången knastrade trivsamt under fötterna på dem. Det var första gången på länge som han kunde minnas att han kände så här. Ren lycka. Om han någonsin hade känt den så renodlad. Så mycket hade legat i vägen för den. Så mycket som fick det att svida i bröstet av förödmjukelse, hat och rädsla. Han hade gjort sitt bästa för att inte tänka på det som hade varit. I det ögonblick som han smög sig ombord på Elofs båt hade han bestämt sig för att lämna allt bakom sig. Inte se tillbaka.

Men nu kom bilderna i alla fall. Han gick tyst bredvid Elsy och försökte tvinga tillbaka dem in i de hålor där han hade gömt dem, men de pressade sig förbi hans barriärer, upp i hans medvetande. Kanske var det priset han fick betala för ögonblicket av lycka nyss. Det korta, bitterljuva ögonblicket av lycka. I så fall kanske det hade varit värt det. Men det hjälpte honom inte nu, när han gick bredvid Elsy och kände hur ansiktena, synerna, lukterna, minnena, ljuden ville fram inom honom. I panik kände han att han måste göra något. Halsen hade börjat snöras ihop, och andningen var kort och ytlig. Han kunde inte hålla tillbaka dem längre. Men han kunde inte heller ta emot dem. Något måste han göra.

I det ögonblicket snuddade Elsys hand vid hans. Beröringen fick honom att rycka till. Den var mjuk och elektrisk, och i sin enkelhet allt som krävdes för att fördriva det som han inte kunde tänka på. Han stannade tvärt i backen ovanför kyrkogården. Elsy var steget före honom, och när hon vände sig om gjorde höjdskillnaden att hennes ansikte hamnade precis framför hans.

"Vad står på?" sa hon bekymrat, och i det ögonblicket visste han inte vad som for i honom. Han tog ett halvt steg fram mot henne, tog hennes ansikte mellan sina händer och kysste henne mjukt på läpparna. Först stelnade hon till, och han kände hur paniken började komma igen. Sedan mjuknade hon plötsligt, hennes läppar slappnade av mot hans och öppnade sig. Sakta, sakta, öppnade hon läpparna och skräckslagen, men uppfylld, sträckte han försiktigt in sin tunga och sökte hennes. Han förstod att hon aldrig tidigare hade blivit kysst, men instinktivt mötte hennes tunga hans, och han kände hur knäna blev mjuka. Med ögonen slutna drog han sig ifrån henne och tittade upp först efter några sekunder. Det första han såg var hennes ögon. Och i dem, en spegelbild av vad han själv kände.

När de gick hem bredvid varandra, sakta, tysta, höll sig bilderna borta. Det var som om de aldrig ens hade funnits där.

Christian satt djupt försjunken i vad det nu var som stod på dataskärmen, när Erica kom in. Hon hade kört raka vägen till biblioteket efter sin tur till Uddevalla och kände sig fortfarande lika frågande som när hon lämnade Herman på sjukhuset. Hon hade kvar känslan av att det fanns något vagt bekant över namnen, och hon hade skrivit upp dem på en lapp som hon nu lämnade över till Christian.

"Hej Christian, skulle du kunna hjälpa mig med att kolla om det finns något om de här två namnen, Paul Heckel och Friedrich Hück?" sa hon och tittade förhoppningsfullt på honom.

Han studerade lappen, och hon noterade bekymrad att han såg sliten ut. Säkert bara en höstförkylning, eller mycket med barnen, tänkte hon, men kunde ändå inte låta bli att känna sig lite orolig för honom.

"Slå dig ner så länge, så ska jag söka på namnen", sa han och hon gjorde som han sa. Mentalt höll hon tummarna så att de vitnade, men kände hoppet sjunka när hon inte såg någon reaktion i Christians ansikte då han studerade resultatet av sökningen.

"Nej, tyvärr. Jag hittar inget", sa han till slut och skakade beklagande på huvudet. "Inte i våra register och databaser i alla fall. Men du kan ju försöka göra research på Internet, problemet är att jag inte tror att det är särskilt ovanliga tyska namn."

"Okej", sa Erica besviket. "Så det finns ingen koppling mellan namnen och området häromkring?"

"Tyvärr."

Erica suckade. "Nåja, det hade väl varit för lätt, antar jag." Sedan sken hon upp. "Men du, kan du kolla om det finns något mer om en person som omnämndes i artiklarna som du ordnade åt mig förra gången. Men då sökte vi inte särskilt på honom, utan bara på mamma och några av hennes vänner. Det är en norsk motståndsman som heter Hans Olavsen och som fanns här i Fjällbacka ..."

"Kring krigsslutet, ja jag vet", sa Christian lakoniskt.

"Känner du till honom?" sa Erica snopet.

"Nej, men det är andra förfrågan jag får om honom på två dagar. Verkar vara en populär kille."

"Vem var det som sökte information om honom?" sa Erica och höll andan.

"Det måste jag kolla", svarade Christian och rullade kontorsstolen bakåt till en liten lådhurts. "Han lämnade sitt kort ifall jag hittade något mer om den här killen. Då skulle jag ringa honom." Han hummade lätt när han letade igenom lådan, men hittade till slut det han sökte.

"Aha, här är kortet. Kjell Ringholm, står det."

"Tack Christian", sa Erica och log. "Då vet jag vem jag ska ta mig ett litet snack med."

"Låter allvarligt", skrattade Christian, men leendet nådde aldrig ögonen.

"Nja, det är mer det att jag blir nyfiken på varför han är så intresserad av Hans Olavsen …" Erica tänkte högt. "Men hittade du något om honom då när Kjell Ringholm var här?"

"Bara samma material som du fick sist. Så jag har tyvärr inget jag kan hjälpa dig med."

"Nähä, det var en mager skörd i dag", sa Erica och suckade. "Skulle jag kunna skriva av numret på visitkortet i alla fall?"

"Be my guest", sa Christian och sköt fram kortet.

"Tack", sa hon och blinkade åt Christian. Han blinkade trött tillbaka.

"Du", sa hon. "Går det fortfarande bra med boken? Säkert att det inte är något jag kan hjälpa till med? Var det Sjöjungfrun den skulle heta?"

"Jodå, det går bra", sa han med ett lite konstigt tonfall. "Och den ska heta Sjöjungfrun. Men om du ursäktar mig så har jag lite att göra nu …" Han vände ryggen åt henne och började knappa på tangentbordet. Snopen gick Erica därifrån. Christian hade aldrig uppfört sig så där tidigare. Nåja, hon hade andra saker att tänka på. Som ett samtal med Kjell Ringholm.

De hade enats om att träffas ute på Veddö. Det var liten risk att någon skulle se dem där vid den här tiden på året, och i så fall var de bara två gamla gubbar som var ute och spatserade.

"Tänk om man hade vetat vad som låg framför en", sa Axel och sparkade på en sten som rullade iväg över stranden. På sommaren samsades badarna med en flock kossor här, och man kunde lika väl få se badande barn som en långhårig ko som svalkade sig i vattnet. Men nu var stranden övergiven, och vinden tog med sig torkade tångruskor och blåste iväg dem. De hade genom en tyst överenskommelse enats om att inte tala om Erik. Eller Britta. Ingen av dem visste egentligen varför de hade stämt träff. Det tjänade ju ingenting till. Skulle inte förändra något. Ändå fanns behovet där. Som ett myggbett som ville bli kliat. Och trots att de, precis som i fallet med myggbettet, visste att det bara skulle bli värre hade de gett efter för frestelsen.

"Det är nog meningen att man inte ska veta", sa Frans och blickade ut över vattnet. "Om man hade en kristallkula som visade allt som man skulle vara med om under en livstid, så skulle man nog aldrig orka resa sig. Tanken är nog att man ska få livet i små portioner. Få sorgerna och problemen i bitar som är precis så små att man kan tugga i sig dem."

"Det händer att man får för stora bitar", sa Axel och sparkade iväg ännu en sten.

"Då talar du om andra, inte om dig och mig", sa Frans och vände blicken mot Axel. "Vi må verka olika i andra människors ögon. Men vi är lika, du och jag. Det vet du. Vi viker oss inte. Hur stor portion vi än får oss tilldelad."

Axel nickade bara. Sedan tittade han på Frans. "Ångrar du något?"

Frans tänkte länge på frågan. Därefter sa han dröjande: "Vad finns det att ångra? Gjort är gjort. Vi gör alla våra val. Du har gjort dina. Och jag har gjort mina. Ångrar jag något? Nej, vad skulle det tjäna till?"

Axel ryckte på axlarna. "Ånger är väl ett uttryck för mänsklighet. Utan ångern … vad är vi då?"

"Men frågan är ju om ånger förändrar något? Och samma sak gäller det som du har sysslat med. Hämnd. Du har ägnat hela ditt liv åt att jaga förövare, och ditt enda syfte har varit att hämnas. Något annat syfte finns inte. Och har det förändrat något? Sex miljoner dog ändå i koncentrationslägren. Vad förändrar det att ni jagar reda på någon kvinna som var fångvaktare under kriget, men som sedan dess har levt som hemmafru i USA? Att ni släpar henne inför rätta för förbrytelser hon begick för över sextio år sedan, vad förändrar det?"

Axel svalde. Oftast hade han varit helt övertygad om betydelsen av det som de gjorde. Men Frans träffade en öm punkt. Han ställde den fråga som han själv hade ställt sig några få gånger, i svaga stunder.

"Det ger frid åt offrets anhöriga. Och det är en signal om att vi inte accepterar vad som helst som människor."

"Skitsnack", sa Frans och körde ner händerna i fickorna. "Tror du att det avskräcker någon, eller skickar någon som helst signal när nuet är så mycket starkare än dåtiden. Det ligger i människans natur att inte se till konsekvenserna av sina handlingar, att inte lära sig av historien. Och frid. Har man inte fått frid efter sextio år, så får man aldrig frid. Det är vars och ens eget ansvar att skaffa sig den friden, man kan inte vänta på någon sorts vedergällning och tro att den sedan ska infinna sig."

"Det är cyniska ord", sa Axel och stoppade händerna i rockfickorna han också. Vinden hade börjat kännas kall och han huttrade lite.

"Jag vill bara att du ska inse att bakom allt det ädla som du anser att du har ägnat ditt liv åt ligger en högst primitiv, basal, mänsklig känsla: hämnd. Jag tror inte på hämnd. Jag tror på att det enda vi bör fokusera på är att göra sådant där vi kan förändra saker i nuet."

"Och det är det som du tycker att du gör", sa Axel, och hans röst var spänd.

"Vi står på var sin sida av barrikaderna du och jag, Axel", sa Frans torrt. "Men ja, det är vad jag tycker att jag gör. Jag förändrar något. Jag hämnas inte. Jag ångrar inte. Jag ser framåt och följer det jag tror på. Sedan är det något helt annat än vad du tror på, och där kommer vi aldrig att mötas. Våra vägar skildes åt för sextio år sedan, och de kommer aldrig att mötas igen."

"Hur blev det så här?" sa Axel tyst och svalde.

"Det är ju det jag försöker säga till dig. Det spelar ingen roll hur det blev så här. Nu är det så här. Och det enda vi kan försöka göra är att förändra, överleva. Inte se tillbaka. Inte vältra oss i ånger eller spekulationer om hur saker hade kunnat vara." Frans stannade och tvingade Axel att titta på honom. "Du får inte se tillbaka. Det som är gjort är gjort. Det som är dåtid är dåtid. Det finns inget som heter ånger."

"Det är där du har så fel, Frans", sa Axel och böjde huvudet. "Det är där du har så fel."

Det var ytterst motvilligt som Hermans ansvarige läkare hade gått med på att släppa in dem några minuter för att tala med Herman. Men sedan Martin och Paula hade lovat att två av hans döttrar skulle få sitta med, hade läkaren gett med sig och sagt ja till en kort pratstund.

"Hej Herman", sa Martin och sträckte ut sin hand till mannen i sängen. Herman fattade den, men greppet var svagt och kraftlöst. "Vi träffades hemma hos dig, men jag är inte säker på att du minns det. Det här är min kollega, Paula Morales. Vi skulle gärna vilja ställa några frågor till dig om det går bra?" Han talade mjukt, och han och Paula slog sig ner vid sängkanten, Martin ovetande om att han satt på samma stol som Erica hade suttit på en stund tidigare.

"Det går bra", sa Herman, som nu verkade aningen mer medveten om sin omgivning. Döttrarna hade satt sig på motsatt sida av sängen, och Margareta höll sin far i handen som var närmast henne.

"Vi beklagar verkligen sorgen", sa Martin. "Jag förstår att du och Britta var gifta länge?"

"Femtiofem år", sa Herman och för första gången sedan de kom såg de lite liv i ögonen på honom. "Vi var gifta i femtiofem år, min Britta och jag."

"Skulle du kunna berätta hur det gick till? När hon dog?" sa Paula och försökte ha samma mjuka tonfall som Martin.

Margareta och Anna-Greta tittade oroligt på dem och var precis på väg att lägga in en protest, när Herman viftade avvärjande med handen.

Martin, som hade konstaterat att ansiktet saknade sår, försökte kika under ärmarna på sjukhusskjortan för att se om det fanns några avslöjande rivmärken. Han kunde inte se något och bestämde sig för att vänta med att kontrollera det tills de var färdiga med intervjun.

"Jag var hemma hos Margareta och fikade", sa Herman. "De är så snälla mot mig, flickorna. Särskilt sedan Britta blev sjuk." Herman log mot döttrarna. "Vi hade en del att tala om. Jag ... hade bestämt mig för att Britta skulle ha det bättre om hon fick bo på något ställe där någon kunde se efter henne mer ..." Hans röst var plågad.

Margareta klappade honom på handen. "Det var det enda du kunde komma fram till, pappa. Det fanns ingen annan lösning, det vet du."

Herman verkade inte höra henne utan fortsatte. "Sedan gick jag hem. Jag var lite orolig eftersom jag hade varit borta så länge. Nästan två timmar. Jag brukar försöka skynda mig om jag måste iväg, så att jag är borta max en timme, medan hon sover middag. Jag är så rädd ... var så rädd att hon skulle hinna vakna och sätta eld på huset och sig själv." Han darrade, men tog ett djupt andetag och fortsatte. "Så jag ropade när jag kom innanför dörren. Ingen svarade. Men jag tänkte att hon tack och lov fortfarande sov, så jag gick upp till sängkammaren. Och där låg hon ... Jag tyckte att det var konstigt, för hon hade en kudde över ansiktet, och varför skulle hon ligga så? Så jag gick fram och lyfte bort kudden. Och jag såg direkt på henne att hon var borta. Ögonen ... ögonen de stirrade upp i taket och hon var alldeles, alldeles stilla." Tårarna började trilla och Margareta torkade försiktigt bort dem.

"Är det verkligen nödvändigt?" sa hon bedjande och tittade på Martin och Paula. "Pappa är fortfarande chockad och …"

"Det går bra, Margareta", sa Herman. "Det går bra."

"Okej, men bara några minuter till, pappa. Sedan slänger jag ut dem handgripligen om jag så måste, för du måste få vila."

"Hon har alltid varit den mest stridslystna av de tre", sa Herman och ett blekt leende syntes i ansiktet. "En riktig argbigga."

"Tyst på dig, nu behöver du inte bli oförskämd bara för det", sa Margareta, men såg glad ut över att han orkade retas.

"Så vad du säger är att hon var död när du kom in i rummet?" sa Paula förvånat. "Men varför har du hävdat att det var du som dödade henne?"

"För att det var jag som dödade henne", sa Herman och ansiktet slöt sig igen. "Men jag har aldrig sagt att jag mördade henne. Fast det kunde jag likaväl ha gjort." Han tittade ner på sina händer, oförmögen att möta vare sig polisernas eller sina döttrars blick.

"Men pappa, vi förstår inte?" Anna-Greta såg förtvivlad ut, men Herman vägrade svara.

"Vet du vem det var som mördade henne?" sa Martin, eftersom han instinktivt förstod att Herman just nu inte tänkte svara på varför han med en dåres envishet hävdade att han hade dödat sin hustru.

"Jag orkar inte prata mer", sa Herman och fortsatte att stirra ner i täcket. "Jag orkar inte mer nu."

"Ni hörde vad pappa sa", sa Margareta och ställde sig upp. "Han har sagt det han har att säga. Men det viktigaste är att ni hörde att han sa att det faktiskt inte var han som mördade mamma. Det andra … det är sorgen som talar."

Martin och Paula reste sig. "Tack för att vi fick några minuter. Men vi har en sista sak som vi skulle vilja be dig om", sa Martin och vände sig till Herman. "För att bekräfta det du säger, skulle vi kunna få titta på dina armar? Britta rev den som kvävde henne."

"Ska det verkligen vara nödvändigt! Han säger ju att att …" Margareta hade börjat höja rösten, men Herman kavlade stilla upp ärmarna på sjukhusskjortan och höll fram armarna mot Martin. Han tittade noga både på ovan- och undersidan av armarna. Inga rivmärken.

"Där ser ni", sa Margareta och såg nu ut att vilja fösa ut Martin och Paula genom dörren lika handgripligen som hon hade hotat med.

"Vi är färdiga nu. Vi tackar för din tid, Herman. Och än en gång. Vi beklagar sorgen", sa Martin och vinkade åt Margareta och Anna-Greta för att visa att han ville att de skulle följa med ut.

Ute i korridoren förklarade han situationen med fingeravtrycket, och de gick villigt med på att lämna sina för att kunna elimineras från utredningen. Även Birgitta anlände precis när de var klara och hann lämna sina avtryck, så de skulle kunna skicka samtliga döttrars avtryck till SKL.

Paula och Martin blev sittande i bilen en stund. "Vem tror du han skyddar?" sa Paula och satte bilnyckeln i låset, men utan att vrida om.

"Jag vet inte. Men jag fick precis samma intryck som du. Att han vet vem det var som mördade Britta, men skyddar den personen. Och att han också på något sätt anser sig vara ansvarig för hennes död."

"Om han bara kunde berätta för oss", sa Paula och vred om nyckeln så att motorn gick igång.

"Ja, jag kan inte för mitt liv ..." Martin skakade på huvudet och trummade irriterat med fingrarna mot instrumentbrädan.

"Men du tror på honom?" Paula visste redan vad svaret skulle bli.

"Ja, jag tror på honom. Och att han inte har några rivmärken bevisar ju att jag hade rätt. Men jag kan inte för mitt liv förstå varför han skulle skydda den som mördade hans fru. Och varför han själv anser sig skyldig."

"Vi löser inte det här i alla fall", sa Paula och körde ut från parkeringen. "Vi har fingeravtrycken från döttrarna med oss, vi ser till att få iväg dem så att vi kan utesluta att det är något av deras fingeravtryck på örngottet, och så börjar vi försöka ta reda på vem som faktiskt har lämnat det."

"Ja, det är väl det vi kan göra just nu", sa Martin, suckade tungt och tittade ut genom fönstret på sin sida.

Ingen av dem noterade att de mötte Erica strax norr om Torp.

Fjällbacka 1945

Det var ingen slump att Frans såg vad som hände. Han hade följt Elsy med blicken hela vägen, ville se henne ända tills hon försvann ur sikte bortom backens krön. Därför kunde han inte undgå att se kyssen. Det var som om någon hade satt en dolk rakt i hjärtat på honom. Blodet rusade, samtidigt som en iskyla spred sig genom lederna. Det gjorde så ont att han trodde att han skulle falla död ner i just det ögonblicket.

"Ser man på …", sa Erik som också fick syn på Hans och Elsy. "Det var som …", skrattade han och skakade på huvudet. Ljudet av Eriks skratt fick det att explodera av vitt ljus inne i huvudet. Han behövde en ventil för att få ut allt det som gjorde ont, och han kastade sig över Erik och tog ett strypgrepp om halsen på honom.

"Håll käften, håll käften, håll KÄFTEN, din dumma jävla …" Han greppade hårdare om Eriks hals och såg hur han försökte dra efter luft. Det kändes skönt att se skräcken i Eriks ögon, det minskade den hårda klumpen som han alltid hade i magen och som kyssen hade fått att växa tiofalt i ett enda slag.

"Vad gör du?" Britta skrek gällt och stirrade på pojkarna framför henne, Erik på rygg och Frans ovanpå honom. Utan att tänka rusade hon fram och började dra i Frans skjorta, men han for ut med armen så hårt att hon trillade baklänges.

"Sluta, sluta Frans", skrek hon och drog sig hasande bakåt från honom med tårarna rinnande nerför kinderna. Något i hennes ton fick honom att vakna till. Han tittade ner på Erik, som hade börjat få en underlig färg i ansiktet, och släppte hastigt greppet om hans hals.

"Förlåt", sa han mumlande och strök handen över ögonen. "Förlåt … jag …"

Erik satte sig upp och stirrade på honom, medan han tog sig om halsen.

"Vad fan var det där? Vad for i dig? Du höll ju för fasiken på att strypa mig! Är du inte riktigt klok, eller?" Eriks glasögon hade hamnat lite på sniskan och han tog av dem och satte på dem rakt igen.

Frans stirrade tomt framför sig utan att svara.

"Han är ju kär i Elsy, fattar du väl", sa Britta bittert medan hon torkade tårarna som fortfarande rann med baksidan av handen. "Och han har väl inbillat sig att han hade en chans. Men du är dum om du tror det, Frans! Hon har aldrig ens tittat åt dig. Och nu kastar hon sig i armarna på den där norrmannen. Medan jag..." Hon brast ut i häftig gråt och började hasa nerför berget. Frans betraktade hennes flykt med tom blick, medan Erik fortfarande stirrade ilsket på honom.

"För fasiken, Frans. Du är ju... Är det sant? Är du kär i Elsy? Alltså, jag förstår om du blev förbannad nyss i så fall. Men du kan ju inte..." Erik avbröt sig och skakade på huvudet.

Frans svarade honom inte. Han kunde inte. Hela hans huvud var fyllt av bilden av Hans som lutade sig fram och kysste Elsy. Och av henne som besvarade hans kyss.

Numera tittade alltid Erica till lite extra när hon såg en polisbil, och hon tyckte att hon såg Martin i den som hon passerade strax före Torp, när hon för andra gången på samma dag körde mot Uddevalla. Hon undrade nyfiket var de hade varit.

Visserligen var det ingen direkt brådska att ta itu med det här nu, men hon visste att hon ändå inte skulle kunna få någon skrivro förrän hon hade gått till botten med de nya uppgifter som hon hade fått. Och hon undrade verkligen varför Kjell Ringholm, journalist på Bohusläningen, också visade intresse för den norske motståndsmannen.

När hon en stund senare satt i receptionen på Bohusläningen och väntade, funderade hon på olika motiv till hans intresse, men bestämde sig för att släppa spekulationerna tills hon fick möjlighet att fråga honom. Några minuter senare blev hon visad till hans rum och han tittade nyfiket på henne när hon klev in och hälsade på honom.

"Erica Falck? Du är författare? Inte sant?" sa han och pekade med handen på en besöksstol. Hon satte sig och hängde jackan på stolsryggen.

"Jo, det stämmer."

"Ja, jag har tyvärr inte läst något, men dina böcker ska vara bra, har jag hört", sa han artigt. "Är du här för att göra research för någon ny bok? Jag är ju inte kriminalreporter så jag vet inte vad jag skulle kunna hjälpa till med? För du skriver om verkliga mordfall, om jag inte har missuppfattat saken."

"Det har inget med mina böcker att göra, måste jag erkänna", sa Erica. "Det är så att jag av lite olika anledningar har börjat forska i min mors förflutna. Hon var ju god vän med din far, bland annat."

Kjell rynkade pannan. "När då?" sa han och lutade sig fram.

"De umgicks som barn och i ungdomen, efter vad jag har förstått. Jag har främst koncentrerat mig på krigsåren i mina efterforskningar, och då var de som du vet i femtonårsåldern."

Kjell nickade och väntade på fortsättningen.

"De var ett gäng på fyra ungdomar som verkar ha hängt ihop som ler och långhalm. Förutom din far var det en Britta Johansson och en Erik Frankel. Och som du säkert vet har de två sistnämnda mördats inom en tidsrymd på bara två månader. Lite märkligt sammanträffande, eller hur?"

Fortfarande inget svar från Kjell, men Erica såg att hans kropp spändes och att det tändes en glimt i ögonen.

"Och ..." Hon gjorde en paus. "Det tillkom sedan ytterligare en person. 1944 kom det en norsk motståndsman, eller pojke snarare, till Fjällbacka. Han hade gömt sig ombord på min morfars båt och fick sedan husrum hemma hos min mormor och morfar. Han hette Hans Olavsen. Men det vet du ju redan ... Eller hur? För jag har förstått att du också har börjat intressera dig för honom, och jag undrar helt enkelt varför?"

"Jag är journalist, jag kan inte prata om sådant", sa Kjell avvärjande.

"Fel, du kan inte avslöja dina källor", sa Erica lugnt. "Men jag förstår inte varför vi inte skulle kunna hjälpa varandra med det här. Jag är rätt duktig på att snoka fram saker jag med, och du har ju vana av det som journalist. Vi är båda intresserade av Hans Olavsen. Jag kan leva med att du inte vill berätta varför. Men kan vi inte åtminstone utbyta information, både det vi redan har och det vi eventuellt kan få fram, var och en på sitt håll?" Hon tystnade och väntade spänt.

Kjell funderade. Han trummade med fingrarna mot skrivbordet medan han verkade överväga alla eventuella för- och nackdelar.

"Okej", sa han till slut och sträckte sig efter något i den översta skrivbordslådan. "Det finns väl egentligen ingen orsak till att vi inte ska kunna hjälpas åt. Och min källa är död, så jag ser ingen anledning till att jag inte skulle kunna dra allt för dig. Så här ligger det till. Jag kom i kontakt med Erik Frankel via ett ... privat ärende." Han harklade sig och sköt mappen han hade plockat fram mot henne. "Han sa då att det fanns något som han ville berätta för mig, något som jag kunde ha användning för och som måste komma fram."

"Formulerade han sig exakt så?" Erica böjde sig fram och plockade upp mappen. "Att det var något som måste komma fram?"

"Ja, som jag minns det", sa Kjell och lutade sig tillbaka mot stolsryggen. "Sedan kom han hit vid ett tillfälle några dagar senare. Han hade med sig artiklarna som ligger i mappen där och gav dem bara till mig. Sa inget mer om varför. Jag ställde självklart en massa frågor till honom, men han envisades med att säga att om jag var lika skicklig på att gräva fram saker som han hade hört, så skulle det som fanns i mappen räcka."

Erica bläddrade igenom pappren i plastmappen. Det var samma artiklar som hon redan hade fått av Christian, de artiklar som fanns i arkiven där Hans Olavsen och hans tid i Fjällbacka nämndes. "Ingenting utöver det här alltså?" Hon suckade.

"Ja, så kände jag mig också. Om han nu visste något, varför kunde han inte bara säga det rätt ut? Men av någon anledning var det viktigt för honom att jag själv tog reda på resten. Så det är det jag har försökt att börja med, och jag skulle ljuga om jag sa att mitt intresse inte hade gått upp flera tusen procent då Erik Frankel hittades mördad. Och jag har undrat om det kanske hade något samband med det här..." Han pekade på mappen som Erica hade i knät. "Och jag har naturligtvis hört om mordet på den äldre kvinnan i förra veckan. Men jag hade ingen aning om kopplingen ... ja, det väcker ju onekligen en del frågor."

"Har du fått fram något om norrmannen?" sa Erica ivrigt. "Jag har inte kommit så långt än, jag har egentligen bara fått reda på att han och min mor hade en kärleksrelation, och att han sedan verkar ha lämnat henne och Fjällbacka plötsligt. Det jag har tänkt att göra som nästa steg är att försöka lokalisera honom, se vart han tog vägen, om han återvände till Norge eller ...? Men du kanske ligger före mig där?"

Kjell vickade på huvudet för att indikera ett varken ja eller nej-svar på den frågan. Han berättade om sitt samtal med Eskil Halvorsen och att han inte på rak arm kunde identifiera Hans Olavsen, men att han hade lovat att göra vidare efterforskningar.

"Han kan ju ha blivit kvar i Sverige också", sa Erica fundersamt. "Det borde man kunna spåra via de svenska myndigheterna i så fall, det skulle jag kunna kolla. Men skulle det vara så att han har försvunnit vidare utomlands någonstans, då har vi ett problem."

Kjell tog emot mappen som Erica sträckte fram mot honom. "Det är väl en god tanke. Finns ju ingen anledning att utgå ifrån att han återvände till Norge. Många blev kvar i Sverige efter kriget."

"Skickade du över någon bild på honom till Eskil Halvorsen?" sa Erica.

"Nej du, det gjorde jag faktiskt inte", sa Kjell och började bläddra bland artiklarna. "Men det har du rätt i att jag borde göra. Man vet aldrig, minsta sak kan ju vara till hjälp. Men jag tar kontakt med honom igen direkt när du har gått och ser om jag kan skicka eller helst faxa över en av de här bilderna. Kanske den här? Den är tydligast, eller vad säger du?" Han sköt över artikeln med gruppbilden som Erica hade studerat så noga ett par dagar tidigare.

"Ja, den tror jag blir bra. Och här ser du ju hela gänget. Det där är min mor." Hon pekade med fingret på Elsy.

"De här umgicks alltså mycket på den tiden, säger du?" sa Kjell fundersamt. Han bannade sig själv för att han inte gjort kopplingen mellan den Britta som fanns med på fotografiet och den Britta som hade mördats. Men de flesta skulle nog ha missat att göra den kopplingen, tröstade han sig själv med. Det var svårt att se några likheter mellan den femtonåriga flickan Britta och den sjuttiofemåriga damen.

"Ja, efter vad jag har förstått så var de ett väldigt tajt gäng, trots att det nog inte var helt accepterat då. Klasskillnaderna i Fjällbacka var tydliga, och Britta och min mor tillhörde väl den fattigare sidan medan pojkarna, Erik Frankel och, ja … din far, tillhörde den 'fina' sidan." Erica ritade citationstecken i luften.

"Jo, väldigt fin …", muttrade Kjell och Erica anade att det låg mycket under ytan av de orden.

"Just det, jag har ju inte tänkt på att prata med Axel Frankel", sa Erica upphetsat. "Han kanske vet något om Hans Olavsen. Även om han var lite äldre, så verkar han ha funnits med i bakgrunden, och han kanske …" Hennes tankar och förhoppningar snurrade iväg, men Kjell höll upp en avvärjande hand.

"Jag skulle nog inte hoppas för mycket på det. Jag tänkte samma tanke men gjorde som tur var en del efterforskningar kring Axel Frankel först, och ja, du vet säkert att han blev tillfångatagen av tyskarna under en resa till Norge?"

"Jag vet inte så mycket om det där", sa Erica och tittade intresserat på Kjell. "Så allt du har fått fram …" Hon slog ut med händerna och väntade.

"Ja, Axel blev som sagt tillfångatagen av tyskarna när han skulle överlämna ett dokument till motståndsrörelsen. Han fördes till fängelset Grini utanför Oslo där han satt till början av 1945. Då forslade tyskarna honom och en mängd andra fångar från Grini till Tyskland via båt och tåg, och Axel Frankel hamnade först i ett läger som kallades Sachsenhausen, dit många av de nordiska fångarna fördes. Sedan, mot slutet av kriget, fördes han till Neuengamme."

Erica drog häftigt efter andan. "Jag hade ingen aning… Har Axel Frankel suttit i koncentrationsläger i Tyskland? Jag visste inte ens att det fanns norrmän eller svenskar som hade gjort det."

Kjell nickade. "Ja, det var framförallt norska fångar som hamnade där.

Och några enstaka från andra länder som hade fångats av tyskarna efter att ha deltagit i motståndsaktiviteter. De kallades för NN-fångar, 'Nacht und Nebel', Natt och Dimma. Namnet har sitt ursprung i ett dekret som Hitler utfärdade 1941, där det kungjordes att civila i de ockuperade länderna inte skulle ställas inför rätta och dömas i hemlandet. Istället skulle de skickas över till Tyskland, för att sedan försvinna 'i natt och dimma'. En del fick dödsdomar och avrättades, de övriga fick arbeta ihjäl sig. Hur som helst, saken är den att Axel Frankel inte fanns i Fjällbacka under samma period som Hans Olavsen."

"Men vi vet ju inte exakt när norrmannen lämnade Fjällbacka", sa Erica och rynkade pannan. "Jag har i alla fall inte hittat någon uppgift om det. Jag har ingen aning om när han lämnade min mamma."

"Fast jag vet när Hans Olavsen gav sig av", sa Kjell triumferande och började rota bland papperen på sitt skrivbord. "På ett ungefär i alla fall", lade han till. "Aha!" Han drog fram ett papper och lade det framför Erica. Han pekade på en passage mitt på sidan. Erica lutade sig fram och läste högt:

"Fjällbackaföreningen har i år med särdeles stor framgång arrangerat …"

"Nej, nej, kolumnen bredvid", sa Kjell och pekade igen.

"Jaha!" Erica gjorde ett nytt försök. "Det förbryllade en och annan att den norske motståndsman som fann en fristad här hos oss i Fjällbacka, så abrupt har lämnat oss. Mången Fjällbackabo beklagar det faktum att de inte fick ta farväl och tacka för de insatser han gjorde under det krig som vi nu äntligen har sett slutet på …" Erica tittade på datumet längst upp på sidan och lyfte sedan på huvudet. "19 juni 1945."

"Ja, han försvann alltså strax efter krigsslutet om jag har tolkat det rätt", sa Kjell och tog tillbaka artikeln och lade den överst i pappershögen.

"Men varför?" Erica lade huvudet på sned när hon funderade. "Fast jag tror ändå att det kan vara idé att tala med Axel. Hans bror kan ju ha sagt något till honom. Det kan jag ta på mig att göra. Du har ingen möjlighet att tala med din far?"

Kjell satt tyst en lång stund. Till slut sa han: "Visst kan jag det. Och jag meddelar om jag hör något från Halvorsen. Och du får meddela mig direkt ifall du hittar något. Förstått." Han hötte varnande med fingret. Han var inte van att samarbeta, men i det här fallet såg han uppenbara fördelar med att få draghjälp av Erica.

"Jag kollar med de svenska myndigheterna också", sa Erica och reste sig. "Och jag lovar, jag meddelar så fort jag hör något." Hon började ta på sig jackan men stannade sedan upp mitt i rörelsen.

"Jo Kjell, jag har faktiskt en liten sak till. Jag vet inte om det har någon betydelse men …"

"Säg bara, allt kan vara av värde nu", sa han nyfiket och tittade upp på henne.

"Jo, jag pratade med Brittas man Herman. Han verkar veta något om allt det här … jag vet inte, men jag får den känslan. Och jag frågade honom om Hans Olavsen och han reagerade jättemärkligt, men sa sedan att jag skulle fråga en Paul Heckel och en Friedrich Hück. Och jag har försökt kolla upp dem, men hittar inget. Fast ändå …"

"Ja?" sa Kjell.

"Nej, jag vet inte. Jag kan svära på att jag aldrig har stött på någon av dem. Men det är ändå något som är bekant … nej, jag kan inte sätta fingret på det."

Kjell trummade med pennan mot skrivbordet. "Paul Heckel och Friedrich Hück?" frågade han och när Erica nickade skrev han upp namnen på ett block.

"Okej, jag kollar, jag med. Men det ringer inga klockor hos mig heller."

"Då har vi lite att göra", sa Erica och log när hon stannade till i dörröppningen. Det kändes skönt att vara två om det här.

"Ja, vi har väl det", sa Kjell men lät frånvarande.

"Vi hörs då", sa Erica.

"Ja, det gör vi", sa Kjell och lyfte luren utan att titta på henne när hon gick. Nu brann han av iver att gå till botten med det här. Hans journalistiska näsa kunde lukta sig till att det fanns en hund begraven.

"Ska vi sätta oss och gå igenom allt igen?" Det var måndag eftermiddag och det var lugnt på stationen.

"Visst", sa Gösta och reste sig motvilligt. "Paula också?"

"Självklart", sa Martin och gick för att hämta henne. Mellberg var ute och rastade Ernst, och Annika såg upptagen ut i receptionen, så det var de tre som satte sig i köket, med allt existerande utredningsmaterial framför sig.

"Erik Frankel", sa Martin och satte sin penna mot en vit och ren sida i anteckningsblocket.

"Han mördades i sitt hem, med ett föremål som redan fanns där", sa Paula och Martin skrev febrilt.

"Det kan tydas som att det inte var överlagt", sa Gösta och Martin nickade.

"Det finns inga fingeravtryck på bysten som var mordvapnet, men den verkar inte heller ha blivit avtorkad, så mördaren måste ha haft handskar på sig, vilket i och för sig kan tala emot att det inte var överlagt", sköt Paula in. Hon tittade på bokstäverna som Martin formade på blocket.

"Kan du verkligen läsa det där sedan?" sa hon skeptiskt eftersom orden mest såg ut som hieroglyfer. Eller stenografi.

"Om jag skriver rent det direkt i datorn", log Martin och fortsatte skriva. "Annars är jag rökt."

"Erik Frankel dog av ett enda hårt slag mot tinningen", sa Gösta och drog fram bilderna från brottsplatsen. "Mördaren lämnade sedan kvar mordvapnet på platsen."

"Det gör också att det inte känns som om det var ett särskilt kallt eller kalkylerat mord", sa Paula och reste sig för att servera dem kaffe.

"Det enda vi har kunnat identifiera som hotbild är hans expertis på nazismen och den konflikt han därmed hamnade i med den nynazistiska organisationen Sveriges vänner." Martin sträckte sig efter de fem inplastade breven och bredde ut dem på bordet. "Och dessutom har han en personlig koppling till organisationen genom barndomsvännen Frans Ringholm."

"Har vi något som kan knyta Frans till mordet? Överhuvudtaget?" Paula stirrade på breven som om hon skulle kunna förmå dem att tala.

"Tja, tre av hans nazistpolare påstår att han var i Danmark tillsammans med dem under de aktuella dagarna. Något vattentätt alibi är det ju inte, om det nu finns några sådana, men vi har inte så mycket fysisk bevisning att utgå från. Fotspåren som vi hittade tillhörde pojkarna som fann honom, i övrigt fanns inga fotspår eller fingeravtryck eller något sådant utöver de som förväntades finnas där."

"Blir det något kaffe eller tänker du stå där med kannan länge?" sa Gösta, eftersom Paula hade blivit stående med kaffekannan i handen.

"Säg snälla, så får du kaffe", sa Paula retsamt och Gösta grymtade motvilligt fram ett "snälla".

"Sedan har vi datumet", sa Martin och nickade åt Paula som tack för att hon hällde upp kaffe till honom. "Vi har ju med relativt stor säkerhet kunnat bestämma att han dog någon gång mellan den femtonde och sjuttonde juni. Två dagar att spela på. Och sedan blev han sittande där, eftersom brodern var bortrest och ingen förväntade sig att höra av honom. Det skulle ju främst ha varit Viola, och henne hade han, som hon uppfattat det, brutit med strax innan."

"Och ingen har sett något? Gösta, har du pratat med alla grannar runt omkring? Inga bilar som de inte har känt igen? Inte någon misstänkt som har synts till?" Martin tittade frågande på honom.

"Finns ju inte så många grannar att prata med där ute", muttrade Gösta.

"Ska jag tolka det som ett nej?"

"Ja, jag har pratat med alla grannarna, och ingen säger sig ha sett något."

"Okej, då är det något som vi får släppa tills vidare." Martin suckade och tog en klunk av kaffet.

"Britta Johansson då? Det är onekligen en märklig omständighet att hon verkar ha haft någon form av koppling till Erik Frankel. Och till Frans Ringholm också för den delen. Visserligen ligger det långt tillbaka i tiden, men vi har telefonlistor som visar att det fanns viss kontakt mellan dem i juni, och både Frans och Erik har ju också träffat Britta kring den tidpunkten." Martin gjorde en paus och såg uppfordrande på dem. "Varför välja just det ögonblicket att ta upp kontakten igen efter sextio år? Ska vi tro på Brittas man när han säger att det var för att Britta var på väg att bli allt sjukare, och att hon ville minnas den gamla tiden?"

"Personligen tror jag att det där är bullshit", sa Paula och sträckte sig efter en oöppnad rulle med Ballerinakex. Hon drog av plastremsan i ena änden och försåg sig själv med tre kakor innan hon bjöd runt. "Jag tror inte ett ord på det där. Jag tror att om vi kunde ta reda på varför de träffades, så skulle det här fallet öppna sig. Men Frans tiger ju som muren, och Axel håller fast vid samma historia, liksom Herman."

"Och sedan får vi inte glömma utbetalningarna", sa Gösta samtidigt som han med kirurgisk precision avlägsnade den ljusa översta kakringen. Han slickade omsorgsfullt i sig chokladen innan han fortsatte: "Vad gäller mordet på Frankel alltså."

Martin tittade förvånat på Gösta. Han visste inte att Gösta var insatt i den delen av utredningen, eftersom han oftast anammade sin "jag tar bara notis om den information jag blir matad med"-strategi.

"Ja, där gjorde ju Hedström ett litet inhopp i lördags", sa Martin och plockade fram anteckningarna som han hade gjort när Patrik ringde och rapporterade hur det hade gått hos Wilhelm Fridén.

"Ja, vad fick han fram då?" Gösta tog ett nytt kex och gjorde samma manöver. Avlägsnade försiktigt den ljusa kakringen, slickade av chokladsmeten och lade sedan ifrån sig själva kakbitarna.

"Men Gösta, du kan väl inte sitta och slicka av chokladen och lämna resten?" sa Paula upprört.

"Vad är du då? Ballerinapolisen, eller?" sa Gösta och tog demonstrativt ännu ett kex. Paula fnyste bara till svar men plockade undan kexpaketet och satte det på diskbänken utom räckhåll från Gösta.

"Tyvärr gav det inte mycket", sa Martin. "Wilhelm Fridén dog för bara ett par veckor sedan och varken änkan eller sonen kände till något om utbetalningarna. Det går naturligtvis inte att veta om de talade sanning, men Patrik sa att det kändes trovärdigt. Men sonen har i alla fall lovat att be advokaten skicka över alla faderns papper, så om vi har tur finns det något där."

"Brodern då? Visste inte han något om det?" Gösta tittade lystet på kexpaketet på bänken och verkade överväga att faktiskt lyfta på rumpan och hämta det.

"Vi ringde och frågade Axel", sa Paula och gav Gösta en varnande blick. "Men han hade ingen aning om vad det kunde röra sig om."

"Och tror vi honom?" Gösta måttade avståndet från stolen till diskbänken. Ett snabbt utfall, så kunde det funka.

"Jag vet faktiskt inte. Han är svår att tyda. Eller vad kände du, Paula?" Martin vände sig frågande till Paula. Och medan hon försjönk i tankar såg Gösta sin chans. Han hoppade upp och kastade sig mot paketet, men Paula for ut med vänstra handen med en reptils snabbhet och grabbade åt sig det.

"Nej du, den gubben gick inte ..." Hon blinkade retsamt åt honom, och han kunde inte låta bli att småle tillbaka. Han hade börjat uppskatta deras jargong.

Paula vände sig mot Martin med Ballerinapaketet säkert förankrat i knät.

"Nej, jag instämmer. Han är svår att förstå sig på ... Så nej, jag vet inte." Hon skakade på huvudet.

"Men åter till Britta", sa Martin och skrev BRITTA med stora bokstäver på blocket och drog ett streck under.

"Det jag bedömer som vårt allra bästa spår är det faktum att Pedersen hittade det som troligtvis är mördarens DNA under naglarna. Och att hon antagligen rivit den som kvävde henne rätt rejält i ansiktet eller på armarna. Vi var ju och intervjuade Herman lite kort i förmiddags och han hade inga rivmärken. Han sa också att hon redan var död när han kom hem. Att hon låg i sängen med kudden över ansiktet."

"Men han hävdar fortfarande att han är skyldig till hennes död", sköt Paula in.

"Hur menar han då?" Gösta rynkade panna. "Skyddar han någon?"

"Ja, det är vad vi också tror." Paulas ansikte mjuknade, och hon sköt fram paketet till Gösta. "Här, knock yourself out."

"Nock vadå?" sa Gösta vars engelskkunskaper inskränkte sig till golf-relaterade uttryck, även om uttalet också i de fallen lämnade mycket övrigt att önska.

"Äh, glöm det, börja slicka av chokladen bara", sa Paula.

"Sedan har vi fingeravtrycket", Martin lyssnade roat på Göstas och Paulas kärvänliga käbbel. Om han inte visste bättre skulle han tro att gubben började mjukna.

"Ett enda fingeravtryck på en av örngottets knappar. Inte mycket att hänga i julgranen", sa Gösta dystert.

"Nej, inte ensamt, men om fingeravtrycket kommer från samma person som har lämnat sitt DNA under Brittas naglar, så tycker jag att det känns rätt hoppfullt." Martin strök under "DNA" på sitt block.

"När är DNA-profilen klar?" sa Paula.

"Torsdag är den uppskattning jag har fått från SKL", svarade Martin.

"Okej, då får vi köra en topsningsrunda sedan." Paula sträckte ut benen framför sig. Ibland undrade hon om Johannas graviditetssymptom var smittsamma. Hittills hade hon fått ilningar i benen, konstiga små sammandragningar och en glupande aptit.

"Har vi några kandidater att topsa då?" Gösta var nu inne på femte kexet.

"Axel och Frans, tänkte jag främst på."

"Ska vi verkligen vänta tills på torsdag då? Det tar ju ett tag att få resultatet sedan, och sår läker ju, så vi kan lika gärna ta oss en titt så fort som möjligt", sa Gösta.

"Bra tänkt, Gösta", sa Martin förvånat. "Vi gör det under morgonda-gen. Något mer? Något som vi har glömt eller missat?"

"Vadå något som vi har missat?" hördes en röst från dörren. Mellberg klev in med en lätt andfådd Ernst i släptåg. Hunden fick omedelbart väderkorn på Göstas hög med ratade kakdelar och sprang fram och satte sig bedjande vid hans fötter. Tiggandet gav resultat och kakorna försvann i ett nafs.

"Vi går bara igenom lite grejer, försöker komma på om vi har missat något", sa Martin och pekade på dokumenten framför dem på bordet. "Vi sa precis att vi får ta och topsa Axel och Frans i morgon."

"Ja, ja, gör det", sa Mellberg otåligt, rädd att han skulle bli indragen i det faktiska arbete som skulle utföras. "Fortsätt med vad ni håller på med. Ser bra ut." Han ropade till sig Ernst som med viftande svans följde efter honom in på Mellbergs rum där han lade sig på sin vanliga plats på hans fötter under skrivbordet.

"Det där med att hitta någon som kan ta hand om jycken verkar ha lagts på is", sa Paula roat.

"Vi kan nog räkna med Ernst som omhändertagen. Fast det vete fan vem av dem som tar hand om vem, egentligen. Dessutom ryktas det på bygden att Mellberg har gått och blivit salsakung på gamla dar." Gösta fnissade.

Martin sänkte rösten och viskade: "Ja, vi har noterat det ... Och i morse när jag klev in på hans kontor så satt han på golvet och *stretchade* ..."

"Nä, du skojar", sa Gösta storögt. "Hur fan gick det?"

"Inget vidare", Martin skrattade. "Han skulle försöka nå tårna men magen var i vägen. För att bara nämna en anledning."

"Hörni, det är faktiskt min mamma som håller i salsakursen som Mellberg går på", sa Paula förmanande. Gösta och Martin tittade förbluffade på henne.

"Och mamma bjöd faktiskt hem Mellberg på lunch häromdagen och ja ... han var riktigt trevlig", avslutade hon.

Nu gapade både Martin och Gösta med vidöppna munnar. "Går Mellberg på salsakurs hos din mamma? Och har varit hemma hos er på lunch? Du får nog snart börja kalla Mellberg för 'pappa'", skrattade Martin högljutt och Gösta stämde in.

"Äh, ge er", sa Paula surt och reste sig. "Vi var klara här, va?" Hon seglade ut ur rummet. Martin och Gösta tittade snopet på varandra, men brast sedan ut i gapskratt igen. Det här var för bra för att vara sant.

Helgen hade inneburit fullt krig. Dan och Belinda hade gapat oavbrutet på varandra, och Anna trodde att hennes huvud skulle sprängas i bitar av allt oväsen. Hon hade fått skälla på dem flera gånger och bett dem att ta hänsyn till Adrian och Emma, och som tur var bet det argumentet på dem bägge. Även om Belinda inte öppet skulle erkänna det, så kunde Anna se att hon var förtjust i hennes barn, vilket i Annas ögon förlät mycket av hennes tonårstrotsiga beteende. Dessutom tyckte hon emellanåt att Dan inte riktigt förstod hur hans äldsta dotter hade det, och varför hon reagerade som hon gjorde. Det var som om det hade blivit något slags låst position dem emellan som ingen av dem visste hur de skulle ta sig ur. Anna suckade när hon gick runt i vardagsrummet och plockade upp barnens leksaker som de med stor precision hade lyckats sprida till varje fri yta.

De senaste dagarna hade hon också försökt smälta insikten om att hon och Dan skulle ha barn ihop. Tankarna hade snurrat i huvudet och hon hade fått lägga mycket energi på att trycka ner rädslan. Dessutom hade hon börjat må lika illa som hon hade gjort under sina tidigare graviditeter. Hon kräktes inte så ofta, utan gick istället runt med en kväljande, gungande känsla i magen, som konstant sjösjuka. Dan hade oroligt noterat att hon hade tappat lite av sin vanliga matlust och hade som en orolig hönsmamma sprungit efter henne och försökt locka henne med olika sorts mat.

Hon satte sig i soffan och böjde ner huvudet mot knäna, medan hon försökte fokusera på att andas för att få illamåendet under kontroll. Sist, med Adrian, hade det hängt i ända till sjätte månaden, och det hade varit långa månader ... På våningen ovanför hörde hon upprörda röster igen som steg och sjönk till ackompanjemang av Belindas högljudda musik. Hon pallade inte. Hon pallade bara inte. Hon kände hur hon fick kväljningar, och kräkreflexen fick sur galla att stiga i munnen. Snabbt reste hon sig och skyndade ut på toaletten i nedervåningen, lade sig på knä framför toalettstolen och försökte få upp det som steg och sjönk i halsen på henne. Men inget ville komma. Bara tomma ulkanden, som inte gav någon tillfällig lättnad.

Hon reste sig uppgiven upp igen, torkade sig om munnen med en handduk och tittade på sitt eget ansikte i badrumsspegeln. Det hon såg skrämde henne. Hon var lika blek som den vita handduken hon höll i handen, och ögonen var stora och rädda. Ungefär som hon hade sett ut under tiden med Lucas. Ändå var allt så annorlunda nu. Så mycket bättre. Hon strök sig över sin ännu platta mage med ena handen. Så mycket hopp. Och så mycket rädsla. Samlat i en enda liten punkt i hennes mage, i hennes livmoder. Så beroende, så liten. Visst hade hon tänkt tanken att skaffa barn med Dan. Men inte nu, inte redan. Någon gång i så fall, i en avlägsen, obestämd framtid. När saker och ting hade lugnat sig, stabiliserat sig. Ändå hade det aldrig fallit henne in att göra något åt det, nu när det var som det var. Bandet var redan knutet. Det osynliga, sköra, men ändå så starka bandet mellan henne och det som ännu inte var synbart för blotta ögat. Hon tog ett djupt andetag och gick ut ur badrummet. Utanför hade de högljudda rösterna förflyttat sig nerför trappan till hallen.

"Alltså, jag ska ju bara till Linda, hur jävla svårt kan det vara att fatta det! Jag måste väl ändå få ha kompisar! Eller får jag inte ha det heller nu, din jävla gubbe!"

Anna hörde hur Dan tog sats för att ge ett rungande svar, men då tog hennes tålamod slut. Med stora kliv ångade hon fram till dem och tog i för kung och fosterland:

"Nu håller ni två KÄFT! Begrips! Ni uppför er som barnungar bägge två och det slutar NU! Precis nu!" Hon höll upp ett pekfinger i luften och fortsatte innan någon av dem kunde avbryta: "Du, Dan, du får fanimej se till att lägga av med det här gapandet på Belinda och du fattar väl att du inte kan låsa in henne och slänga bort nyckeln! Hon är sjutton år och hon måste ju få träffa kompisar!"

Belindas ansikte sprack upp i ett nöjt leende, men Anna var inte färdig än.

"Och du slutar att uppföra dig som en barnunge och börjar uppföra dig som en vuxen människa om du vill bli behandlad som en sådan! Och jag vill inte höra något mer tjafs om att jag och barnen bor här, för nu gör vi faktiskt det vare sig du vill eller inte, och vi är beredda att lära känna dig om du ger oss en chans!"

Anna hämtade andfått andan och fortsatte i en ton som fick Dan och Belinda att stå uppsträckta som tennsoldater framför henne i ren förskräckelse: "Och dessutom kommer vi inte att försvinna någonstans om det är det som är planen för din del, för din pappa och jag ska ha barn, så mina barn och du och dina systrar kommer att knytas ihop av ett halvsyskon. Och jag vill otroligt gärna att vi ska komma överens, men jag kan inte göra det själv, utan ni måste hjälpa till! En bebis kommer i alla fall till våren, vare sig du accepterar mig eller ej och ta mig fan om jag tänker stå ut med det här fram till dess!" Anna brast ut i storgråt, och de båda andra stod som förstenade. Sedan gav Belinda ifrån sig en snyftning, stirrade på Dan och Anna och sprang ut genom ytterdörren som föll igen bakom henne med en smäll.

"Snyggt Anna, var det där verkligen nödvändigt?" sa Dan trött. Emma och Adrian hade också reagerat på uppståndelsen och stod vilsna i hallen och tittade på.

"Äh, dra åt helvete", sa Anna och slet åt sig en jacka. Ytterdörren smällde igen för andra gången.

"Hej, var har du varit?" Patrik mötte Erica i dörren och pussade henne på munnen. Maja ville också ha en puss av mamma och kom springande lite vingligt med utsträckta armar.

"Jag har haft två intressanta samtal, kan man lugnt säga." Erica hängde av sig jackan och gick efter Patrik in i vardagsrummet.

"Jaså, om vadå?" sa Patrik nyfiket. Han satte sig på golvet och fortsatte med det som han och Maja hade sysslat med när de hörde Erica komma, nämligen att bygga världens högsta klosstorn.

"Är det inte meningen att det är Maja som ska träna på det där?" skrattade Erica och slog sig ner bredvid dem. Hon iakttog road hur hennes man med stor koncentration försökte placera en röd kloss längst upp i ett torn som nu var högre än Maja.

"Schh ....", sa Patrik och satte tungan i mungipan när han med så stadig hand som möjligt skulle placera den på toppen av den vid det här laget rätt vingliga konstruktionen.

"Maja, kan du ge mamma den gula klossen där", teaterviskade Erica till Maja och pekade på klossen längst ner. Maja sken upp vid möjligheten att göra mamma en tjänst, böjde sig fram och drog raskt till sig klossen, vilket resulterade i att Patriks omsorgsfulla bygge rasade.

Patrik blev sittande med den röda klossen i luften. "Tack för den du", sa han putt och blängde på Erica. "Fattar du vilken skicklighet som krävs för att bygga ett så högt torn, vilken millimeterprecision och vilken stadig hand som erfordras."

"Är det någon som börjar förstå vad jag i ett års tid har menat med understimulerad?" skrattade Erica och lutade sig fram och pussade sin man på munnen.

"Hmm, jo, jag börjar fatta", sa han och kysste sin fru tillbaka, nu med antydan till tunga. Erica besvarade inviten och det som hade börjat som en puss utvecklades till småhångel, vilket avbröts först när Maja med

306

stor pricksäkerhet kastade en kloss i huvudet på sin pappa.

"Aj!" Han tog sig för huvudet och hötte sedan med fingret åt Maja. "Vad är det där för fasoner! Kasta klossar på pappa när han för en gång skull får hångla lite med mamma."

"Patrik!" Erica snärtade till honom på axeln. "Är det verkligen nödvändigt att lära vår dotter ordet hångla vid ett års ålder ..."

"Vill hon ha småsyskon så får hon nog stå ut med åsynen av mamma och pappa som hånglar", sa han och Erica såg att han hade fått den där glimten i ögonen.

Hon reste sig. "Småsyskon ska vi nog lugna oss med ett tag till. Men vi kan öva lite i kväll ..." Hon blinkade och gick ut i köket. De hade äntligen lyckats få igång den biten av samlivet på allvar. Det var makalöst vilken förödande effekt ankomsten av en bebis kunde ha på sexlivet, men efter ett rätt magert år på den fronten hade det börjat lossna nu. Fast efter att ha varit hemma ett år hade hon inte ens orkat tänka på det där med syskon till Maja än. Det kändes som om hon behövde landa i att vara vuxen igen, innan hon skulle tillbaka in i bebisvärlden.

"Vad var det för intressanta samtal du hade haft i dag?" sa Patrik och kom efter henne ut i köket.

Erica berättade om sina två utflykter till Uddevalla under dagen, och vad hon hade fått ut av dem.

"Du känner alltså inte igen namnen?" sa Patrik och rynkade pannan efter att hon hade berättat vad Herman hade sagt.

"Jo, det är det som är så märkligt. Jag kan inte påminna mig att jag har hört dem, men ändå är det något som ... Jag vet inte. Paul Heckel och Friedrich Hück. Lite bekant låter det ändå."

"Och du och Kjell Ringholm ska alltså med gemensamma ansträngningar försöka lokalisera den här ... Hans Olavsen?" Patrik såg skeptisk ut, och Erica förstod vart han var på väg.

"Ja, jag vet att det är ett långskott. Jag har ingen aning om vilken roll han har spelat, men något säger mig att det har betydelse. Och jag menar, även om det inte har något att göra med morden, så verkar han ha betytt något för min mor, och det var ju så allt började för min del. Jag vill bara ta reda på mer om henne."

"Ja, var lite försiktig bara." Patrik satte på en kastrull med vatten. "Vill du ha te förresten?"

"Ja tack." Erica satte sig vid köksbordet. "Försiktig, hur menar du då?"

"Jo, jag menar att enligt vad jag har hört är Kjell en rätt slipad journalist, så var försiktig så att han inte bara utnyttjar dig."

"Tja, jag vet inte hur han skulle kunna göra det. Visst kan han ta den information som jag får fram och sedan inte ge något tillbaka, men det är väl det värsta som kan hända. Och den risken får jag ta. Men jag tror faktiskt inte att han kommer att göra det. Vi har kommit överens om att jag ska prata med Axel Frankel om norrmannen, och dessutom kolla om han finns i de svenska registren någonstans, och att Kjell ska prata med sin far. Fast det var inte direkt en uppgift som han tog på sig under några större jubelrop."

"Nej, de där två verkar inte ha någon särskilt bra relation", sa Patrik och hällde upp det skållheta vattnet i två koppar med var sin tepåse i. "Jag har läst en del av artiklarna som Kjell har skrivit där han har hängt ut sin far ganska rejält."

"Lär bli ett intressant samtal då", sa Erica lakoniskt och tog emot koppen som Patrik gav henne. Hon tittade på honom medan hon smuttade på det heta teet. Ute i vardagsrummet hördes Majas pladdrande med okänd mottagare. Troligtvis dockan, som de senaste dagarna hela tiden hade befunnit sig i hennes omedelbara närhet.

"Hur känns det att inte ta del i arbetet på stationen i ett sådant här läge?" sa hon.

"Jag skulle ljuga om jag sa att det inte var svårt. Men jag inser vilken chans det är att kunna vara hemma med Maja, och jobbet finns ju kvar när jag kommer tillbaka. Ja, det är inte så att jag önskar mig fler mordutredningar, men ja ... du förstår vad jag menar."

"Hur går det för Karin då?" sa Erica och försökte få rösten att låta så neutral som möjligt.

Patriks svar dröjde någon sekund, sedan sa han: "Jag vet inte. Hon verkar så ... ledsen. Jag tror inte att saker och ting har blivit som hon tänkt sig, och nu sitter hon i en situation som ... nej, jag vet inte. Jag tycker lite synd om henne."

"Ångrar hon att hon förlorade dig?" sa Erica och väntade spänt på svaret. De hade egentligen aldrig pratat om hans äktenskap med Karin, och de få gånger hon hade försökt fråga något hade han blivit kort i tonen och bara svarat enstavigt.

"Nej, det tror jag inte. Eller jo ... jag vet inte. Jag tror att hon ångrar att hon gjorde som hon gjorde, och att jag kom på dem som jag gjorde." Han skrattade och fick en bitter ton i rösten när han fick upp en bild på näthinnan som han inte hade sett på länge och som han trodde att han hade lagt bakom sig. "Men jag vet inte ... Att hon gjorde som hon gjorde berodde ju till stor del på att det vi hade inte var bra."

"Fast tror du att hon kommer ihåg det nu?" sa Erica. "Ibland har vi ju en tendens att glorifiera saker i efterhand."

"Jo, visst, men jag tror nog att hon kommer ihåg det. Det måste hon göra", sa Patrik men lät aningen fundersam.

"Så vad står på agendan i morgon?" sa han abrupt för att byta samtalsämne.

Erica förstod att det var avsikten men lät det bero. "Jag tänkte gå bort och prata lite med Axel, som sagt. Och börja ringa runt lite till folkbokföringen och skattemyndigheterna vad gäller Hans."

"Hörru du, har inte du en bok du måste skriva också?" skrattade Patrik, men lät aningen orolig.

"Det är fortfarande gott om tid för det, speciellt eftersom jag redan har gjort det mesta av researchen. Och jag har svårt att fokusera på boken innan jag har fått det här ur systemet, så låt mig hållas ..."

"Okej, okej", sa Patrik och höll avvärjande upp händerna. "Du är en stor flicka, så du kan själv disponera din tid. Jag och gumman sköter vårt, så sköter du ditt." Han reste sig upp och pussade Erica på hjässan när han gick förbi.

"Nu ska jag gå och bygga ett nytt mästerverk. Tänkte mig en skalenlig kopia av Taj Mahal", sa han.

Erica skakade skrattande på huvudet. Ibland undrade hon verkligen om den hon hade gift sig med var riktigt klok. Troligtvis inte, kom hon fram till.

Anna såg henne på långt håll. En liten, ensam figur längst ut på en av pontonbryggorna. Hon hade inte haft för avsikt att leta upp henne. Men så fort hon såg Belinda när hon kom nerför Galärbacken, visste hon att hon måste gå ut till henne.

Belinda hörde henne inte när hon kom. Hon satt och rökte, med ett paket Gula Blend och en tändsticksask bredvid sig.

"Hej", sa Anna.

Belinda ryckte till. Hon tittade på cigaretten i sin hand och verkade för en sekund överväga att gömma den, men satte den sedan trotsigt till munnen och tog ett djupt halsbloss.

"Kan jag få en?" sa Anna och trängde sig ner bredvid Belinda.

"Röker du?" sa Belinda förvånad, men räckte henne paketet.

"Jag gjorde. I fem år. Men min ... förra man ... Han gillade det inte."
Det var en lätt underdrift. En gång i början när Lucas kom på henne med att smygröka en cigarett hade han släckt den i hennes armveck. Man kunde fortfarande se ett svagt ärr där.

"Du säger väl inget till pappa om det här?" sa Belinda trotsigt och viftade med cigaretten. Men lade sedan till ett spakt: "Snälla."

"Om du inte skvallrar på mig, skvallrar jag inte på dig", sa Anna och blundade när hon drog in första blosset.

"Ska du verkligen röka? Med tanke på ... bebisen?" sa Belinda och lät plötsligt som en indignerad liten tant.

Anna skrattade. "Det här blir både första och sista cigaretten som jag röker under den här graviditeten, jag lovar."

De satt tysta en stund och blåste rökringar ut över vattnet. Sommarvärmen hade försvunnit helt nu och ersatts av rå septemberkyla. Men det var i alla fall vindstilla, och vattnet låg blankt framför dem. Hamnen såg öde ut, med bara några enstaka båtar vid båtplatserna, istället för som under sommaren när de låg i flerdubbla rader.

"Det är inte lätt, eller hur", sa Anna och tittade ut över vattnet.

"Vadå?" sa Belinda buttert, fortfarande osäker på vilken attityd hon skulle inta.

"Att vara barn. Fast nästan vuxen."

"Äh, det där vet väl inte du något om", sa Belinda och sparkade ner en liten sten i vattnet.

"Nej, eller hur, jag föddes ju i den här åldern", skrattade Anna och petade lite retsamt Belinda i sidan. Hon belönades med ett litet, litet leende som dock snabbt försvann igen. Anna lät henne vara. Hon fick bestämma takten. De satt tysta i flera minuter innan Anna i ögonvrån såg hur Belinda försiktigt kikade på henne.

"Mår du mycket illa?"

Anna nickade. "Som en sjösjuk iller."

"Varför skulle en iller vara sjösjuk?" sa Belinda och fnyste.

"Varför inte? Har du bevis för att en iller inte kan bli sjösjuk? I så fall vill jag väldigt gärna se dem. För det är precis så jag känner mig. Som en sjösjuk iller."

"Äh, du larvar dig bara", sa Belinda, men kunde inte låta bli att skratta.

"Ja, men skämt åsido, jag mår rätt tjockt."

"Mamma mådde skit med Lisen. Jag var så stor då att jag kommer ihåg det. Hon var ... förlåt, jag borde kanske inte prata om när mamma och pappa ..." Hon tystnade förläget, sträckte sig efter en cigarett till och tände den mellan kupade händer.

"Vet du, du får jättegärna prata om din mamma. Hur mycket du vill. Jag har inget problem med att Dan har haft ett liv före mig, och jag menar, han fick ju er tre i det livet. Med er mamma. Så tro mig, du behöver inte känna dig som om du förråder din pappa om du tycker om din mamma. Och jag lovar att jag inte tar illa upp om du pratar om Pernilla. Inte ett dugg." Anna lade sin ena hand ovanpå den hand som Belinda stödde sig med mot bryggan. Först verkade Belinda få en reflex att dra undan handen, men lät den sedan vara kvar. Efter några sekunder lyfte Anna handen igen och sträckte sig även hon efter en cigarett till. Det fick bli två giftpinnar den här graviditeten. Men sedan fick det vara stopp. Tvärstopp.

"Jag är jättebra på att hjälpa till med bebisar", sa Belinda och mötte Annas blick. "Jag hjälpte mamma jättemycket med Lisen när hon var liten."

"Dan har faktiskt berättat det. Hur han och din mamma nästan fick tvinga iväg dig för att leka med kompisar, istället för att ta hand om bebisen. Och att du dessutom var väldigt duktig på det. Så jag hoppas att jag kan räkna med lite assistans framåt våren. Du kan få ta alla bajsblöjor." Hon buffade Belinda i sidan igen, som nu buffade tillbaka.

Med ett leende glittrande i ögonen sa hon: "Jag tar bara kissblöjor. Deal?" Hon sträckte fram handen och Anna fattade den.

"Deal. Kissblöjorna är dina." Sedan lade hon till: "Din pappa får ta bajsblöjorna."

Deras skratt ekade ut över den öde hamnen.

Anna skulle alltid minnas just det ögonblicket som ett av de bästa i sitt liv. Det ögonblick när isen lossade.

Axel höll på att packa när hon kom. Han mötte henne i dörren med en skjorta på klädhängare i vardera handen, och på en dörr i hallen hängde en resegarderob.

"Ska du åka någonstans?" sa Erica.

Axel nickade medan han försiktigt hängde in skjortorna så att de inte skulle skrynklas.

"Ja, jag måste börja jobba snart. Jag reser tillbaka till Paris på fredag."

"Kan du åka utan att ni vet vem som ..." Hon lät orden sväva iväg utan att avsluta meningen.

"Jag har inget val", sa Axel bistert. "Jag kommer självklart hem med första möjliga plan om polisen behöver min assistans på något sätt. Men jag måste faktiskt komma igång med arbetet igen. Och...det är inte så konstruktivt att sitta här och fundera." Han gnuggade sig med en trött gest i ögonen, och Erica noterade hur tärd han hade börjat se ut. Det var som om han hade åldrats flera år sedan hon sist såg honom.

"Det kan nog vara bra att komma iväg lite", sa Erica mjukt. Hon tvekade. "Jag har några frågor, några saker som jag skulle vilja prata med dig om. Kan vi prata i några minuter? Om du orkar?"

Axel nickade trött, uppgivet, och visade med handen in henne i huset. Hon stannade till vid soffan på verandan där de hade suttit sist, men den här gången gick han förbi henne in i nästa rum.

"Vilket vackert rum", sa hon andlöst och tittade sig runt. Det var som att kliva in i ett museum över en svunnen tid. Allt i rummet andades fyrtiotal, och även om det såg rent och välstädat ut, låg det ändå en lukt av gammalt över rummet.

"Ja, vare sig våra föräldrar eller jag och Erik var mycket för nymodigheter. Mor och far gjorde aldrig några större förändringar i huset, och det har inte blivit så att jag och Erik har gjort det heller. Jag tycker att det var en tidsperiod med mycket vackra saker också, så jag ser ingen anledning att byta ut någon av möblerna mot moderna och, i mitt tycke, fulare", sa han och smekte tankfullt en smäcker byrå.

De slog sig ner i en soffa som gick i brunt. Den var inte särskilt bekväm utan tvingade en snarare att sitta snyggt och uppsträckt.

"Du ville fråga något", sa Axel vänligt men med ett inslag av otålighet.

"Ja, just det", sa Erica och kände sig med ens förlägen. Det var andra gången som hon var här och störde Axel Frankel med sina frågor, när han hade så mycket annat att bekymra sig om. Men liksom förra gången bestämde hon sig för att när hon ändå var här, kunde hon lika gärna få det avklarat som hon hade kommit för.

"Jag har gjort vissa efterforskningar om min mor, och därigenom också om hennes vänner: din bror, Frans Ringholm och Britta Johansson."

Axel nickade och rullade tummarna medan han väntade på att hon skulle fortsätta.

"Det fanns ju en person till som blev en del av deras grupp."

Axel svarade fortfarande inte.

"Mot slutet av kriget kom det en norsk motståndsman via min morfars båt ... Samma båt som jag vet att du ofta for med."

Han tittade på henne utan att blinka, men hon såg hur kroppen spändes när hon nämnde de resor som han hade gjort över till norska sidan.

"Han var en god man, din morfar", sa Axel tyst efter en stund. Händerna blev stilla i knät. "En av de bästa jag någonsin har träffat."

Erica hade aldrig träffat sin morfar, och det värmde att höra honom nämnas i så varma ordalag.

"Vad jag förstår satt du fängslad vid den tid då Hans Olavsen kom över med morfars båt. Han kom 1944 och enligt det som vi har lyckats få fram så blev han kvar till strax efter krigsslutet."

"Du sa 'vi'", avbröt Axel. "Vilka 'vi' är det som har fått fram det?" En spänd ton hördes i rösten.

Erica tvekade. Sedan sa hon bara: "Med 'vi' menar jag att jag har fått hjälp av Christian på biblioteket här i Fjällbacka. Inget mer än det." Hon ville inte nämna Kjell, och Axel verkade acceptera hennes förklaring.

"Ja, jag satt fängslad då", sa Axel och kroppen stelnade igen. Det var som om kroppens alla muskler plötsligt mindes vad de hade utsatts för och reagerade genom att dra ihop sig.

"Träffade du honom aldrig?"

Axel skakade på huvudet. "Nej, han hade redan rest sin väg när jag återvände."

"När kom du tillbaka till Fjällbacka?"

"I juni 1945. Med de vita bussarna."

"Vita bussar?" sa Erica, men mindes med ens lite av det som hon hade fått lära sig under sina historielektioner och att Folke Bernadotte hade varit inblandad på något sätt.

"Det var en aktion i regi av Folke Bernadotte", sa Axel och bekräftade hennes vaga minnen. "Han organiserade hämtning av skandinaviska fångar i tyska koncentrationsläger. Bussarna var vita med röda kors målade på taket och på sidorna, för att de inte skulle misstas för militära mål."

"Men fanns det risk för att de skulle tas för militära mål, om de hämtade fångarna efter krigsslutet?" sa Erica förvirrat.

Axel log milt åt hennes okunskap och började snurra tummarna runt varandra igen. "De första bussarna hämtade fångar redan i mars och april 1945 efter förhandlingar med tyskarna. Femtontusen fångar fick de hem i den vändan. Sedan efter krigsslutet hämtades ytterligare tiotusen i maj och juni. Jag kom med i den allra sista omgången. Juni 1945." Det lät torrt när han rabblade fakta, men under den distanserade tonen i hans röst hörde Erica ekot av den fasa som han hade upplevt.

"Men Hans Olavsen försvann som sagt härifrån i juni 1945. Han måste ha gett sig av strax innan du kom tillbaka?" sa hon.

"Det rörde sig nog inte om mer än dagar", nickade Axel. "Men du får förlåta mig om mitt minne är lite grumligt på den punkten. Jag var väldigt ... medtagen när jag kom tillbaka."

"Jo, jag förstår", sa Erica och slog ner blicken. Det var en märklig känsla att sitta och tala med en människa som hade sett de tyska koncentrationslägren från insidan.

"Sa din bror något om honom? Något som du kan minnas? Vad som helst? Jag har inget egentligt belägg för det, men jag har fått känslan att Erik och hans vänner umgicks mycket med Hans Olavsen det år som han var i Fjällbacka."

Axel stirrade ut genom fönstret medan han såg ut att försöka minnas. Han lade huvudet på sned och rynkade pannan lätt.

"Jag vill minnas att det var något mellan norrmannen och din mor, om du inte tar illa upp att jag säger det."

"Ingen fara." Erica vinkade avvärjande med handen. "Det är en livstid sedan, och jag har fått samma uppgifter tidigare."

"Se där, då är inte minnet så skralt som jag befarar ibland." Han log milt och vände blicken mot henne. "Jo, jag är rätt säker på att Erik berättade att det var någon sorts romans mellan Elsy och Hans."

"Hur reagerade hon när han åkte sin väg? Kommer du ihåg något om hur hon var vid den här tiden?"

"Inte mycket är jag rädd. Ja, hon var självklart inte riktigt sig själv efter det som hade hänt din morfar. Dessutom reste hon ganska snart sin väg för att börja på ... hushållsskola tror jag att det var om jag minns rätt. Och sedan tappade vi liksom bort varandra. När hon ett par år senare återvände hit till Fjällbacka så hade jag redan börjat arbeta utomlands och var inte hemma så ofta. Och hon och Erik hade inte heller någon kontakt efter det vad jag kan minnas. Det är ju inget ovanligt. Man är goda vänner i barndomen och tonåren, men sedan när vuxenlivet och dess allvar kommer så glider man ifrån varandra." Han tittade ut genom fönstret igen.

"Ja, jag förstår hur du menar", sa Erica besviket. Inte heller Axel verkade sitta inne med någon information om Hans. "Och ingen nämnde

314

någonsin vart han tog vägen? Han sa inget till Erik?"

Axel skakade beklagande på huvudet. "Jag är hemskt ledsen. Jag önskar verkligen att jag kunde hjälpa dig, men jag var inte riktigt mig själv när jag kom tillbaka, och sedan fick jag annat att tänka på. Men det borde väl gå att spåra honom genom myndigheterna?" sa han hoppfullt å hennes vägnar och reste sig. Erica förstod vinken och reste sig hon med.

"Jo, det blir väl nästa steg. Har jag tur löser sig alltihop den vägen. Han kanske inte har flyttat så långt, vad vet jag?"

"Ja, jag önskar dig verkligen lycka till, det gör jag", sa Axel och tog hennes hand. "Jag vet allt om hur viktigt det är med det förflutna, för att vi ska kunna leva i nuet. Tro mig, jag vet." Han klappade på handen som han höll med sin andra hand, och Erica log tacksamt åt hans försök att trösta henne.

"Har du fått reda på något mer om medaljen, förresten?" sa han när hon stod i begrepp att öppna ytterdörren.

"Nej tyvärr", sa hon och kände hur hon blev alltmer nedslagen för var minut som gick. "Jag pratade med en expert på nazimedaljer i Göteborg, men den är tyvärr för vanlig för att den ska kunna gå att spåra."

"Ja, jag är verkligen ledsen att jag inte kunde hjälpa till mer."

"Ingen fara, det var ett långskott", sa hon och vinkade farväl.

Det sista hon såg var Axel som stod i dörröppningen och följde henne med blicken. Hon tyckte väldigt, väldigt synd om honom. Men något av det han sagt hade gett henne en tanke. Erica promenerade med målmedvetna steg in mot Fjällbacka.

Kjell tvekade innan han knackade på. När han stod där framför sin fars dörr kände han sig plötsligt som en liten förskrämd pojke igen. Minnet transporterade honom tillbaka till alla de gånger då han hade stått utanför fängelsets imponerande portar, hårt hållande sin mor i handen och med lika delar rädsla och förväntan i magen inför att få träffa sin far. För i början hade det funnits förväntan. Han hade längtat efter Frans. Saknat honom. Bara kommit ihåg de goda stunderna, de korta tidsperioder då hans far hade befunnit sig utanför fängelsets väggar, och hur han då hade svingat honom i luften, gått skogspromenader med honom vid handen, berättat om alla svampar och träd och buskar. Kjell hade tyckt att hans far kunde allt i hela världen. Men på kvällarna hade han fått pressa kudden hårt mot öronen i sitt rum, för att stänga ute ljuden av grälen, de hätska, otäcka grälen som aldrig verkade ha någon början och därför heller aldrig något slut. Hans mor och far tog helt enkelt vid där de slutade förra gången Frans försvann in i fängelse, och sedan fortsatte de i samma spår, samma bråk och slag, om och om igen, till nästa gång polisen kom och knackade på dörren och förde bort hans far.

Därför försvann förväntan alltmer för varje år som gick, tills det till slut bara fanns rädsla kvar när han stod i besöksrummet och såg sin fars förväntansfulla min. Och sedan hade rädslan förvandlats till hat. På sätt och vis skulle det ha varit lättare om han inte hade haft de där skogspromenaderna att minnas. För det som födde hatet, eldade på det, var frågan som han ständigt ställde sig som liten. Hur kunde hans far gång på gång välja bort allt det? Välja bort honom? Och istället välja en värld som var grå och kall och som tog bort något i faderns ögon varje gång han åkte tillbaka dit.

Kjell bultade hårt på dörren, irriterad över att han låtit sig översköljas av minnen.

"Jag vet att du är hemma, öppna!" ropade han och lyssnade spänt. Sedan hörde han hur kedjan lyftes av och låset öppnades.

"Välskyddad mot dina polare, antar jag", sa Kjell beskt och trängde sig förbi Frans in i hallen.

"Vad vill du nu då?" sa Frans.

Kjell slogs av att hans far med ens såg så gammal ut. Skör. Sedan skakade han av sig den tanken. Gubben var segare än de flesta. Han skulle säkert överleva dem allihop.

"Jag vill ha lite information av dig." Han gick in och satte sig i soffan, utan någon inbjudan.

Frans satte sig i fåtöljen mittemot honom och teg. Väntade ut honom.

"Vad vet du om en man vid namn Hans Olavsen?"

Frans ryckte till, men fick snabbt kontroll över sig själv igen. Han lutade sig lojt bakåt i fåtöljen och lade armen över armstödet. "Hur så?" sa han och tittade sin son i ögonen.

"Det har du inte med att göra."

"Och varför skulle jag hjälpa dig om du har den attityden?"

Kjell lutade sig fram, så att hans ansikte hamnade bara någon decimeter från faderns. Han stirrade länge på honom innan han kallt sa: "För att du är skyldig mig det. Du är skyldig mig att ta varenda liten chans att hjälpa mig, om du vill minska risken för att jag ska dansa på din grav den dag du dör."

För ett ögonblick skymtade något i Frans ögon. Något förlorat. Kan-

316

ske minnen av skogspromenader och en liten pojke som lyftes upp mot skyn på starka armar. Sedan var det borta. Han tittade på sin son och sa lugnt:

"Hans Olavsen var en norsk motståndsman som var sjutton år när han kom till Fjällbacka. 1944 tror jag det var. Sedan for han ett år senare. Det är allt jag vet."

"Skitsnack", sa Kjell och lutade sig tillbaka i soffan igen. "Jag vet att ni umgicks en hel del, du, Elsy Moström, Britta Johansson och Erik Frankel. Och nu är två av dem döda, mördade, inom loppet av två månader. Tycker du inte att det är lite märkligt?"

Frans ignorerade frågan. Istället sa han: "Vad har den där norrmannen med det att göra?"

"Det vet jag inte. Men det tänker jag ta reda på", väste Kjell mellan sammanbitna tänder för att försöka hålla ilskan i schack. "Så vad vet du mer om honom? Berätta om er tid ihop, berätta hur det gick till när han for. Varje detalj du kan minnas."

Frans suckade och såg ut att försöka förflytta sig bakåt i tiden. "Så det är detaljer du vill ha ... Låt se vad jag kan komma ihåg. Jo, han bodde ju hemma hos Elsys föräldrar, kom över med hennes fars båt."

"Det där vet jag redan", sa Kjell. "Mera."

"Han fick arbete på fartygen som gick med frakt neråt kusten, men så fort han var ledig så umgicks han med oss. Ja, vi var ju egentligen två år yngre än han, men det verkade inte göra honom något, utan vi trivdes bra ihop. Vissa av oss bättre än andra", sa han och sextio år hade inte suddat bort bitterheten som han kände då.

"Han och Elsy", sa Kjell torrt.

"Hur visste du det?" sa Frans och förvånades av att det fortfarande högg till i hjärtat vid tanken på de två tillsammans. Hjärtat hade onekligen längre minne än huvudet.

"Jag vet det bara. Fortsätt."

"Jo, som sagt. Han och Elsy kom ihop och då vet du säkert att jag inte var överdrivet förtjust i det?"

"Det visste jag inte."

"Så var det i alla fall. Jag var svag för Elsy, men hon valde honom. Och det ironiska var att Britta var betuttad i mig, men jag var inte intresserad av henne. Nog skulle jag kunna ha tänkt mig att ligga med henne, men något sa mig alltid att det skulle ge mer besvär än nöje, så jag avstod."

"Så gentilt av dig", sa Kjell ironiskt. Frans höjde bara ett ögonbryn.

"Och vad hände sedan? Om nu Hans och Elsy var så såta vänner, varför gav han sig av?"

"Ja, det är väl den äldsta historien i världen. Han lovade henne guld och gröna skogar, och sa sedan efter krigsslutet att han bara skulle åka hem till Norge och söka upp sin familj och sedan återvända. Men..." Frans ryckte på axlarna och log ett kärvt leende.

"Du tror att han lurade henne?"

"Jag vet inte, Kjell. Ärligt talat, jag vet inte. Det är sextio år sedan och vi var unga. Kanske menade han det han sa till Elsy, men fick åtaganden där hemma som överskuggade det. Eller så avsåg han hela tiden att sticka så fort han fick chansen." Frans ryckte på axlarna. "Det enda jag vet är att han tog farväl av oss och sa att han skulle komma tillbaka så fort han hade rett ut saker med sin familj. Och sedan for han. Och ska jag vara ärlig så har jag knappt tänkt på honom sedan dess. Jag vet att Elsy var bedrövad ett slag, men hennes mor såg till att hon kom in på någon skola, och vad som hände sedan vet jag inte. Då hade jag ju redan hunnit lämna Fjällbacka och... ja, du vet ju vad som hände sedan."

"Jo, jag vet ju det", sa Kjell bistert och såg åter de stora grå portarna framför sig.

"Så jag förstår helt enkelt inte hur det här kan vara intressant för dig", sa Frans. "Han kom och sedan försvann han. Och jag tror inte att någon av oss har haft kontakt med honom sedan dess. Så vadan detta intresse?" Frans stirrade på Kjell.

"Jag kan inte säga det", svarade sonen vresigt. "Men finns det något så kommer jag att gå till botten med det, tro mig." Han utmanade sin far med blicken.

"Jag tror dig, Kjell, jag tror dig", sa Frans trött.

Kjell tittade på sin fars hand där den låg på armstödet. Det var en gammal mans hand. Rynkig och senig, med små åldersfläckar, hopskrumpen. Så annorlunda från den hand som hade hållit hans under skogspromenaderna. Den handen hade varit så stark, så slät, så varm när den omslöt hans lilla. Så trygg.

"Ser ut att bli ett fint svampår i år", hörde han sig själv säga, och Frans tittade förbluffad på honom. Sedan mjuknade hans ansikte och han svarade tyst:

"Ja, det tror jag det blir, Kjell. Det tror jag att det blir."

Han packade med militärisk disciplin. Det hade alla år av resande lärt honom. Inget fick lämnas åt slumpen. En byxa som lades ner oförsiktigt skulle innebära en mödosam strykningsprocedur vid hotellrummens minimala strykbrädor. Ett slarvigt påskruvat tandkrämslock skulle innebära en smärre katastrof i form av akut tvättbehov. Så allt placerades noggrant och försiktigt i den stora resväskan.

Axel satte sig på sängen. Det var samma rum som varit hans pojkrum när han växte upp, men här hade han faktiskt valt att ändra en del på inredningen genom åren. Det kändes inte som om modellflygplan och serietidningar lämpade sig i en vuxen mans sovrum. Han undrade om han någonsin skulle återvända hit. Det hade varit svårt att stanna i huset de här veckorna. Samtidigt hade han känt att han måste.

Han reste sig och gick in i Eriks sovrum, några rum bort i den långa hallen på övervåningen. Axel log när han kom in och slog sig ner på broderns säng. Rummet var fyllt av böcker. Självklart. Bokhyllorna var överfulla, och det låg travar med böcker på golvet, många av dem med små post-it-lappar i. Erik hade aldrig tröttnat på sina böcker, sina fakta, sina årtal och den orubbliga verklighet som de kunde erbjuda honom. På så vis hade saker och ting varit lättare för Erik. Verkligheten stod att läsa i svart på vitt. Inga gråzoner, inga politiska krumbukter eller moraliska tvetydigheter som var vardagsmat i Axels värld. Bara konkreta fakta. Slaget vid Hastings 1066. Napoleon dör 1821. Tyskland kapitulerar 5 maj 1945. Axel sträckte sig efter en bok som fortfarande låg kvar på Eriks säng. En tjock lunta om hur Tyskland byggdes upp igen efter kriget. Axel lade ner den på sängen igen. Han kunde allt om det där. Hans liv hade i sextio år cirklat kring kriget och dess efterbörd. Men mest av allt hade det kanske handlat om honom själv. Erik hade insett det. Han hade påvisat bristerna i Axels liv, i sitt eget liv. Redovisat det som torra fakta. Skenbart utan känsla bakom. Men Axel kände sin bror så väl att han visste att bakom alla fakta fanns mer känsla än hos de flesta människor som han hade mött.

Han torkade en tår som hade börjat rinna nerför kinden. Här, i Eriks rum, var saker och ting plötsligt inte lika glasklara som han ville att de skulle vara. Hela Axels liv byggde på att det inte skulle finnas några tvetydigheter. Han hade byggt ett liv kring rätt och fel. Utgett sig för att vara den som kunde peka och säga vilket av dessa läger människor tillhörde. Ändå var det Erik som i sin stillsamma lilla värld av böcker hade varit den som visste allt om rätt och fel. Någonstans hade Axel alltid vetat det. Vetat att kampen att ta sig ur gråzonen mellan det goda och det onda skulle tära mer på hans bror än på honom själv.

Men Erik hade kämpat. I sextio år hade han sett Axel komma och gå, hört honom berätta om de insatser i godhetens tjänst som han hade gjort. Låtit honom bygga upp en bild av sig själv som den som ställde allt till rätta. Tyst hade Erik iakttagit, lyssnat. Tittat på honom med den där milda blicken bakom glasögonen och låtit honom leva i sin villfarelse. Men någonstans långt in hade Axel alltid vetat att det var sig själv han lurade, inte Erik.

Och nu skulle han fortsätta leva i den lögnen. Tillbaka till arbetet. Tillbaka till den mödosamma jakten som måste fortsätta. Han fick inte slå av på takten, för snart var det för sent, snart fanns det inte längre några kvar i livet som kunde minnas, och inte några kvar i livet som kunde straffas. Snart skulle det bara finnas historieböcker kvar som kunde bära vittnesmål om det som hade skett.

Axel reste sig och tittade sig runt i rummet ännu en gång innan han gick in till sitt. Han hade fortfarande mycket kvar att packa.

Det var länge sedan hon hade varit vid sin morfars och mormors grav. Samtalet med Axel hade påmint henne om det, och hon hade bestämt sig för att på hemvägen ta vägen om kyrkogården. Erica öppnade grinden och hörde hur det knastrade under fötterna på henne när hon klev ut på grusgången.

Hon passerade sina föräldrars grav först, den låg på vänster sida längs gången rakt fram. Hon satte sig på huk och plockade bort lite ogräs runt gravstenen så att det såg ordnat ut, och påminde sig själv om att gå dit med färska blommor. Hon stirrade på sin mors namn på stenen. Elsy Falck. Det fanns så mycket som hon skulle ha velat fråga henne. Om bara inte den där bilolyckan hade inträffat fyra år tidigare skulle hon ha kunnat tala med henne direkt och sluppit att treva sig fram för att ta reda på mer om varför hon var som hon var.

Som barn hade hon vänt skulden mot sig själv. Som vuxen också. Hon hade trott att det var henne det var fel på, att det var hon som inte dög. Hur kom det sig annars att hennes mor inte tog i henne, inte pratade med utan bara till henne? Hur kom det sig annars att hennes mor aldrig sa att hon älskade henne, eller ens tyckte om henne? Länge hade hon burit med sig känslan av att inte räcka till, att inte ha varit god nog. Visserligen hade hennes far kompenserat mycket. Tore, som hade lagt så mycket tid och kärlek på henne och Anna. Som alltid lyssnade, alltid stod redo att blåsa på ett skrubbat knä, och vars famn alltid var stor och trygg att krypa in i. Men det hade inte räckt till. Inte när deras mor emellanåt knappt verkade stå ut med att titta på dem, än mindre ta i dem.

Därför hade den bild som nu vuxit fram av hennes mor som ung gjort henne så förbryllad. Hur kunde den stillsamma men varma och mjuka flicka som alla beskrev ha förvandlats till någon som var så kall, så distanserad, att hon till och med behandlade sina egna barn som främlingar?

Erica sträckte fram en hand och rörde vid sin mors ingraverade namn. "Vad hände med dig, mamma?" viskade hon och kände hur strupen snördes ihop. När hon reste sig en liten stund senare var hon ännu mer beslutsam att följa sin mors historia så långt hon bara kunde. Det fanns något där, något som fortfarande gäckade henne, som behövde komma fram i ljuset. Och vad det än kostade henne skulle hon hitta det.

Erica kastade en sista blick på föräldrarnas sten och gick sedan ett par meter bort till morföräldrarnas. Elof och Hilma Moström. Hon hade aldrig hunnit träffa dem. Tragedin som tog hennes morfars liv hade slagit till långt innan hon föddes, och hennes mormor hade gått bort tio år efter honom. Elsy hade aldrig talat om dem. Men det gladde Erica att det hon hade hört hittills under sina efterforskningar tydde på att de hade varit omtyckta, varma människor. Hon satte sig på huk igen och stirrade på stenen som om hon försökte besvärja den att tala till henne. Men stenen var stum. Det fanns inget att hämta där. Ville hon komma fram till sanningen fick hon leta på något annat håll.

Hon gick mot backen upp mot församlingshuset, för att gena hemåt. Vid foten av backen sneglade hon automatiskt till höger, mot den stora, grå, mossbetäckta gravstenen som stod lite enskilt placerad, precis vid foten av bergsknallen som avgränsade ena sidan av kyrkogården. Hon tog ett steg till uppåt backen men tvärstannade sedan. Hon backade tillbaka så att hon hamnade mitt framför den stora, grå gravstenen, medan hjärtat bultade hårt i bröstet på henne. Lösryckta fakta, lösryckta meningar började rusa runt i huvudet på henne. Hon kisade för att försäkra sig om att hon såg rätt, tog ett steg fram så att hon stod nära, nära stenen och till och med följde texten med fingret, för att vara säker på att hennes hjärna inte spelade henne ett spratt.

Sedan föll alla fakta på plats med en ljudlig duns inne i hennes huvud. Självklart. Nu visste hon vad som hade hänt, eller åtminstone en del av det. Hon tog upp telefonen och ringde Patrik med darrande fingrar. Nu var det dags för honom att göra en insats.

Döttrarna hade precis varit hos honom igen. De kom varje dag, de välsignade, välsignade döttrarna. Det gjorde så gott i hjärtat på honom att se dem sitta bredvid varandra vid hans säng. Så lika, men ändå så olika. Och han såg Britta i dem alla. Anna-Greta hade hennes näsa, Birgitta hennes ögon och minstingen Margareta hade fått de där små groparna i kinderna som Britta fick när hon log.

Herman blundade för att hindra tårarna från att komma. Han orkade inte gråta mer. Det fanns inga tårar kvar inom honom. Men han blev tvungen att öppna ögonen igen. För varje gång som han blundade såg han Britta framför sig, så som hon hade satt ut när han lyfte på kudden som hade legat över hennes ansikte. Han hade inte behövt lyfta på kudden för att veta. Men han hade ändå gjort det. Velat få det bekräftat. Velat se vad han hade gjort genom en enda oövertänkt handling. För visst hade han förstått. I exakt det ögonblick som han hade klivit in genom dörren till sovrummet och sett henne ligga där, stilla, med kudden över ansiktet, hade han förstått.

När han lyfte bort kudden och såg hennes stela blick hade han dött. Precis i den stunden hade även han dött. Det enda han hade förmått göra var att lägga sig bredvid henne, tätt intill, med armarna om hennes kropp. Om han hade fått bestämma skulle han fortfarande ha legat kvar där. Han skulle ha velat omfamna henne medan hon kallnade alltmer och medan han lät minnena fara fritt i huvudet.

Herman stirrade upp i taket medan han mindes. Sommardagar när de tog snipan ut till Valös strand, med flickorna i båten och Britta längst fram, framför vindskyddet, med ansiktet uppvänt mot solen. De långa benen utsträckta framför henne och håret utsläppt och blont nerför ryggen. Han såg hur hon öppnade ögonen, vände huvudet mot honom och log lyckligt. Han vinkade till henne där han stod vid rorkulten, med en känsla av rikedom i bröstet.

Sedan mörknade blicken. Minnet av första gången som hon hade talat med honom om det onämnbara kom för honom. En mörk vintereftermiddag när flickorna var i skolan. Hon hade sagt åt honom att sätta sig ner, att hon måste tala med honom om något. Hjärtat hade nästan stannat i bröstet på honom, och hans första tanke hade skam till sägandes varit att hon ville lämna honom, att hon hade träffat en annan. Därför hade det andra nästan kommit som en lättnad. Han hade lyssnat. Hon hade talat. Länge. Och när klockan hade blivit så mycket att det var dags att hämta flickorna, hade de enats om att inte tala om det mer. Det som hade skett hade skett. Han hade inte sett annorlunda på henne efter det. Inte känt eller talat till henne på ett annat sätt. Hur skulle han ha kunnat göra det? Hur skulle det ha kunnat tränga undan bilderna av dagar som flöt fram i en stilla, lycklig tillvaro och underbara nätter som de hade delat. Det andra kunde inte mäta sig mot det. Inte på långa vägar. Därför hade de enats om att aldrig mer beröra det.

Men sjukdomen hade ändrat på det. Hade ändrat på allt. Farit fram genom deras liv som en tyfon och rivit upp allt med rötterna. Och han hade låtit sig svepas med. Gjort ett misstag. Ett enda ödesdigert misstag. Ringt ett samtal som han inte borde ha ringt. Men han hade varit naiv. Trott att det var dags att vädra ut det unkna och ruttna. Trott att om han bara visade Britta, visade hur hon led av det som hade gömts längst in i den hjärna som nu vittrade sönder alltmer, så skulle det vara uppenbart att det var dags nu. Att tiden var kommen. Att det var fel att kämpa emot längre. Att det gamla måste fram, för att de skulle kunna få frid i sinnet. För att Britta skulle få frid i sinnet. Herregud, så naivt. Han kunde lika gärna själv ha placerat kudden över hennes ansikte och hållit den där. Han visste det. Och den smärtan var outhärdlig att bära. Herman blundade för att försöka stänga ute den, och den här gången slapp han se Brittas döda blick när han slöt ögonen. Istället såg han henne i sängen på sjukhuset. Blek och trött, men lycklig. Med Anna-Greta i famnen. Hon höjde handen och vinkade åt honom. Manade honom att komma närmare.

Med en sista suck släppte han taget om det som gjorde ont och gick leende emot dem.

Patrik stirrade tomt framför sig. Kunde Erica ha rätt? Det lät fullkomligt vansinnigt men ändå ... logiskt. Han suckade, medveten om vilken svår uppgift han nu hade framför sig.

"Kom gumman, vi ska ut på en liten utflykt", sa han, lyfte upp Maja och bar bort henne till hallen. "Och vi ska hämta upp mamma på vägen."

En kort stund senare svängde han upp framför grinden in till kyrkogården, där Erica stod och väntade medan hon mer eller mindre hoppade på stället av iver. Patrik hade nu börjat känna samma iver och fick påminna sig själv om att inte trycka för hårt på gaspedalen när de körde i riktning mot Tanumshede. Han var visserligen en aningen vårdslös förare annars, men när Maja var med i bilen körde han alltid ytterst försiktigt.

"Jag pratar nu, okej?" sa Patrik när de parkerade framför stationen. "Du får bara följa med för att jag inte orkar argumentera med dig om det, och jag vet dessutom att jag nog inte skulle lyckas. Men det är min chef och jag är den som har gjort det här förut, begrips?"

Erica nickade motvilligt medan hon lyfte ut Maja ur bilen.

"Vi ska inte köra bort och höra om mamma kan passa henne under tiden? Du gillar ju inte att hon är med på stationen, menar jag ...", sa Patrik retsamt och fick en ilsken blick till svar från Erica.

"Äh, du vet att jag vill få det här gjort så snart som möjligt. Hon verkar ju inte ha tagit skada av sitt förra arbetspass här", sa hon och blinkade åt honom.

"Nej, men hej, är det ni som kommer?" sa Annika häpet och lyste upp när hon fick ett stort igenkännande leende från Maja.

"Vi behöver prata med Bertil", sa Patrik. "Är han inne?"

"Ja, han sitter inne på sitt rum", sa Annika och såg frågande ut. Men hon släppte in dem, och Patrik styrde raskt stegen mot Mellbergs rum, medan Erica följde efter honom med Maja på armen.

"Hedström! Vad fan gör du här? Och hela familjen har du med dig, ser jag", sa Mellberg buttert och reste sig inte för att hälsa.

"Vi har en sak som vi måste diskutera med dig", sa Patrik och slog sig oombedd ner i besöksstolen. Maja och Ernst hade nu fått syn på varandra till ömsesidig förtjusning.

"Är han van vid barn?" sa Erica och tvekade att sätta ner dottern som stretade för att komma ner på golvet.

"Hur fan ska jag veta det?" sa Mellberg, men mjuknade sedan. "Han är världens snällaste hund. Skulle inte kunna göra en fluga förnär." Rösten rymde en viss stolthet och Patrik höjde road det ena ögonbrynet. Det var visst någon som hade trillat dit ordentligt.

Fortfarande lite avvaktande satte Erica ner dottern bredvid Ernst, som entusiastisk började slicka henne i ansiktet till Majas skräckblandade förtjusning.

"Nå, vad vill du då?" Mellberg stirrade på Patrik, men inte utan viss nyfikenhet.

"Jag vill att du begär tillstånd för en gravöppning."

Mellberg hostade till som om han hade satt något i halsen och blev allt rödare i ansiktet medan han försökte få luft igen.

"Gravöppning! Är du från vettet, människa!" fick han fram till slut efter en stunds hostande. "Det här med pappaledigheten måste ha satt sig på hjärnan på dig! Vet du hur ovanligt det är med gravöppningar? Och vi har haft två här de senaste åren. Begär jag en till kommer de att idiotförklara mig och sätta mig på hispan! Och vem fan är det som ska grävas upp, förresten?"

"En norsk motståndsman som försvann 1945", sa Erica lugnt, där hon satt på huk bredvid Patrik och kliade Ernst bakom örat.

"Förlåt?" Mellberg tittade dumt på henne, som om han övervägde att han hade hört fel.

Tålmodigt berättade Erica allt som hon hade fått fram om de fyra i kamratgänget och norrmannen som kom till Fjällbacka ett år före krigsslutet. Hon berättade om hur spåren efter honom försvann i juni 1945 och att de inte hade lyckats hitta honom än.

"Kan han inte ha blivit kvar i Sverige? Eller åkt tillbaka till Norge? Har du kollat med myndigheterna både här och där?" Mellberg såg omåttligt skeptisk ut.

Erica ställde sig upp och slog sig sedan ner i den andra besöksstolen. Hon stirrade på Mellberg som om hon med viljekraft försökte mana honom att ta henne på allvar. Och sedan berättade hon om vad Herman hade sagt till henne. Att Paul Heckel och Friedrich Hück skulle kunna svara på var Hans Olavsen fanns.

"Och jag tyckte att namnen var vagt bekanta, men hade ingen aning om var jag hade hört dem. Till i dag. Jag gick till kyrkogården för att titta till mina föräldrars och morföräldrars grav. Och då såg jag den."

"Vilken då?" sa Mellberg konfunderat.

Hon viftade avvärjande med handen åt honom. "Jag kommer till det om jag får fortsätta."

"Ja, ja, fortsätt", sa Mellberg som nu mot sin vilja började bli intresserad.

"Det finns en grav på Fjällbacka kyrkogård som är lite speciell. Den är från första världskriget och tio tyska soldater ligger begravda där, sju som är identifierade och nämnda vid namn, och tre som är okända."

"Du har glömt att berätta om klottret", sa Patrik, som hade resignerat och överlåtit argumentationen till sin hustru. En bra man vet när det är dags att vika sig.

"Just det, det är ytterligare en pusselbit." Erica berättade om klottret som hon hade sett när hon studerade fotografiet från brottsplatsen, och att det som stått där var Ignoto militi.

"Hur kommer det sig att du kunde titta på bilder från brottsplatsen?" sa Mellberg ilsket och blängde på Patrik.

"Det där får vi ta sedan", sa Patrik, "lyssna nu bara på henne, är du snäll."

Mellberg grymtade men lät det bero och manade Erica att fortsätta.

"Han hade skrivit de orden på ett block, om och om igen, och jag kollade upp vad det betyder. Och det är en inskription som finns vid Triumfbågen i Paris, närmare bestämt vid Den okände soldatens grav. Och citatet betyder just det: 'Till den okände soldaten'."

Det verkade fortfarande inte gå upp något ljus för Mellberg, så Erica pratade vidare medan hon gestikulerade.

"Det där låg i bakhuvudet på mig. Vi har en norsk motståndsman som försvinner 1945 och ingen vet vart han har tagit vägen. Vi har klotter som Erik har gjort om Den okände soldaten. Britta pratade något om 'gamla ben', och sedan har vi namnen som jag fick av Herman. Och det jag vill komma till är att när jag för en stund sedan gick förbi den där graven på Fjällbacka kyrkogård, så fattade jag varför namnen var så bekanta. De finns nämligen ingraverade på den." Erica gjorde en paus för att hämta andan. Mellberg stirrade på henne.

"Så Paul Heckel och Friedrich Hück är alltså namnen på två tyskar som ligger begravda i en grav från första världskriget, på Fjällbacka kyrkogård?"

"Ja", sa Erica och funderade på hur hon skulle fortsätta argumentionen. Men Mellberg förekom henne.

"Så vad du säger är alltså att …?"

Hon tog ett djupt andetag och slängde en blick på Patrik innan hon fortsatte. "Vad jag säger är att det med största sannolikhet finns ett extra lik i graven. Jag tror att den norske motståndsmannen Hans Olavsen ligger begravd där. Och jag vet inte hur, men jag tror att det är nyckeln till morden på Erik och Britta."

Det blev helt tyst. Ingen sa något och de enda ljud som hördes inne på Mellbergs rum var de läten som Maja och Ernst gav ifrån sig när de busade tillsammans. Efter en stunds tystnad sa Patrik lågt:

"Jag vet att det kan låta vansinnigt. Men jag har diskuterat igenom det här med Erica, och det ligger mycket i det hon säger. Jag kan inte erbjuda några konkreta bevis, men det finns tillräckligt med indicier som pekar på det. Och det finns också en stor chans att Erica har rätt, att det här är vad de två mordfallen har sitt ursprung i. Jag vet inte hur, och jag vet inte varför. Men steg ett är att ta reda på om det verkligen ligger någon mer i graven och hur han i så fall har dött och hamnat där."

Mellberg svarade inte. Han knäppte händerna och satt tyst och funderade. Till slut gav han ifrån sig en djup suck.

"Ja, jag är förmodligen fullkomligt från vettet. Men jag tror att ni kan ha rätt. Jag kan inte garantera att jag lyckas, vi har som sagt något av ett track record, och åklagaren lär ju gå i taket. Men jag kan försöka. Det är det enda jag kan lova."

"Det är det enda vi begär", sa Erica ivrigt och såg ut som om hon tänkte kasta sig om halsen på Mellberg.

"Såja, ta det lugnt nu. Jag tror inte att jag kommer att lyckas. Men jag ska försöka. Fast då måste jag få lite arbetsro."

"Vi går bums", sa Patrik och reste sig. "Meddela så fort du vet något bara."

Mellberg svarade inte, utan viftade bara iväg dem medan han lyfte luren för att påbörja vad som troligtvis skulle bli hans karriärs svåraste övertalningskampanj.

Fjällbacka 1945

Han hade bott hos dem i ett halvår, och de hade vetat om att de älskade varandra i tre månader när katastrofen slog till. Elsy hade stått på verandan och vattnat mors blommor när hon såg dem komma uppför trappan. Och hon hade förstått i samma ögonblick som hon såg deras bistra ansikten. Bakom sig hörde hon mor stöka med disken i köket, och en del av henne ville rusa in och få iväg henne, få bort henne, innan hon fick höra det som Elsy visste att hon inte skulle kunna bära. Men hon insåg att det var lönlöst. Istället gick hon med stumma ben och öppnade ytterdörren, släppte in de tre männen från en av de andra fiskebåtarna i Fjällbacka.

"Är Hilma hemma?" sa den äldste av dem som hon visste var kapten på båten, och hon nickade och visade in dem. De gick före Elsy ut i köket, och när Hilma vände sig om och fick se dem, tappade hon tallriken hon höll i så att den gick i tusen bitar när den träffade golvet.

"Nej, nej, o gode gud, nej!" sa hon.

Elsy hann precis fram för att fånga upp sin mor innan hon föll. Hon fick ner henne på stolen och höll armarna hårt om henne, medan det kändes som om hjärtat skulle slitas ur kroppen på henne. De tre fiskarna stod förlägna vid bordet och tummade på sina vegamössor, men till slut tog kaptenen till orda.

"Det var en mina, Hilma. Vi såg allt från vår båt, och vi skyndade oss fram. Men ... det fanns inget att göra."

"Åh gode gud", upprepade Hilma och kippade efter andan. "Och alla de andra ..."

Elsy förundrades över hur hennes mor även i det här ögonblicket förmådde tänka på andra, men såg sedan själv faderns besättningsmän framför sig. Männen som de kände så väl och vars familjer i detta nu fick samma besked.

"Ingen kan ha klarat sig", sa kaptenen och svalde hårt. "Det fanns bara vrakved kvar av båten, och vi stannade bra länge och letade, men hittade ingen. Bara pojken Oscarsson. Men han var redan död när vi fick upp honom i båten."

Tårarna rann nu nerför Hilmas ansikte och hon bet sig i knogen för att hindra skriket från att komma ut. Elsy svalde gråten och försökte vara stark. Hur skulle mor kunna överleva det här? Hur skulle hon själv kunna göra det? Snälla, goda far. Alltid redo med ett vänligt ord och en hjälpande hand. Hur skulle de klara sig utan honom?

En försynt knackning på dörren avbröt dem, och en av budbärarna gick för att öppna. Hans kom in i köket, grå i synen.

"Jag såg ... sällskapet som kom. Jag tänkte ... Vad ...?" Han slog ner blicken. Rädd att störa, förstod Elsy, men hon var tacksam för att han kom.

"Fars båt har gått på en mina", sa hon med tjock röst. "Ingen har klarat sig."

Hans svajade till. Sedan gick han bort till skåpet där Elof förvarade de starkare dryckesvarorna och började beslutsamt slå upp sex supar som han ställde fram på bordet.

"Jag tänkte att vi kunde behöva en styrketår nu", sa han på sin sjungande norska som blev alltmer svensk ju längre han var hos dem.

Alla sträckte tacksamt fram en hand mot glasen, utom Hilma. Försiktigt tog Elsy ett glas och placerade det framför sin mor. "Seså, ta det här." Hilma lydde sin dotter och lyfte med en darrig hand glaset till munnen och svepte supen med en grimas. Elsy gav Hans en blick fylld av tacksamhet. Det var gott att inte känna sig ensam just nu.

En knackning till hördes. Nu gick Hans och öppnade. Det var kvinnorna som började anlända. De som själva levde under hotet att förlora sina män till havet. Som förstod vad Hilma nu gick igenom och att hon skulle behöva dem omkring sig. De kom med mat och flinka händer och tröstande ord om att Gud rår. Och det hjälpte. Inte mycket, men de visste alla att de en dag kanske skulle behöva samma tröst och gjorde sitt bästa för att lindra smärtan för den medsyster som nu hade drabbats.

Med hjärtat bultande av smärta tog Elsy ett steg tillbaka och såg kvinnorna flockas runt Hilma, medan de män som kom med budet bockade sorgset och gav sig av för att lämna fler besked.

När natten kom hade Hilma till slut utmattad somnat. Elsy låg i sin säng och stirrade i taket, tom, oförmögen att ta in det som hade hänt. Hon såg sin fars ansikte framför sig. Han hade alltid funnits där för henne. Lyssnat, talat med henne. Hon hade varit sin fars ögonsten. Det hade hon alltid vetat. För honom hade hon haft ett värde som vida översteg allt annat. Och hon visste att han nog hade förstått att något var i görningen mellan henne och den norske pojken som han hade kommit att tycka om alltmer. Men han hade låtit dem hållas. Han hade hållit ett vakande öga på dem, men samtidigt gett sitt tysta medgivande och kanske hoppats att han på sikt skulle få Hans till måg. Elsy trodde att han nog inte skulle haft något emot det. Och hon och Hans hade respekterat både honom och mor. Hållit sig till stulna kyssar och försiktiga famntag, men inget som hade gjort att de inte kunde se hennes mor och far i ögonen.

Men nu när hon låg där och stirrade i taket spelade det inte längre någon roll. Smärtan i bröstet var så stor att hon inte kunde uthärda den ensam, och hon satte försiktigt ner benen på golvet. Fortfarande fanns det något inom henne som tvekade, men det onda rev och slet i bröstet på henne och drev henne att söka den enda lindring som hon visste att hon skulle kunna få.

Försiktigt smög hon sig nerför trappan. Kikade in på sin mor när hon passerade dörren till hennes och fars sovrum och kände hur det högg till i bröstet när hon lade märke till hur liten hon såg ut där i sängen. Men hon sov åtminstone tungt. Fick en stunds lindring från verkligheten.

Ytterdörren gnisslade lätt när hon vred om låset och öppnade den. Nattluften var så kall att den tog andan ur henne när hon klev ut på farstutrappan i bara nattlinnet, och stentrappans kyla smärtade nästan mot hennes fotsulor. Snabbt tassade hon nerför trappan och fann sig sedan stå och tveka utanför hans dörr. Men tvekan varade bara ett kort ögonblick. Smärtan manade henne att söka lindring.

Han öppnade vid hennes första försiktiga knackning. Steg åt sidan och släppte in henne utan ett ord. Hon klev in och stod sedan där i sitt nattlinne, med blicken fäst i hans, utan att säga något. Hans ögon uttalade en tyst fråga, och hon svarade genom att ta hans hand.

För några korta välsignade ögonblick den natten kunde hon glömma smärtan i bröstet.

Kjell kände sig märkligt upprörd efter mötet med fadern. Han hade i alla år lyckats så väl med att upprätthålla status quo, att underhålla hatet. Det hade varit så lätt att bara se det negativa, bara fokusera på alla de fel som Frans hade gjort under hans uppväxt. Men kanske var inte allt svart eller vitt. Han ruskade på sig för att försöka slå bort tanken. Det var så mycket lättare att inte se några gråzoner, bara fel eller rätt. Men Frans hade verkat så gammal och skör i dag. Och för första gången insåg Kjell att fadern inte skulle leva för evigt, inte alltid finnas där som en symbol för hans hat. En dag skulle fadern vara borta, och då skulle han vara tvungen att se sig själv i spegeln. Djupt inom sig visste han att hatet brann så starkt som det gjorde, eftersom han fortfarande hade möjligheten att sträcka ut handen, att ta första steget till försoning. Han ville inte göra det. Hade ingen önskan om att göra det. Men möjligheten fanns där, och det hade alltid gett honom en känsla av makt. Men den dagen fadern var borta skulle allt vara för sent. Då skulle bara ett liv av hat finnas kvar. Ingenting annat.

Han darrade lätt på handen när han lyfte luren för att ringa några samtal. Visserligen hade Erica sagt att hon skulle ta på sig att kolla med myndigheterna, men han var inte van att förlita sig på någon annan. Lika bra att han kontrollerade det själv. Men en timme och fem samtal senare, både inom Sverige och utrikes till Norge, var han tvungen att konstatera att hans efterforskningar inte hade gett något konkret. Det var svårt, inte tu tal om saken, när de bara hade ett namn och en ungefärlig ålder, men det fanns alltid vägar. Än var inte alla möjligheter uttömda, och han hade lyckats få så pass tillförlitliga uppgifter att han inte trodde att norrmannen hade blivit kvar i Sverige. Då återstod den mest troliga möjligheten, att han hade återvänt till sitt hemland när kriget tog slut och faran var över för honom.

Han sträckte sig efter mappen med artiklarna och insåg plötsligt att han hade glömt att faxa en bild på Hans Olavsen till Eskil Halvorsen. Han lyfte luren ännu en gång för att ringa upp honom och få ett nummer som han skulle kunna faxa över en bild till.

"Jag har tyvärr inte hittat något ännu", sa Halvorsen så fort han hade presenterat sig, och Kjell skyndade sig att säga att det inte var anledningen till att han kontaktade honom så snart igen.

"En bild skulle kunna vara till hjälp. Du kan faxa den till mitt kontor på universitetet", sa Halvorsen och rabblade ett faxnummer som Kjell skrev ner.

Kjell skickade iväg en kopia av den artikel som hade den tydligaste bilden av Hans Olavsen och satte sig sedan ner vid skrivbordet igen. Han hoppades att Erica skulle kunna komma fram till något på sitt håll. Själv kände han att han hade kört fast.

I det ögonblicket ringde telefonen.

"Farfar är här", ropade Per inåt vardagsrummet och Carina kom ut i hallen till dem.

"Får jag komma in en kort stund?" sa Frans.

Carina noterade bekymrat att han inte var sig riktigt lik. Inte för att hon någonsin hade haft några varmare känslor för Kjells far, men det han hade gjort för henne och Per hade ändå försäkrat honom en plats på listan över människor som hon kände tacksamhet mot.

"Kom in du", sa hon och gick in i köket. Hon såg att han studerade henne noggrant och sa som svar på hans outtalade fråga:

"Inte en droppe sedan du var här sist. Per kan intyga det."

Per nickade och satte sig mittemot Frans vid köksbordet. Blicken han gav sin farfar kom väldigt nära dyrkan.

"Du har börjat få lite hår på skallen", sa Frans roat och klappade sonsonen över stubben på huvudet.

"Äh", sa Per generat, men strök sig sedan själv över huvudet med en nöjd min.

"Det är bra", sa Frans. "Det är bra."

Carina gav honom ett varnande ögonkast medan hon måttade upp kaffe i filtret. Han nickade svagt till henne som bekräftelse på att han inte skulle diskutera sina politiska åsikter med Per.

När kaffet var färdigt och Carina hade satt sig hos dem, gav hon Frans en frågande blick. Han tittade ner i kaffekoppen. Hon noterade åter hur trött han verkade. Trots att han enligt henne använde sina krafter på fel sätt, hade han i hennes ögon alltid varit urbilden av styrka. Nu var han inte alls sitt vanliga jag.

"Jag har öppnat ett konto i Pers namn", sa Frans till slut men såg fortfarande inte på dem. "Han får tillgång till det när han fyller tjugofem år, och jag har redan satt in en del medel på kontot."

"Varifrån…?" började Carina, men Frans höll avvärjande upp en hand och fortsatte. "Av skäl jag inte kan gå in på finns varken kontot eller pengarna på en svensk bank, utan kontot finns på en bank i Luxemburg."

Carina höjde ett ögonbryn men var inte helt förvånad. Kjell hade alltid hävdat att hans far hade pengar undanstoppade någonstans, från någon av de kriminella aktiviteter som hade fört honom i fängelse så många gånger.

"Men varför … nu?" sa hon och tittade på honom.

Frans verkade först inte vilja svara på frågan, men till slut sa han: "Om något händer mig, så vill jag ha det här klart."

Carina teg. Hon ville inte veta mer.

"Coolt", sa Per och tittade beundrande på sin farfar. "Hur mycket stålar får jag?"

"Men Per!" sa Carina och spände ögonen i sonen, som ryckte på axlarna.

"Mycket pengar", sa Frans torrt utan att specificera närmare. "Men även om kontot står i ditt namn har jag lagt in ett förbehåll. Dels kan du inte komma åt det förrän du har fyllt tjugofem, dels", han höll upp ett förmanande finger, "har jag också lagt in ett förbehåll som innebär att du inte kan komma åt det förrän din mor bedömer att du är mogen nog att hantera pengarna och ger sin tillåtelse. Och det gäller även efter att du har fyllt tjugofem. Så bedömer hon inte att du är smart nog att göra något vettigt av dem, så ser du inte röken av pengarna. Begrips!"

Per mumlade något, men accepterade det Frans sa utan protester.

Carina visste inte hur hon skulle ställa sig till det här. Det var något i Frans framtoning, något i hans röst, som oroade henne. Men samtidigt kände hon en enorm tacksamhet mot honom, å Pers vägnar. Varifrån pengarna kom bekymrade henne inte. Det var länge sedan någon hade saknat dem, och kunde de bli en hjälp för Per i framtiden så var hon inte den som var den.

"Hur gör jag med Kjell?" sa hon.

Nu lyfte Frans huvudet och spände blicken i henne. "Kjell får inte veta något om det här, förrän den dagen då Per får pengarna. Lova att du inte säger något till honom! Och inte du heller, Per!" Han vände sig till sonsonen och gav honom samma uppfordrande blick. "Det är det enda krav jag ställer. Att din far inte får reda på något förrän han står inför fullbordat faktum."

"Ja, nej, farsan behöver inte få reda på något", sa Per och verkade snarare vara förtjust över att han skulle ha en hemlighet för sin far.

Frans lade sedan till i lite lugnare ton: "Jag vet att du troligtvis kommer att få någon form av straff för ditt dumma påhitt härom veckan. Men nu lyssnar du på mig." Han tvingade Per att möta hans blick.

"Du tar ditt straff, troligtvis skickas du till ett behandlingshem. Du håller dig undan från buset, ser till att hålla dig från skit i största allmänhet, du sitter av tiden utan att ställa till problem, och sedan hittar du inte på några fler dumheter. Hör du mig?" Han talade långsamt och tydligt och varje gång Per såg ut att vilja flacka med blicken, tvingade Frans tillbaka den.

"Du vill inte ha mitt liv, fatta det. Mitt liv har varit skit, från början till slut. Det enda i livet som har betytt något för mig är du och din farsa, även om han aldrig skulle tro på det. Men det är sant. Så lova mig att du håller dig ifrån skit. Lova mig det!"

"Ja, ja", sa Per och vred på sig. Men det syntes att han lyssnade och tog till sig orden.

Frans hoppades bara att det räckte. Han visste ju själv hur svårt det var att ta sig ur de spår man en gång hade hamnat i. Men med lite tur hade han nått fram tillräckligt för att ge sonsonen en liten knuff över till ett annat sidospår. Mer kunde han i alla fall inte göra nu.

Frans reste sig. "Det var bara det jag hade att säga. Jag lägger alla uppgifter du behöver för att komma åt pengarna här." Han placerade ett papper framför Carina på köksbordet.

"Vill du inte stanna en stund?" sa hon och kände den där oron igen.

Frans skakade på huvudet. "Har saker att göra." Han började gå men vände sig om i dörröppningen. Efter en stunds tvekan sa han tyst: "Ta hand om er" och lyfte handen till en liten vinkning innan han vände sig om och gick mot ytterdörren.

Kvar i köket satt Carina och Per. Tysta. De hade båda känt igen ett farväl.

"Det här börjar bli något av en tradition", sa Torbjörn Ruud torrt där han stod bredvid Patrik och betraktade det makabra arbetet som nu pågick. Anna hade ställt upp som barnvakt, så Erica stod också tillsammans med dem och betraktade grävarbetet med illa dold iver.

"Ja, det kan inte ha varit lätt för Mellberg att utverka tillstånd", sa Patrik med en högst ovanlig eloge åt sin chef.

"Efter vad jag har hört tog det tio minuter innan killen på åklagar-myndigheten slutade skrika åt honom", sa Torbjörn utan att ta blicken från graven där jordlager efter jordlager avlägsnades.

"Kommer vi att behöva gräva upp alltihop?" sa Patrik och rös.

Torbjörn skakade på huvudet. "Om ni har rätt borde killen ni letar ef-ter ligga överst. Har svårt att tro att någon skulle ha gjort sig besväret att gräva ner honom längst ner, under de andra", sa han ironiskt. "Troligtvis ligger han inte heller i en kista, och kläderna kan också visa om vi är rätt ute."

"Hur fort kan vi få en preliminär rapport om dödsorsak?" sa Erica. "Om vi hittar honom", lade hon till men verkade säker på att gravöpp-ningen skulle visa att hon hade gissat rätt.

"Jag har fått löfte om att vi kan få det redan i övermorgon, på fredag alltså", sa Patrik. "Jag pratade med Pedersen i morse och de flyttar upp det här överst på listan. Han kan börja arbetet redan i morgon och ge ett besked på fredag. Men ett preliminärt sådant, var han noga med att un-derstryka. Men förhoppningsvis lär vi få reda på dödsorsaken i alla fall."

Ett rop bortifrån utgrävningen avbröt honom, och de gick nyfiket när-mare.

"Vi har hittat något", sa en av teknikerna, och Torbjörn gick fram till honom. De diskuterade en stund med huvudena tätt ihop. Sedan gick Torbjörn tillbaka till Patrik och Erica, som inte hade vågat sig ända fram.

"Det ser ut som om det ligger någon begravd rätt nära jordytan som inte har legat i en kista. Vi kommer att ta det lite försiktigare nu så att vi inte förstör några spår. Så det kommer att ta en stund att gräva fram killen." Han tvekade. "Men det ser väl ut som om du har rätt."

Erica nickade och tog ett djupt andetag av lättnad. En bit bort såg hon Kjell komma emot dem, men han hejdades av Martin och Gösta som skulle se till att ingen obehörig kom för nära. Hon skyndade fram till dem.

"Det är okej, det är jag som har informerat honom om vad som är på gång."

"Ingen press och inga obehöriga har Mellberg gett oss uttryckliga or-der om", muttrade Gösta och höll upp en hindrande hand mot Kjells bröstkorg.

"Det är okej", sa Patrik som nu också hade kommit fram till dem. "Jag tar det på mitt ansvar." Han gav Erica ett skarpt ögonkast som innehöll ett tydligt budskap om att hon nu var ansvarig för eventuella konsekvenser. Hon nickade kort och drog med sig Kjell bort till graven.

"Har de hittat något?" sa han och ögonen gnistrade upphetsat.

"Ser så ut. Vi har nog hittat Hans Olavsen", sa hon och betraktade fascinerat hur man försiktigt höll på att frilägga ett odefinierbart bylte i en knappt halvmeterdjup grop.

"Han lämnade alltså aldrig Fjällbacka", sa Kjell andlöst och kunde inte heller han ta blicken från arbetet.

"Ser inte så ut. Sedan är ju frågan hur han hamnade här."

"Erik och Britta kände till att han låg här i alla fall."

"Ja, och de har båda mördats." Erica skakade på huvudet som om hon skulle kunna få alla detaljer att falla på plats på det sättet.

"Men han har ju legat här i sextio år i så fall. Varför nu? Vad är det som plötsligt har gjort honom så viktig?" sa Kjell fundersamt.

"Du fick inte fram något från din far?" sa Erica och vände blicken mot Kjell.

Han skakade på huvudet. "Ingenting. Och om det är för att han inte vet någonting eller för att han inte vill säga något, det kan jag inte svara på."

"Tror du att han kan ha …?" Hon vågade inte riktigt fullfölja meningen, men Kjell förstod vart hon syftade.

"Jag tror att min far är kapabel till vad som helst, det är det enda jag vet säkert."

"Vad pratar ni om?" sa Patrik och ställde sig bredvid Erica och körde ner händerna djupt i jackfickorna.

"Vi diskuterar möjligheten att min far har begått morden", sa Kjell lugnt.

Patrik studsade till inför hans uppriktighet. "Kom ni fram till något?" sa han sedan. "Vi har själva haft våra misstankar, men tydligen har din far alibi för mordet på Erik."

"Det visste jag inte", sa Kjell. "Men jag hoppas att ni har dubbelkollat och trippelkollat uppgifterna i så fall, för jag har svårt att tro att det skulle vara en omöjlig uppgift för en rutinerad kåkfarare som min far att arrangera ett alibi."

Patrik insåg att han hade rätt och gjorde en minnesanteckning om att han måste fråga Martin hur noga de hade synat Frans alibi i sömmarna.

Torbjörn kom fram till dem. Han nickade igenkännande till Kjell. "Sååå, tredje statsmakten har fått nådigt tillstånd att närvara."

"Jag har ett personligt intresse av det här", sa Kjell. Torbjörn ryckte på axlarna. Tillät polisen att en journalist närvarade så skulle inte han lägga sig i. Det var deras problem.

"Vi är klara här om ungefär en timme", sa han. "Och jag vet att Pedersen står redo att börja jobba på studs."

"Ja, jag har också pratat med honom", sa Patrik och nickade.

"Då så. Då ser vi till att plocka upp honom, så får vi se vad den här killen döljer för hemligheter." Han vände ryggen åt dem och gick tillbaka till graven.

"Ja, låt oss se vad han har för hemligheter", sa Erica tyst medan hon stirrade mot gropen. Patrik lade en arm om hennes axlar.

Fjällbacka 1945

Månaderna som följde på hennes fars död blev förvirrande och smärt-
samma. Hennes mor fortsatte att sköta sina dagliga sysslor och utföra det
som krävdes av henne. Men det var något som saknades. Elof hade tagit
en del av Hilma med sig, och Elsy kände inte längre igen sin mor. På sätt
och vis hade hon inte bara förlorat sin far utan även sin mor. Det enda
trygghet hon hade kvar var nätterna som hon och Hans delade. Varje
natt efter att mor hade somnat, smög hon ner till honom och kröp in i
hans famn. Hon visste att det var fel. Hon visste att det fanns konse-
kvenser som hon inte kunde överblicka. Men hon förmådde inget annat.
I de stunder då hon låg hos honom under täcket, på hans arm, och kän-
de hur han sakta strök henne över håret, i de stunderna var världen hel
igen. När de kysstes och den vid det här laget välbekanta men alltid
överraskande starka hettan spred sig överallt, kunde hon inte förstå hur
det skulle kunna vara fel. Hur kärlek kunde vara fel i en värld som plöts-
ligt och brutalt kunde sprängas i bitar av en mina.

Hans hade också varit en välsignelse för dem i det praktiska. Ekono-
min var ett stort bekymmer nu när far var död, och det enda som gjorde
att de klarade sig var det faktum att Hans hade tagit extra skift på båten
och gav dem varenda krona han tjänade. Ibland undrade Elsy om inte
hennes mor till och med visste att hon smög sig ner till honom om nät-
terna, men blundade för det eftersom hon inte hade råd att göra annat.

Elsy strök sig över magen där hon låg bredvid Hans i sängen och hör-
de hans lugna andetag bredvid sig. Det var över en vecka sedan hon slut-
ligen hade insett att det var ställt på det viset med henne. Det hade väl
varit oundvikligt, men hon hade blundat för risken. Och trots omstän-
digheterna hade ett lugn lagt sig över henne. Det var ju Hans barn som
hon bar. Det förändrade allt hon visste om skam och konsekvenser. Det
fanns ingen i världen som hon litade mer på än honom. Hon hade ännu
inte sagt något, men djupt inom sig visste hon att det inte var någon
fara. Att han skulle glädja sig. Att de skulle hjälpas åt och på något sätt
ro båten iland.

Hon blundade och lät handen vila på magen. Någonstans där inne fanns något litet, som hade kommit till i kärlek. Hennes och Hans kärlek. Hur kunde det vara fel? Hur kunde hennes och Hans barn någonsin vara fel?

Elsy somnade med handen på magen och ett svagt leende på läpparna.

Det rådde en spänd förväntan på stationen ända sedan gårdagens grav-öppning. Mellberg gick naturligtvis och slog sig för bröstet och tog åt sig äran för upptäckten, men det var ingen som tog någon större notis om honom.

Martin kunde inte heller dölja att han tyckte att det var otroligt spännande. Till och med Gösta hade fått en gnista i ögonen när de vaktade avspärrningarna där på kyrkogården. Liksom de övriga hade han börjat spekulera i teorier om hur allt hängde ihop. Även om de inte visste så mycket ännu, och framförallt inte hur sambanden såg ut, så fanns det ändå en stark känsla hos dem alla att gårdagens fynd hade inneburit ett genombrott och att lösningen nu var nära.

En knackning vid dörren avbröt Martins funderingar.

"Stör jag?" Paula tittade frågande på honom och han skakade på huvudet.

"Nej då, kom in du."

Hon klev in och slog sig ner. "Vad tror du om det?"

"Jag vet inte än. Men det ska bli jävligt spännande att höra Pedersens rapport."

"Tror du att han blev mördad?" sa Paula och hennes bruna ögon var nyfikna.

"Varför gömma kroppen annars?" sa Martin och hon nickade instämmande. Hon hade redan kommit fram till samma slutsats.

"Men frågan är varför det har blivit viktigt nu? Efter sextio år? Alltså, vi måste nästan utgå från att morden på Britta och Erik är kopplade till det 'eventuella'", hon gjorde citationstecken i luften, "mordet på den här killen. Men varför nu? Vad var det som utlöste det?"

"Jag vet inte", sa Martin och suckade. "Men förhoppningsvis ger obduktionen oss något konkret att gå på."

"Tänk om den inte gör det", sa Paula och släppte fram den förbjudna tanken som emellanåt fått fäste även hos Martin.

"Vi får ta en sak i taget", sa han tyst.

"Apropå det", sa Paula och bytte ämne. "Vi har ju i det allmänna tumultet glömt bort topsningen. Skulle inte DNA-resultaten komma in i dag? Det är rätt meningslöst om vi inte har något att jämföra med."

"Du har rätt", sa Martin och reste sig hastigt. "Vi ser till att få det fixat med en gång."

"Vem tar vi först? Axel eller Frans? För det är väl de två vi främst ska koncentrera oss på?"

"Vi tar Frans", sa Martin och drog på sig jackan.

Grebbestad var lika öde som Fjällbacka efter att säsongen var slut, och de såg bara några få bofasta medan de körde genom samhället. Martin parkerade polisbilen vid den lilla parkeringsfickan framför restaurang "Telegrafen" och de gick över vägen till Frans lägenhet. Ingen svarade när de ringde på.

"Fan, han är nog inte hemma, vi får komma tillbaka sedan. Eller ringa innan", sa han och vände sig om för att gå tillbaka till bilen.

"Vänta lite", sa Paula och höll upp en hejdande hand. "Dörren är öppen."

"Men vi kan inte...", invände Martin, men för sent. Kollegan hade redan öppnat och klivit in.

"Hallå?" hörde han hur hon ropade, och han följde motvilligt efter henne. Inget svar hördes i lägenheten. Försiktigt gick de genom hallen, kikade in i köket och vardagsrummet. Ingen Frans. Allt var tyst.

"Kom, vi går och kollar i sovrummet", sa Paula ivrigt. Martin tvekade. "Äh, kom igen nu", sa hon. Med en suck följde han efter.

Även sovrummet var tomt, sängen var prydligt bäddad och ingen Frans syntes till.

"Hallå?" ropade Paula prövande igen när de kom ut i hallen. Inget svar. De gick sakta fram till den sista dörren som fanns kvar att öppna.

De såg honom så fort dörren hade svängt inåt. Rummet var ett litet arbetsrum och Frans låg framstupa över skrivbordet, med pistolen fortfarande kvar i munnen och med ett gapande hål i bakhuvudet. Martin kände hur allt blod försvann från hans ansikte, och han svajade till ett ögonblick och svalde innan han lyckades få kontroll över sig själv. Paula däremot såg helt oberörd ut. Hon pekade på Frans, tvingade Martin att titta trots att han helst av allt ville undvika det och sa lugnt:

"Titta på armarna."

Med illamåendet böljande upp och ner och en sur smak i munnen

341

tvingade Martin sig att fokusera blicken på Frans underarmar. Han hajade till. Det var ingen tvekan. Frans armar hade djupa rivsår.

Det var en märklig blandning av upprymdhet och förväntan som rådde på Tanumshede polisstation under fredagen. Upptäckten att Frans med största sannolikhet var den som hade mördat Britta, skulle nu bara bekräftas av DNA och fingeravtryck. Nu fanns det inte heller någon som tvivlade på att de skulle hitta en koppling till mordet på Erik Frankel. Under dagen skulle de också få en första preliminär rapport om liket i den gamla soldatgraven i Fjällbacka, och alla kände en stor nyfikenhet inför vad den rapporten skulle innehålla.

Det blev Martin som fick ta emot samtalet från rättsläkaren, och med det faxade obduktionsprotokollet i högsta hugg gick han sedan runt och knackade dörr och manade till samling i köket.

När alla hade satt sig, ställde han sig lutad mot diskbänken för att höras ordentligt.

"Jag har som sagt fått en första rapport från Pedersen", sa Martin och slog dövörat till när Mellberg mumlade surt att han minsann borde ha fått det samtalet.

"Eftersom vi inte har något DNA eller några tandkort att jämföra med, så går det inte med säkerhet att identifiera mannen som Hans Olavsen. Men åldern stämmer. Och tiden för försvinnandet kan också stämma, även om det är omöjligt att säga något exakt efter så lång tid."

"Hur dog han då?" sa Paula. Hon trummade foten mot golvet av iver att komma vidare.

Martin gjorde en konstpaus och njöt av sitt ögonblick i rampljuset. Sedan sa han:

"Pedersen sa att liket har massiva skador. Både hugg med något vasst föremål och krosskador från sparkar eller slag eller både och. Någon har varit riktigt, riktigt förbannad på Hans Olavsen och släppt ut sitt raseri över honom. Ni kan läsa mer om detaljerna i den preliminära rapporten som Pedersen har faxat." Martin sträckte sig fram och lade pappren på bordet framför dem.

"Så dödsorsaken är …?" Paula fortsatte trumma med foten.

"Det var svårt att säga om någon enskild skada har lett till döden. Flera av skadorna var dödliga, enligt Pedersen."

"Jag kan slå vad om att det är Ringholm som gjorde det med. Och att det är på grund av det som han mördade Erik och Britta", muttrade Gös-

ta och uttryckte den tanke som de flesta i rummet redan hade tänkt.
"Har alltid varit en ilsken jävel", lade Gösta till och nickade dystert.

"Det är en hypotes att jobba utifrån", sa Martin och nickade. "Men vi
får inte dra förhastade slutsatser. Visserligen har Frans armar de rivsår
som Pedersen sa åt oss att titta efter, men vi har fortfarande inte fått svar
på proven som vi tog på Frans i går. Därmed har vi inte kunnat konsta-
tera att Frans DNA matchar hudresterna som vi fann under Brittas nag-
lar och inte heller att det var hans fingeravtryck som fanns på knappen
på örngottet. Så låt oss ta det lugnt med slutsatserna. Tills vi har fått
allting klart jobbar vi på som vanligt." Martin häpnade när han hörde
hur proffsig och lugn han själv lät. Det var så här Patrik brukade låta un-
der sina dragningar. Han kunde inte låta bli att kasta en förstulen blick
på Mellberg, för att se om han verkade upprörd över att Martin hade kli-
vit in i det som borde ha varit Mellbergs roll i egenskap av stationens
chef. Men som vanligt såg han ut att vara nöjd med att slippa vara den
som gjorde grovjobbet. Tids nog skulle han piggna till och ta åt sig äran,
när fallet var löst.

"Så vad gör vi nu?" sa Paula och tittade på Martin. Hon gav honom
en snabb blinkning som tecken på att hon tyckte att han skötte sig bra.
Martin kände hur han växte av berömmet, även om det var ordlöst. Han
hade så länge varit minstingen, rookien, på stationen, att han inte rik-
tigt hade vågat kliva fram. Men Patriks pappaledighet hade gett honom
en chans att visa vad han gick för.

"Just nu tycker jag att vi vad gäller Frans inväntar matchningen från
SKL. Men vi börjar om från början och går igenom utredningen av Fran-
kels död, och ser om vi kan hitta någon koppling till Frans där, utöver
det vi redan känner till. Det kanske du kan göra, Paula?" Hon nickade.
Martin vände sig till Gösta.

"Gösta, kan inte du se om du kan få fram något mer om Hans Olav-
sen? Bakgrund, om någon vet mer om hans tid i Fjällbacka och så vida-
re. Prata med Patriks Erica, hon verkar ha grävt fram en del, och likaså
verkar Frans son vara inne på det spåret. Se till att de delar med sig av
den information som de har. Erica kommer säkert inte att innebära någ-
ra problem, men när det gäller Kjell kan det bli nödvändigt att trycka på
lite hårdare."

Gösta nickade också han, men med betydligt mindre iver än Paula.
Det skulle varken bli lätt eller roligt att gräva i sextio år gamla uppgifter.
Han suckade. "Ja, det får väl bli så", sa han och såg ut som om han just

hade fått besked om att sju svåra år låg framför honom.

"Annika, meddelar du oss så fort vi hör något från SKL om resultaten?"

"Självklart", sa Annika och lade ner blocket hon hade antecknat i medan Martin pratade.

"Då så, då har vi lite att göra." Martin kände hur det hettade i ansiktet av tillfredsställelse över att ha hållit sin första genomgång.

Alla reste sig och troppade ut ur rummet. Hans Olavsens mystiska öde upptog deras tankar.

Patrik lade ner luren efter att ha avslutat samtalet med Martin. Han gick upp till Erica som satt i arbetsrummet och knackade försynt på dörren.

"Kom in!"

"Ursäkta att jag stör, men jag tror att du vill höra det här." Han slog sig ner i fåtöljen i hörnet och drog det som Martin hade berättat för honom om Hans Olavsens, eller den de trodde var Hans Olavsens, fruktansvärda skador.

"Ja, jag hade ju räknat med att han blev mördad … Men så här …", sa Erica märkbart tagen.

"Ja, någon hade verkligen något otalt med honom", konstaterade Patrik. Sedan såg han att han hade avbrutit Erica medan hon än en gång gick igenom sin mors dagböcker.

"Hittar du något mer av intresse i dem?" sa han och pekade på böckerna.

"Nej tyvärr", sa hon och drog frustrerad handen genom det blonda håret. "De slutar ju precis när Hans Olavsen kommer till Fjällbacka, och det är egentligen då som det börjar bli intressant."

"Och du har ingen aning om varför hon slutade skriva dagbok precis då?" sa Patrik.

"Nej, det är just det. Jag är inte så säker på att hon slutade. Det verkar ha varit en djupt inrotad vana hos henne att skriva en stund varje dag, och varför skulle hon plötsligt sluta med det? Nej, jag tror att det finns fler böcker någonstans, men fan vet var …", sa hon fundersamt och tvinnade en slinga av håret runt pekfingret i en gest som Patrik hade lärt sig att känna igen väl vid det här laget.

"Ja, du har ju gått igenom allt på vinden, så där kan de inte ligga", sa Patrik och tänkte högt. "Tror du att de kan finnas i källaren?"

Erica tänkte efter, men skakade sedan på huvudet. "Nej, jag gick igenom det mesta där när vi röjde innan du flyttade in. Nej, jag har svårt att tro att de finns här hemma, och då har jag liksom inte fler teorier."

"Men nu får du i alla fall lite draghjälp vad gäller Hans Olavsen. Dels har du Kjell till hjälp, och jag har stor tilltro till hans förmåga att gräva fram saker. Dels sa Martin att de också kommer att jobba vidare på det spåret, och han har bett Gösta prata med dig så att du kan berätta vad du har fått fram."

"Ja, jag har inga problem med att dela med mig av informationen", sa Erica, "men jag hoppas att Kjell har samma inställning."

"Det kan du nog inte räkna med", sa Patrik torrt. "Han är journalist och ser en historia i det här."

"Jag undrar fortfarande…", sa Erica dröjande och svängde av och an i kontorsstolen. "Jag undrar fortfarande varför Erik gav de där artiklarna till Kjell. Vad visste han om mordet på Hans Olavsen som han ville att Kjell skulle ta reda på? Och varför berättade han inte bara det han visste? Varför ett så kryptiskt tillvägagångssätt?"

Patrik ryckte på axlarna. "Ja, det lär vi nog aldrig få veta. Men enligt Martin så lutar misstankarna på stationen starkt åt att hela säcken går att knyta ihop i och med Frans död. De tror att Frans var den som mördade Hans Olavsen, och att morden på Erik och Britta gjordes för att dölja det."

"Ja, jo, det finns väl mycket som talar för det", sa Erica. "Men fortfarande är det så mycket som…", hon lät meningen dö ut. "Det är så mycket som jag fortfarande inte fattar. Till exempel, varför nu? Efter sextio år? Om han hade legat ostörd där i sin grav i sextio år, varför började det här komma upp till ytan nu?" Hon tuggade på insidan av kinden medan hon funderade.

"Ingen aning", sa Patrik. "Det kan ju ha varit vad som helst. Men som sagt, vi får nog acceptera att en del av det här ligger så långt tillbaka i tiden att vi aldrig kommer att få hela bilden klar för oss."

"Nej, du har nog rätt", sa Erica med en tydlig ton av besvikelse i rösten. Hon sträckte sig efter påsen på skrivbordet. "En Dumlekola?"

"Ja tack", sa Patrik och tog en ur påsen. Under tystnad mumsade de på var sin kola, medan de begrundade mysteriet med Hans Olavsens brutala död.

"Tror du att det var Frans? Helt säkert? Som mördade Erik och Hans också", sa Erica till slut och studerade Patrik noga.

Han övervägde hennes fråga en lång stund och sa sedan dröjande: "Ja, jag tror det. I alla fall finns det inte mycket som talar för att det inte var han. Martin trodde att de skulle få provsvaren från SKL på måndag, och det lär ju bekräfta att han åtminstone har dödat Britta. Sedan skulle jag tro att de med facit i hand även kan hitta bevis som knyter honom till mordet på Erik. Mordet på Hans ligger så långt tillbaka i tiden, så i det fallet tvivlar jag på att vi någonsin kommer att få fullständig klarhet. Det enda är …" Han grinade illa.

"Ja? Är det något som verkar konstigt?" sa Erica.

"Ja, det är ju det där med att Frans faktiskt har alibi för mordet på Erik. Men som sagt, hans polare kan ju ljuga. Det där får Martin och gänget titta på. Det är den enda invändningen jag har."

"Och det fanns inga frågetecken kring Frans? Inga tvivel på att det var självmord, menar jag?"

"Nej, det verkar inte så." Patrik ruskade på huvudet. "Det var hans egen revolver, han höll den fortfarande i handen och pipan var kvar i munnen."

Erica grimaserade inför bilden hon fick på näthinnan. Patrik fortsatte.

"Så om vi bara får bekräftat att det är hans fingeravtryck på revolvern och att han har krutstänk på handen som han höll den i, kan man inte med bästa vilja säga att det pekar på något annat än självmord."

"Men ni hittade inget brev?"

"Nej, enligt Martin har de inte hittat något sådant. Men det är ju inte alltid man hittar brev vid självmord." Han reste sig och slängde Dumlepappret i papperskorgen.

"Nej, jag ska låta dig jobba ifred nu, älskling. Försök hinna skriva lite på boken också, du vet att förlaget kommer att jaga dig med blåslampa annars." Han gick fram och kysste henne på munnen.

"Ja, jag vet", suckade Erica. "Jag har faktiskt redan jobbat en del på den i dag. Vad ska du och Maja ta er för då?"

"Karin ringde", sa Patrik obekymrat. "Vi tar nog en promenad så fort Maja har vaknat."

"Du promenerar mycket med Karin", sa Erica och förvånades själv över hur bister hon lät. Patrik tittade förvånat på henne.

"Är du svartsjuk? På Karin?" Han skrattade och gick fram och pussade henne igen. "Det finns det ingen anledning i världen att vara." Han skrattade igen, men blev sedan allvarlig. "Fast om du tycker att det är ett problem att vi träffas med barnen, så säg till."

Erica skakade på huvudet. "Nej, självklart inte. Jag är bara lite fånig. Du har ju inte så många andra att umgås med nu under föräldraledigheten, så passa på och få lite vuxet sällskap."

"Säkert?" Patrik studerade henne noga.

"Säkert", sa Erica och vinkade åt honom. "Gå nu, någon i den här familjen måste ju jobba."

Han skrattade och stängde dörren om henne. Det sista han såg genom springan var att hon sträckte sig efter en av de blå dagböckerna.

Fjällbacka 1945

Det var ofattbart. Det krig som hade känts som om det aldrig skulle få någon ände var slut. Hon satt i Hans säng och läste tidningen medan hon försökte få hjärnan att förstå innebörden av orden som trycksvärtan skrek ut. "FRED!"

Elsy kände tårarna komma och hon fick snyta sig i förklädet som hon fortfarande hade på sig efter att ha hjälpt mor med disken.

"Jag kan inte tro det, Hans", sa hon och kände hur han som svar tryckte till med armen som han höll om hennes axlar. Också han stirrade på tidningen och verkade oförmögen att förstå det de just läste. För ett ögonblick tittade Elsy upp mot dörren, orolig över att någon skulle komma på dem nu då de hade glömt bort att vara försiktiga och träffades på tu man hand på dagtid. Men Hilma hade sprungit över till grannarna, och hon trodde inte att någon annan skulle komma och störa dem just nu. Dessutom skulle det snart bli hög tid att berätta om henne och Hans. Kjolarna hade börjat sitta åt allt hårdare i midjan, och i morse hade hon endast med möda lyckats få igen översta knappen. Men det skulle nog gå bra. Hans hade reagerat precis som hon hade trott, när hon några veckor tidigare hade berättat hur det var ställt med henne. Han hade glittrat med ögonen och kysst henne medan han ömt lade handen på hennes mage. Sedan hade han försäkrat henne om att de skulle komma på råd. Han hade ju jobb och försörjning och mor hennes tyckte om honom, och visst var Elsy ung, men då fick de väl gå till kungs och be om lov att få gifta sig. På något sätt skulle det nog ordna sig.

Varje ord som han hade sagt hade lindrat en del av den oro hon ändå haft i hjärtat, även om hon tyckte att hon kände honom så väl och litade på honom. Och han hade varit så lugn. Bara försäkrat henne om att deras barn skulle bli jordens mest älskade och att de nog skulle finna på råd med allt det praktiska. Det skulle kanske bli lite böljor på vattnet ett tag, men höll de bara fast vid varandra skulle de tids nog lägga sig och såväl familj som Gud skulle ge dem sin välsignelse.

Elsy lutade huvudet mot hans axel. Just i detta ögonblick var livet så gott att leva. Nyheten om fred spred sig i bröstet på henne med en värme som tinade upp mycket av det som hade frusit till is när hennes far dog. Hon önskade bara att far hade fått uppleva det här ögonblicket. Hade han och båten bara klarat sig några månader till, så... Hon tvingade bort de tankarna. Gud rår och inte människan, och någonstans fanns det ju en plan med allt, det var bara så det var, hur förfärliga saker och ting än verkade. Hon litade till Gud och hon litade till Hans, och det var en gåva som gjorde att hon kunde se framtiden an med tillförsikt.

Annat var det med hennes mor. Elsy hade oroat sig alltmer för Hilma de senaste månaderna. Utan Elof hade hon krympt ihop, skrumpnat, och det fanns inte längre någon glädje kvar i ögonen. När nyheten om freden kom i dag, var det första gången sedan fadern dog som Elsy hade sett tillstymmelsen till ett leende. Men kanske kunde barnet hon väntade ge mor en del av livsglädjen tillbaka, bara hon kom över den första chocken? Visst var Elsy rädd för att mor skulle skämmas för henne, men hon och Hans hade enats om att berätta det snarast möjligt, så att de hade möjlighet att ställa allt till rätta i god tid innan barnet anlände.

Elsy blundade och log där hon satt med huvudet mot Hans axel och med hans välbekanta lukt i näsborrarna.

"Jag skulle gärna vilja åka hem och titta till de mina, nu när kriget är slut", sa Hans och strök henne över håret. "Men jag kommer bara att vara borta några dagar, så du behöver inte oroa dig. Jag rymmer inte ifrån dig." Han kysste henne på hjässan.

"Det är nog bäst för dig det", sa Elsy med ett brett leende. "För då skulle jag jaga dig till världens ände om så var."

"Det skulle du säkert", sa han och skrattade. Sedan blev han allvarlig.

"Jag har bara några saker som jag måste ordna upp, nu när jag kan fara in i Norge igen."

"Det låter allvarligt", sa hon och lyfte huvudet från hans axel och tittade oroligt på honom. "Är du rädd för att det har hänt de dina något?"

Han var tyst en lång stund innan han svarade. "Jag vet ju inte. Det var så länge sedan vi talades vid. Men jag far inte direkt. Det blir väl om någon vecka eller så, och sedan är jag tillbaka fortare än du hinner blinka."

"Det låter bra det", sa Elsy och lutade sig mot honom igen. "För jag vill aldrig vara ifrån dig."

"Det ska du inte behöva vara heller", sa han och kysste henne på håret igen. "Det ska du aldrig behöva vara." Hans blundade när han drog henne ännu närmare intill sig. Mellan dem låg tidningen uppslagen, med ordet "FRED" över hela framsidan.

Det var märkligt. Det var först i förra veckan som han för första gången i sitt liv hade tänkt tanken att hans far inte var odödlig. Och så i torsdags hade polisen ringt på dörren och gett honom dödsbudet. Det hade förvånat honom hur starkt han kände. Hur hjärtat för ett ögonblick hade hoppat över ett slag, och hur han, när han sträckte ut handen framför sig, kunde känna hur han höll fadern i handen, en liten hand i en stor, och hur händerna sedan sakta gled bort ifrån varandra. I det ögonblicket insåg han att något som var ännu starkare än hatet hade funnits där hela tiden. Hoppet. Det var det enda som hade kunnat leva kvar, det enda som hade kunnat samexistera med det förtärande hat som han hade känt mot sin far, utan att det kvävdes. Kärleken hade dött för länge sedan. Men hoppet hade gömt sig undan i en liten, liten vrå av hjärtat, dolt till och med för honom själv.

När han stod där i hallen, efter att ha stängt dörren bakom poliserna, så hade han känt hur hoppet hade frilagts, blottats, och med det en smärta som fick det att svartna framför ögonen på honom. För någonstans hade den lilla pojken inom honom längtat efter sin far. Hoppats att det skulle finnas någon väg runt de murar som de hade byggt upp. Nu var den vägen stängd. Murarna skulle få stå kvar och vittra, utan någon möjlighet till försoning.

Hela helgen hade hans hjärna försökt greppa det faktum att fadern var död. Borta. Dessutom död för egen hand. Och även om han alltid haft i bakhuvudet att det var ett möjligt slut på ett liv som hade varit så destruktivt på många sätt, så var det ändå svårt att ta till sig.

Under söndagen hade han åkt hem till Carina och Per. Han hade ringt redan på torsdagen och berättat vad som hade hänt, men inte förmått sig att åka dit förrän hans egna tankar och bilderna som han hade på näthinnan hade lugnat ner sig. Han hade blivit ytterst förvånad när han kom hem till dem. Det var något så fundamentalt annorlunda med atmosfären i huset att han först inte hade kunnat sätta fingret på vad det var. Sedan hade han förvånat utbrustit: "Du är ju nykter." Och han menade inte bara tillfälligt, för stunden, för det hade hon varit förr, även om det inte hade varit så ofta genom åren. Men han hade instinktivt känt att något var annorlunda. Det fanns ett lugn, en beslutsamhet i ögonen på henne, som hade ersatt den där sårade blicken som hon haft ända sedan han gick ifrån henne och som hade fyllt honom med sådana skuldkänslor. Också Per var annorlunda. De hade pratat om vad som skulle hända efter rättegången för misshandeln, och sonen hade förvånat med sitt lugn och sina tankar om hur han skulle hantera situationen. När Per hade gått in på sitt rum, hade Kjell tagit mod till sig och frågat vad det var som hade hänt, och med stigande förvåning hade han hört om sin fars besök hemma hos dem. Och att han på något sätt hade lyckats med det som Kjell hade misslyckats med i tio år.

Det hade gjort allt ännu värre. Det hade bekräftat det hopp som nu förgäves låg och skavde i bröstkorgen. För han var ju borta. Vad fanns det för hopp nu?

Kjell ställde sig vid fönstret på sitt rum och tittade ut. I ett kort, naket ögonblick av självrannsakan tillät han sig för första gången att se på sig själv och sitt liv med samma hårda ögon som han hade betraktat sin far. Och det han såg skrämde honom. Visst, hans svek mot sina närmaste hade inte varit lika iögonfallande, inte lika oförlåtliga i samhällets ögon. Men hade sveket varit mindre? Knappast. Han hade övergett Carina och Per. Dumpat dem som sopsäckar vid vägkanten. Och inte heller Beata hade han kunnat låta bli att svika. För han hade svikit henne redan innan deras förhållande började. Han hade aldrig älskat henne. Bara det hon representerade, då, i ett svagt ögonblick när han behövde det hon stod för. Henne hade han aldrig älskat. Skulle han vara ärlig så tyckte han inte ens om henne. Inte som Carina. Inte som hon var den första gången han såg henne där i soffan, i en gul klänning och med ett gult band i håret. Och han hade svikit Magda och Loke. För skammen över att ha lämnat ett barn bakom sig hade slagit till alla spärrar inom honom och gjort honom oemottaglig för den där råa, djupa, allt överskuggande kärleken som han hade känt för Per redan första gången han såg honom i Carinas armar. Den kärleken hade han förvägrat sina och Beatas barn, och han trodde inte att han var förmögen att hitta den igen. Det var det svek han fick leva med. Och som de fick leva med.

Handen darrade lätt när han lyfte kaffekoppen han höll i. Han grimaserade illa när han märkte att kaffet hade hunnit kallna medan han grubblade, men han hade redan fyllt munnen med en rejäl klunk av det kalla kaffet och fick tvinga sig själv att svälja ner det.

Han hörde en röst från dörren.

"Lite post till dig."

Kjell vände sig om och nickade förstrött. "Tack." Han sträckte ut handen och tog emot dagens postskörd som var ställd till honom personligen. Han bläddrade förstrött igenom den. Lite reklam, någon faktura. Och ett brev. Med en välbekant handstil på utsidan. Han började skaka i hela kroppen och blev tvungen att sätta sig ner. Brevet placerade han på skrivbordet framför sig och satt en lång stund och bara stirrade på det. På sitt namn och adressen till redaktionen. Skrivet med snirklig, ålderdomlig handstil. Minuterna tickade förbi medan han försökte skicka signaler från hjärnan till handen, uppmana den att greppa brevet och öppna det. Men det var som om signalerna blev förvirrade längs vägen och istället framkallade en total förlamning.

Till slut nådde signalerna fram och han öppnade brevet långsamt, långsamt. Det var sammanlagt tre ark, handskrivna, och det tog några meningar innan han lyckades tyda stilen. Men det gick. Kjell läste. Och när han var färdig lade han ner brevet på skrivbordet igen. Och för sista gången kände han värmen av faderns hand i sin. Sedan tog han jackan och bilnycklarna. Brevet lade han försiktigt i jackfickan.

Det fanns bara en sak han kunde göra nu.

Tyskland 1945

De hade samlats upp i koncentrationslägret i Neuengamme. Det ryktades att de vita bussarna först hade fått i uppgift att forsla bort en massa andra fångar, bland annat polacker, för att de nordiska fångarna skulle få plats. Ryktet sa också att det hade kostat en del liv. Fångarna av andra nationaliteter hade varit i betydligt sämre skick än de nordiska, som hade fått matpaket på olika vägar och därför hade klarat sig förhållandevis bra under tiden i koncentrationslägren. Många uppgavs ha dött, eller farit mycket illa, under transporten från lägret. Men även om ryktet talade sanning var det ingen som orkade bry sig om det nu. Inte när friheten plötsligt låg inom räckhåll. Bernadotte hade förhandlat med tyskarna och fått lov att skicka ner bussar för att hämta hem nordiska fångar, och nu var de här.

Axel klev på vingliga ben in i bussen. För hans del var det den andra transporten inom några månader. Från Sachsenhausen hade de plötsligt förflyttats till Neuengamme, och han vaknade ofta om natten och mindes den skräckfyllda resan. Instängda i godsvagnar hade de suttit maktlösa, apatiska och lyssnat till ljudet av bomberna som föll runt dem när de for fram genom Tyskland. Vissa av bomberna slog ner så nära att de kunde höra hur jord regnade ner över godsvagnarnas tak. Men ingen hade träffat. Han hade av någon anledning överlevt även detta. Och nu, när hans sista livsvilja nästan hade släckts, hade beskedet kommit om att räddningen äntligen var här. Bussarna som skulle föra dem till Sverige. Som skulle föra dem hem.

Han kunde ta sig till en av bussarna för egen maskin, en del var i så dåligt skick att de fick bäras ombord. Det var trångt, och mycket elände fyllde den lilla ytan i bussen. Försiktigt makade han sig ner på en plats på golvet, drog upp knäna och lutade matt huvudet mot dem. Han kunde inte fatta det. Han skulle få komma hem. Till mor och far. Och Erik. Till Fjällbacka. För hans inre öga såg han allt så klart framför sig. Det han inte hade tillåtit sig att tänka på under så lång tid. Men äntligen, nu när han visste att det fanns inom räckhåll, vågade han låta tankarna och minnena välla fram. Samtidigt visste han att det aldrig kunde bli detsamma. Han skulle aldrig mer bli densamma. Han hade sett saker, upplevt saker, som hade förändrat honom för evigt.

Han hatade den förändringen. Hatade det han hade behövt göra och det han hade behövt bevittna. Och det var inte över i och med att han klev på bussen. Resan blev lång och fylld av smärta, kroppsvätskor, sjukdom och fasa. Längs vägen såg de brinnande krigsmateriel och ett land i spillror. Två dog på vägen. En av dem var den som han hade lutat sig mot i de korta ögonblicken av sömn, när bussen färdades under de nattliga timmarna. På morgonen när han vaknat hade mannen bredvid honom trillat ihop när Axel flyttade sin egen tyngd. Men Axel hade bara puttat undan honom och ropat åt en av dem som övervakade transporten. Sedan hade han sjunkit ner på sin plats igen. Det var bara ytterligare en död. Han hade sett så många.

Han kom på sig själv med att hela tiden ta sig för örat. Det brusade i det ibland, men oftast var det bara fyllt av en tom, susande tystnad. Så många gånger han hade sett det framför sig. Visserligen hade han varit med om mycket värre saker sedan dess, men det var på något sätt som om synen av vaktens gevärskolv som kom emot honom hade representerat det ultimata sveket. För de hade ju mötts som människor. Trots att de stod på olika sidor, hade de hittat en ton av vänlighet som hade gett honom en känsla av respekt och trygghet. Men i det ögonblick han såg hur pojken höjde gevärskolven och i det ögonblick han kände smärtan då något gick sönder när geväret träffade honom över örat, hade han förlorat alla illusioner om människans inneboende godhet.

Där han satt på bussen, på väg hemåt, med sjuka, skadade och chockade omkring sig, gav han sig själv ett heligt löfte att inte någonsin vila igen innan han hade ställt de skyldiga till svars. De hade klivit över gränsen för sin egen mänsklighet och det var hans plikt att inte låta någon av dem komma undan.

Axel tog sig för örat igen och såg hemmet framför sig. Snart, snart skulle han vara där.

Paula tuggade på en penna medan hon noggrant gick igenom dokument för dokument. Hon hade allt som rörde utredningen av Erik Frankels mord framför sig och granskade materialet än en gång. Någonstans måste det finnas något. En liten detalj som de hade missat, en liten bit information som kunde bevisa det de redan misstänkte, att Frans Ringholm hade mördat honom också. Hon visste att det var farligt att gå igenom ett utredningsmaterial med de glasögonen på – att försöka hitta bevis som pekade i en viss riktning. Men hon försökte förhålla sig så öppen som möjligt och letade efter vad som helst som väckte frågetecken hos henne. Hittills hade hon kammat noll. Men det fanns fortfarande mycket material att gå igenom.

Ibland hade hon dock svårt att fokusera. Johanna hade bara en kort tid kvar till utsatt datum, men teoretiskt sett kunde det dra igång när som helst. Och hon kände en märklig blandning av skräck och glädje inför det som stod framför dem. Ett barn. Någon att ansvara för. Om hon hade talat med Martin skulle hon säkert ha känt igen varenda en av de tankar som kretsade kring det som komma skulle, men hon hade behållit sin oro för sig själv. I deras fall var oron så mycket större än den som alla blivande föräldrar kände. Hade de gjort rätt när de hade realiserat drömmen om att skaffa ett barn tillsammans? Skulle det visa sig vara en egoistisk handling, något som deras barn skulle få betala priset för? Och de kanske skulle ha stannat i Stockholm och låtit barnet växa upp där istället? Det kanske skulle ha varit lättare än här, där deras familj definitivt skulle sticka ut och väcka uppmärksamhet. Men något sa henne ändå att det hade varit rätt att flytta hit. Hon hade mött så mycket vänlighet, och än så länge hade hon inte upplevt att någon hade tittat snett på dem. Fast det kanske skulle bli annorlunda när barnet kom. Vad visste hon?

Paula suckade och sträckte sig efter nästa papper i högen. Den tekniska analysen av mordvapnet: bysten av sten som hade stått i fönstret men som de hittade blodig under skrivbordet. Men det var inte mycket att gå på. De hade inga fingeravtryck, inga spår av några främmande ämnen, ingenting. Bara Eriks blod, hår och hjärnsubstans. Hon kastade ifrån sig pappret och tog upp bilderna från brottsplatsen och studerade dem igen, för vilken gång i ordningen visste hon inte. Hon häpnade över att Patriks fru hade noterat det som stod klottrat på blocket på skrivbordet, Ignoto militi … Till den okände soldaten. Hon själv hade inte upptäckt det när hon granskade fotografierna, och även om hon hade gjort det skulle hon antagligen inte ha tänkt på att kolla vad uttrycket betydde, var hon tvungen att erkänna för sig själv. Erica hade inte bara upptäckt orden utan också lyckats foga dem till pusslet av ledtrådar och indicier, vilket ledde till att de hittade Hans Olavsen i graven på kyrkogården.

Men en av de viktigaste sakerna var tidsaspekten. De hade ingen möjlighet att säga exakt när Erik Frankel mördades, utan hade bara lyckats fastställa att det måste ha hänt någon gång mellan den femtonde och sjuttonde juni. Kanske skulle man kunna få fram något mer utifrån det, funderade Paula och tog fram ett block. Med bestämd pennföring började hon anteckna alla datumuppgifter som hon hade och ritade på en tidslinje in saker som Ericas besök, Eriks fyllevisit hos Viola, Axels resa till Paris och städerskans försök att komma in. Hon letade bland papprena efter någon form av tidsuppgift som visade var Frans hade varit under den här tiden, men hittade bara utsagorna från de Sveriges vänner-medlemmar som hade hävdat att Frans hade varit i Danmark under de aktuella dagarna. Fan också. De skulle ha pressat honom på mer detaljerade uppgifter medan de hade chansen. Men han hade säkert sett till att skaffa fram papper som stödde hans alibi. Så pass slipad var han. Fast vad var det Martin hade sagt under en genomgång? Att det fanns oftast inget sådant som ett vattentätt alibi …

Paula satte sig med ett ryck upp i stolen. En tanke hade slagit henne, och den växte sig allt starkare. Det fanns en sak som de inte hade kollat.

"Hej, det är Karin. Du, skulle du kunna komma över och hjälpa mig med en sak? Leif åkte i morse igen, och nu har det börjat rinna vatten från ett av rören i källaren."

"Ja, jag är ju ingen rörmokare", sa Patrik dröjande. "Men jag kan väl komma över och se hur illa det ser ut, så får vi hjälpas åt att ringa efter någon i värsta fall."

"Jätteschysst", sa hon lättat. "Ta Maja med dig om du vill, så kan hon och Ludde leka."

"Ja, Erica jobbar så det är nog en förutsättning att jag kan ta med henne", sa han och lovade att komma så fort han kunde.

Det kändes lite märkligt, var han tvungen att erkänna, när han en kvart senare svängde in på garageuppfarten till Karins och Leifs hus i Sumpan. Att få se det hem där hans exfru levde med den man vars guppande vita rumpa han ibland såg framför sig på näthinnan. Han hade tagit dem på bar gärning, och det var inget man glömde i första taget.

Hon öppnade dörren med Ludde i famnen redan innan han hade hunnit ringa på. "Kom in", sa hon och tog ett steg åt sidan.

"Räddningspatrullen rycker ut", sa han skämtsamt och satte ner Maja. Hon fick genast sällskap av Ludde som resolut tog tag i hennes hand och drog iväg henne mot vad som verkade vara hans rum, en bit bort i hallen.

"Det är här nere." Karin öppnade en dörr till en trappa som ledde ner i källaren och började gå ner före honom.

"Klarar de sig?" sa Patrik oroligt och tittade mot Luddes rum.

"De håller sig nog sysselsatta i några minuter utan problem", sa Karin och tecknade åt Patrik att följa efter henne ner.

Vid foten av trappan pekade hon mot ett rör i taket med bekymrad min. Patrik gick fram för att inspektera och sa sedan lugnande:

"Nja, det är väl en överdrift att säga att det rinner. Ser ut att vara lite kondens bara." Han pekade på några minimala vattendroppar ovanpå röret.

"Åh, vad skönt. Jag blev så orolig när det såg blött ut", sa Karin och pustade ut. "Ja, det var verkligen snällt att du ville komma över. Jag kan väl få bjuda på fika som tack? Eller har du bråttom hem?" Hon tittade frågande på honom medan hon började gå uppför trappan.

"Nej då, vi har ingen tid att passa. Lite fika vore gott."

En stund senare satt de vid köksbordet och åt av kakorna som Karin hade ställt fram.

"Du hade väl knappast förväntat dig något hembakt", sa hon och log mot Patrik.

Han sträckte sig efter en havredröm och skakade skrattande på huvudet. "Nej, baka var väl aldrig din starka sida. Inte matlagning heller om jag ska vara ärlig."

"Hörru", sa Karin och såg förnärmad ut. "Så illa var det väl inte. Min köttfärslimpa brukade du gilla i alla fall."

Patrik grinade illa och vickade på handen för att indikera "sisådär".

"Det sa jag mest för att du var så stolt över den. Men egentligen funderade jag på om jag skulle sälja receptet dyrt till hemvärnet. Så att de kunde få något att ladda kanonerna med."

"Hörru", sa Karin igen. "Nu ska du inte vara oförskämd!" Sedan skrattade hon. "Nej, du har nog rätt. Matlagning är inte min starka sida. Vilket Leif gärna påpekar. Å andra sidan verkar han inte tycka att jag har några starka sidor." Rösten bröts och tårar vällde upp i ögonen. Spontant lade Patrik sin hand över hennes.

"Är det så illa?"

Hon nickade och torkade försiktigt tårarna med sin servett. "Vi har enats om att separera. Vi hade världens gräl i helgen och insåg att det här inte går. Så den här gången har han åkt för gott, och kommer inte tillbaka."

"Jag är ledsen", sa Patrik och höll kvar handen över hennes.

"Vet du vad som gör mest ont?" sa hon. "Att jag inte egentligen saknar honom. Att jag inser att allt var ett stort jävla misstag." Rösten skar sig, och Patrik började känna en oro i magen över vart det här samtalet var på väg.

"Vi hade det ju så bra. Visst hade vi det? Om inte jag hade varit så jävla dum ..." Hon snyftade in i servetten och greppade Patriks hand hårt. Nu kunde han inte dra åt sig den, trots att han kände att det nog var läge.

"Jag vet att du har gått vidare. Jag vet att du har Erica. Men visst hade vi något speciellt? Visst hade vi det? Finns det ingen möjlighet att vi kan... att du och jag kan ..." Hon förmådde inte fortsätta meningen, utan fattade hans hand ännu hårdare, bedjande.

Patrik svalde, men sa sedan lugnt: "Jag älskar Erica. Det är det första du måste veta. Och för det andra är den bild du har av det vi hade bara en fantasi, en efterhandskonstruktion nu när du och Leif har det jobbigt. Vi hade det bra, men inget speciellt. Det var därför det blev som det blev. Det var bara en tidsfråga." Patrik sökte hennes blick. "Och du vet det om du tänker efter. Vi fortsatte vara gifta mycket av bekvämlighet, inte av kärlek. Så på sätt och vis gjorde du oss en tjänst, även om jag självklart inte hade önskat att det skulle sluta på det sätt som det gjorde. Men du lurar dig själv nu. Okej?"

Karin brast ut i gråt igen, till stor del på grund av förödmjukelsen. Patrik förstod det och satte sig på stolen bredvid henne, lade armarna om henne och lutade hennes huvud mot sin axel medan han strök henne över håret. "Schhh", sa han. "Så ja… Det kommer att ordna sig…"

"Hur… kan… du… vara… så… När… jag… precis… skämt… ut… mig…", hackade Karin och försökte skamset vända bort huvudet. Men Patrik fortsatte bara lugnt att stryka henne över håret.

"Du har inget att skämmas för", sa han. "Du är uppriven och tänker inte klart just nu. Men du vet att jag har rätt." Han tog sin servett och torkade tårarna på hennes rödstrimmiga kinder.

"Vill du att jag ska gå, eller ska vi fika färdigt?" sa han och tittade henne lugnt i ögonen. Hon tvekade en stund, men sedan slappnade hennes spända kropp av.

"Om vi kan förtränga att jag i princip kastade mig över dig nyss", sa hon lugnt, "så vill jag gärna att du stannar en stund till."

"Då så", sa Patrik och flyttade tillbaka till sin egen stol. "Jag har minne som en guldfisk, så om tio sekunder kommer jag bara ihåg de här goda köpekakorna", sa han och sträckte sig efter en havredröm till.

"Vad skriver Erica på nu?" sa Karin i ett febrilt försök att byta ämne.

"Det hon borde jobba på är sin nya bok, men hon har fastnat i lite undersökningar om sin mors bakgrund", sa Patrik som också var tacksam över en chans att tala om något annat.

"Hur kommer det sig att hon blev intresserad av det?" sa Karin, nu uppriktigt nyfiken, och tog en kaka hon också.

Patrik berättade om fynden i kistan och hur Erica hade upptäckt kopplingar till de mord som hela bygden talade om.

"Det som hon är mest frustrerad över är att hennes mor skrev dagbok, men hon hittar bara dagböcker fram till 1944. Antingen slutade hon tvärt att skriva då, eller så ligger det ett gäng blå anteckningsböcker i säkert förvar någon annanstans än hemma hos oss", sa Patrik.

Karin ryckte till. "Hur såg dagböckerna ut, sa du?"

Patrik rynkade pannan och stirrade undrande på henne. "Blå, tunna, ungefär som skrivböcker i skolan till storleken. Hur så?"

"För i så fall tror jag att jag vet var de finns", sa Karin långsamt.

"Du har besök", sa Annika när hon stack in huvudet genom dörröppningen till Martins rum.

"Jaså, vem då?" sa han nyfiket, men fick svar direkt då Kjell Ringholm steg in genom dörren.

"Jag är inte här i egenskap av journalist", sa han direkt och höll avväpnande upp händerna när han såg att Martin började formulera en protest mot hans besök. "Jag är här som son till Frans Ringholm", sa han och satte sig tungt ner i besöksstolen.

"Jag beklagar ...", sa Martin och visste inte riktigt hur han skulle fortsätta. Alla hade ju vetat hur förhållandet var mellan far och son.

Kjell viftade bort hans bryderi och stack ner handen i jackfickan.

"Det här kom till mig i dag." Tonen var neutral, men handen darrade när han slängde fram brevet på skrivbordet. Martin tog upp det och öppnade det, efter att ha fått en bekräftande nick från Kjell att det var det som var avsikten. Han läste de tre handskrivna sidorna under tystnad, men höjde flera gånger på ögonbrynen.

"Han tar på sig skulden inte bara för mordet på Britta Johansson, utan också på Hans Olavsen och Erik Frankel", sa Martin och stirrade på Kjell.

"Ja, det är så det står", sa Kjell och slog ner blicken. "Men jag antar att ni redan har tänkt den tanken, så det kan inte komma som någon större överraskning."

"Jag skulle ljuga om jag sa något annat", nickade Martin. "Men vi har egentligen bara konkreta bevis för mordet på Britta."

"Då borde ju det här vara till hjälp", sa Kjell och pekade på brevet.

"Och du är säker på ...?"

"Att det är min fars handstil, ja", fyllde Kjell i. "Jo, jag är helt säker. Det är min far som har skrivit brevet. Och jag är väl inte förvånad", lade han till med bitter ton. "Men jag hade nog aldrig trott ..." Han ruskade på huvudet.

Martin böjde huvudet och läste igenom brevsidorna en gång till. "Ska man vara noggrann så skriver han i och för sig bara att han mördade Britta, sedan uttrycker han sig lite mer diffust: 'Jag bär skuld för Eriks död, och likaså för den man som ni har funnit i en grav som inte borde varit hans.'"

Kjell ryckte på axlarna. "Jag ser inte skillnaden. Han har bara formulerat sig högtravande. Nej, jag har faktiskt inga tvivel om att det är min far som ..." Han fortsatte inte, utan avslutade istället med en djup inandning, som för att hålla alla känslor i schack.

Martin läste tankfull vidare. "Jag trodde att jag kunde ordna allt på det sätt som jag brukar ordna saker, trodde att en enda kraftfull handling kunde lösa allt, dölja allt. Men jag visste redan när jag lyfte kudden från hennes ansikte att det inte hade löst någonting. Och jag förstod att det endast återstod ett alternativ. Att jag hade nått vägs ände. Att det förflutna hade hunnit ifatt mig till slut." Martin tittade upp på Kjell. "Förstår du vad han menar? Vad var det som skulle döljas? Vad är det för förflutet han talar om?"

Kjell skakade på huvudet. "Jag har ingen aning."

"Jag skulle vilja behålla de här ett slag", sa Martin och viftade med de handskrivna sidorna.

"Visst", sa Kjell trött. "Behåll dem du. Jag hade annars tänkt bränna dem."

"Jag har förresten bett Gösta här på stationen att byta några ord med dig vid tillfälle. Men då kanske vi kan ta det nu istället?" Martin lade försiktigt ner brevet i en plastficka och lade det åt sidan.

"Gällande vadå?" sa Kjell.

"Hans Olavsen. Jag har förstått att du har gjort vissa efterforskningar om honom?"

"Vad spelar det för roll nu? Min far erkänner ju i brevet att han mördade honom?"

"Det kan tolkas som så, ja. Men det finns fortfarande många frågetecken kring honom och hans död som vi skulle vilja få klarhet i. Så om du har något, vad som helst, som du kan bidra med så ..." Martin slog ut med händerna och lutade sig tillbaka.

"Har ni pratat med Erica Falck?" sa Kjell.

Martin skakade på huvudet. "Det ska vi också göra. Men när vi ändå har dig här så ..."

"Ja, jag har ju inte så mycket att komma med." Kjell berättade om kontakten han hade haft med Eskil Halvorsen och att han ännu inte hade fått någon mer information från honom om Hans Olavsen – om han ens skulle få någon.

"Du skulle inte kunna slå honom en signal nu, för att höra om han har hittat något?" sa Martin nyfiket och pekade på telefonen på sitt skrivbord.

Kjell ryckte på axlarna och drog fram en väl tummad telefonbok ur jackfickan. Han bläddrade tills han hittade en sida där en gul post it-lapp med Eskil Halvorsens namn var fastklistrad.

"Jag tror ju inte att han har fått fram något, men visst kan jag ringa om du vill det." Kjell suckade. Han drog telefonen närmare sig och slog numret medan han höll telefonboken framför sig. Många signaler gick fram, men till slut svarade norrmannen.

"Ja god dag, det är Kjell Ringholm som ringer. Ja, ursäkta att jag stör igen, men jag tänkte höra om … Jaså, du fick fotot i torsdags, vad bra. Har du …"

Han nickade medan han lyssnade till vad mannen i andra änden av telefonen sa, och hans allt ivrigare ansiktsuttryck fick Martin att sätta sig rakare upp i stolen och studera honom intensivt.

"Det var alltså utifrån fotografiet som du …?"

"Men namnet var fel? Namnet är alltså …" Kjell knäppte med fingrarna och tecknade åt Martin att han behövde papper och penna.

Martin kastade sig på pennstället och råkade välta omkull det så att alla pennorna föll ut, men Kjell lyckades fånga upp en av dem och ryckte sedan åt sig en rapport som låg i Martins inkorg och började anteckna febrilt på dess baksida.

"Så han var alltså inte …"

"Jo, jag förstår att det här är ytterst intressant. För oss också … tro mig …"

Martin höll nu på att explodera av spänning och stirrade på Kjell.

"Okej, du ska ha ett stort tack. Det här ställer saken i en helt annan dager. Ja, ja tack, tack." Till slut lade Kjell på och han log brett mot Martin.

"Jag vet vem han är! Jag vet tamejfan vem han är!"

"Erica!"

Ytterdörren smällde igen och Erica undrade varför Patrik skrek så.

"Ja, vad är det? Brinner det?" Hon gick ut på trappavsatsen och kikade ner på honom.

"Kom ner. Jag har en sak jag måste berätta för dig." Han vinkade ivrigt och hon lydde honom.

"Sätt dig", sa han och gick in i vardagsrummet.

"Nu blir jag riktigt, riktigt nyfiken", sa hon sedan de hade slagit sig ner i soffan. Hon tittade uppfordrande på honom. "Berätta nu."

Patrik tog ett djupt andetag. "Jo, du vet att du sa att du trodde att det fanns fler dagböcker någonstans."

"Jaa", sa Erica och kände hur det pirrade till i mellangärdet.

"Jo, jag stack ju över till Karin för en stund sedan."

"Gjorde du?" sa Erica förvånat. Patrik viftade avvärjande.

"Skit i det nu och lyssna. Jo, av en händelse så nämnde jag dagböckerna för Karin. Och hon trodde att hon visste var det kunde finnas fler!"

"Skojar du?" sa Erica och tittade häpet på honom. "Hur kunde hon veta det?"

Patrik berättade och Ericas ansikte ljusnade. "Ja, men det är klart. Men varför sa hon inget?"

"Ingen aning, du får väl åka dit och fråga", sa Patrik och hann inte mer än avsluta meningen innan Erica var på fötter och på väg mot ytterdörren.

"Vi hänger med förresten", sa Patrik och plockade upp Maja från golvet.

"Snabba er på bara", sa Erica och var redan halvvägs ut genom dörren med bilnycklarna i högsta hugg.

En stund senare öppnade Kristina förvånat dörren.

"Hej, vilken överraskning. Vad gör ni här?"

"Vi tänkte bara titta in en stund", sa Erica och bytte en blick med Patrik.

"Ja men visst, kom in så sätter jag på lite kaffe", sa Kristina, men hon såg fortfarande undrande ut.

Erica väntade spänt på rätt tillfälle. Hon lät Kristina göra färdigt kaffet och sätta sig ner vid bordet, innan hon med illa dold spänning sa:

"Du vet ju att jag har berättat att jag hittade mammas dagböcker på vinden. Och att jag på sistone har läst mycket i dem för att försöka ta reda på mer om vem Elsy Moström egentligen var."

"Ja, jo visst, det har du ju nämnt", sa Kristina och undvek hennes blick.

"När jag var här hos dig sist tror jag också att jag sa att jag tyckte det var konstigt att hon slutade skriva 1944 och att det inte fanns fler."

"Jo", sa Kristina och studerade bordsduken intensivt.

"Och i dag när Patrik var hemma och fikade hos Karin, så nämnde han dagböckerna och beskrev dem för henne. Och hon hade ett tydligt minne av att hon hade sett några liknande böcker hemma hos dig." Erica gjorde en paus och studerade svärmodern. "Enligt henne hade du bett henne hämta en duk i linneskåpet, och längst in i skåpet minns hon att hon såg några blå anteckningsböcker som det stod 'Dagbok' utanpå. Hon antog att det var dina gamla dagböcker och sa inget om det, men i dag när Patrik nämnde mammas, så ... ja, då gjorde hon kopplingen. Och min fråga är", sa Erica stillsamt, "varför du inte sa något till mig om det."

Kristina satt tyst länge och stirrade ner i bordet. Patrik försökte att inte titta på dem, utan koncentrerade sig på att äta bulle med Maja. Till slut reste sig Kristina och gick ut i vardagsrummet. Erica följde henne med blicken och vågade knappt andas. Hon hörde hur en skåpdörr öppnades och stängdes, och ett ögonblick senare kom Kristina tillbaka in i köket. I händerna höll hon tre blå anteckningsböcker. Exakt likadana som de Erica hade hemma.

"Jag lovade Elsy att ta vara på de här. Hon ville inte att du och Anna skulle få se dem. Men jag antar..." Kristina tvekade, men räckte sedan över dem. "Jag antar att det finns en tid då saker och ting bör komma fram. Och det känns som om den tiden är nu. Jag tror att Elsy skulle ha gett sitt godkännande."

Erica tog emot dagböckerna och strök med handen på ovansidan av den översta.

"Tack", sa hon och tittade på Kristina. "Vet du vad som står här?"

Kristina tvekade och verkade osäker på hur hon skulle svara.

"Jag har inte läst dem. Men jag vet en del av det som Elsy skriver om."

"Jag sätter mig här inne och läser", sa Erica och kände hur hela hon darrade när hon gick ut i Kristinas vardagsrum och slog sig ner i soffan. Försiktigt slog hon upp första sidan i den översta dagboken. Sedan började hon läsa. Ögonen for över raderna, över den nu välbekanta handstilen, när hon fick ta del av sin mors öde och därmed också sitt eget. Med stigande häpnad och bestörtning läste hon om sin mors och Hans Olavsens kärlekshistoria och om Elsys upptäckt att hon var med barn. Vid den tredje anteckningsboken hade hon kommit fram till Hans avfärd till Norge. Och hans löften. Ericas fingrar darrade alltmer och hon kunde fysiskt känna den stigande paniken som hennes mor hade känt, när hon skrev om dagar och veckor som gick, utan att hon hörde ifrån honom igen. Och när Erica kom till de sista sidorna började hon gråta och kunde inte sluta. Genom tårarna läste hon vad hennes mor skrev med sin vackra handstil:

I dag for jag med tåget till Borlänge. Mor kom inte och vinkade av mig. Det börjar bli svårt att fortsätta dölja hur det är ställt med mig. Och den skammen vill jag inte att mor ska behöva bära. Det är nog svårt för mig att göra det. Men jag har bett till Gud att ge mig styrka att klara av det. Styrka att lämna bort den som jag aldrig har mött, men ändå redan håller så innerligt, innerligt kär...

Borlänge 1945

Han kom aldrig tillbaka. Han hade kysst henne farväl, sagt att han snart skulle vara tillbaka och sedan farit sin väg. Och hon hade väntat. Först i trygg förvissning, sedan med ett litet styng av oro, som med tiden blev till en alltmer galopperande panik. För han hade aldrig kommit tillbaka. Han hade svikit sitt löfte till henne. Svikit henne och barnet. Och hon som hade varit så säker. Hon hade aldrig ens ifrågasatt hans löfte till henne, utan tagit för givet att han älskade henne lika mycket som hon älskade honom. Naiva, dumma flicka. Hur många flickor hade inte blivit lurade på samma sätt genom historien?

Hon hade fått gå till sin mor när det inte gick att dölja längre. Med böjt huvud, utan att kunna förmå sig att se Hilma i ögonen, hade hon fått berätta allt. Att hon hade låtit sig luras, att hon hade trott på hans löften och att hon nu bar hans barn i magen. Mor hade först inte sagt något. En död, kall tystnad hade lagt sig i köket där de satt, och först då hade skräcken på riktigt fått fatt i Elsys hjärta. För en liten, liten del av henne hade hoppats att mor skulle ha tagit henne i famnen, vaggat henne och sagt: "Kära barn, det ordnar sig. Vi finner nog på råd." Den mor hon hade haft innan far dog skulle ha gjort så. Hon skulle ha haft styrkan att älska henne ändå mitt i skammen. Men mor var inte längre densamma utan far. En del av henne hade dött med honom, och den delen som fanns kvar var inte stark nog.

Så istället hade hon utan ett ord packat en väska åt Elsy, med det allra nödvändigaste. Sedan hade hon satt sin gravida sextonåriga dotter på ett tåg till Borlänge, till sin syster som bodde på en gård där, med ett handskrivet brev i fickan. Hon hade inte ens kunnat förmå sig att komma och vinka av henne på stationen, utan hade bara sagt ett kort farväl i farstun, innan hon vänt ryggen åt Elsy och gått in i köket. Den version alla i samhället skulle få höra var att Elsy hade åkt iväg för att gå på hushållsskola.

Det hade gått fem månader sedan dess. Det hade inte varit några lätta fem månader. Trots att hennes mage och kroppshydda växte alltmer för var vecka som gick, hade hon fått arbeta lika hårt som någon annan på gården. Från morgon till kväll hade hon slitit med alla de sysslor som ålades henne, medan det värkte alltmer i ryggen av bördan som nu sparkade inuti henne. En del av henne ville hata barnet. Men hon kunde inte. Det var en del av henne, och en del av Hans, och hon förmådde inte ens hata honom fullt ut. Hur skulle hon då kunna hata något som förenade dem båda? Men allt var redan ordnat. Barnet skulle tas ifrån henne så fort det var fött och adopteras bort. Det fanns ingen annan väg, sa Edith, Hilmas syster. Hennes man Anton hade ordnat med allt det praktiska, medan han ständigt muttrade om skammen i att hans fru hade en systerdotter som lade upp sig för första bästa karl. Elsy förmådde inte protestera. Hon tog emot snubborna utan invändningar och utan att kunna ge honom någon annan förklaring. För det var ju svårt att argumentera emot det faktum att Hans inte kom tillbaka. Trots att han hade lovat.

Värkarna kom igång en tidig morgon. Först hade hon trott att det var den vanliga ryggvärken som hade väckt henne i förtid. Men sedan hade den molande smärtan bara tilltagit, kommit och gått, ökat i styrka. Efter att hon hade legat och vridit sig i sängen i två timmar hade hon sakta insett hur det var fatt och mödosamt rullat ur sängen. Med händerna tryckta mot korsryggen, hade hon tassat in till Ediths och Antons sovrum och försiktigt väckt mostern. Sedan hade det blivit febril aktivitet. Hon hade fått order att lägga sig i sängen igen, och äldsta dottern i huset hade skickats iväg för att hämta barnmorskan. Vatten kokades, handdukar lades fram och där hon låg i sängen kände Elsy hur skräcken fick fäste i henne alltmer.

Efter tio timmar var smärtan olidlig. Barnmorskan hade anlänt många timmar tidigare och barskt undersökt henne. Hon hade varit hårdhänt och ovänlig, tydligt markerat vad hon ansåg om unga ogifta flickor som födde barn. Elsy kände sig som om hon befann sig mitt i fiendeland. Ingen hade ett vänligt ord eller ett leende till övers för henne som låg där i sängen och trodde att hon skulle dö. För så ont gjorde det. Varje gång vågen av smärta sköljde över henne, högg hon tag i sängkarmen och bet ihop tänderna om skriken. Det var som om någon försökte dela henne på mitten. I början hade hon fått lite vila mellan vågorna, några minuter då hon kunde pusta ut och försöka hämta krafter igen. Men nu kom värkarna så tätt att hon aldrig fick någon möjlighet att vila. Tanken kom gång på gång till henne: Nu dör jag.

Hon måste ha sagt det högt, insåg hon genom smärtdimmorna när barnmorskan blängde argt på henne och sa:

"Åbäka sig inte. Hon har själv satt sig i den här situationen, och då får hon genomlida det utan att beklaga sig. Tänk på det, jänta."

Elsy orkade inte protestera. Hon greppade sängkarmen så hårt att knogarna vitnade när en ny topp av smärta strålade genom hennes mellangärde och ut i benen. Aldrig hade hon anat att sådan smärta fanns. Den var överallt. Trängde in i varje fiber, varje cell i kroppen. Och nu började hon bli trött. Hon hade kämpat med smärtan så länge nu, att en del av henne bara ville ge efter, sjunka ner på rygg i sängen och låta smärtan ta henne och göra vad den ville med henne. Men hon visste att hon inte kunde tillåta sig det. Det var hennes och Hans barn som skulle ut, och hon skulle föda det om det så var det sista hon gjorde.

En ny sorts smärta började blanda sig med den vid det här laget välbekanta. Det tryckte på, och barnmorskan nickade nöjt åt hennes moster som stod vid sidan av.

"Nu är det snart över", sa hon och klämde på Elsys mage. "Nu ska du trycka på allt du kan när jag säger till, så är ungen snart här."

Elsy svarade inte, men tog in det hon sa och väntade på det som skulle komma. Känslan av att hon måste trycka på byggdes upp alltmer, och hon tog ett djupt andetag.

"Seså, nu trycker du allt du kan." Barnmorskan fick det att låta som den befallning det var, och Elsy pressade ner hakan mot bröstet och krystade. Det kändes inte som om något hände, men barnmorskan nickade kort åt henne som tecken på att hon måste ha gjort något rätt.

"Vänta nu tills nästa värk kommer", sa hon barskt, och Elsy lydde. Hon kände hur trycket byggdes upp igen, och när det var som värst fick hon åter order om att trycka på. Den här gången kände hon hur något liksom lossnade, det var svårt att beskriva, men det var som om något gav vika.

"Huvudet är ute nu. En värk till nu bara, så ..."

Elsy blundade ett ögonblick, men såg bara Hans framför sig. Hon hade inte kraft att sörja honom nu, så hon öppnade ögonen igen.

"Nu!" sa barnmorskan där hon stod mellan Elsys ben, och med sina sista krafter pressade Elsy hakan mot bröstet och tryckte ifrån, med knäna uppdragna mot sig.

Något vått och halt gled ur henne, och hon föll utmattad tillbaka mot det svettindränkta lakanet. Den första känslan var lättnad. Lättnad över att alla timmar av plåga var över. Hon var trött på ett sätt som hon aldrig tidigare hade varit, varje del av hennes kropp var totalt utmattad och hon orkade inte röra sig en millimeter. Tills hon hörde skriket. Ett ilsket, gällt skrik, som fick henne att mödosamt stödja sig mot armbågarna, för att kunna se dess källa.

Hon snyftade till när hon fick se honom. Han var ... perfekt. Kladdig och blodig, och ilsken över att komma ut i kylan, men perfekt. Elsy föll tillbaka mot kuddarna, när insikten slog henne att det här var första och sista gången hon såg honom. Barnmorskan klippte av navelsträngen och tvättade noggrant av honom med en tvättlapp. Sedan satte hon på honom en liten babyskjorta med brodyr, som Edith hade plockat fram ur sina förråd. Ingen tog någon notis om Elsy, men hon kunde inte ta ögonen från bestyren med pojken. Hennes hjärta kändes som om det skulle sprängas av kärlek, och hennes ögon var hungriga när de slukade varje detalj av honom. Inte förrän Edith gjorde en åtbörd att ta honom och gå ut ur rummet fick hon mål i mun:

"Jag vill hålla honom!"

"Det är inte tillrådligt under omständigheterna", sa barnmorskan argt och viftade åt Edith att hon skulle fortsätta gå. Men mostern tvekade.

"Snälla, låt mig bara få hålla honom. Bara någon minut. Sedan får du ta honom." Elsys röst var bevekande, och Edith förmådde inte stå emot. Hon gick fram och lade pojken i Elsys armar, och hans mor höll honom försiktigt medan hon tittade in i hans ögon.

"Hej, min älskling", viskade hon och vaggade honom sakta i famnen.

"Du blodar ner skjortan hans", sa barnmorskan och såg irriterad ut.

"Jag har fler skjortor", sa Edith och gav henne en blick som fick henne att hålla tyst.

Elsy kunde inte se sig mätt på honom. Han kändes varm och tung i armarna på henne, och hon stirrade fascinerat på de små fingrarna, med de minimala, perfekta naglarna.

"Det är en fin pojke", sa Edith och ställde sig bredvid henne.

"Han är lik far sin", sa Elsy och log när han tog ett stadigt grepp om hennes pekfinger.

"Nu får du släppa honom. Han behöver matas", sa barnmorskan och slet pojken ur famnen på Elsy. Hennes första instinkt var att kämpa emot, att slita tillbaka honom och sedan aldrig släppa honom igen. Men sedan försvann ögonblicket, och barnmorskan började med häftiga rörelser dra av honom den blodiga skjortan och sätta på honom en ny. Sedan gav hon honom till Edith, som efter en sista blick på Elsy bar ut honom genom dörren.

I det ögonblicket kände Elsy hur något gick sönder inom henne. Någonstans djupt inne i hjärtat trasades något sönder, när hon såg sin son för sista gången. Hon visste att hon aldrig skulle överleva sådan smärta igen. Och när hon låg där i sin svettiga, nedblodade säng, med en tom mage och med tomma armar, bestämde hon sig för att aldrig utsätta sig för det igen. Hon bestämde sig för att aldrig mer släppa in någon i hjärtat. Aldrig, aldrig någonsin. Med tårarna rinnande gav hon sig själv det löftet, medan barnmorskan hårdhänt hjälpte henne ut med efterbörden.

"Martin!"

"Paula!"

Utropen kom exakt samtidigt och båda hade uppenbarligen varit på väg till den andra i ett angeläget ärende. Nu blev de stående i korridoren och stirrade på varandra med blossande kinder. Martin fann sig först.

"Kom in till mig", sa han. "Kjell Ringholm var precis här, och jag har en grej som jag måste berätta för dig."

"Jag har också en sak sedan", sa Paula och gick efter Martin in på hans rum.

Han stängde dörren bakom henne och satte sig. Hon slog sig ner framför honom, men hon var så ivrig att få dela med sig av det hon hade kommit fram till att hon hade svårt att sitta still.

"För det första har Frans Ringholm erkänt mordet på Britta Johansson, och dessutom antyder han att det är han som har dödat Erik Frankel och …", Martin tvekade, "den man som vi hittade i graven."

"Vadå, erkände han för sonen innan han dog?" sa Paula förbryllat. Martin sköt fram plastmappen med brevsidorna.

"Snarare efter. Det här kom med posten i dag till Kjell. Läs det och säg sedan vad du spontant tycker."

Paula tog upp brevet och började koncentrerat läsa. När hon hade läst färdigt lade hon tillbaka det i mappen och sa med en fundersam rynka i pannan:

"Ja, det är ju ingen tvekan om att han uttryckligen säger sig ha mördat Britta. Men Erik och Hans Olavsen … Nja, han skriver att han bär skuld för det, men det är ett lite märkligt sätt att uttrycka sig i sammanhanget, särskilt som han så tydligt skriver att han mördade Britta. Så jag vet inte … Jag är inte så säker på att han menar att han faktiskt bokstavligen har dödat de andra två … Och dessutom …" Hon lutade sig fram och skulle lägga fram det hon själv hade hittat, när Martin avbröt henne:

"Vänta, jag har mer." Han höll upp en hejdande hand och hon stängde förnärmat munnen.

"Kjell har ju tittat lite mer på den här ... Hans Olavsen. Försökt lokalisera vart han tog vägen, överhuvudtaget försökt ta reda på mer om honom."

"Ja?" sa Paula otåligt.

"Han har varit i kontakt med en norsk professor som är en auktoritet och kan det mesta om tyskarnas ockupation av Norge. Eftersom han har så mycket material om den norska motståndsrörelsen, trodde Kjell att han kanske skulle kunna hjälpa till att lokalisera Hans Olavsen."

"Ja ...", sa Paula igen och började se irriterad ut när Martin aldrig verkade komma till skott.

"Han hittade inget först ..."

Paula suckade demonstrativt.

"... förrän Kjell faxade över en artikel med ett fotografi på 'motståndsmannen' Hans Olavsen." Martin ritade citationstecken med fingrarna.

"Och?" Nu var Paulas intresse definitivt väckt och hon glömde för ett ögonblick sina egna nyheter.

"Saken är den att killen inte var motståndsman. Han var son till en SS-man vid namn Reinhardt Wolf. Olavsen var hans mors flicknamn, som han tog vid flykten till Sverige. Hans norska mor gifte sig med en tysk, och när tyskarna ockuperade Norge fick Wolf, tack vare att han lärt sig norska av sin hustru, en hög position inom SS i Norge. Vid krigsslutet fängslades fadern och sattes i fängelse i Tyskland. Moderns vidare öde vet man inget om, men sonen, Hans, försvann från Norge 1944 och har aldrig synts till igen. Och vi vet ju varför. Han flydde till Sverige, utgav sig för att vara motståndsman och hamnade på något sätt i en grav på Fjällbacka kyrkogård."

"Helt otroligt. Men vad ger det oss vad gäller utredningen?" sa Paula.

"Jag vet inte ännu. Men jag har på känn att det har betydelse", sa Martin fundersamt. Sedan log han. "Nå, nu vet du vad mina stora nyheter var. Vad var det du hade på hjärtat?"

Paula tog ett djupt andetag och drog sedan snabbt vad hon hade upptäckt. Martin tittade uppskattande på sin kollega.

"Ja, det ställer onekligen saker i ett helt annat ljus", sa han och reste sig. "Vi måste genast göra en husrannsakan. Gå och kör fram bilen, så ringer jag åklagaren och ser till att vi får tillstånd."

Paula behövde ingen mer tillsägelse. Hon studsade upp ur stolen, med blodet brusande i öronen. De var nära nu. Hon kunde känna det. De var nära.

Hon hade inte sagt ett enda ord sedan de hade satt sig i bilen. Bara stirrat ut genom fönstret, med dagböckerna i knät och sin mors ord och smärta rullande runt, runt i huvudet. Patrik hade låtit henne vara, insett att hon skulle prata med honom om det när hon själv var redo. Han visste inte lika mycket detaljer som Erica, då han inte hade läst dagböckerna, men under tiden som Erica läste dem, hade Kristina berättat för honom om barnet som Elsy lämnade bort.

Först hade han känt en viss ilska mot sin mamma. Hur hade hon kunnat förtiga något sådant för Erica? Och Anna med för den delen. Men sakta hade han börjat se det ur hennes synvinkel. Hon hade lovat Elsy att inte berätta. Gett ett löfte till en vän och hållit det. Visst sa hon att hon ibland hade funderat på att berätta för Erica och Anna att de hade en bror, men samtidigt hade hon varit rädd för konsekvenserna ifall hon berättade. Så de gånger hon tvivlat hade hon alltid kommit fram till att det var bäst att låta det bero. En del av Patrik ville fortfarande protestera mot den slutsatsen, men han trodde åtminstone fullt och fast på Kristina när hon intygade att hon hade försökt göra det som hon trodde var bäst.

Men nu var hemligheten ute, och han hade sett på Kristina att hon var lättad. Nu var bara frågan hur hans hustru skulle ställa sig till det hon hade fått veta. Fast egentligen visste han ju. Han kände Erica tillräckligt väl för att veta att hon nu skulle vända på varje sten för att hitta sin bror. Han vände på huvudet och tittade på hennes profil där hon satt och stirrade ut genom fönstret med tom blick. Det slog honom med ens hur oerhört mycket han älskade henne. Det var så lätt att glömma det. Så lätt att livet och vardagen rullade på, med jobb och hemmasysslor och bara ... dagar som gick. Men vissa stunder. Som den här. Så kände han med en nästan skrämmande styrka hur mycket de två hörde ihop. Och hur mycket han älskade att varje morgon få vakna bredvid henne.

När de kom fram gick Erica raka vägen upp till arbetsrummet. Fortfarande utan att ha sagt ett ord och med samma frånvarande uttryck i ansiktet. Patrik stökade lite där hemma och lade Maja att sova middag, innan han vågade störa henne.

"Får jag komma in?" sa han och knackade försiktigt. Erica vände sig om och nickade, fortfarande lite blek, men nu med ett mer närvarande uttryck i ögonen.

"Hur känns det?" sa han och slog sig ner i fåtöljen i hörnet.

"Ska jag vara ärlig vet jag inte riktigt", sa hon och tog ett djupt andetag. "Omtumlad."

"Är du arg på mamma? Som inte sa något, menar jag."

Erica tänkte efter en stund men skakade sedan på huvudet. "Nej, faktiskt inte. Mamma fick henne att lova, och jag kan förstå att hon var rädd att göra mer skada än nytta genom att berätta."

"Ska du berätta för Anna?" sa Patrik.

"Ja, det är klart. Hon har rätt att få veta hon med. Men jag måste själv smälta det först."

"Och du har redan börjat leta, misstänker jag", sa Patrik och nickade leende mot den påslagna datorn, med Internet uppe.

"Självklart", sa Erica och log blekt tillbaka. "Jag har kolla runt lite för att se vad det finns för vägar att spåra adoptioner, och det ska nog inte vara något problem att hitta honom."

"Känns det läskigt?" frågade Patrik. "Du har ju ingen aning om hur han är, eller vad han har haft för liv."

"Jätteläskigt", nickade Erica. "Men det känns läskigare att inte veta. Och jag menar, det är ju en bror som finns där ute någonstans. Och jag har alltid önskat mig en storebror ..." Hon log snett.

"Din mor måste ha tänkt på honom en del genom åren. Förändrar det här din bild av henne?"

"Det är klart att det gör", sa hon. "Jag kan ju inte säga att jag tycker att hon gjorde rätt när hon stängde mig och Anna ute på det sätt som hon gjorde. Men ..." Hon letade efter rätt ord. "Men jag kan förstå att hon inte vågade släppa in någon igen. Jag menar, tänk att först bli övergiven av sitt barns far, ja, för det var ju det hon trodde. Och sedan tvingas adoptera bort barnet. Hon var bara sexton år! Jag kan inte ens föreställa mig hur smärtsamt allt måste ha varit för henne. Och dessutom precis efter att hon hade förlorat sin far – och i och med det i praktiken också sin mor efter vad det verkar. Nej, jag kan inte klandra henne. Hur mycket jag än skulle vilja, så kan jag inte det."

"Om hon bara hade vetat att Hans inte övergav henne." Patrik skakade på huvudet.

"Ja, det är nästan det grymmaste i det här. Han lämnade ju aldrig Fjällbacka. Han lämnade henne aldrig. Istället blev han ihjälslagen." Ericas röst brast. "Varför? Varför blev han mördad?"

"Vill du att jag ska ringa Martin och höra om de har fått fram något mer?" sa Patrik. Det var inte bara för Ericas skull han ville ringa. Han hade själv blivit oerhört tagen av norrmannens öde, och det intresset hade inte avtagit i och med att de nu hade fått klart för sig att han var far till Ericas halvbror.

"Ja, kan du inte göra det?" sa Erica ivrigt.

"Okej, jag ringer på en gång." Patrik reste sig.

En kvart senare kom han upp till Erica igen, och hon såg direkt på honom att han hade nyheter.

"Det har framkommit ett möjligt motiv till varför Hans Olavsen blev mördad", sa han.

Erica kunde knappt sitta still på stolen. "Ja?" sa hon.

Patrik tvekade en sekund innan han vidarebefordrade vad Martin hade berättat för honom.

"Hans Olavsen var inte motståndsman. Han var son till en högt uppsatt SS-officer och arbetade själv för tyskarna under ockupationen i Norge."

Det blev helt tyst i rummet. Erica stirrade på honom och blev för ovanlighetens skull mållös. Patrik fortsatte:

"Och Kjell Ringholm har varit inne på stationen i dag med ett självmordsbrev från Frans som kom i posten till honom. Han har erkänt att han mördade Britta och skriver också att han bär skulden för Eriks och Hans död. Fast Martin svävade på målet där. Jag frågade honom om han tolkade det som om Frans hade erkänt att han mördade Erik och Hans, och det var han inte beredd att gå ed på."

"Vad menar han då? Bär skulden för? Vad innebär det?" sa Erica när hon äntligen återfått målföret igen. "Och att Hans inte var motståndsman... Visste mamma? Hur...?" Hon skakade på huvudet.

"Vad tror du själv efter att du har läst dagböckerna? Visste hon om det?" sa Patrik och satte sig igen.

Erica funderade, men skakade sedan på huvudet. "Nej", sa hon bestämt. "Jag tror inte att mamma visste det. Nej, absolut inte."

"Frågan var om Frans fick reda på det på något sätt?" Patrik tänkte högt. "Men varför skriver han inte uttryckligen att han mördade dem, om det är det han menade? Varför skriver han att han bär skuld för det?"

"Sa Martin något om hur de skulle gå vidare nu?"

"Nej, han sa bara att Paula hade hittat en möjlig öppning och att de skulle iväg och kolla upp det, och att han skulle höra av sig när han visste mer. Han lät rätt upprymd", lade Patrik till och kände hur det högg till lite i magen. Det var en ovan och lite jobbig känsla att befinna sig utanför händelsernas centrum.

"Jag kan se på dig vad du tänker nu", sa Erica roat.

"Ja, jag skulle väl ljuga om jag sa att jag inte hade velat vara med på stationen nu", sa Patrik. "Men jag skulle inte vilja ha det annorlunda, det tror jag att du vet."

"Jag vet det", sa Erica. "Och jag förstår dig. Inget konstigt i det."

Som en bekräftelse på det de just hade pratat om hördes ett högljutt skrik från Majas rum. Patrik reste sig.

"Ja, som sagt, där ljöd stämpelklockan."

"Ner i gruvan med dig nu", skrattade Erica. "Men kom in med den lilla slavdrivaren först så att jag får pussa på henne."

"Ska bli", sa Patrik. När han var på väg ut genom dörren hörde han hur Erica drog häftigt efter andan.

"Jag vet vem min bror är", sa hon. Hon skrattade, medan tårarna började rinna, och upprepade: "Patrik, jag vet vem min bror är."

Martin fick beskedet om att de hade fått tillstånd till husrannsakan medan de satt i bilen. De hade chansat på att de skulle få det och redan börjat köra. Ingen av dem sa något på vägen dit. Båda var djupt försjunkna i tankar och försökte knyta ihop trådarna, urskilja mönstret som nu började framträda.

Ingen svarade när de knackade på.

"Verkar inte vara någon hemma", sa Paula konstaterande.

"Hur tar vi oss in då?" sa Martin och betraktade fundersamt den bastanta dörren som såg ut att bli svår att forcera.

Paula log och sträckte upp handen och kände ovanför en av bjälkarna som stack ut ovanför ytterdörren.

"Med nyckel", sa hon och höll upp sitt fynd.

"Vad skulle jag göra utan dig?" sa Martin och menade vartenda ord.

"Förmodligen bryta axeln i ett försök att ta dig igenom den här", sa hon och låste upp dörren.

De klev in. Det var kusligt tyst, instängt och varmt, och de hängde av sig jackorna i hallen.

"Ska vi dela upp oss?" sa Paula.

"Jag kan ta undervåningen, så tar du övervåningen."

"Vad ska vi titta efter?" Paula såg plötsligt osäker ut. Hon var säker på att de var inne på rätt spår, men nu när de stod här var hon inte lika övertygad om att de skulle kunna hitta något som bevisade det.

"Jag vet inte riktigt." Martin såg ut att ha drabbats av samma osäkerhet. "Men vi kollar runt så noggrant vi kan, så ser vi vad vi hittar."

"Okej." Paula nickade och tog trappan upp till övervåningen.

En timme senare kom hon ner igen. "Inget än så länge, ska jag kolla vidare där uppe ett tag till, eller ska vi bytas av en stund? Eller har du hittat något av intresse?"

"Nej, inte än." Martin skakade på huvudet. "Bytas av är nog en bra idé. Men ..." Han såg fundersam ut och pekade mot en dörr i hallen. "Vi skulle ju kunna kolla källaren först. Där har ingen av oss varit."

"Bra idé", sa Paula och öppnade källardörren. Det var beckmörkt i trappan, men hon hittade en strömbrytare som satt i hallen, precis utanför dörren, och tände. Hon gick ner före Martin och stannade till några sekunder vid foten av trappan medan hon lät ögonen vänja sig vid den skumma belysningen.

"Vilket creepy ställe", sa Martin som hade kommit efter. Han lät ögonen fara runt väggarna och det han såg fick honom att gapa.

"Schh ...", sa Paula och satte ett pekfinger mot läpparna. Hon rynkade pannan. "Hörde du något?"

"Nej ...", sa Martin och försökte lyssna. "Nej, jag hörde inget."

"Jag tyckte att det lät som en bildörr som stängdes. Säkert att du inte hörde något?"

"Ja. Det var säkert bara inbillning ..." Han tystnade när de plötsligt hörde tydliga steg på våningen ovanför.

"Inbillning, va? Det är nog bäst att vi går upp", sa Paula och satte foten på första trappsteget. I samma stund for källardörren igen med en smäll, och de hörde hur en nyckel vreds om.

"Vad fan ..." Paula tog två steg i taget på väg uppför trappan, när ljuset också slocknade. De blev stående i kolmörker.

"Jävlars helvetes skit!" svor Paula och Martin hörde hur hon bultade på dörren. "Släpp ut oss! Hör du det! Det är polisen! Öppna dörren och släpp ut oss!"

Men när hon tystnade för att dra efter andan och ta ny sats, hörde de tydligt hur en bildörr smällde igen och en bil rivstartade.

"Skit också", sa Paula medan hon trevade sig nerför trappan.

"Vi får ringa på hjälp", sa Martin och sträckte sig efter telefonen samtidigt som han insåg att den låg i fickan på hans jacka.

"Du får ringa från din telefon, jag lämnade kvar min i jackan som hänger i hallen", sa Martin. Han fick bara tystnad till svar från Paula och kände oron komma krypande.

"Säg inte att du också ..."

"Jo", sa Paula ynkligt. "Min telefon ligger också i jackfickan ..."

"Fan också!" Martin trevade sig uppför trappan för att försöka göra ett utbrytningsförsök.

"Aj fan!" skrek han när det enda det resulterade i var en öm axel. Han gick stukad ner till Paula igen.

"Den går inte att rubba."

"Vad gör vi nu?" sa Paula dystert. Sedan drog hon häftigt efter andan. "Johanna!"

"Vem är Johanna?" sa Martin förbryllat.

Paula var tyst några sekunder, sedan sa hon: "Min sambo. Vi ska ha barn om två veckor. Men man vet ju aldrig ... och jag har lovat att alltid vara tillgänglig per telefon."

"Det är säkert ingen fara", sa Martin, medan han försökte smälta den högst personliga information som han nyss hade fått av sin nya kollega. "De går ju oftast över tiden första gången."

"Ja, vi får väl hoppas det", sa Paula. "Annars kommer hon att kräva mitt huvud på ett fat. Tur att hon alltid kan få tag på mamma. I värsta fall så ..."

"Tänk inte så nu", tröstade Martin. "Vi lär inte bli kvar här så länge, och som sagt, är det två veckor kvar så är det säkert helt lugnt."

"Men ingen vet ju att vi är här", sa Paula och slog sig ner på nedersta trappsteget. "Och medan vi sitter här kommer mördaren undan."

"Se det från den ljusa sidan. Det är åtminstone ingen tvekan om att vi hade rätt", sa Martin i ett försök att muntra upp stämningen. Paula bevärdigade honom inte ens med ett svar.

Uppe i hallen började Paulas telefon ringa ilsket.

Mellberg tvekade utanför dörren. Det hade känts så bra under fredagens lektion, men sedan dess hade han inte träffat på Rita, trots upprepade promenader längs hennes vanliga promenadstråk. Och han längtade efter henne. Det förvånade honom att han kände så starkt, men han kunde inte längre blunda för att han verkligen, verkligen längtade efter henne. Det verkade som om Ernst var inne på samma linje, för han hade ivrigt dragit i kopplet i riktning mot huset där Rita bodde, och Mellberg hade väl inte direkt motarbetat hans försök att ta sig dit. Men nu blev han osäker. Dels visste han ju inte om hon var hemma, dels kände han sig med ens okarakteristiskt blyg och rädd för att verka framfusig. Men han skakade av sig den ovana känslan och tryckte på portknappen. Ingen svarade, och han hade precis börjat gå därifrån när det knastrade till och en ansträngd röst flämtade i porttelefonen.

"Hallå?" sa han och gick tillbaka igen. "Det är Bertil Mellberg."

Först inget svar, sedan ett knappt hörbart: "Kom upp." Och därefter ett stön. Han rynkade pannan. Märkligt. Men med Ernst i släptåg gick han de två trapporna upp till Ritas lägenhet. Dörren stod på glänt och han klev undrande in.

"Hallå?" ropade han prövande och fick först inget svar. Sedan hörde han ett stön alldeles i närheten och när han tittade i stönets riktning fick han syn på en liggande gestalt på golvet.

"Har ... värkar ...", stönade Johanna som hade krupit ihop till en liten boll, medan hon flåsade för att rida ut en värk.

"Åh herregud", sa Mellberg och kände hur svetten bröt fram i pannan. "Var är Rita? Jag ringer efter henne! Och Paula, vi måste få tag i Paula, och ambulans ...", stammade han och tittade sig runt i hallen efter närmsta telefon.

"Försökt ... får inte ... tag på ...", stönade Johanna, men kunde inte fortsätta förrän värken klingat av. Hon drog sig mödosamt upp på fötter med hjälp av handtaget till garderoben bredvid henne och höll sig för magen medan hon stirrade vilt på Bertil.

"Tror du inte att jag har försökt ringa dem! Men ingen svarar! Hur svårt kan det vara att ... Helvetes, jävlar ..." De osande ederna avbröts av en ny värk och hon föll ner på knä igen och andades snabbt in och ut.

"Kör mig ... Sjukhuset", sa hon och pekade med möda mot ett par bilnycklar som låg på hallbyrån. Mellberg stirrade på dem som om de skulle förvandlas till en anfallande giftorm när som helst, men såg sedan som i slow motion hur hans hand sträckte sig mot bilnycklarna. Utan att själv veta var han fick initiativförmågan ifrån, mer eller mindre bar och släpade han Johanna ut till bilen på parkeringen och baxade sedan in henne i baksätet. Ernst fick stanna i lägenheten, och med gasen i botten körde Mellberg mot NÄL. Han kände att paniken var nära när ljuden från Johanna i baksätet blev alltmer ansträngda, och de många milen till sjukhuset som låg mellan Vänersborg och Trollhättan kändes oändliga. Men till slut kunde han sladda in framför ingången till BB och fick åter släpa på Johanna, som med ögon uppspärrade av skräck följde honom fram till luckan.

"Hon ska föda", sa Mellberg till sköterskan bakom glasrutan. Hon tittade på Johanna och såg ut som om hon tyckte att den givna informationen var smått överflödig.

"Kom med här", kommenderade hon och visade dem till ett rum vid sidan av.

"Jag ska nog ... dra mig nu ...", sa Mellberg nervöst när Johanna fick order om att börja ta av sig byxorna. Men Johanna högg tag i hans arm precis när han var på väg att fly ut genom dörren och väste med låg röst under en värk:

"Du ... går ... ingenstans ... Tänker ... inte ... ensam ..."

"Men ...", började Mellberg protestera, men insåg sedan att han inte kunde förmå sig att lämna henne ensam. Med en suck slog han sig ner i en stol och försökte titta åt andra hållet när Johanna fick en närgången undersökning.

"Öppen sju centimeter", sa barnmorskan och tittade på Mellberg, som om hon antog att han var i behov av den informationen. Han nickade men undrade i sitt stilla sinne vad det innebar. Var det bra? Dåligt? Hur många centimeter behövdes? Och med stigande fasa insåg han att han nog skulle få reda på både det och alldeles för mycket därtill innan den här upplevelsen var över.

Han drog fram mobiltelefon ur fickan och började återigen slå Paulas nummer. Men han fick bara hennes telefonsvarare. Likadant med Rita. Vad var det för människor egentligen? Hur kunde de inte ha på telefonen när de visste att Johanna skulle föda när som helst? Mellberg lade ner mobilen i fickan och började åter fundera på om han ändå inte skulle pipa iväg i ett obevakat ögonblick.

Två timmar senare hade han fortfarande inte kommit iväg. De hade fått komma in i ett förlossningsrum, och han hölls nu bestämt på plats av Johanna som hade hans hand i ett järngrepp. Han kunde inte låta bli att tycka synd om henne. Han hade nu fått förklarat för sig att de där sju centimetrarna skulle bli tio, men de sista tre verkade ta god tid på sig. Johanna hängde flitigt vid lustgasmasken, och Mellberg var lite sugen på att pröva själv.

"Jag orkar inte mer ...", sa Johanna med ögon dimmiga av lustgas. Det svettiga håret hade klibbat fast vid pannan på henne, och Mellberg sträckte sig efter en handduk och torkade av hennes panna.

"Tack ...", sa hon och tittade på honom med ögon som gjorde att han glömde alla tankar på att smita. Mellberg kunde inte låta bli att känna en fascination över det som utspelades framför ögonen på honom. Nog hade han haft klart för sig att det var en smärtsam process att föda barn, men han hade aldrig insett vilken herkulesinsats som krävdes, och för första gången i sitt liv kände han en djup vördnad för kvinnosläktet. Han skulle aldrig ha klarat av det, det var en sak som var säker.

"Försök... Ring igen...", sa Johanna och började dra in lustgas när maskinen som var kopplad till manicken på hennes mage indikerade att en rejäl värk var på gång.

Mellberg drog loss sin hand och började slå de två nummer som han försökt ringa otaliga gånger de senaste timmarna. Men fortfarande svarade ingen, och han skakade beklagande på huvudet åt Johanna.

"Var fan...", sa hon men gick sedan direkt in i nästa värk, och orden övergick i jämmer.

"Säkert att du inte vill ha den där... pekoralen eller vad det var som hon frågade om?" sa Mellberg oroligt och torkade nya svettpärlor i Johannas panna.

"Nej... jag är så nära... Kan stanna upp... Och det heter epidural..." Hon jämrade sig igen och böjde ryggen i en båge. Barnmorskan kom tillbaka in i rummet och kände efter hur öppen Johanna var, så som hon hade gjort med jämna mellanrum under tiden som de hade varit där.

"Hon är helt öppen nu", sa barnmorskan nöjt. "Hör du det, Johanna? Bra jobbat. Tio centimeter. Du kommer att kunna börja krysta snart. Du har varit jätteduktig. Din bebis är strax här nu."

Mellberg tog Johannas hand och kramade den hårt. Han kände en märklig känsla i bröstet, det närmsta han kunde beskriva den som var stolthet. Stolthet över att Johanna fick beröm, att de hade jobbat ihop och att hennes och Paulas bebis snart skulle vara här.

"Hur lång tid tar krystningen?" frågade han barnmorskan och hon besvarade vänligt hans fråga. Ingen hade frågat vad hans relation var till Johanna, så han antog att de trodde att han var barnets far, om än en något överårig sådan. Och han lät dem gärna tro det.

"Det är olika, men jag skulle gissa att vi har bebisen här inom max en halvtimme", sa hon och log uppmuntrande mot Johanna, som vilade ut några sekunder mellan två värkar. Sedan skrynklade hon ihop ansiktet och spände kroppen igen.

"Det känns annorlunda nu", sa hon mellan sammanbitna tänder och sträckte sig sedan efter lustgasen igen.

"Det är krystvärkarna", sa barnmorskan. "Vänta tills du får en riktigt stark krystvärk, jag hjälper dig med det, och när jag säger åt dig att trycka på, så drar du upp knäna och pressar ner hakan mot bröstet, och sedan tar du i ordentligt."

Johanna nickade matt och kramade Mellbergs hand igen. Han kramade tillbaka, och sedan tittade de båda spänt på barnmorskan för att invänta vidare order.

Efter några sekunder började Johanna flämta, och hon tittade frågande på barnmorskan.

"Vänta, vänta, vänta ... stå emot ... vänta tills den är riktigt stark ... och NU trycker du på."

Johanna gjorde som hon sa, pressade ner hakan mot bröstet, drog upp knäna och tog i så att hon blev alldeles röd i ansiktet, tills krystvärken klingade av.

"Bra! Det var bra jobbat. Det var en riktigt bra värk! Vänta nu in nästa, så ska du se att det här går på nolltid."

Barnmorskan fick rätt. Två värkar senare gled bebisen ut och lades direkt upp på Johannas mage. Mellberg stirrade fascinerad. Han visste ju hur det gick till i teorin, men ändå ... att se det på riktigt. Att det var ett barn som kom ut, som viftade med armar och ben och skrek protesterande, innan det började böka runt på Johannas bröst.

"Hjälp din lilla pojke till bröstet nu, det är det han letar efter", sa barnmorskan vänligt och hjälpte Johanna tills det nya lilla livet fick fatt på bröstet och började suga.

"Jag får gratulera", sa barnmorskan till dem båda, och Mellberg kände hur han sken som en sol. Han hade aldrig varit med om maken. Han hade tamejfan aldrig varit med om maken.

En stund senare hade pojken ätit klart och blivit avtvättad och inlindad i en filt. Johanna satt upp i sängen med en kudde bakom ryggen som stöd och betraktade dyrkande sin son. Sedan tittade hon på Mellberg och sa lågt:

"Tack. Jag hade inte klarat av det här ensam."

Mellberg förmådde bara nicka. Det satt något tjockt i halsen som förhindrade honom att prata, och han svalde och svalde för att få det att försvinna.

"Vill du hålla honom?" sa Johanna och tittade frågande på honom.

Mellberg kunde än en gång bara nicka. Nervöst höll han ut armarna medan Johanna försiktigt placerade sin son i hans famn och såg till att han stödde huvudet ordentligt. Det var en underlig känsla att hålla den

382

varma, nya lilla kroppen i famnen. Han tittade ner på det lilla ansiktet och kände hur det märkliga, tjocka i halsen bara växte. Och när han såg in i pojkens ögon, visste han en enda sak. Att han från och med det ögonblicket var bottenlöst, ohjälpligt förälskad.

Fjällbacka 1945

Hans log för sig själv. Han borde kanske inte det. Men han kunde inte låta bli. Visst skulle det bli svårt för dem till att börja med. Många skulle komma med bannor och synpunkter och säkert prata om synd inför Gud och mycket annat i den vägen. Men när väl det värsta hade lagt sig skulle de kunna börja bygga ett liv tillsammans, han, Elsy och barnet. Hur skulle han kunna känna något annat än glädje inför det?

Men leendet som han hade haft på läpparna dog när han istället kom att tänka på det som låg framför honom. Det var ingen lätt uppgift. En del av honom ville bara strunta i det som hade varit, stanna här och låtsas som om han aldrig hade levt ett annat liv. Den delen av honom ville se det som om han föddes till ett nytt liv, ett nytt och blankt ark, den dagen han smög sig ombord på Elsys fars båt.

Men kriget var över nu. Och det förändrade allt. Han kunde inte gå vidare, utan att först ha gått tillbaka. Mest var det för mors skull. Han var tvungen att försäkra sig om att hon hade det bra och att hon visste att han levde och hade hittat ett hem.

Hans sträckte sig efter en väska och började lägga i kläder som skulle räcka för ett par dagar. En vecka. Längre än så tänkte han inte vara borta. Längre än så kunde han nog inte ens vara borta från Elsy. Hon hade blivit en så stor del av honom att han inte ens förmådde tänka tanken att vara borta från henne längre än nödvändigt. Men fick han bara gjort den här resan, skulle de snart kunna vara tillsammans för alltid. Varje natt skulle de kunna lägga sig tillsammans och vakna i armarna på varandra, utan skam och utan hemlighetsmakeri. Han hade menat vad han sagt om att gå till kungs. Fick de bara tillåtelse skulle de kunna hinna gifta sig innan barnet kom. Han undrade vad det skulle bli. Leendet bröt fram igen, när han stod där och vek ihop sina persedlar. En liten flicka, med Elsys milda leende. Eller en liten pojke, med hans lockiga blonda hår. Det fick bli vad det blev. Han var så lycklig och tog bara tacksamt emot det Gud behagade ge dem.

Något hårt som varit inlindat i ett stycke tyg föll ut när han tog fram en tröja ur byrålådan. Det klingade hårt när föremålet slog i golvet, och Hans böjde sig raskt ner för att ta upp det. Han satte sig tungt på sängen medan han betraktade föremålet i sin hand. Det var järnkorset som hans far hade fått som belöning för sina insatser under krigets första år. Hans stirrade på det. Han hade stulit det från sin far, tagit det med sig som en påminnelse om vad det var han flydde ifrån när han lämnade Norge och som en extra försäkring ifall tyskarna skulle ha tagit honom innan han hade lyckats ta sig över till Sverige. Sedan borde han ha gjort sig av med medaljen. Det visste han. Om någon snokade runt bland hans tillhörigheter och hittade den skulle kanske hans hemlighet avslöjas. Men han behövde den. Behövde den för att minnas.

Han hade inte känt någon sorg över att lämna sin far bakom sig. Om han fick önska skulle han aldrig mer ha med den mannen att göra igen. Han stod för allt det som var fel med människor, och Hans skämdes för att han en tid i sitt liv hade varit för svag för att stå emot honom. Bilder kom för honom. Grymma, oförsonliga bilder av handlingar som hade utförts av någon som var en person som han inte längre hade något gemensamt med. Det hade varit en svag person, en person som hade böjt sig inför sin fars vilja men som till slut hade lyckats ta sig loss. Hans kramade medaljen så hårt att dess kanter började skära in i huden. Han skulle inte återvända för att träffa sin far. Troligtvis hade ödet hunnit ikapp honom till slut, så att han hade fått det straff han förtjänade. Men han måste träffa sin mor. Hon förtjänade inte den oro hon måste känna, hon visste ju inte ens om han levde eller var död. Han måste få tala med henne, visa att han mådde bra och berätta om Elsy och barnet. Och tids nog skulle han kanske till och med kunna förmå henne att komma och bo hos honom och Elsy. Han trodde inte att Elsy skulle ha något emot det. En av de saker han älskade mest med henne var att hon hade ett gott hjärta. Han trodde nog att hon och hans mor skulle komma bra överens.

Hans reste sig från sängen och lade efter en stunds tvekan tillbaka medaljen i lådan. Den fick ligga där tills han kom tillbaka, som en påminnelse om det han aldrig skulle bli igen. En påminnelse om att han aldrig skulle bli en feg, svag pojke. För Elsy och barnet var han tvungen att vara en man nu.

Han stängde väskan och såg sig om i rummet som han hade upplevt så mycket lycka i det senaste året. Tåget gick om ett par timmar. Det fanns bara en sak han måste göra innan han åkte. En person som han måste tala med. Han gick ut och stängde dörren. Plötsligt fick han en ödesmättad känsla när han hörde dörren gå igen. En känsla av att något inte skulle gå väl. Sedan skakade han av sig den känslan och gick. Om en vecka skulle han ju vara tillbaka igen.

Erica hade insisterat på att köra ensam till Göteborg, trots att Patrik hade erbjudit sig att följa med. Det här var något hon var tvungen att göra på egen hand.

Hon blev stående en stund utanför dörren, innan hon förmådde lyfta fingret och trycka på ringklockan. Men till slut kunde hon inte skjuta upp det längre.

Märta tittade förvånat på henne när hon öppnade, men klev sedan åt sidan och släppte in henne.

"Ursäkta att jag stör", sa Erica och kände sig med ens torr i halsen. "Jag borde väl ha ringt innan, men …"

"Det är ingen fara." Märta log vänligt mot henne. "I min ålder är man så tacksam för sällskap, så det är bara trevligt. Kom in, kom in."

Erica följde henne genom hallen och de slog sig ner i vardagsrummet. Hon funderade febrilt på hur hon skulle börja, men Märta hann före.

"Har ni lyckats komma vidare med de där morden?" sa hon. "Ja, jag är ledsen att vi inte kunde vara mer till hjälp sist, men som sagt, jag hade ingen inblick i våra ekonomiska förehavanden."

"Jag vet vad pengarna var till för. Eller snarare för vem", sa Erica. Hjärtat hamrade vilt i bröstet.

Märta tittade undrande på henne men verkade inte förstå vad hon menade.

Långsamt, med blicken fäst på den gamla damen, sa Erica mjukt: "I november 1945 födde min mor en son, som adopterades bort vid födseln. Hon födde honom hemma hos min mormors syster, i Borlänge. Jag tror att mannen som mördades, Erik Frankel, gjorde utbetalningarna till er man för det barnets räkning."

Det var knäpptyst i vardagsrummet. Sedan slog Märta ner blicken. Erica såg att hennes händer darrade.

"Jag tänkte nog tanken, jag. Men Wilhelm sa aldrig något om det till mig och … ja, en del av mig ville väl inte veta. Han har liksom alltid varit vår pojke, och även om det låter förfärlig kallt så har jag aldrig tänkt så mycket på att han är född av någon annan. Han var ju vår. Min och Wilhelms, och vi har aldrig älskat honom mindre än om jag själv hade fött honom. Vi längtade så länge, försökte så länge och … ja, Göran kom som en skänk från ovan."

"Vet han om …?"

"Att han är adopterad? Ja, det har vi aldrig dolt för honom. Men jag tror inte att han har tänkt så mycket på det om jag ska vara ärlig. Vi var ju hans föräldrar, hans familj. Ja, vi talade om det vid några tillfällen, Wilhelm och jag, hur vi skulle känna om han ville ta reda på mer om sina … biologiska föräldrar. Men vi sa alltid att den dagen, den sorgen, och Göran verkade aldrig känna någon längtan efter dem, så vi lät det bero."

"Jag tycker om honom", sa Erica spontant och försökte vänja sig vid tanken på att mannen hon träffade här sist var hennes bror. Hennes och Annas bror, rättade hon sig.

"Han tyckte om dig också", sa Märta och sken upp. "Och en del av mig reagerade nog undermedvetet på att ni var lika. Det är något kring ögonen som … ja, jag vet inte, men nog har ni drag av varandra."

"Hur tror du att han skulle reagera om …" Erica vågade inte fullfölja meningen.

"Så mycket som han tjatade om syskon när han var liten, så tror jag nog att en lillasyster skulle tas emot med öppna armar." Märta log och såg ut att börja slappna av efter den första chocken.

"Två systrar", sa Erica. "Jag har en lillasyster som heter Anna också."

"Två systrar", ekade Märta och skakade på huvudet. "Ja, jag säger då det. Livet upphör aldrig att förvåna. Ens vid min ålder." Sedan blev hon allvarlig. "Skulle du ha något emot att berätta för mig om din mor … hans mor …" Hon tittade forskande på Erica.

"Visst kan jag det", sa Erica och började berätta om Elsy och hur det kom sig att hon fick lämna bort sin son. Hon pratade länge, i över en timme, försökte göra sin mor och hennes situation rättvisa inför kvinnan som hade uppfostrat och älskat den son som Elsy hade tvingats att lämna bort.

När ytterdörren öppnades och en glad röst hördes i hallen ryckte de båda till.

"Hej mamma, har du besök?" Steg närmade sig vardagsrummet.

Erica sökte frågande Märtas blick, och hon nickade svagt för att ge sitt godkännande. Hemligheternas tid var förbi.

Fyra timmar senare började de förtvivla. De kände sig som mullvadar där de satt inlåsta i den kolmörka källaren, även om ögonen efter ett tag hade börjat vänja sig tillräckligt vid mörkret för att de skulle kunna urskilja konturer.

"Ja, det här var ju inte riktigt hur jag hade tänkt mig att det skulle gå", sa Paula och suckade. "Tror du att de sänder ut en efterlysning på oss snart?" skojade hon matt, men kunde sedan inte låta bli att sucka igen.

Martin, som inte hade kunnat låta bli att gå ett par ronder till med dörren, satt och gned sig på sin ena axel som vid det här laget var rejält öm. Han skulle säkerligen få ett imponerande blåmärke där.

"Han är säkert långt borta nu", sa Paula och kände frustrationen välla upp inom henne.

"Finns risk för det", höll Martin med och spädde på hennes frustration ytterligare.

"Fan, vad grejer han har här nere." Paula kisade för att se konturerna av allt som belamrade hyllorna i källarrummet.

"Det mesta är säkert Eriks", sa Martin. "Vad jag förstod är det han som är samlaren."

"Men alla dessa naziprylar, de måste ju vara värda en förmögenhet."

"Säkert. Men ägnar man större delen av sitt liv åt att samla på något, så får man ihop en hel del grejer till slut."

"Varför tror du att han gjorde det?" Paula stirrade framför sig i mörkret och försökte samla tankarna kring det som de nu betraktade som ett faktum. Skulle hon vara ärlig, så hade hon varit helt säker i samma ögonblick som hon började fundera kring alibin. Det var då hon fick ett infall att kolla om det fanns någon mer flight i juni där Axel Frankels namn förekom bland passagerarna. När de kollade hans alibi hade de ju bara verifierat att han flög ut på den tid som han själv hade uppgett, inte om han gjort någon mer resa. Och där hade det funnits på svart och vitt. En Axel Frankel reste från Paris till Göteborg den sextonde juni och sedan tillbaka igen samma dag.

"Jag vet inte", svarade Martin. "Det är det som jag fortfarande inte förstår. Bröderna verkar ju ha haft en bra relation till varandra, så varför skulle Axel slå ihjäl Erik? Vad var det som triggade en så stark reaktion?"

"Det måste ha något att göra med den plötsliga kontakten mellan Erik, Axel, Britta och Frans. Det kan bara inte vara ett sammanträffande. Och på något sätt måste det vara kopplat till mordet på norrmannen."

"Jo, så mycket har jag också kommit fram till. Men hur? Och varför? Varför nu efter sextio år? Det är det jag inte förstår."

"Vi får väl fråga honom. Om vi någonsin kommer ut härifrån. Och om vi någonsin lyckas få fatt på honom. Han är säkert på väg till fjärran land vid det här laget", sa Paula nedslaget.

"De kanske bara hittar våra skelett här om ett år", skämtade Martin men fick ingen uppskattning för sin humor.

"Ja, om vi har tur kanske någon av ungarna i trakten bryter sig in igen", sa Paula torrt och fick en hård armbåge i sidan av Martin.

"Du! Där sa du något!" sa han upphetsat, medan Paula gned sig i sidan där hans armbåge hade träffat.

"Vad det än var så hoppas jag innerligt att det var värt att du just krossade min ena njure", sa hon surt.

"Kommer du inte ihåg vad Per sa under förhöret?"

"Jag var inte med då, det var du och Gösta som förhörde honom", påminde hon honom, men började låta intresserad.

"Jo, han sa att han bröt sig in genom ett fönster i källaren när han var här."

"Det finns väl inga källarfönster, då hade det varit betydligt ljusare här inne", sa Paula skeptiskt och försökte spana runt väggarna i källarrummet.

Martin reste sig och trevade sig fram mot ytterväggen.

"Fast det var så han sa. Det måste finnas fönster. Men det kan ju hänga något framför dem. Det är ju som du sa. Grejerna här måste vara värda en förmögenhet, Erik kanske inte ville att man skulle ha insyn rakt in i hans skattsamling."

Nu reste sig Paula också och följde efter Martin. Hon hörde ett "aj" när han slog i motsatta väggen, men när det följdes av ett "aha!" kände hon hur hoppet steg. Ett hopp som blev till triumf när Martin slet av det tjocka tyg som hängde för ett fönster och dagsljuset plötsligt sken in i källaren.

"Kunde du inte ha kommit på det här ett par timmar tidigare?" sa Paula tjurigt.

"Hörru du, visa lite tacksamhet för att jag har löst fångarnas dilemma", sa Martin glatt och hakade av låset på fönstret och öppnade det utåt. Han sträckte sig efter en stol som stod någon meter bort och placerade den rakt under fönstret.

"Damerna först!"

"Tack", muttrade Paula och klev upp på stolen och ålade sig ut genom fönstret.

Martin ålade sig ut strax efter henne och i någon minut stod de stilla för att ögonen skulle få vänja sig vid det obarmhärtiga dagsljuset. Sedan satte de fart. De sprang runt till ytterdörren men kunde konstatera att den nu var låst, och denna gång fanns ingen nyckel ovanför dörren. Det innebar att deras jackor var inlåsta där inne, med telefon och bilnycklar i säkert förvar. Martin var precis på väg att börja springa i riktning mot närmsta granne när han hörde en rejäl krasch. När han tittade åt det håll som ljudet kom ifrån såg han hur Paula med en nöjd min hade kastat en sten rakt igenom ett av fönstren på undervåningen.

"Kom vi ut genom ett fönster, tänkte jag att vi kunde ta oss in på samma sätt." Hon tog en pinne och rensade bort glassplittret som satt kvar runt fönsterkarmarna och tittade sedan uppfordrande på Martin.

"Nå? Ska du låta Axel få ännu mer försprång, eller tänker du hjälpa mig in?"

Martin tvekade bara en sekund. Sedan hivade han in kollegan genom fönstret och klättrade själv efter. Nu gällde det att komma ikapp Erik Frankels mördare. Axel hade redan fått ett alldeles för långt försprång. Och de hade fortfarande alldeles för många frågor som var obesvarade.

Han hade inte kommit längre än till Landvetter. Sedan blev han sittande där. Adrenalinet som hade rusat genom hans ådror, när han låste in poliserna i källaren och sedan kastade in väskorna i bilen och for iväg, hade lämnat honom och kvar fanns bara en stor tomhet.

Axel satt alldeles stilla och stirrade ut genom rutorna medan plan efter plan lyfte från flygplatsen. Vartenda ett av dem hade han kunnat åka med. Han hade pengarna, och han hade kontakterna. Han kunde försvinna vart han ville, hur han ville. Han hade varit jägaren så länge att han hade lärt sig alla knep som fanns om man var ett villebråd som ville hålla sig undan. Men han ville inte. Till slut var det där han hamnade. Han kunde fly. Men han ville inte. Därför hade han blivit sittande här, i ingenmansland, medan han betraktade planen som landade och lyfte. Väntade på att ödet slutligen skulle komma ikapp honom. Och till hans förvåning kändes det inte så förfärligt som han trodde. Kanske var det så här hans egna villebråd hade känt den dagen då någon slutligen knackade på dörren och kallade dem vid deras rätta namn. En märklig blandning av skräck och lättnad.

Men i hans fall hade priset blivit för högt. Det hade kostat honom Erik.

Om bara inte Elsys dotter hade kommit med den där medaljen. Den som symboliserade allt det som de hade försökt glömma, försökt leva med. I ett slag hade hon väckt allt till liv igen, och Erik hade tagit det som ett tecken på att det nu var dags. För visst hade Erik redan tidigare pratat om att de borde ställa till rätta det de kunde, eller åtminstone stå till svars. Inte inför lagen. Det var det redan för sent för. Ingen skulle kunna döma dem på straffrättslig grund längre. Men på ett mänskligt, moraliskt plan. Inför sina likar, sina medmänniskor, skulle de kunna stå upp för vad de hade gjort, hade Erik sagt. De förtjänade skammen, fördömandet. De hade lyckats undfly domen alltför länge, hade han hävdat med allt större envishet.

Men Axel hade alltid lyckats lugna honom, övertyga honom om att det inte skulle tjäna något till. Det skulle bara skada. Inget av det som hade skett gick ju att förändra. Det var som det var, och om de lämnade det bakom sig kunde Axel ägna sin tid åt att gottgöra, ställa till rätta. Inte just det som de hade gjort sig skyldiga till, men genom sitt arbete tjänade han det godas sak och bekämpade ondskan. Det kunde han ju inte göra om Erik fortsatte att hävda att de skulle ställas till svars för gamla synder. Det som var gjort var gjort, och det skulle vara meningslöst att offra allt det goda han hade gjort, och kunde göra, för att möjliggöra en botgöring som inte skulle förändra något. Till och med lagen var ju likgiltig och tandlös inför brottet.

Och Erik hade lyssnat. Och försökt förstå. Men djupt inom sig hade Axel vetat att skuldkänslorna gnagde hans bror, åt honom inifrån tills det till slut bara fanns skammen kvar. Axel hade försökt måla upp världen som grå inför sin bror, trots att han borde ha vetat, och visste, att det aldrig skulle hålla i längden. För på gott och ont var Eriks värld svart och vit. Eriks värld var fakta. Inga tvetydigheter. Världen bestod av årtal och namn, tidpunkter och platser, skrivna med svarta bokstäver mot vit botten. Det var det Axel hade haft att kämpa emot. Och länge hade det gått. I sextio år. Sedan hade Erica Falck dykt upp på deras tröskel med en symbol från det förflutna, samtidigt som Brittas försvarsmurar hade börjat vittra sönder av en sjukdom som sakta bröt ner hennes hjärna.

Erik hade börjat vackla allt mer. Och Axel hade känt paniken stiga för varje dag. Desperat hade han försökt vädja och argumentera. Han kunde inte stå till svars för något som inte var han. Det var ju inte så människor såg honom. Allt det han var, allt det alla såg i honom, skulle lösas upp som dimma, och sedan skulle bara det hemska finnas kvar. Ett helt livsverk skulle falla samman.

Och den där dagen i arbetsrummet. Erik hade ringt honom i Paris och sagt att det var dags nu. Bara så där. Han lät full när han ringde, vilket var oerhört alarmerande eftersom Erik alltid var måttlig med alkohol. Och han hade gråtit i telefonen och sagt att han inte kunde skjuta upp det längre nu, att han hade varit hos Viola och tagit farväl för att hon skulle slippa stå med skammen när sanningen kom fram. Sedan hade Erik mumlat något om att han redan hade satt stenen i rullning men att han nu inte förmådde vänta längre på att någon annan skulle dra fram deras smutsiga byk i ljuset. Det som han själv inte hade vågat erkänna. Nu var det slut på fegheten, slut på väntan, hade han sluddrat medan Axel med svettiga händer hade kramat telefonluren.

Och Axel hade kastat sig på första bästa plan hem, för att göra ett försök att resonera med honom, få honom att förstå. Och han hade funnit sin bror i arbetsrummet. Axel blundade och kände hjärtat värka när han såg det framför sig. Erik hade suttit bakom sitt skrivbord, när Axel rusade in. Han hade tankspritt klottrat i ett block, medan han med sin aningen torra, tonlösa stämma hade sagt de ord som Axel fruktat i sex decennier. Erik hade bestämt sig. Skuldkänslorna höll på att äta upp honom inifrån och han förmådde inte längre stå emot. Han hade klart och tydligt redogjort för Axel att han nu hade börjat vidta åtgärder för att de till slut skulle få ta sitt ansvar.

Axel hade hoppats att det han sa i telefon bara var tomt prat och att brodern skulle ha tagit sitt förnuft till fånga när han hade nyktrat till. Nu insåg han att han hade haft fel. Brodern stod fast vid sitt beslut med en skrämmande viljestyrka.

Axel hade bönat. Han hade vädjat till Erik att låta bli, att låta det som var begravt förbli begravt. Men för första gången hade han känt en orubblighet i sin bror. Den här gången skulle han inte lyckas argumentera, skjuta upp. Den här gången hade Erik bestämt sig för att låta sanningen komma fram. Han hade talat om barnet också. För första gången hade han berättat hur han genom efterforskningar hade lyckats ta reda på vart barnet tog vägen. Att det var en pojke. Att han hade fört över pengar till honom varje månad, ända sedan han hade börjat tjäna egna pengar. Som ett slags botgöring för det som de hade tagit ifrån honom.

Pojkens adoptivfar hade nog trott att han var fadern och accepterat insättningarna till sonen utan frågor. Men det hade inte räckt. Den botgöringen hade inte lindrat smärtan som höll på att slita honom itu, bara gjort följderna av deras handlingar ännu mer verkliga. Nu måste den verkliga botgöringen komma, hade Erik sagt och tittat sin bror rakt i ögonen.

Axel hade sett sitt liv framför sig. Han hade sett sig själv utifrån. Hur folk tittade på honom. Ett liv av beundran, av respekt. Borta. Med en knäppning med fingrarna skulle det vara borta. Sedan hade han sett lägret framför sig. Fången bredvid honom, som knuffades ner i gropen de grävde. Hungern, stanken, förnedringen. Känslan av gevärskolven som träffade hans öra så att något inuti gick sönder. Mannen som död satt lutad mot honom i bussen, medan de for fram genom Europa mot Sverige. Han var tillbaka. Han hörde ljuden, kände lukterna, kände raseriet som ständigt hade legat och pyrt i bröstet, även då han var fullständigt orkeslös och bara fokuserade på att överleva, en dag i taget. Och han såg inte längre sin bror i stolen framför sig. Han såg inte Erik utan alla de som hade förnedrat honom, skadat honom, och som nu hånflinade åt honom, skadeglada, nöjda över att det denna gången var han som skulle ledas fram till stupstocken. Men han kunde inte ge dem den tillfredsställelsen. Alla de döda, och de levande, stod där på rad och hånflinade åt honom. Han skulle inte överleva det. Han måste överleva. Det var det enda som räknades.

Det susade i örat, värre än vanligt, och han hörde inget av det Erik sa, såg bara att hans mun rörde sig. Men det var inte Erik längre. Det var den blonda ynglingen på Grini, som hade talat så vänligt till honom, lurat honom att tro att han var en medmänniska, fått Axel att betrakta honom som det enda mänskliga på en omänsklig plats. Han som höjde geväret och sedan, med blicken fäst i hans, lät geväret falla med kolven neråt, tills det träffade över örat, träffade i hjärtat.

Uppfylld av raseri och smärta hade Axel tagit det som stod närmast. Lyft den tunga stenbysten och hållit den högt över huvudet medan Erik fortsatte att prata och klottra i blocket som låg på skrivbordet.

Sedan hade han låtit bysten falla. Han hade inte ens tagit i. Bara låtit den falla ner av sin egen tyngd mot broderns huvud. Nej, inte mot Eriks huvud. Mot vaktens huvud. Eller var det ändå Erik? Allt hade känts så förvirrat. Han hade varit hemma i biblioteket, men lukterna och ljuden var så levande. Stanken av lik, stövlar som trampade i takt, tyska befallningar som kunde betyda en dag till i livet, eller döden.

Axel kunde fortfarande höra ljudet då den tunga stenen träffade hud och ben. Sedan var det över. Erik hade gett ifrån sig ett enda stön och fallit ihop, ögonen fortfarande öppna. Men efter den första chocken, insikten om vad han hade gjort, hade märkligt nog ett lugn kommit över Axel. Det som hade hänt var oundvikligt. Han hade försiktigt lagt ifrån sig stenbysten under skrivbordet, dragit av sig de blodiga handskarna och lagt dem i jackfickan. Sedan hade han dragit ner alla rullgardiner, låst dörren, satt sig i bilen igen, kört tillbaka till flygplatsen, och tagit första bästa flight tillbaka till Paris. Han hade försökt förtränga allt och kastat sig in i arbetet, ända tills polisen ringde.

Det hade varit svårt att återvända hem. Först visste han inte hur han skulle klara av att sätta sin fot i huset igen. Men efter att de två vänliga poliserna skjutsat hem honom från flygplatsen, hade han tagit sig samman och helt enkelt gjort det han måste göra. Och allt eftersom dagarna gått hade han slutit något slags fred med Eriks ande, som han fortfarande kände som en närvaro där hemma i huset. Han visste att Erik hade förlåtit honom. Däremot skulle han nog aldrig kunna förlåta Axel för det som han hade gjort mot Britta. Han hade visserligen inte själv lagt sin hand på henne, men han visste vad konsekvensen skulle bli när han ringde det där samtalet till Frans. Han visste vad han gjorde när han talade om för Frans att Britta skulle avslöja allt. Noggrant hade han valt sina ord, sina formuleringar. Sagt det som behövde sägas för att skjuta iväg Frans som en dödsbringande kula med stor precision. Han visste att Frans politiska äregirighet, hans längtan efter status och makt, skulle agera. Redan under samtalet hörde han den ursinniga vreden som alltid hade varit Frans drivkraft. Så han bar lika mycket skuld till hennes död som Frans. Och det plågade honom. Han mindes ännu hur hennes man hade tittat på henne. Herman hade tittat på henne med en kärlek som han själv aldrig ens hade kommit i närheten av. Och den kärleken, den gemenskapen hade han tagit ifrån dem.

Axel såg ännu ett plan lyfta och fara iväg mot okänd destination. Han hade kommit till vägs ände. Det fanns ingenstans han kunde ta vägen nu.

Det kom som en lättnad när han efter många timmars väntan slutligen kände en hand på sin axel och hörde sitt namn.

Paula kysste Johanna på kinden och sin son på huvudet. Hon kunde fortfarande inte fatta att hon hade missat alltihop. Och att Mellberg hade varit med.

"Jag är så, så ledsen", upprepade hon för vilken gång i ordningen visste hon inte.

Johanna log trött. "Ja, jag svor visserligen en del över dig när jag inte fick tag på dig, det ska jag erkänna, men jag fattar väl också att du inte kan hjälpa att du blev inlåst. Jag är bara glad att du är välbehållen."

"Jag med. Att du är det alltså", sa Paula och kysste henne igen. "Och han är ... fantastisk." Hon tittade på sonen i Johannas famn igen och kunde inte fatta att han var där. Att han faktiskt, äntligen var där.

"Här, ta honom", sa Johanna och räckte honom till Paula, som satte sig ner bredvid sängen och gungade honom i famnen. "Ja, och vad var oddsen att Ritas mobiltelefon skulle välja just i dag att balla ur."

"Ja, mamma är helt förkrossad", sa Paula och jollrade med sin nyfödde son. "Hon är helt övertygad om att du aldrig kommer att prata med henne igen."

"Äh, det kunde väl inte hon hjälpa. Och jag fick ju assistans till slut." Hon skrattade.

"Ja, herregud, vem kunde väl tro det?" sa Paula, fortfarande i chocktillstånd över det faktum att hennes chef hade varit med som coach vid hennes sons födelse. "Och du skulle höra honom där ute i väntrummet med mamma. Han sitter och skryter för alla om vilken 'präktig pojke' det är, och hur duktig du var. Och om inte mamma var kär i honom innan, så ser hon definitivt ut att vara det nu, efter att han har hjälpt hennes barnbarn till världen. Ja, herregud ...", sa Paula och skakade på huvudet.

"Det var ett tag där när jag faktiskt trodde att han skulle lägga benen på ryggen och springa, men jag måste erkänna att det var tuffare virke i honom än jag trodde."

Som om han hade hört att de talade om honom, hördes en knackning på dörren och Bertil och Rita syntes i dörröppningen.

"Kom in, ni", sa Johanna och vinkade in dem.

"Vi ville se hur det är med er", sa Rita och gick fram till Paula och sin dotterson.

"Jo, men det är klart, det har ju gått en hel halvtimme sedan ni var här inne sist", sa Johanna retsamt.

"Vi måste ju se om han har växt något. Och om han har börjat få skägg än", sa Mellberg och log med hela ansiktet medan han sakta drog sig närmare pojken med en längtansfull blick i ögonen. Rita betraktade honom med ett uttryck som nog inte kunde tolkas som annat än förälskelse.

"Får jag hålla honom lite igen", kunde Mellberg inte hålla sig från att säga.

Paula nickade. "Ja, det har du väl gjort dig förtjänt av", sa hon och räckte över sonen.

Sedan lutade hon sig tillbaka och betraktade hur Mellberg tittade på hennes son, och hur Rita tittade på dem. Och hon insåg att även om hon hade tänkt tanken att det kanske kunde vara bra för hennes son att få en manlig förebild i sitt liv, så hade hon aldrig riktigt sett Bertil Mellberg framför sig i den rollen. Fast när hon nu förstod att hon faktiskt stod inför den möjligheten, var hon inte längre så säker på att hon tyckte att det skulle vara så illa.

Fjällbacka 1945

Han hade chansat på att Erik skulle vara hemma. Det kändes viktigt att få tala med honom innan han for. Han litade på Erik. Det fanns något äkta, något ärligt bakom hans lite torra fasad. Och han visste att han var lojal. Det var det han räknade allra mest med. För Hans kunde inte utesluta möjligheten att något hände. Han skulle tillbaka till Norge, och även om kriget var slut kunde han inte veta vad som skulle hända honom där. Han hade gjort saker, oförlåtliga saker, och hans far hade varit en av de främsta symbolerna för tyskarnas ondska i landet. Så han måste vara realist. Han måste vara en man och tänka på alla eventualiteter nu när han skulle bli far. Han kunde inte lämna Elsy utan skyddsnät, utan beskyddare. Och Erik var den ende han kunde tänka sig som skulle kunna fylla den rollen. Han knackade på.

Det var inte bara Erik som var där. Hans suckade inombords när han fann Britta och Frans i biblioteket, där de lyssnade på skivor på Eriks fars grammofon.

"Mamma och pappa är bortresta till i morgon", förklarade Erik och slog sig ner på sin vanliga plats bakom skrivbordet. Hans blev stående, tveksam, i dörröppningen.

"Det var egentligen dig jag skulle vilja tala med", sa han och nickade mot Erik.

"Vad har ni för hemligheter då?" sa Frans retfullt och lade upp benet över armstödet på fåtöljen han satt i.

"Ja, vad har ni för hemligheter?" ekade Britta och log mot Hans.

"Jag skulle vilja tala med dig bara", sa Hans enträget.

Erik ryckte på axlarna och reste sig. "Vi kan gå ut en stund", sa han och gick ut på farstutrappan. Hans följde efter och stängde noggrant dörren bakom dem. De satte sig på nedersta trappsteget.

"Jag måste fara bort några dagar", sa han och ritade med skon i gruset.

"Vart då?" sa Erik och sköt upp glasögonen som envisades med att åka ner över näsan på honom.

"Till Norge. Jag måste fara hem och ... ordna upp lite saker."

"Jaha", sa Erik ointresserat.

"Och jag skulle vilja be dig om en tjänst."

"Okej." Erik ryckte återigen på axlarna. Inifrån hörde de musiken från grammofonen. Frans måste ha höjt ljudet.

Hans tvekade. Sedan sa han: "Elsy är med barn."

Erik sa inget. Han sköt bara upp glasögonen som hade glidit ner igen.

"Hon är med barn, och jag vill gå till kungs för att få gifta mig med henne. Men jag måste hem och ordna upp lite saker först, och om ... om något skulle hända mig – lovar du då att se efter henne?"

Fortfarande sa Erik inget, och Hans väntade spänt på hans svar. Han ville inte åka utan ett löfte om att någon han litade på skulle finnas där för Elsy.

Till slut sa Erik: "Klart jag ställer upp för Elsy. Även om jag tycker att det är olyckligt att du ställt till det på det viset för henne. Men vad skulle kunna hända?" Han rynkade pannan. "Du borde ju tas emot som en hjälte hemma. Ingen kan väl klandra dig för att du flydde när det blev för farligt?" Han vände blicken mot Hans.

Hans ignorerade Eriks fråga, reste sig och borstade av byxbaken.

"Det är klart inget kommer att hända. Men bara utifall så ville jag tala med dig om det. Och nu har du lovat."

"Ja, ja", sa Erik och reste sig han med. "Kommer du med in och säger hej då till de andra, innan du far? Och min bror är hemma också. Han kom i går", sa Erik och sken upp.

"Vad glad jag blir", sa Hans och kramade Eriks axel. "Hur är det med honom? Jag hörde att han var på väg hem, men att han hade haft det svårt."

"Jo." Eriks ansikte mörknade. "Han har haft det svårt. Och han är svag. Men han är hemma!" sa han och sken upp igen. "Så kom nu in och hälsa, ni har ju inte träffats."

Hans log och nickade medan han följde Erik in i huset igen.

De första minuterna hade stämningen vid köksbordet varit aningen spänd. Sedan hade nervositeten släppt och de hade kunnat prata glatt och avspänt med sin bror. Anna såg fortfarande aningen chockad ut över nyheten, men betraktade fascinerat Göran där han satt mittemot henne vid bordet.

"Undrade du aldrig över dina föräldrar?" sa Erica nyfiket, medan hon sträckte sig efter en Dumlekola från fatet där hon hade hällt upp blandade godisbitar.

"Jo, det är klart att jag gjorde ibland", sa Göran. "Men samtidigt ... för mig var mamma och pappa, ja, Wilhelm och Märta alltså, alltid tillräckligt på något sätt. Men det är klart, någon gång emellanåt kom väl tankarna på det, och jag undrade varför hon hade lämnat bort mig och så." Han tvekade. "Ja, jag har förstått att hon hade det svårt."

"Jo", sa Erica och kastade en blick på Anna. Hon hade haft svårt att bestämma hur mycket hon skulle berätta för sin lillasyster, som hon alltid haft en tendens att överbeskydda. Men till slut hade hon insett att Anna hade överlevt betydligt värre saker än hon själv, och då hade hon gett systern all information hon hade, inklusive dagböckerna. Anna hade tagit det med fattning, och nu satt de här, samlade, hemma hos Erica och Patrik. Tre syskon. Två systrar och en bror. Det var en märklig känsla, men på något konstigt sätt kändes det ändå självklart. Det kanske var sant att blod var tjockare än vatten.

"Ja, jag antar att det är för sent att börja lägga mig i vad ni har för pojkvänner och så", skrattade Göran och pekade på Patrik och Dan. "Känns som om det stadiet är något jag tyvärr har missat."

"Jo, det är nog så", log Erica och tog en Dumle till.

"Jag hörde förresten att de fick tag i mördaren, brodern", sa Göran och blev med ens allvarlig.

Patrik nickade. "Jo, han satt och väntade på flygplatsen. Märkligt, för han hade kunnat sticka om han ville, och vi hade nog aldrig fått tag på honom. Men enligt mina kollegor så har han varit väldigt samarbetsvillig."

"Men varför slog han ihjäl sin bror?" sa Dan och lade en arm om Annas axlar.

"De håller fortfarande på och förhör honom, så jag vet inte riktigt", sa Patrik och stack ner en chokladbit till Maja som satt på golvet bredvid honom och lekte med dockan som hon hade fått av Görans mamma.

"Ja, det är ju inte utan att man undrar varför han, brodern som dog alltså, betalade pengar till min pappa i alla år. Efter vad jag har förstått var det ju inte han som var min pappa, utan en norrman. Eller har jag fått allt om bakfoten?" sa Göran och tittade på Erica.

"Nej, du har helt rätt. Enligt mammas dagböcker heter din pappa Hans Olavsen, eller ja, egentligen Hans Wolf. Erik och mamma verkar aldrig ha haft någon form av romantisk relation till varandra. Så jag vet inte …" Erica sög fundersamt in underläppen. "Det ger sig säkert när vi får veta mer om vad Axel Frankel har att säga."

"Säkert", sa Patrik och nickade instämmande.

Dan harklade sig och alla tittade frågande på honom. Han och Anna utbytte blickar och till slut sa Anna: "Joo … det är så att vi har lite nyheter."

"Vadå?" sa Erica nyfiket och tryckte in ännu en Dumle i munnen.

"Joo …" Anna drog på det, men sedan bubblade orden snabbt ur henne: "Vi ska ha en bebis. Till våren."

"Näää! Vad kul!" skrek Erica och kastade sig runt bordet för att krama först sin syster och sedan Dan innan hon satte sig igen med strålande ögon.

"Hur mår du? Hur känns det? Mår du bra?" Erica fyrade av frågorna i rask takt och Anna skrattade.

"Jo då, mår illa som sjutton. Men det var ju likadant med Adrian. Och sedan är jag så jäkla sugen på polkagrisar hela tiden."

"Ha ha, polkagrisar av alla grejer", skrattade Erica. "Ja, jag ska väl inte säga något, jag höll ju på att äta ihjäl mig på Dumlekolor när jag var gravid med …" Erica hejdade sig mitt i meningen och stirrade på högen med Dumlepapper på bordet. Hon tittade upp på Patrik och såg på hans öppna mun att han hade noterat samma sak. Febrilt började hon tänka efter. När var det hon skulle ha mens? Hon hade fokuserat så mycket på det här med mamma att hon inte ens hade tänkt på … Två veckor sedan! Det var två veckor sedan hon skulle ha haft mens. Hon stirrade dumt på högen med Dumlepapper igen. Sedan hörde hon hur Anna började gapskratta.

Fjällbacka 1945

Axel hörde röster nerifrån. Mödosamt tog han sig upp ur sängen. Det skulle ta tid innan han repade sig helt, det hade läkaren sagt då han blev undersökt efter ankomsten till Sverige. Och hans far hade bekymrat sagt samma sak när han äntligen hade fått komma hem i går. Det hade varit så välsignat skönt att få komma hem. För ett ögonblick var det som om all skräck, all fasa han upplevt, aldrig hade existerat. Men hans mor hade gråtit när hon fick syn på honom. Och hon hade gråtit när hon lade armarna om hans magra, bräckliga kropp. Det hade gjort ont. För det var inte bara glädjetårar, utan också tårar över att han inte längre var densamme. Det kunde han aldrig bli. Den frimodiga, våghalsiga, glada Axel fanns inte längre. Det hade de här åren bankat ur honom. Och han såg i sin mors ögon att hon sörjde den son som hon aldrig skulle återfå, samtidigt som hon gladdes åt den lilla bit av honom som hon hade fått hem.

Hon hade inte velat följa med far och vara borta över natten, så som det var sagt sedan länge. Men far hade förstått att Axel behövde få lite ro och insisterat på att de skulle fara ändå.

"Han är ju hemma nu, pojken", hade far sagt. "Vi kommer att ha gott om tid att umgås. Nu låter vi honom få lite lugn och ro så att han kan vila upp sig. Och Erik är ju hemma och håller honom sällskap."

Till slut hade hon gett med sig och farit. Och Axel hade välsignat möjligheten att få vara lite för själv, han hade nog med att vänja sig vid att vara hemma igen. Vänja sig vid att vara Axel.

Han vände högra örat mot dörren och lyssnade. Han fick nog räkna med att hörseln på vänstra örat var borta för gott, hade doktorn sagt. Det hade inte kommit som någon nyhet för honom. Redan när vakten svingade gevärskolven och den träffade honom över örat, hade han känt att något gått sönder. Det skadade örat skulle bli en evig, daglig påminnelse om vad han hade varit igenom.

Med hasande steg gick han ut i hallen. Eftersom benen fortfarande var så svaga, hade han fått en käpp av sin far som han kunde använda som stöd tills vidare. Det var en som hans farfar hade haft innan han dog, en rejäl, stadig, silverskodd käpp.

Han fick hålla sig ordentligt i räcket när han mödosamt tog sig nerför trappan, men han hade legat länge och vilat och var nyfiken på vilka rösterna som han hade hört tillhörde. Och trots att han hade längtat efter ensamheten ville han ha lite sällskap nu.

Frans och Britta satt i var sin fåtölj, och det kändes konstigt att se dem sitta där, som om inget hade hänt. För dem hade livet flutit på i sina vanliga banor. De hade inte sett liken staplas på hög, eller sett kamraten bredvid rycka till och falla ihop av en kula i pannan. För ett ögonblick kände han ilska över orättvisan i det, men påminde sig sedan om att han ju själv hade valt att utsätta sig för fara och därför också fick stå sitt kast. Men en del av ilskan låg ändå kvar och pyrde.

"Axel! Vad bra att du är uppe!" sa Erik och satte sig upp i skrivbordsstolen. Hans ansikte lyste upp när han såg brodern komma. Det var det som hade värmt Axels hjärta mest när han kom hem. Att se sin brors ansikte igen.

"Ja, gammal man har lyckats ta sig upp med käpp", skrattade Axel och hötte på skoj med käppen mot Frans och Britta.

"Jag har någon här som jag vill att du ska träffa", sa Erik ivrigt. "Hans är norrman och var med i motståndsrörelsen, men flydde hit med Elofs båt när tyskarna var honom på spåren. Hans, det här är min bror Axel." Eriks röst pös av stolthet.

Först nu noterade Axel att det stod någon vid ena långväggen. Han hade ryggen vänd mot dörren, så det enda Axel såg var en spenslig figur med blont, lockigt hår. Axel hann ta ett steg fram för att hälsa, innan den som stod där vände sig om.

I det ögonblicket stannade världen. Axel såg gevärskolven framför sig. Hur den höjdes och sedan föll ner över hans öra. Han återupplevde sveket, hur det kändes att ha litat på någon som man trodde tillhörde de godas sida och sedan bli sviken. Han såg pojken framför sig och kände omedelbart igen honom. Det brusade i öronen och blodet rusade vilt i bröstkorgen på honom. Innan Axel var medveten om vad han gjorde, lyfte han käppen och svingade den rakt över ansiktet på pojken framför sig.

"Vad gör du?" skrek Erik och rusade fram till Hans som hade fallit omkull på golvet och höll sig för huvudet, medan blod sipprade fram mellan hans fingrar. Också Frans och Britta hade rusat upp och stirrade vilt på Axel.

Han pekade med käppen på pojken och med rösten darrande av hat sa han: "Han har ljugit för er. Han är ingen norsk motståndsman. Han var vakt på Grini när jag satt där. Det är han som tog hörseln för mig, han slog mig över örat med geväret."

Det blev knäpptyst i rummet.

"Är det sant som min bror säger?" sa Erik lågt och satte sig ner bredvid Hans som låg och jämrade sig på golvet. "Har du ljugit för oss? Var du med tyskarna?"

"På Grini sa de att han är son till en SS-officer", sa Axel som fortfarande darrade i hela kroppen.

"Och en sådan har gjort Elsy med barn", sa Erik och såg hatiskt på Hans.

"Vad säger du?" sa Frans som hade blivit alldeles vit i ansiktet. "Har han gjort Elsy med barn?"

"Det var det han ville säga till mig förut. Och han hade mage att be mig ta hand om henne om något skulle hända med honom. För han hade ärenden att göra i Norge." Erik var så arg att han darrade i kroppen. Han öppnade och knöt nävarna medan han stirrade på Hans, som förgäves försökte ställa sig upp.

"Jo, det kan jag tänka mig. Att han har ärende dit. Han ska väl springa till far sin", sa Axel och höjde käppen igen. Med full kraft slog han till Hans som på nytt föll ihop med ett stön.

"Nej, jag skulle … min mor …", sluddrade Hans och tittade bedjande upp på dem.

"Ditt jävla svin", sa Frans mellan sammanbitna tänder och gav Hans en kraftig spark i mellangärdet.

"Hur kunde du? Ljuga oss rakt upp i ansiktet? När du visste hur min bror …" Erik hade tårar i ögonen och rösten bröts. Han backade tillbaka några steg. Lade armarna om sig själv och darrade ännu mer.

"Visste inte … din bror …", sa Hans otydligt och försökte återigen ta sig upp på fötter.

"Du hade tänkt sjappa, eller hur!" skrek Frans. "Göra Elsy med barn och sedan dra. Fy fan, ditt jävla svin. Vilken flicka som helst. Men inte Elsy! Och nu ska hon ha en tyskunge också!" Rösten gick upp i falsett.

Britta stirrade på honom i förtvivlan. Det var som om hon först nu insåg vilka djupa känslor han hade för Elsy. Smärtan i bröstet fick henne att sjunka ihop i en hög på golvet och snyfta okontrollerat.

Frans vände blicken mot henne och betraktade henne under några sekunder. Innan någon av de andra hann reagera gick han sedan fram till skrivbordet, tog brevkniven som låg där och drev den djupt in i bröstet på Hans.

De övriga stirrade på honom i några sekunder. Erik och Britta stod som paralyserade av chocken, men det var som om åsynen av blodet som vällde upp kring kniven fick något djuriskt att utlösas hos Axel. Han riktade sitt eget raseri mot byltet som nu låg stilla på golvet. Slag, sparkar och hugg föll över Hans medan Axel och Frans utstötte primitiva läten. Och när de till slut upphörde, utmattade, andfådda, gick det inte längre att känna igen pojken på golvet. De tittade på varandra. Rädda, men på något sätt ändå upprymda. Känslan av att släppa lös allt hat, allt som fanns där inne och ville ut, hade varit befriande och mäktig, och de såg det i varandras ögon.

De blev stående där en stund, delade det, insöp det, täckta av Hans blod, på händer, kläder och i ansiktet. Det hade stänkt i en vid cirkel omkring dem, och en pöl av mörkt blod bredde sakta ut sig under honom. En del hade stänkt på Erik, som fortfarande stod med armarna lindade runt kroppen och darrade våldsamt. Han kunde inte ta blicken från det blodiga byltet, och munnen var halvöppen när han vände blicken mot sin bror. Britta satt på golvet och stirrade på sina händer som också var fläckade av blod, och hennes blick var lika frånvarande som Eriks. Ingen sa något. Det var som den kusliga tystnaden efter en storm, allt är stilla, men tystnaden bär fortfarande med sig minnena från hur vinden ven.

Det var Frans som till slut tog till orda.

"Vi måste städa upp det här", sa han kallt och petade med foten på Hans. "Britta, du stannar och städar här. Erik, jag och Axel ser till att få undan honom."

"Men var?" sa Axel, medan han med tröjärmen försökte torka bort blodet som stänkt i hans ansikte.

Frans stod tyst en stund och funderade, sedan sa han:

"Jag vet hur vi gör. Vi väntar tills det blir mörkt innan vi bär ut honom. Vi får lägga honom på något så att han inte blodar ner mer. Sedan hjälps vi åt att städa upp här under tiden, och ser till att tvätta av oss själva också."

"Men …", började Erik men förmådde inte fortsätta sin fråga, utan sjönk istället ihop på golvet och fixerade en punkt bortom Frans.

"Jag vet det perfekta stället. Han får ligga med de sina", sa Frans med en road biton.

"De sina?" ekade Axel med tom röst. Han stod och stirrade på käppen vars ände var täckt av blod och hår.

"Vi lägger honom i tyskarnas grav. På kyrkogården", sa Frans och leendet blev ännu bredare. "Finns väl en viss poetisk rättvisa i det."

"Ignoto militi", mumlade Erik där han satt på golvet och oseende stirrade rakt fram. Frans tittade frågande på honom. "Till den okände soldaten", förtydligade han tyst, "det är så det står på den okände soldatens grav."

Frans skrattade. "Ja, du ser, det blir perfekt."

Ingen av de andra skrattade, men ingen protesterade heller mot Frans förslag. Med stela rörelser började de göra det som måste göras. Erik hämtade en stor papperssäck från källaren, som de lyfte över Hans till. Axel hämtade städsaker i skrubben ute i hallen, och Frans och Britta började det mödosamma jobbet med att skrubba rent biblioteket. Det visade sig vara svårare än de hade trott. Blodet var trögflytande och verkade till en början mest smetas ut. Britta grät hysteriskt medan hon skrubbade, slutade emellanåt och hulkade där hon satt på knä på golvet med skurborsten i handen, men Frans fräste åt henne att fortsätta. Han jobbade själv så att svetten rann, men inget av det chockat beslöjade som fanns i de andras blickar syntes i hans. Erik skrubbade med mekaniska rörelser och hade slutat tjata om att de måste anmäla det som hade hänt. Till sist hade han förstått att Frans hade rätt, han kunde inte riskera att Axel, som just kommit hem efter att ha överlevt helvetet i koncentrationslägren, skulle gripas av polisen och bli kastad i fängelse.

Efter över en timmes hårt arbete torkade de svetten ur pannan och Frans konstaterade nöjt att inga spår syntes efter vad som hade utspelats där.

"Vi får låna något ur mors och fars garderob till er", sa Erik dämpat och gick för att hämta kläder till dem. När han kom tillbaka stannade han till och tittade på sin bror, som satt hopsjunken i ett hörn av biblioteket, fortfarande med blicken fäst på de blodiga, håriga klumpar som hade fastnat längst ut på hans käpp. Han hade inte sagt ett ord sedan raseriet hade lämnat honom, men nu lyfte han blicken och sa rakt ut i luften: "Hur ska vi få honom till kyrkogården? Är det inte bättre att vi gräver ner honom ute i skogen?"

"Ni har ju en cykelkärra, vi tar den", sa Frans som inte ville ge upp sin idé. "Kom igen nu. Gräver vi ner honom i skogen kommer det bara något djur som gräver upp honom, men ingen skulle komma på tanken att det skulle kunna ligga någon mer begravd i tyskarnas grav. Jag menar, det ligger ju redan ett par döingar där. Och tar vi honom på cykelkärran och lägger något över, så är det ingen som kommer att se något."

"Jag har grävt tillräckligt med gravar...", sa Axel frånvarande och flyttade blicken tillbaka till käppen.

"Frans och jag ordnar det", sa Erik hastigt. "Du får stanna här, Axel. Och Britta får gå hem, för de blir väl oroliga för dig om du inte är hemma till middagen." Han talade hastigt, orden smattrade som en kulspruta ur honom, och han tog inte ögonen från sin bror.

"Ingen bryr sig om när jag kommer eller går", sa Frans dovt. "Så nog kan jag stanna. Vi väntar till tiotiden, sedan brukar det inte vara så mycket folk ute, och det är ordentligt mörkt då."

"Hur gör vi med Elsy?" sa Erik, nu tystare och långsammare. Han tittade ner på sina skor. "Hon väntar ju på att han ska komma hem. Och nu när hon är med barn..."

"En tyskunge, ja. Hon får helt enkelt stå sitt kast!" fräste Frans. "Elsy får inte veta något! Begrips! Hon får tro att han åkte iväg och sedan övergav henne, vilket ju säkert var vad han skulle ha gjort också! Men jag tänker då inte slösa några sympatier på henne. Det får hon klara ut själv. Någon som har några invändningar?" Frans spände blicken i de övriga. Ingen sa något.

"Då så! Då är det avgjort. Det här är och förblir vår hemlighet. Gå hem nu, Britta, så att de inte börjar leta efter dig."

Britta reste sig och slätade med darrande händer till den blodiga klänningen. Utan att säga ett ord tog hon emot den klänning Erik räckte henne och gick för att tvätta av sig och byta. Det sista hon såg innan hon lämnade de tre pojkarna i biblioteket var Eriks blick. All ilska som hade funnits i hans ögon när Hans hemlighet avslöjades var nu borta. Kvar fanns bara skam.

Några timmar senare lades Hans i graven där han skulle vila ostört i sextio år.

Fjällbacka 1975

Elsy lade försiktigt ner teckningen som Erica hade gjort i kistan. Tore var ute med flickorna i båten, och hon hade fått huset för sig själv i några timmar. Ofta brukade hon gå hit upp då. Sitta en stund och tänka på det som hade varit och det som var.

Livet hade blivit så annorlunda mot hur hon hade tänkt sig. Hon tog upp de blå dagböckerna och smekte förstrött ovansidan på den översta med fingertopparna. Så ung hon hade varit. Så naiv. Så mycket smärta hon hade kunnat bespara sig om hon redan då visste vad hon visste nu. Att man inte hade råd att älska för mycket. Priset blev alltid för högt, och därför betalade hon fortfarande för den enda gången, för så länge sedan, som hon hade älskat för mycket. Men hon hade hållit löftet som hon gett sig själv. Att aldrig älska så igen.

Visst kunde hon ibland känna sig frestad att släppa efter, släppa in någon i hjärtat igen. När hon tittade på sina två blonda flickor, deras ansikten som längtansfyllt vändes upp mot henne. I dem såg hon en sorts hunger, en hunger efter något som hon förväntades men inte förmådde ge dem. Särskilt Erica. Hon behövde det mer än Anna. Ibland kom hon på Erica med att sitta och betrakta henne med ett uttryck av så mycket obesvarad längtan som kunde rymmas i en liten flickkropp. Och en del av Elsy ville bara släppa sitt löfte till sig själv, gå fram och lägga armarna om sin dotter och känna hur deras hjärtan slog i takt mot varandra. Men något hindrade henne alltid. I sista stund, innan hon reste sig, innan hon omfamnade sin dotter, kände hon alltid känslan av hans lilla, varma kropp i sina armar. Hans alldeles nya blick när han tittade upp mot henne, så lik Hans, så lik henne. Ett kärleksbarn som hon hade trott att de skulle ta hand om tillsammans. Istället hade hon fått föda honom ensam i ett rum med främlingar, fått känna honom glida ur sin kropp och sedan ur sina armar när han fördes iväg till en annan mor som hon inte visste något om.

Elsy sträckte ner handen i kistan och tog upp barnskjortan. Fläckarna av hennes blod hade ljusnat med åren och såg nu mer ut som rost. Hon förde skjortan till näsan, luktade för att se om hon fortfarande kunde känna något spår av hans doft, den där söta, varma doften han hade haft när hon höll honom i famnen. Men hon kände inget. Bara lukten av instängt, av unket. Kistans egen lukt hade med åren nött bort lukten av pojken, och hon kunde inte längre känna den.

Ibland hade hon tänkt tanken att hon kanske kunde spåra upp honom. Åtminstone försäkra sig om att han hade det bra. Men det hade alltid stannat vid en tanke. Precis som det alltid hade stannat vid en tanke att hon kunde resa sig, gå fram och lägga armarna om sina döttrar och ge sig själv fri från löftet att hålla hjärtat stängt.

Hon tog upp medaljen som låg i botten på kistan och vägde den i handen. Hon hade hittat den när hon letat igenom Hans rum, innan hon for iväg för att föda hans barn. När hon fortfarande trodde att det fanns hopp och att hon bland hans kvarlämnade tillhörigheter kanske kunde hitta en rimlig förklaring till varför han aldrig återvände till henne och barnet. Men det enda hon hade funnit, förutom lite kvarlämnade kläder, var medaljen. Hon visste inte vad den hade för betydelse, visste inte var han hade funnit den eller vilken roll den hade spelat i hans liv. Men hon kände att den var viktig och behöll den. Försiktigt virade hon in medaljen i barnskjortan och placerade det lilla paketet i kistan igen. Hon lade tillbaka dagböckerna och teckningen som hon hade fått av Erica på morgonen. För det var det enda hon förmådde ge sina flickor. En stund av kärlek när hon var ensam med sina minnen. Då kunde hon förmå sig att tänka på dem inte bara med huvudet utan också med hjärtat. Men så fort de tittade på henne med sina hungriga ögon, så slöt sig hjärtat av skräck igen.

För den som inte älskade, riskerade heller inte att förlora.

Tack

Även denna gång har Micke varit ett stort stöd och hamnar därför främst i raden av dem jag vill tacka. Som vanligt har också min förläggare Karin Linge Nordh med sin värme och noggrannhet gjort mitt manus till en bättre bok, och mig till en bättre författare. Även alla övriga på mitt förlag Forum har fortsatt att ge mig både trygghet och uppmuntran. Det är ett stort nöje att samarbeta med er.

Världens bästa Bengt och världens bästa Maria är förstås Bengt Nordin och Maria Enberg på Nordin Agency, som alltid lyckas låta lika barnsligt förtjusta och glada å mina vägnar när de har något nytt roligt att berätta. Utan er skulle det här vara ett mycket ensammare jobb.

Jag har också haft god hjälp med faktakoll och synpunkter på texten. Dels har poliserna på Tanumshede polisstation som alltid varit mer än hjälpsamma och jag vill särskilt tacka Petra Widén och Folke Åsberg. Även Martin Melin har läst och kommit med värdefulla synpunkter på de polisiära detaljerna och som en bonus har hans far Jan Melin hjälpt till med de historiska detaljerna kring 40-talet och krigets Sverige. Och återigen har Jonas Lindgren på Rättsmedicin i Göteborg varit vänlig nog att låta sig konsulteras.

Tack också till Anders Torevi som även denna gång läst manus och korrigerat en del av de detaljer som rör Fjällbacka, då det trots allt är ett antal år sedan jag sist bodde där. Även min mor Gunnel Läckberg har kunnat ge information om Fjällbacka och dessutom varit oerhört behjälplig som barnvakt. Detsamma gäller Hans och Mona Eriksson, och Mona har därutöver som vanligt läst manus och tyckt till.

Denna gång vill jag också tacka Lasse Anrell för att han tillåtit mig att låta honom göra ett kort gästspel i boken. Han har också lovat att ge mig pelargontips nästa gång vi ses ...

På Gimo Herrgård har jag som vanligt fått arbetsro. De tar alltid hand om mig på ett fantastiskt sätt när jag kommer med min dator och checkar in.

Och sedan tjejerna ... Ni vet vilka ni är ... Vad vore författarlivet utan er? Ödsligt och ensamt och tråkigt ... Och läsarna och bloggläsarna – ett jätte, jättestort tack till er som fortsätter att engagera er i bok efter bok.

Slutligen vill jag tacka Caroline, Johan, Maj-Britt och Ulf, som ledde oss till och hjälpte oss till rätta i det paradis där jag nu befinner mig ...

Camilla Läckberg, Koh Lanta, Thailand, 9 mars 2007

www.camillalackberg.com

Tyckte du om den här boken?

Då vill vi tipsa dig om de här också :

☞ **Camilla Läckberg**
ISPRINSESSAN

I ett vintrigt Fjällbacka inträffar ett mord och den pittoreska småstaden visar snart sina sämre sidor. Det är ett slutet samhälle där alla, på gott och ont, vet allt om varandra och där det yttre skenet har stor betydelse. Något som under fel omständigheter kan bli ödesdigert ...

☞ **Camilla Läckberg**
PREDIKANTEN

En sommarmorgon smiter en liten pojke ut för att leka riddare i Kungsklyftan i Fjällbacka. Leken får ett brådstörtat slut när han får syn på en död kvinna. Polis kallas till platsen och mystiken tätnar när man under den mördade kvinnan finner två kvinnoskelett.

☞ **Camilla Läckberg**
STENHUGGAREN

Patrik Hedström och hans kollegor dras åter in i ett komplicerat fall när en liten flicka hittas drunknad i vattnet utanför Fjällbacka. Är det en olyckshändelse – eller mord ...?

☞ **Camilla Läckberg**
OLYCKSFÅGELN

Den omdiskuterade dokusåpan Fucking Tanum drar in i samhället och än en gång drabbas Fjällbacka av ond bråd död. Det som först ser ut som en vanlig bilolycka visar sig vara en seriemördares verk. Därefter hittas en av dokusåpadeltagarna död i en soptunna.

NYHETSBREV FRÅN MÅNPOCKET

Prenumerera på vårt nyhetsbrev via e-post. I det får du läsa om våra åtta nya titlar varje månad, aktuella händelser och tävlingar.

Tjänsten är kostnadsfri och du kan när du vill avsluta din prenumeration. Anmäler dig gör du endera på vår hemsida eller via sms.

☞ ANMÄLA PÅ HEMSIDAN

Gå in på **www.manpocket.se** och välj Nyhetsbrev/Anmäla i menyn. Följ sedan anvisningarna.

☞ ANMÄLA VIA SMS

Skicka ett **sms** till nummer 72580 (kostnad: 5 kronor + trafikavgift). *Skriv*:
månpocket (mellanslag) nyhetsbrev (mellanslag) din mejladress.

Exempel: månpocket nyhetsbrev kalle.larsson@mejl.se

• För att underlätta god service och korrekt administration av dina mobila tjänster används modern informationsteknik inom Bonnier AB, som äger Månpocket. Läs mer om detta på www.manpocket.se.